保育士試験とは

資格取得について

保育士国家資格を取得するには2つのルートがあります。

①都道府県知事の指定する保育士を養成する学校その他の施設で所定の課程・科目を履修し卒業する。

②保育士試験に合格する。

上記のいずれかを経て、保育士の登録を受け、保育士証の交付をもって保育士として働くことができます。

受験資格については学校教育法による区分によって細かく規定されています。詳細は一般社団法人全国保育士養成協議会ホームページ（https://www.hoyokyo.or.jp/）をご参照ください。

試験の概要

※詳細は全国保育士養成協議会「保育士試験を受ける方へ」の「受験申請の手引き」をご覧ください。

☑ 受験の主な流れ（前期試験の場合）

受験申請書の受付　　　　1月頃

筆記試験受験票の受領　　4月上旬頃

筆記試験の実施　　　　　4月下旬頃

筆記試験の合格通知　　　6月上旬頃

全科目合格者…実技試験の実施　7月上旬頃

合格または一部科目合格の通知　8月上旬頃

☑ 試験会場

全国47都道府県で受験することができます。

☑ 出題形式

筆記試験はマークシート方式です。穴埋めにあてはまる語句や各選択肢の適切・不適切な記述の「正しい組み合わせ」などについて問われます。

✓ 試験科目・時間等（前期試験の場合）

筆記試験

試験日	試験科目	問題数	試験時間
4月下旬 1日目	① 保育の心理学	20問	60分
	② 保育原理	20問	60分
	③ 子ども家庭福祉	20問	60分
	④ 社会福祉	20問	60分
2日目	⑤ 教育原理	10問	30分
	⑥ 社会的養護	10問	30分
	⑦ 子どもの保健	20問	60分
	⑧ 子どもの食と栄養	20問	60分
	⑨ 保育実習理論	20問	60分

実技試験

試験日	試験科目	
7月上旬の 1日間	① 音楽に関する技術	幼稚園教諭免許状所有者等の実技試験免除者以外は、左記 ① ～ ③ の中から必ず2分野を選択する
	② 造形に関する技術	
	③ 言語に関する技術	

✅ 筆記試験の当日の持ち物（試験中机上に置けるもの）

◎受験票

◎HB～Bの鉛筆またはシャープペンシル、消しゴム

・鉛筆またはシャープペンシル以外での記入は0点になる場合があります。

・机の上に筆箱等を置くことは禁止。

◎腕時計（試験室に時計がない場合がある）

・アラーム等の音が鳴らないもの。計算機、電話等の通信機能のついていないもの。置き時計は不可。

※音（アラーム等）を発するものの試験室への持ち込み・使用は禁止。

✅ 筆記試験の合格基準

各科目において、満点の6割以上を得点すれば合格となります。「教育原理」および「社会的養護」は、両科目とも満点の6割以上を得点する必要があります。

✅ 過去の受験者数・合格者数（全科目免除者を除く）

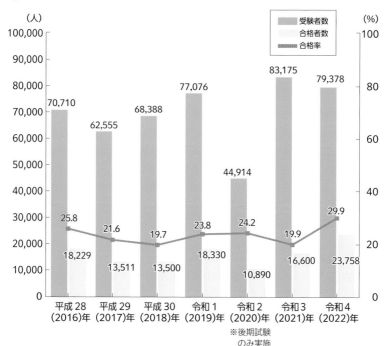

（人）
| | 受験者数 |
| 合格者数 |
| 合格率 |

平成28（2016）年 受験者数 70,710 合格率 25.8 合格者数 18,229
平成29（2017）年 受験者数 62,555 合格率 21.6 合格者数 13,511
平成30（2018）年 受験者数 68,388 合格率 19.7 合格者数 13,500
令和1（2019）年 受験者数 77,076 合格率 23.8 合格者数 18,330
令和2（2020）年 受験者数 44,914 合格率 24.2 合格者数 10,890
令和3（2021）年 受験者数 83,175 合格率 19.9 合格者数 16,600
令和4（2022）年 受験者数 79,378 合格率 29.9 合格者数 23,758

※後期試験のみ実施

科目別！　出題傾向と対策

筆記試験

保育原理

「保育所保育指針」からの出題が4分の3を占めています。例えば、令和5年後期試験では、第1章「総則」から5問、第2章「保育の内容」から7問、第4章「子育て支援」から1問、第5章「職員の資質向上」から1問、全体的な考え方を問う問題が1問の計15問です。したがって「保育所保育指針」の読み込みが必須です。「保育所保育指針」には、保育の基本が示されていますので、きちんと学びましょう。

教育原理

例年、教育関連の法令、「幼稚園教育要領」、西洋と日本の教育理論や人物、子どもの権利擁護、教育施策等のテーマから出題されます。特に教育基本法や学校教育法など、出題されやすい法令は、確実に正解できるようにしておきましょう。「幼稚園教育要領」の第1章「総則」については、必ず目を通しておきたいところです。近年は、諸外国の特徴的な教育・保育実践も頻出テーマです。理論の名称と提唱者、国名をセットで確認しておきましょう。また、中央教育審議会の答申からの出題も多くなっています。新しい教育の動向や「幼稚園教育要領」等の改訂にかかわる答申は概要を確認しておきましょう。

社会的養護

近年では出題傾向がパターン化しています。まず、「子ども家庭福祉」の科目とも重なる児童福祉法に関連する幅広い出題があります。そして、「社会的養育の推進に向けて」に関する知識を問う出題、さらに、「社会的養護」に関する施設の実施要項や運営指針からの出題が中心になっています。事例問題も1〜2問出題されます。学習において苦労するのは、施設の実施要項や運営指針から非常に細かい部分が引用されて出題される点です。『合格テキスト』だけではカバーしきれないため、原文をよく読んで理解しておくことが必要です。

子ども家庭福祉

出題範囲が広いこともあり、難易度の高い科目といえます。子どもや保護者、家庭を取り巻く福祉政策に関連する法律や制度についての出題が多いため、受験生のなかには苦手意識を持っている人も多いでしょう。とはいえ、基本のテーマ（例えば、児童の権利に関する条約、児童福祉法、少子化対策、児童虐待防止など）に関する法令、事業、施策からの出題がほとんどです。近年はデータを活用した問題が

多く出題されているため、データを図表でわかりやすくまとめた『保育士試験攻略ブック』を活用して学習することをおススメします。

▥ 社会福祉 ‥‥‥‥‥‥‥‥‥‥‥‥‥‥‥‥‥‥‥‥‥‥‥‥‥‥‥‥‥‥‥‥‥

　児童、高齢者、障害者など出題範囲が広く、また相談援助では英語のキーワードが多いことから合格率が低い科目です。保育士は社会福祉の専門職であることや多職種との連携の重要性をふまえて社会福祉専門職についての出題や、保護者支援のニーズの高まりを受けて相談援助に関する出題が増えています。社会福祉全体の方向性や具体的な施策について『合格テキスト』で確認し、さらにメディア等を通じて福祉制度などの情報を把握しておきましょう。相談援助については、『合格テキスト』で先駆者の名前とその功績、具合的な相談援助の内容と技術を理解しましょう。

▥ 保育の心理学 ‥‥‥‥‥‥‥‥‥‥‥‥‥‥‥‥‥‥‥‥‥‥‥‥‥‥‥‥‥‥

　テーマは４つに大別できます。①基礎理論では、人名とその理論が問われます。特にピアジェ、エリクソン、ヴィゴツキー等の人名は頻出です。②各発達段階の特徴については、乳幼児期だけでなく、中年期、老年期についても出題されます。③児童虐待や発達障害については、知識の正確さが問われます。④最新の社会情勢については、提示された資料を正しく読み取る問題が出題されることがあります。まず基礎理論を正確に押さえ、次に、各発達段階の特徴を、キーワード（例えば「ものの永続性」「ギャングエイジ」など）とともに理解することが必要です。さらに児童虐待や発達障害の種類を整理しておきます。また、子どもを取り巻く状況など、子どもに関連した社会問題に関心を持つことも大切です。保育士としての対応を問う問題は、「保育所保育指針」を繰り返し読んでおくと、正しい判断ができます。

▥ 子どもの保健 ‥‥‥‥‥‥‥‥‥‥‥‥‥‥‥‥‥‥‥‥‥‥‥‥‥‥‥‥‥‥

　令和５年後期試験では、コロナ禍の影響を受けて感染症に関する問題が６問も出題されました。その他、「保育所保育指針」に関連した問題が４問、アレルギー疾患に関する問題が３問、応急処置を含む危機管理の問題が３問出題されました。一方で、事例問題はありませんでした。このような傾向をふまえ、「保育所保育指針」第３章「健康及び安全」および「保育所における感染症対策ガイドライン」「保育所におけるアレルギー対応ガイドライン」には必ず目を通しておきましょう。その他、代表的な子どもの病気の症状や対処法についても押さえておきましょう。日ごろから子どもの健康について関心を持つことが大切です。

■子どもの食と栄養・・・

　広い分野からまんべんなく出題されますが、乳幼児期の食や食育に関する問題は
頻出です。出題の多い「平成27年度乳幼児栄養調査」や「授乳・離乳の支援ガイド
（2019年改訂版）」のほか、「第4次食育推進基本計画」は食育計画の方向性を確認
する上でも把握しておきたい資料です。また、都道府県の郷土料理や行事食、配膳
の位置、調理法など、様々な分野から出題されますので、普段から日本の食につい
て興味を持つことも役立ちます。

■保育実習理論・・・

（1）保育所保育等

　保育所・児童福祉施設における実習に必要な内容が問われます。実習生になった
つもりで解いてみましょう。保育士としての対応は「保育所保育指針」を根拠とし
ていますので「保育原理」と、児童福祉施設の事例問題は「子ども家庭福祉」と重
なります。それぞれ横断的に学ぶと効果的です。

（2）音楽

　①基礎知識と楽語（音名と階名、調号と調性、速度標語、強弱記号、曲想標語）、
②音程と移調、③和音とコードネーム、④伴奏和音と和音進行の4つのテーマから
出題されています。①は暗記です。②〜④は、順番に学習していくと理解しやすい
でしょう。音楽理論は基礎から順番に理解する必要があります。公式と解き方を覚
えればあとは応用になります。最近はリズムから曲を答える問題、マイナーコード
やセブンスコードも出題され、範囲が広くなっています。

（3）造形

　「発達年齢と造形表現」「色彩の知識」「表現技法」「表現活動の材料」等のテーマ
について、実際の保育の現場で想定される事例を題材として問われることが多くな
り、より実践的な内容に変化してきています。また、子どもたちとの「表現」の場
を具体的にイメージして、学習内容と相互に関連づける力も求められています。し
たがって、造形実習を行うときの準備や手順の意味、造形表現で用いる素材の作ら
れ方、郷土玩具や工芸品から身の回りの日用品まで、手仕事による製品などについ
て考え、自らが「表現」する意識を持って学習することが必要です。

（4）言語

　書名と著者の組み合わせ、言葉遊びの種類、テーマ別の絵本の選び方、読み聞か
せの際の留意事項などについて出題されています。絵本については、出題が多岐に
わたりますが、内容や著者を表紙の絵柄とともにイメージして覚えておくとよいで
しょう。童話や昔話などは、どこの国の話かを調べておくことも大切です。また、
読み聞かせの環境設営の方法や「保育所保育指針」の「言葉」からの出題もあるた
め、「保育所保育指針」のねらいおよび内容のポイントを押さえておきましょう。

実技試験

■音楽

　課題曲2曲をそれぞれ1番のみ弾き歌いします。楽譜を見ながら演奏できます。楽譜は、全国保育士養成協議会ホームページからダウンロードできますが、自分で楽譜を用意してもよいので、演奏しやすい調を選びましょう。楽器は、ピアノ、ギター（アコースティック）、アコーディオンのいずれかで、ピアノ以外は自分で楽器を用意します。子どもたちと一緒に歌う場面を想定した試験ですので、表情豊かに、また、間違えても最後まで止まらずに弾くことが大切です。難しい伴奏は必要ありません。自分の技術に合った伴奏にしましょう。電子キーボードで練習する場合、ピアノとは鍵盤の重さが異なりますので、試験前にピアノで練習しておくとよいでしょう。

■造形

　テーマにあった日常的な保育の現場を描く問題で、保育士1名、子ども3名の設定が多いです。大人と子どもの差をしっかり描き分けること、子どもが設定された年齢よりも大きく見えないことが必要です。人物同士が離れすぎず、小さくなりすぎないように注意して構図を決めますが、後ろ向きになるような描き方や半身しか描かない構図は好ましくありません。読み聞かせやリトミックなど、保育士と子どもが対面する場合は、どちらの表情もわかるように横顔や斜め横を向いた顔を描きます。また、子どもたちが楽しんでいる様子を描くために、動きのあるポーズや楽しい表情にすること、保育士が子どもたちを見守ったり、会話をしたりしている状況もしっかり描くことが大切です。保育士の目の届かないところに子どもを描くのは好ましくありません。指定された枠内はすべて丁寧に彩色することや、テーマの表現だけでなく、保育室内や屋外の描写もしっかり描くこともポイントとなります。複数の構図のパターンが描けるように練習しておくと対応しやすいでしょう。

■言語

　4つのお話から1つを選んで、お話を行う問題です。いずれのお話にも「繰り返し」が出てきます。子どもは繰り返しが大好きなので、繰り返す部分は丁寧に話しましょう。絵本の丸暗記ではなく、3分間くらい（約600〜800文字）になるようにアレンジします。目の前に15人の子どもがいる設定なので、途中で両端の子どもにも視線を送ることも大切です。また、子どもたちが集中して聞くために、抑揚や身振りをつけたり、擬音を使ったりすることがポイントとなります。話すスピードは少しゆっくり、声のトーンや声色は、場面に応じて変化をつけると聞きやすいです。何より笑顔で話すことが大切です。話し手が楽しそうにしいていると子どもも自然と引き込まれていきます。

合格力アップ！　オススメ勉強法

中央法規の保育士受験対策シリーズでは、様々な学習段階や学習シーンに合ったラインナップを揃えています。自分のスタイルに合わせてシリーズを活用すれば、さらに合格へと近づきます。

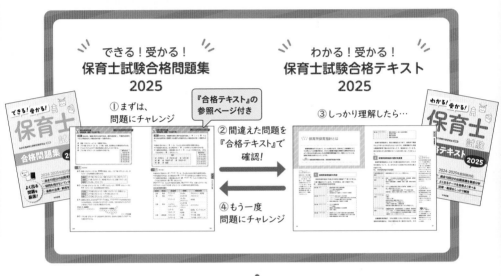

できる！受かる！
保育士試験合格問題集
2025

① まずは、問題にチャレンジ

『合格テキスト』の参照ページ付き

② 間違えた問題を『合格テキスト』で確認！

わかる！受かる！
保育士試験合格テキスト
2025

③ しっかり理解したら…

④ もう一度問題にチャレンジ

苦手分野が見えてきたら…

見て覚える！
保育士試験攻略ブック2025
苦手分野をオールカラーの図表で理解！　科目横断で効率アップ！

アプリ版もあります！

スキマ時間には…

よく出る！保育士試験〈過去問〉一問一答2025
過去問をサクサク解いて、「想起力」のトレーニング！

介護・福祉の応援サイト
けあサポ

「受験対策講座」「月イチテスト」「穴埋め問題」などで、幅広い知識を楽しく学ぶ！

できる！受かる！

保育士試験

合格問題集 2025

中央法規保育士受験対策研究会 編集

中央法規

はじめに

2003（平成15）年に児童福祉法が改正され「保母資格」が「保育士」になりました。以降、毎年試験が実施されています。合格率は、近年は20％前後で推移していましたが、2022（令和4）年は29.9％にまで上昇しました。

保育士試験では、まずは、筆記試験に合格することが必須ですが、9科目（12分野）の合格を目指すためには、効率的・効果的な学習が求められます。そこで重要となるのが、「テキスト」や「問題集」選びです。多くの受験参考書が出版されていますが、それぞれに長所・短所があり、どれを選んだらよいか迷うという声をよく聞きます。合格ラインが「6割以上」としても暗記だけでクリアすることは難しく、よく出る項目をしっかりと理解しておくことが大切です。

本書は、過去10回分の出題実績を分析し、基本的な問題や重要問題を精選しました。出題基準に対応するとともに、選択肢一つひとつについて「なぜ、○なのか」「なぜ、×なのか」をできるだけわかりやすく解説しています。また、各章末には「さらにチェック！　○×問題」を掲載し、基礎知識の定着や周辺知識が身につくように工夫しました。さらに、姉妹書『わかる！受かる！ 保育士試験合格テキスト2025』（以下、『合格テキスト』）の参照頁も付し、「学ぶ」「解く」を効率的に、確実にできるようになっています。

この問題集が皆さんを合格に導きますよう、執筆者一同、心からお祈り申し上げます。

2024年6月

執筆代表　橋本圭介

contents

第6章　保育の心理学

第7章　子どもの保健

第8章　子どもの食と栄養

＜各科目の出題範囲＞

「指定保育士養成施設の指定及び運営の基準について」（平成15年12月9日雇児発第1209001号厚生労働省雇用均等・児童家庭局通知）別紙3に定める「教科目の教授内容」が出題範囲とされています。

（出題範囲となる教科目の教授内容）

保育士国家試験の科目	教科目の教授内容
■ 保育原理	「保育原理」 　1．保育の意義及び目的 　2．保育に関する法令及び制度 　3．保育所保育指針における保育の基本 　4．保育の思想と歴史的変遷 　5．保育の現状と課題 「乳児保育Ⅰ」 　1．乳児保育の意義・目的と役割 　2．乳児保育の現状と課題 　3．3歳未満児の発育・発達を踏まえた保育 　4．乳児保育における連携・協働 「乳児保育Ⅱ」 　1．乳児保育の基本 　2．乳児保育における子どもの発育・発達を踏まえた生活と遊びの実際 　3．乳児保育における配慮の実際 　4．乳児保育における計画の実際 「障害児保育」 　1．障害児保育を支える理念 　2．障害児等の理解と保育における発達の援助 　3．障害児その他の特別な配慮を要する子どもの保育の実際 　4．家庭及び自治体・関係機関との連携 　5．障害児その他の特別な配慮を要する子どもの保育に関わる現状と課題

保育士国家試験の科目	教科目の教授内容
■ 保育原理	「子育て支援」 1．保育士の行う子育て支援の特性 2．保育士の行う子育て支援の展開 3．保育士の行う子育て支援とその実際（内容・方法・技術）
■ 教育原理	「教育原理」 1．教育の意義、目的及び子ども家庭福祉等との関連性 2．教育の思想と歴史的変遷 3．教育の制度 4．教育の実践 5．生涯学習社会における教育の現状と課題
■ 社会的養護	「社会的養護Ⅰ」 1．現代社会における社会的養護の意義と歴史的変遷 2．社会的養護の基本 3．社会的養護の制度と実施体系 4．社会的養護の対象・形態・専門職 5．社会的養護の現状と課題 「社会的養護Ⅱ」 1．社会的養護の内容 2．社会的養護の実際 3．社会的養護における支援の計画と記録及び自己評価 4．社会的養護に関わる専門的技術 5．今後の課題と展望

保育士国家試験の科目	教科目の教授内容
■ 子ども家庭福祉	「子ども家庭福祉」 　1．現代社会における子ども家庭福祉の意義と歴史的変遷 　2．子どもの人権擁護 　3．子ども家庭福祉の制度と実施体系 　4．子ども家庭福祉の現状と課題 　5．子ども家庭福祉の動向と展望 「子ども家庭支援論」 　1．子ども家庭支援の意義と役割 　2．保育士による子ども家庭支援の意義と基本 　3．子育て家庭に対する支援の体制 　4．多様な支援の展開と関係機関との連携
■ 社会福祉	「社会福祉」 　1．現代社会における社会福祉の意義と歴史的変遷 　2．社会福祉の制度と実施体系 　3．社会福祉における相談援助 　4．社会福祉における利用者の保護に関わる仕組み 　5．社会福祉の動向と課題
■ 保育の心理学	「保育の心理学」 　1．発達を捉える視点 　2．子どもの発達過程 　3．子どもの学びと保育 「子ども家庭支援の心理学」 　1．生涯発達 　2．家族・家庭の理解 　3．子育て家庭に関する現状と課題 　4．子どもの精神保健とその課題 「子どもの理解と援助」 　1．子どもの実態に応じた発達や学びの把握 　2．子どもを理解する視点 　3．子どもを理解する方法 　4．子どもの理解に基づく発達援助

保育士国家試験の科目	教科目の教授内容
■ 子どもの保健	「子どもの保健」 　1．子どもの心身の健康と保健の意義 　2．子どもの身体的発育・発達と保健 　3．子どもの心身の健康状態とその把握 　4．子どもの疾病の予防及び適切な対応 「子どもの健康と安全」 　1．保健的観点を踏まえた保育環境及び援助 　2．保育における健康及び安全の管理 　3．子どもの体調不良等に対する適切な対応 　4．感染症対策 　5．保育における保健的対応 　6．健康及び安全の管理の実施体制
■ 子どもの食と栄養	「子どもの食と栄養」 　1．子どもの健康と食生活の意義 　2．栄養に関する基本的知識 　3．子どもの発育・発達と食生活 　4．食育の基本と内容 　5．家庭や児童福祉施設における食事と栄養 　6．特別な配慮を要する子どもの食と栄養
■ 保育実習	A　保育実習理論 　「保育内容の理解と方法」「保育内容総論」「保育内容演習」「保育実習Ⅰ」「保育実習指導Ⅰ」「保育実践演習」「保育者論」「保育の計画と評価」科目の内容 B　保育実習実技 　1．音楽に関する技術 　　課題に対する器楽・声楽等 　2．造形に関する技術 　　課題に対する絵画・制作等 　3．言語に関する技術 　　課題に対する言葉に関する遊びや表現等

第1章

保育原理

「保育原理」は、日々の保育の基礎になる考え方や方法、保育の歴史や思想家について学ぶ科目だよ。現代社会の保育の課題や未来についても学ぶよ。日々の保育は「保育所保育指針」をもとに営まれているから、保育所保育指針の理解が大切だよ。試験では、原文の穴埋めや事例から保育所保育指針の根底にある考え方が問われるから、しっかりと読み込んでおこう！　保育現場ですぐに役立つ科目だよ！

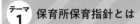
テーマ
1 保育所保育指針とは

問1 次の文のうち、「保育所保育指針」の特徴に関する記述として、適切な記述を○、不適切な記述を×とした場合の正しい組み合わせを一つ選びなさい。

A 第1章「総則」に、「保育の計画及び評価」の項目が設けられ、そこに「全体的な計画の作成」について努力義務が記載されている。
B 第1章「総則」に、「養護に関する基本的事項」の項目が設けられ、そこに「養護に関わるねらい及び内容」が記載されている。
C 第2章「保育の内容」に、「夜間保育」の項目が設けられ、そこに「夜間保育の留意点」が記載されている。
D 第3章「健康及び安全」に、「災害への備え」の項目が設けられ、そこに「災害発生時の対応体制及び避難への備え」が記載されている。

組み合わせ			
A	B	C	D
1 ○	○	×	○
2 ×	○	×	×
3 ×	×	○	×
4 ×	○	×	○
5 ×	×	○	×

正答 4 令2-後-1

A × : 「全体的な計画の作成」は努力義務ではなく、義務である。
B ○ : 第1章の2「養護に関する基本的事項」に、⑴「養護の理念」及び⑵「養護に関わるねらい及び内容」が示されている。
C × : 保育所保育指針に「夜間保育」についての記載はない。
D ○ : 第3章の4「災害への備え」に記載がある。災害発生時の備えとして、緊急時対応のマニュアルの作成、定期的な避難訓練や災害発生時の保護者等との連携・連絡体制の整備等が求められている。

問題集は一冊に絞ってくり返し解くことが大事だよ！

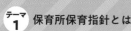

テーマ 1 保育所保育指針とは

→ 『合格テキスト』P.27〜28、41、75

問2 次のうち、日本の保育制度に関する記述として、適切なものを○、不適切なものを×とした場合の正しい組み合わせを一つ選びなさい。

A 1948（昭和23）年、文部省は「保育要領」を刊行したが、これは、幼稚園のみならず保育所や家庭にも共通する手引きとして作成された。

B 1991（平成3）年、「幼稚園と保育所との関係について」という通知が文部省、厚生省の局長の連名で出された。その中で、保育所のもつ機能のうち、教育に関するものは、幼稚園教育要領に準ずることが望ましいことなどが示された。

C 現在も保育所は託児を行い、幼稚園は教育を行うなどその保育内容の基本はまったく違うものとなっている。

D 幼保連携型認定こども園は、国、地方公共団体、学校法人、社会福祉法人及び株式会社のみが設置することができる。

組み合わせ			
A	B	C	D
1 ○	○	×	×
2 ○	×	○	×
3 ○	×	×	×
4 ×	○	×	○
5 ×	×	○	○

正答 3 令5-後-1

A ○：「保育要領」は、日本で最初の保育内容の基準書である。

B ×：この通知は1963（昭和38）年に文部省、厚生省の局長の連名で出され、「保育所のもつ機能のうち、教育に関するものは、幼稚園教育要領に準ずることが望ましい」と示され、保育内容の統一化が図られた。

C ×：2017（平成29）年告示の保育所保育指針、幼稚園教育要領、幼保連携型認定こども園教育・保育要領によりこれらの施設は共通して「幼児教育」を行う施設とされた。

D ×：「就学前の子どもに関する教育、保育等の総合的な提供の推進に関する法律（認定こども園法）」第12条において、設置者は、国、地方公共団体、学校法人、社会福祉法人のみとされており、株式会社は含まれない。

問3 次のうち、「保育所保育指針」についての記述として、<u>あてはまらないもの</u>を一つ選びなさい。

1 現行の「保育所保育指針」は、厚生労働大臣告示として定められたものであり、規範性を有する基準としての性格をもつ。
2 「保育所保育指針」は、1955（昭和30）年に策定され、1990（平成2）年、1999（平成11）年と2回の改訂を経た後、2018（平成30）年の改定に際して告示化された。
3 各保育所は、「保育所保育指針」に規定されている事項を踏まえ、それぞれの実情に応じて創意工夫を図り、保育を行うとともに、保育所の機能及び質の向上に努めなければならない。
4 各保育所では、「保育所保育指針」を日常の保育に活用し、社会的責任を果たしていくとともに、保育の内容の充実や職員の資質・専門性の向上を図ることが求められる。
5 保育所にとどまらず、小規模保育や家庭的保育等の地域型保育事業及び認可外保育施設においても、「保育所保育指針」の内容に準じて保育を行うこととされている。

正答 2 令5-後-2

1 ○：現行の保育所保育指針は、2017（平成29）年に改定され、2008（平成20）年、厚生労働大臣により告示として定められた。保育の質の最低基準と明確化された。
2 ✕：保育所保育指針は、1965（昭和40）年に策定され、1990（平成2）年、1999（平成11）年、2008（平成20）年、2017（平成29）年に合計4回改定されている。告示化されたのは、2008（平成20）年である。
3 ○：保育所保育指針第1章「総則」の前文に「各保育所は、この指針において規定される保育の内容に係る基本原則に関する事項等を踏まえ、各保育所の実情に応じて創意工夫を図り、保育所の機能及び質の向上に努めなければならない」と記載されている。保育所保育指針は、大臣告示により全保育所が守らなければならない基準を示したものである。地域によって、それぞれの様々な状況があるので、状況・実情に応じて創意工夫を図って保育を行うこととされている。
4 ○：「保育所保育指針解説」序章の2「保育所保育の基本的な考え方」にこの通り記載されている。
5 ○：「保育所保育指針解説」序章の1「保育所保育指針とは何か」にこの通り記載されている。

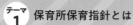

テーマ 1 保育所保育指針とは

➡ 『合格テキスト』P.30〜44

問4 次の文は、「保育所保育指針」に通底する保育の考え方に関する記述である。適切な記述を○、不適切な記述を×とした場合の正しい組み合わせを一つ選びなさい。

A 乳児期から、月齢・年齢の標準的な子どもの姿をもとに集団的な一斉保育を大切にする。

B 保育の環境として、保育士や子どもなどの人的環境よりも、施設や遊具などの物的環境がより重要であると考える。

C 保育の方法として、子どもが自発的・意欲的に関われるような環境を構成して、子どもの主体的な活動を大切にする。

D 子どもの状況や発達過程を踏まえ、保育所における環境を通して、養護及び教育を一体的に行うことを特性としている。

組み合わせ			
A	B	C	D
1 ○	○	○	×
2 ○	○	×	×
3 ×	○	○	×
4 ×	×	○	○
5 ×	×	×	○

正答 4 令1-後-1

A ×：乳児期の保育は、一人一人に応じた個別対応が原則である。保育所保育指針では「特定の大人との応答的な関わりを通じて、情緒的な絆が形成されるといった特徴がある。これらの発達の特徴を踏まえて、乳児保育は、愛情豊かに、応答的に行われることが特に必要である」と記載されている。

B ×：保育所保育指針には「人、物、場などの環境が相互に関連し合い、子どもの生活が豊かなものとなるよう…」と記載されており、物的環境が「より重要」ということはない。

C ○：保育所保育指針第1章「総則」の1「保育所保育に関する基本原則」の (3)「保育の方法」のオの通り。「自発的」「意欲的」「主体的」はキーワードである。

D ○：保育所保育指針第1章「総則」の1「保育所保育に関する基本原則」の (1)「保育所の役割」のイの通り。「保育所における環境を通して、養護及び教育を一体的に行うことを特性としている」点は、必ず覚えておこう。

問5 次の文は、「保育所保育指針」第1章「総則」の1「保育所保育に関する基本原則」の(1)「保育所の役割」に関する記述である。適切な記述を○、不適切な記述を×とした場合の正しい組み合わせを一つ選びなさい。

A　保育所は、保育を必要とする子どもの保育を通して、子どもの身体の発達を図ることを目標とした児童自立支援施設である。

B　保育所は、入所する子どもの保護者に対する支援や地域の子育て家庭に対する支援を行う役割を担っている。

C　保育所の保育士は、子どもの保育を行うとともに、子どもの保護者に対する保育に関する指導を行う役割がある。

組み合わせ		
A	B	C
1 ○	○	○
2 ○	○	×
3 ×	○	○
4 ×	×	○
5 ×	×	×

正答 3　令1-後-2

A ×：保育所は、「児童自立支援施設」ではなく、「児童福祉施設」である。保育所保育指針第1章「総則」の1「保育所保育に関する基本原則」の(1)「保育所の役割」のアに児童福祉法第39条に基づく「保育を必要とする子どもの保育を行い、その健全な心身の発達を図ることを目的とする児童福祉施設」と記載されている。

B ○：保育所保育指針第1章「総則」の1「保育所保育に関する基本原則」の(1)「保育所の役割」のウに「保育所は、入所する子どもを保育するとともに、家庭や地域の様々な社会資源との連携を図りながら、入所する子どもの保護者に対する支援及び地域の子育て家庭に対する支援等を行う役割を担うものである」と記載されている。

C ○：保育所保育指針第1章「総則」の1「保育所保育に関する基本原則」の(1)「保育所の役割」のエに「子どもを保育するとともに、子どもの保護者に対する保育に関する指導を行うもの」と記載されている。

テーマ **2** 保育の意義及び目的等（保育所保育指針第1章）　➡『合格テキスト』P.31

問6 次の文は、「保育所保育指針」第1章「総則」(2)「保育の目標」の一部である。（　A　）〜（　E　）にあてはまる語句を【語群】から選択した場合の正しい組み合わせを一つ選びなさい。

- 十分に（　A　）の行き届いた環境の下に、くつろいだ雰囲気の中で子どもの様々な欲求を満たし、生命の保持及び情緒の安定を図ること。
- 人との関わりの中で、人に対する愛情と信頼感、そして（　B　）を大切にする心を育てるとともに、自主、自立及び協調の態度を養い、道徳性の芽生えを培うこと。
- （　C　）についての興味や関心を育て、それらに対する豊かな心情や思考力の芽生えを培うこと。
- （　D　）の中で、言葉への興味や関心を育て、話したり、聞いたり、相手の話を理解しようとするなど、言葉の豊かさを養うこと。
- 様々な体験を通して、豊かな（　E　）を育み、創造性の芽生えを培うこと。

語群
ア　養育　　イ　人権　　ウ　生命、自然及び社会の事象
エ　生活　　オ　感性や表現力　　カ　養護　　キ　規範
ク　生命、自然など周囲の環境　　ケ　対話
コ　思考や判断力

組み合わせ	A	B	C	D	E
1	ア	イ	ウ	エ	オ
2	ア	キ	ウ	エ	コ
3	ア	キ	ク	ケ	コ
4	カ	イ	ウ	エ	オ
5	カ	キ	ク	ケ	コ

正答 4 令6-前-2

A カ：養護　　**B イ**：人権　　**C ウ**：生命、自然及び社会の事象　　**D エ**：生活
E オ：感性や表現力

　保育所保育指針第1章「総則」の1「保育所保育に関する基本原則」の (2)「保育の目標」の(ア)、(ウ)、(エ)、(オ)、(カ)の原文である。 (2)「保育の目標」の原文は、それぞれタイトルは付いていないが(ア)養護の目標、(イ)5領域「健康」の目標、(ウ)5領域「人間関係」の目標、(エ)5領域「環境」の目標、(オ)5領域「言葉」の目標、(カ)5領域「表現」の目標が書かれている。これをおさえておけば、正答を導くヒントになる。

試験では、用語の意味や指針の穴埋めなどの基礎知識が問われやすいよ

25

問7 次の文は、「保育所保育指針」第1章「総則」の一部である。（　**A**　）～（　**D**　）にあてはまる語句を【語群】から選択した場合の正しい組み合わせを一つ選びなさい。

保育所は、入所する子どもを（　**A**　）するとともに、家庭や地域の様々な（　**B**　）との連携を図りながら、入所する子どもの保護者に対する（　**C**　）及び地域の（　**D**　）に対する（　**C**　）等を行う役割を担うものである。

語群
ア 教育　**イ** 保育　**ウ** 社会資源
エ ステークホルダー　**オ** 指導　**カ** 支援
キ 関係機関等　**ク** 子育て家庭

組み合わせ	A	B	C	D
1	ア	ウ	オ	キ
2	ア	キ	カ	ク
3	イ	ウ	カ	ク
4	イ	エ	カ	キ
5	イ	キ	オ	エ

正答 3 令5-前-1

A イ：保育　**B** ウ：社会資源　**C** カ：支援　**D** ク：子育て家庭

　保育所保育指針第1章「総則」の1「保育所保育に関する基本原則」の(1)「保育所の役割」ウから、原文がそのまま出題されている。保育士の仕事は、大きく三つある。一つは子どもの保育、二つめはその子どもの保護者に対する支援、三つめは地域の子育て家庭に対する支援である。

テーマ 2 保育の意義及び目的等 （保育所保育指針第1章）　→『合格テキスト』P.33

問8 次のうち、「保育所保育指針」第1章「総則」1「保育所保育に関する基本原則」(5)「保育所の社会的責任」に関する記述として、適切なものを○、不適切なものを×とした場合の正しい組み合わせを一つ選びなさい。

A　子どもの人権に十分配慮するとともに、子ども一人一人の人格を尊重して保育を行う。

B　入所する子ども等の個人情報を適切に取り扱うとともに、保護者の苦情などに対し、その解決を図るよう努める。

C　子どもの生活リズムを大切にし、健康、安全で情緒の安定した生活ができる環境や、自己を十分に発揮できる環境を整える。

D　地域社会との交流や連携を図り、保護者や地域社会に、保育の内容を適切に説明する。

組み合わせ

	A	B	C	D
1	○	○	○	×
2	○	○	×	○
3	○	×	×	○
4	×	○	○	×
5	×	×	○	○

正答 2 令4-後-1

A ○：(5)「保育所の社会的責任」のアに記載されている。

B ○：(5)「保育所の社会的責任」のウに記載されている。

C ×：(5)「保育所の社会的責任」ではなく、(3)「保育の方法」のイに記載されている。

D ○：(5)「保育所の社会的責任」のイに記載されている。

(5)「保育所の社会的責任」には、ア、イ、ウの3つのみ記載されている。

保育所の社会的責任
ア　保育所は、子どもの人権に十分配慮するとともに、子ども一人一人の人格を尊重して保育を行わなければならない。
イ　保育所は、地域社会との交流や連携を図り、保護者や地域社会に、当該保育所が行う保育の内容を適切に説明するよう努めなければならない。
ウ　保育所は、入所する子ども等の個人情報を適切に取り扱うとともに、保護者の苦情などに対し、その解決を図るよう努めなければならない。

問9 次の文は、保育士を目指している学生A～Dが、保育の環境について述べた意見である。「保育所保育指針」第1章「総則」⑷「保育の環境」に照らして、適切な記述を○、不適切な記述を×とした場合の正しい組み合わせを一つ選びなさい。

A 「保育の環境は、保育士等や子どもなどの人的環境、施設や遊具などの物的環境、更には自然や社会の事象などがあり、これらが相互に関連し合い、子どもの生活が豊かなものとなるように、計画的に環境を構成し工夫することが大切だと思うよ。」

B 「保育所は生活の場であるとともに学びの場でもあるため、親しみとくつろぎの場であることよりも規律やマナーを守ることを一番に考えるべきだよね。」

C 「保育士等は、保育所の設備や環境を整えたり、保育所の保健的環境や安全の確保などに努めて、子どもの活動が豊かに展開されるようにするべきだよね。」

D 「子ども自らが環境に関わったり、子どもが自発的に活動して様々な経験を積んでいくことより保育士等が計画する環境に関わらせることが大切だと思うよ。」

組み合わせ			
A	B	C	D
1 ○	○	○	×
2 ○	×	○	×
3 ○	×	×	○
4 ×	○	○	○
5 ×	×	○	×

正答 2 令4-前-2

A ○：⑷「保育の環境」に記載されている。

B ×：⑷「保育の環境」のウに「保育室は、温かな親しみとくつろぎの場となるとともに、生き生きと活動できる場となるように配慮すること」と記載されている。

C ○：⑷「保育の環境」のイに、「子どもの活動が豊かに展開されるよう、保育所の設備や環境を整え、保育所の保健的環境や安全の確保などに努めること」と記載されている。

D ×：⑷「保育の環境」のアに、「子ども自らが環境に関わり、自発的に活動し、様々な経験を積んでいくことができるよう配慮すること」と記載されている。

→『合格テキスト』P.35

テーマ 3 保育の基本（保育所保育指針第1章）

問10 次のうち、保育所保育における養護と教育に関する記述として、適切なものを○、不適切なものを×とした場合の正しい組み合わせを一つ選びなさい。

A 保育所における保育全体を通じて、養護に関するねらい及び内容を踏まえた保育が展開されなければならない。

B 保育における養護とは、子どもの生命の保持及び情緒の安定を図るために保育士等が保護者と行う援助である。

C 保育における教育とは、子どもが健やかに成長し、集団的活動がより豊かに展開されるための発達の指導である。

D 「保育所保育指針」第2章「保育の内容」では、主に教育に関わる側面からの視点が示されているが、実際の保育においては、養護と教育が一体となって展開されることに留意する必要がある。

組み合わせ	A	B	C	D
1	○	○	×	○
2	○	○	×	×
3	○	×	×	○
4	×	○	○	×
5	×	×	○	○

正答 3 令4-後-2

保育所保育指針の第1章「総則」の2「養護に関する基本的事項」、及び第2章「保育の内容」の前文に照らした問題である。

A ○：(1)「養護の理念」に、記載されている。

B ×：「保育士等が保護者と行う援助」ではなく「保育士等が行う援助や関わり」である。

C ×：「集団的活動がより豊かに展開されるための発達の指導」ではなく「その活動がより豊かに展開されるための発達の援助」である。第2章「保育の内容」の前文に記載されている。

D ○：(1)「養護の理念」に「保育所における保育は、養護及び教育を一体的に行うことをその特性とするものである」と記載されている。

問11 次の文のうち、「保育所保育指針」第1章「総則」の2「養護に関する基本的事項」に関する記述として、適切な記述を○、不適切な記述を×とした場合の正しい組み合わせを一つ選びなさい。

A 保育における養護とは、子どもの生命の保持及び情緒の安定を図るために保育士等が行う指導のことである。

B 保育所における保育は、養護及び教育を一体的に行うことをその特性とするものである。

C 生命の保持のねらいには、「一人一人の子どもが、安定感を持って過ごせるようにする」という記述がある。

D 生命の保持のねらいには、「一人一人の子どもが、快適に生活できるようにする」という記述がある。

E 情緒の安定のねらいには、「一人一人の子どもが、周囲から主体として受け止められ、主体として育ち、自分を肯定する気持ちが育まれていくようにする」という記述がある。

組み合わせ	A	B	C	D	E
1	○	○	×	×	○
2	×	○	○	○	×
3	○	○	×	○	×
4	×	○	×	○	○
5	×	×	○	×	×

正答 4 令3-後-2

A ×：保育所保育指針第1章「総則」の2「養護に関する基本的事項」の(1)「養護の理念」に、「指導」ではなく、「援助や関わり」と記載されている。

B ○：第1章の2の(1)「養護の理念」にも、保育所の役割にもそのように記載されている。

C ×：「生命の保持」のねらいではなく、「情緒の安定」のねらいの①の記述である。

D ○：「生命の保持」のねらいの①に記述がある。

E ○：「情緒の安定」のねらいの③に記述がある。

養護の理念

保育における養護とは、子どもの生命の保持及び情緒の安定を図るために保育士等が行う援助や関わりであり、保育所における保育は、養護及び教育を一体的に行うことをその特性とするものである。保育所における保育全体を通じて、養護に関するねらい及び内容を踏まえた保育が展開されなければならない。

テーマ **3** 保育の基本
（保育所保育指針第1章）

→ 『合格テキスト』P.36

問12 次の文は、「保育所保育指針」第1章「総則」の2「養護に関する基本的事項」の一部である。（　**A**　）〜（　**E**　）にあてはまる語句の正しい組み合わせを一つ選びなさい。

● 一人一人の子どもの置かれている状態や（　**A**　）などを的確に把握し、子どもの（　**B**　）を適切に満たしながら、（　**C**　）な触れ合いや言葉がけを行う。
● 保育士等との信頼関係を基盤に、一人一人の子どもが主体的に活動し、自発性や（　**D**　）などを高めるとともに、自分への（　**E**　）をもつことができるよう成長の過程を見守り、適切に働きかける。

組み合わせ

	A	B	C	D	E
1	家庭での様子	欲求	応答的	好奇心	満足感
2	発達過程	欲求	応答的	探索意欲	自信
3	家庭での様子	不満	密接	好奇心	満足感
4	発達過程	欲求	応答的	好奇心	自信
5	発達過程	不満	密接	探索意欲	自信

正答 **2** 令2-後-2

A：発達過程　**B**：欲求　**C**：応答的　**D**：探索意欲　**E**：自信

　養護については、第1章「総則」の2「養護に関する基本的事項」にその理念、ねらい、内容が記載されている。養護にはア「生命の保持」とイ「情緒の安定」の二つの側面があり、各々、ねらい、内容が記載されている。本問はイ「情緒の安定」の(イ)「内容」の①と③から出題されている。

「保育指針」の内容は
現場で必ず役立つからしっかり覚えよう！

フレー
フレー

問13 次の文は、「保育所保育指針」第1章「総則」(1)「全体的な計画の作成」の一部である。（ **A** ）～（ **D** ）にあてはまる語句を【語群】から選択した場合の正しい組み合わせを一つ選びなさい。

- 全体的な計画は、子どもや家庭の状況、地域の実態、（ **A** ）時間などを考慮し、子どもの育ちに関する（ **B** ）的見通しをもって適切に作成されなければならない。

- 全体的な計画は、保育所保育の（ **C** ）像を包括的に示すものとし、これに基づく（ **D** ）計画、保健計画、食育計画等を通じて、各保育所が創意工夫して保育できるよう、作成されなければならない。

語群
ア 就労　イ 保育　ウ 在園　エ 全体
オ 長期　カ 理想　キ 指導

組み合わせ	A	B	C	D
1	ア	オ	カ	イ
2	イ	エ	カ	キ
3	イ	オ	エ	キ
4	ウ	エ	カ	イ
5	ウ	オ	エ	キ

正答 3 令4-後-3

A イ：保育　**B** オ：長期　**C** エ：全体　**D** キ：指導

　保育所保育指針第1章「総則」の3「保育の計画及び評価」の(1)「全体的な計画の作成」の原文通りである。「全体的な計画」は施設長（園長）の責任のもと、保育に関わる全ての職員で作成するものである。その保育所の全体像を示すものであり、各保育所の実態に即して工夫して作成する。全職員の共通理解と協力体制が重要である。

テーマ **3** 保育の基本
（保育所保育指針第1章）

→『合格テキスト』P.37～40

問14 次のうち、「保育所保育指針」に照らし、保育の計画に関する記述として、適切なものを○、不適切なものを×とした場合の正しい組み合わせを一つ選びなさい。

A　保育所の全体的な計画は、長期・短期の指導計画や保健計画・食育計画といった計画に基づいて作成されるべきものである。

B　全体的な計画は、子どもや家庭の状況、地域の実態、保育時間などを考慮し、子どもの育ちに関する長期的見通しをもって作成される必要がある。

C　異年齢で構成される組やグループでの保育においては、一人一人の子どもの生活に配慮できない状況が多くみられるため、集団で一律に食事や午睡ができるよう指導計画を作成する必要がある。

D　3歳未満児については、一人一人の子どもの生育歴、心身の発達、活動の実態等に即して、個別的な計画を作成することが求められる。

組み合わせ	A	B	C	D
1	○	○	○	×
2	○	○	×	×
3	×	○	×	○
4	×	×	○	○
5	×	×	×	○

正答 **3**　令6-前-14

A ×：全体的な計画に基づいて、長期・短期の指導計画や保健計画・食育計画が作成される。保育所保育指針第1章「総則」の3「保育の計画及び評価」の (1)「全体的な計画の作成」のウに記載がある。

B ○：保育所保育指針第1章「総則」の3「保育の計画及び評価」の (1)「全体的な計画の作成」のイに記載されている。

C ×：異年齢で構成される組やグループでの保育においては、一人一人の子どもの生活や経験、発達過程などを把握し、適切な援助や環境構成ができるよう配慮することが保育所保育指針第1章「総則」の3「保育の計画及び評価」の (2)「指導計画の作成」のイの㋑に記載されている。

D ○：保育所保育指針第1章「総則」の3「保育の計画及び評価」の (2)「指導計画の作成」のイの㋐に記載されている。

問15 次の図は、「保育所保育指針」第1章「総則」⑵「幼児期の終わりまでに育ってほしい姿」の一部を図に表したものである。図中の（　A　）〜（　C　）にあてはまる語句の正しい組み合わせを一つ選びなさい。

図

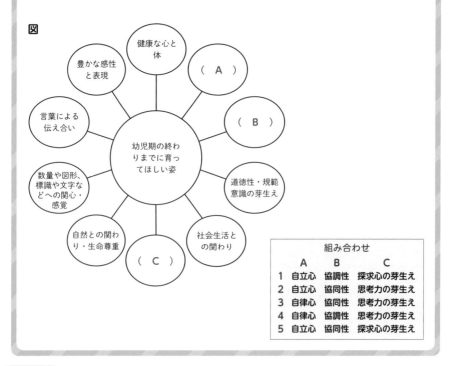

	組み合わせ	
A	**B**	**C**
1　自立心	協調性	探求心の芽生え
2　自立心	協同性	思考力の芽生え
3　自律心	協同性	思考力の芽生え
4　自律心	協調性	思考力の芽生え
5　自立心	協同性	探求心の芽生え

正答 2 令3-前-2

A：自立心　B：協同性　C：思考力の芽生え

　「幼児期の終わりまでに育ってほしい姿」（いわゆる「10の姿」）は、設問の図などを利用して覚えよう。「10の姿」は、保育所保育指針第1章「総則」の4「幼児教育を行う施設として共有すべき事項」の⑴「育みたい資質・能力」に掲げられた三つの資質・能力を育む際の具体的な姿である。これらは、保育活動全体によって育むものであり、保育者は一つ一つ理解し、心に留めて保育する必要がある。

テーマ4 保育のねらいと内容（保育所保育指針第2章）

→『合格テキスト』P.45

問16 次の【Ⅰ群】の記述と、【Ⅱ群】の語句を結びつけた場合の正しい組み合わせを一つ選びなさい。

【Ⅰ群】

A 保育の目標をより具体化したものであり、子どもが保育所において、安定した生活を送り、充実した活動ができるように、保育を通じて育みたい資質・能力を、子どもの生活する姿から捉えたもの

B 子どもの生活やその状況に応じて保育士等が適切に行う事項と、保育士等が援助して子どもが環境に関わって経験する事項を示したもの

C 子どもが健やかに成長し、その活動がより豊かに展開されるための発達の援助

D 子どもの生命の保持及び情緒の安定を図るために保育士等が行う援助や関わり

【Ⅱ群】

ア 養護
イ 内容
ウ 領域
エ ねらい
オ 教育

組み合わせ			
A	B	C	D
1 ア	イ	ウ	オ
2 ア	ウ	イ	オ
3 エ	イ	オ	ア
4 エ	ウ	イ	ア
5 エ	ウ	オ	ア

正答 3 令4-前-6

A エ：ねらい **B** イ：内容 **C** オ：教育 **D** ア：養護

　保育所保育指針の第2章「保育の内容」の前文に照らした設問である。第2章をよく理解するためには、言葉の理解が必要であるため、このような前文がある。保育所保育の理解のためには必ず覚えておくべき言葉である。

問17 次の保育所の【事例】を読んで、【設問】に答えなさい。

【事例】

　5歳児クラスの子どもたちが水着に着替え、保育士と一緒に園庭に大きなたらいを出して水遊びの用意を始める。保育士が大きなたらいやバケツにホースで水を入れる。ホースを持つ子どももいる。水がたまってくると、子どもたちは水鉄砲やマヨネーズなどの空き容器に水を入れる。水鉄砲を上に向けて水を出して、雨のように水を降らせて、水をかぶったり、友達に「かけて」と伝えて自分のお腹に水鉄砲の水をあててもらったりする。そのうちに、走って追いかけながら、互いに水鉄砲で水をかける。水が顔にかかるのは嫌だという子どももいて、保育士は友達の顔や頭にかけないようにしようと伝える。そこにいる子どもたち全員分の水鉄砲はない。空き容器でも水を飛ばしてみるが、水鉄砲のようにうまく飛ばすことができない。水鉄砲がない子どもは、たらいのそばで大きな声で「だれかー、かわってー」と声をかける。まわりの子どもに水鉄砲を渡してもらって、また別の子どもが「かわって」と声をかけて、水鉄砲を交替して使いながら水かけっこは続く。

【設問】

　次のうち、「保育所保育指針」第1章「総則」及び第2章「保育の内容」に照らし、担当保育士の振り返りとして、適切な記述を○、不適切な記述を×とした場合の正しい組み合わせを一つ選びなさい。

A 水鉄砲の数が少ないために、同じ物を同じように使う経験が十分にできなかった。人数分の水鉄砲を用意できるまでは、水遊びは控えよう。

B 水鉄砲を代わってもらうことがスムーズにいくように、保育士が厳密にルールを設定するべきだった。

C 水鉄砲の数が人数分なかったことで、子ども達同士で互いに代わったり、共有して使いながら遊ぶことができていた。

D 自分の気持ちを言葉にして相手に伝えながら、遊ぶことができていた。

E 顔や頭に水がかかると嫌そうな子どももいたため、友達の顔や頭にはかけないようにしようと伝えたが、もっと子どもに任せて保育士は一切入るべきではなかった。

組み合わせ				
A	B	C	D	E
1 ○	○	×	○	○
2 ○	○	×	×	×
3 ×	○	○	○	×
4 ×	×	○	○	×
5 ×	×	○	×	○

正答 4 令6-前-7

5歳児クラスの事例である。保育所保育指針では、第2章「保育の内容」の3「3歳以上児の保育に関するねらい及び内容」に該当する。ここでは第2章に照らして、5歳児の心と体の発達の理解が求められている。心と体の発達についての理解、5領域のねらいの理解、保育者の対応に関する知識と技能が求められている問題である。

A ✕：子どもたちは、水鉄砲が人数分なくても、話し合ったり、ゆずり合ったりして仲良く遊ぶ力が身に付いてきている。自分がおもちゃを手にすることができなかったらできないなりの遊びを見つけ出すのが5歳児なので、遊びを控える必要はない。

B ✕：ルールを知ることを規範性の育ちという。5歳児はなぜルール守らなければならないのかを知り、自分たちでルールを作ったり、考える力が育ってきているので、保育士が厳密なルールを設定する必要はない。自分たちで考える様子を見守ったり、様子を見ながら助言することが大事である。

C ○：水鉄砲が人数分なかったことで、互いに代わったり共有する機会を得て、人と関わる力や「かわって」という思いを表現する力が育っている。

D ○：水を「かけて」、水鉄砲を「かわってー」と自分の思いを表現して遊ぶことができている。

E ✕：5歳児は人と関わる力や、自分の気持ちを言葉にして表現する力が育ってきてはいるが、はじめにルールを伝えることは大事なので「一切入るべきではなかった」ということはない。

子どもの日々の生活は、5領域すべてにわたっている。このような子どもになってもらいたい、このような子どもに育てたいという「ねらい」と、そのような子どもになるためにこのような経験をしてもらいたいという「内容」「内容の取扱い」が書かれている保育所保育指針の第2章の理解と、目の前の子どもの心と体の発達段階、個人差について配慮し、常に保育内容を見直していくことが大事である。

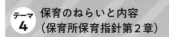
問18 次の表は、「保育所保育指針」第2章「保育の内容」の2「1歳以上3歳未満児の保育に関わるねらい及び内容」の一部である。表中の（　A　）～（　C　）にあてはまる記述をア～カから選択した場合の正しい組み合わせを一つ選びなさい。

表

視点	ねらい
健康	・明るく伸び伸びと生活し、自分から体を動かすことを楽しむ。 ・自分の体を十分に動かし、様々な動きをしようとする。 ・（　A　）
人間関係	・保育所での生活を楽しみ、身近な人と関わる心地よさを感じる。 ・周囲の子ども等への興味や関心が高まり、関わりをもとうとする。 ・（　B　）
環境	・（　C　） ・様々なものに関わる中で、発見を楽しんだり、考えたりしようとする。 ・見る、聞く、触るなどの経験を通して、感覚の働きを豊かにする。

ア 健康、安全な生活に必要な習慣や態度を身に付け、見通しをもって行動する。

イ 健康、安全な生活に必要な習慣に気付き、自分でしてみようとする気持ちが育つ。

ウ 身近な環境に親しみ、触れ合う中で、様々なものに興味や関心をもつ。

エ 身近な環境に親しみ、自然と触れ合う中で様々な事象に興味や関心をもつ。

オ 保育所の生活の仕方に慣れ、きまりの大切さに気付く。

カ 身近な人と親しみ、関わりを深め、愛情や信頼感が芽生える。

組み合わせ		
A	B	C
1 ア	カ	エ
2 イ	オ	ウ
3 イ	カ	エ
4 オ	ア	ウ
5 オ	ウ	エ

正答 2 令2-後-4

A イ　B オ　C ウ

　第2章「保育の内容」の2「1歳以上3歳未満児の保育に関わるねらい及び内容」は、5領域で表される。3歳以上児の5領域とはねらいの達成度が異なる「3歳以上児の保育に関するねらい及び内容」と比較して覚えよう。

テーマ 4 保育のねらいと内容（保育所保育指針第2章）

➡ 『合格テキスト』P.57

問19 次の文は、「保育所保育指針」第2章「保育の内容」4「保育の実施に関して留意すべき事項」(2)「小学校との連携」の一部である。（ A ）～（ D ）にあてはまる語句を【語群】から選択した場合の正しい組み合わせを一つ選びなさい。

　保育所保育において育まれた（ A ）を踏まえ、（ B ）が円滑に行われるよう、小学校教師との意見交換や合同の（ C ）の機会などを設け、(中略)「幼児期の終わりまでに育って欲しい姿」を共有するなど連携を図り、保育所保育と（ B ）との円滑な（ D ）を図るよう努めること。

語群
ア 生きる力　　イ 研修　　ウ 小学校教育
エ 繋がり　　オ 研究　　カ 資質・能力
キ 接続　　ク 義務教育

組み合わせ	A	B	C	D
1	ア	ウ	イ	エ
2	ア	ウ	オ	キ
3	ア	ク	イ	エ
4	カ	ウ	オ	キ
5	カ	ク	オ	キ

正答 4 令6-前-16

A カ：資質・能力　**B** ウ：小学校教育　**C** オ：研究　**D** キ：接続

　保育所保育指針第2章「保育の内容」の4「保育の実施に関して留意すべき事項」の(2)「小学校との連携」のイの原文からの出題である。小学校との連携については、近年の試験では頻出テーマである。

問20 次の保育所での【事例】を読んで、【設問】に答えなさい。

【事例】

　1歳児クラスの担当保育士が、最近の子どもたちの食事の様子について話をしている。その中で、特にH児について担当のX保育士（以下X）が悩みを語り、Z保育士（以下Z）が一緒に考えている。

X：Hちゃんの野菜嫌いは相当です。先日も、野菜を食べるのを嫌がって大泣きしました。その時は椅子からどうしても降りるといって食事を一時中断したほどです。食事中に室内を歩き回って、テーブルに戻ってきてまた一口食べる、というような状況もあります。食事だけでなく自分が嫌なことに対しては激しく怒ったり泣いたりします。

Z：たしか、ご両親は外国籍の方だったわね。家ではどんな食事をしているのかしら。お迎えの時にでも様子を聞いてみたらどうかしら。

X：はい。この間食事についてお話ししたところ、家ではスープや茹で卵を食べることが多いようです。スープはレトルトのようで、歯ごたえのあるものはほとんど食べさせていないようでした。「野菜はどうですか？」と聞いてみたら「スープの中に入っているから大丈夫」と言っていました。少しずついろいろなものを食べさせるようにと伝えてはいるのですが、なかなかうまくいきません。

Z：それぞれの国の子育て文化も違うから、よく聞いてみて、これからどう関わったらよいか考えていきましょう。

【設問】

　H児やその保護者への保育所の対応として、「保育所保育指針」第1章「総則」の1「保育所保育に関する基本原則」(3)「保育の方法」、第2章「保育の内容」4「保育の実施に関して留意すべき事項」、第3章「健康及び安全」の2「食育の推進」に照らし、適切な記述を○、不適切な記述を×とした場合の正しい組み合わせを一つ選びなさい。

A　H児の保護者は、1歳児にふさわしい食事について理解できていない。そこで、このままでは栄養や味覚が偏り食事のマナーも身につかないことを理解してもらう必要があるため、家庭での食事のとり方や内容について、繰り返し粘り強く説得する。

B　H児は日本語の理解が十分でないために、保育所生活に対して不安があるのかもしれない。そこで食事についてだけでなく、生活全体をもう一度見直し、H児が安心した生活を送れるようにすることから始める。

C　現状ではH児の食事に時間がかかることを前提として、食事の開始時間を考え、担当保育士が余裕をもって食事に関われるように保育士同士が協力し合って柔軟な体制を整える。

D　H児の食事の内容やマナーについて、日本での考え方を一方的に押し付けないためにも、両親の母国ではどのようなことが一般に行われ考えられているのか、ゆっくり時間をとって話を聞く。

組み合わせ	A	B	C	D
1	○	○	×	×
2	○	×	○	×
3	×	○	○	○
4	×	○	×	○
5	×	×	○	○

正答 **3**　平31-前-10

　保護者への対応の原則は、保育所保育指針の第1章「総則」に書かれている。この事例では、第3章「健康及び安全」の2「食育の推進」と第2章「保育の内容」の4「保育の実施に関して留意すべき事項」の(1)「保育全般に関わる配慮事項」のオにより外国籍の方に対する配慮の考え方が問われている。第3章の2「食育の推進」には、保育所の特性を生かした食育という点で「食べることを楽しみ、食事を楽しみ合う子どもに成長していくことを期待するものであること」とある。

A ✕：説得するのではなく、お互いの国の文化・習慣を尊重し合いながら寄り添い、話し合っていくことが大切である。

B ○：「安心した生活を送る」ことは、保育所生活の基本である。

C ○：保育所は、職員が「チーム」で関わることが、原則である。保育士同士、職員同士が協力する体制を整えることが大切である。

D ○：H児のために、保護者と保育所が連携・協力し尊重し合いながら寄り添うには、話し合いをしていくことが必要である。

保育所保育指針の各章の理解が問われているよ

問21 次の【事例】を読んで、【設問】に答えなさい。

【事例】

　M保育所の1歳児クラスに通うK君（1歳8か月）は、ごはんやうどんなどの主食は好きでよく食べるが、野菜やお肉などのおかずはなかなか食べない。また、自分で食べるときもあるが、「ママ！（やって）」と食べさせてもらうことを求めることが多い。K君の保護者は、K君に主食だけではなくおかずもしっかりと食べられるようになってほしい、また自分で食べるようになってほしいと思っている。しかし、なかなかそうならないK君に保護者はあせりを感じている。そこで連絡帳にK君の家庭での食事の様子を記入し、担当保育士にアドバイスを求めてきた。

　保育所でもK君は食事の際、ごはんなどはスプーンを持って上手に食べるが、おかずになると手をひざの上において自分で食べようとしないことが続いている。保育士が声をかけると、自分でスプーンを持っておかずを食べる日もあり、担当保育士はK君を励ましながら食事を進めている。

　担当保育士から相談を受けた栄養士は、K君の食事の様子を最近よく見ている。

【設問】

　担当保育士がK君の保護者の連絡帳に記入する内容として、「保育所保育指針」第3章「健康及び安全」の2「食育の推進」及び第4章「子育て支援」に照らして、適切な記述を○、不適切な記述を×とした場合の正しい組み合わせを一つ選びなさい。

A　保育所でのK君の食事に対する担当保育士の対応の様子を伝え、食べることを楽しむことが大切なので、あせらずにやっていきましょうと伝える。

B　食事は早くからの自立への援助が大切であるため、何でも自分でスプーンなどを持って食べるように保育所での指導を強めていきますと伝える。

C　子どもの食事は、保育所よりも保護者が指導することが大切なので、家庭でしっかりと指導してくださいと伝える。

D　保護者が希望するならば、栄養士も交えて一緒に相談しましょうと伝える。

組み合わせ	A	B	C	D
1	○	○	○	×
2	○	○	×	○
3	○	×	×	○
4	×	○	○	○
5	×	×	○	×

正答 3 令2-後-7

　保育所保育指針第3章「健康及び安全」の2「食育の推進」の(1)「保育所の特性を生かした食育」のア、イ、ウ及び(2)「食育の環境の整備等」には、食材をはじめとする環境についての記載があり、取り組み方や体調不良、アレルギー、障害への対応が記されている。

A ○：第3章の2の(1)のイの「子どもが生活と遊びの中で、意欲をもって食に関わる体験を積み重ね、食べることを楽しみ、食事を楽しみ合う子どもに成長していくことを期待するものであること」の記載の通り、「食べることを楽しむ」ことが大切である。

B ×：食育は、日々の生活の中で生活と遊びを通して積み重ねていくものである（第3章の2の(1)のイ及びウ）。

C ×：乳幼児期にふさわしい食生活の展開のためには、その子どもの成育歴や発達等の観点から、家庭との連携が必要である（第3章の2の(1)のイ、ウ及び第4章「子育て支援」）。

D ○：保育所職員それぞれの専門性を生かし、創意工夫が求められる（第3章の2の(1)のウ、(2)のウ及び第4章）。

事例問題を解くためには、保育所保育指針をよく読み込んで、通底する考え方を把握しておこう！

問22 次のうち、「保育所保育指針」第3章「健康及び安全」4「災害への備え」に関する記述として、適切なものを○、不適切なものを×とした場合の正しい組み合わせを一つ選びなさい。

A　災害の発生時に、保護者等への連絡及び子どもの引渡しを円滑に行うため、日頃から保護者との密接な連携に努め、連絡体制や引渡し方法等について確認をしておくこと。

B　防火設備、避難経路等の安全性が確保されるよう、定期的にこれらの安全点検を行うこと。

C　市町村の支援の下に、地域の関係機関との日常的な連携を図り、必要な協力が得られるよう努めること。

D　避難訓練は、少なくとも半年に1回定期的に実施するなど、必要な対応を図ること。

E　避難訓練については、地域の関係機関や保護者との連携の下に行うなど工夫すること。

組み合わせ				
A	B	C	D	E
1 ○	○	○	○	×
2 ○	○	○	×	○
3 ○	×	×	×	○
4 ×	○	○	×	×
5 ×	×	×	×	○

正答 2 令5-前-9

A ○：保育所保育指針第3章「健康及び安全」の4「災害への備え」の(2)のウに記載されている。

B ○：保育所保育指針第3章「健康及び安全」の4「災害への備え」の(1)のアに記載されている。

C ○：保育所保育指針第3章「健康及び安全」の4「災害への備え」の(3)のアに記載されている。

D ×：保育所保育指針第3章「健康及び安全」の4「災害への備え」の(2)のイに、「定期的に避難訓練を実施するなど、必要な対応を図ること」と記載されているが、回数についての記載はない。

E ○：保育所保育指針第3章「健康及び安全」の4「災害への備え」の(3)のイに記載されている。

テーマ 6　子育て支援（保育所保育指針第4章）

➡️『合格テキスト』P.64

問23 次の文は、「保育所保育指針」第4章「子育て支援」1「保育所における子育て支援に関する基本的事項」の一部である。（ **A** ）〜（ **D** ）にあてはまる語句の正しい組み合わせを一つ選びなさい。

- 保護者に対する子育て支援を行う際には、各地域や家庭の実態等を踏まえるとともに、保護者の（ **A** ）を受け止め、相互の（ **B** ）を基本に、保護者の自己決定を尊重すること。
- 保育及び子育てに関する知識や技術など、保育士等の（ **C** ）や、子どもが常に存在する環境など、保育所の特性を生かし、保護者が子どもの成長に気付き子育ての（ **D** ）を感じられるように努めること。

組み合わせ

	A	B	C	D
1	気持ち	関わり	経験	責任
2	気持ち	信頼関係	専門性	喜び
3	気持ち	信頼関係	経験	喜び
4	生活	関わり	経験	責任
5	生活	信頼関係	専門性	責任

正答 2　令4-後-12

A：気持ち　B：信頼関係　C：専門性　D：喜び

　保育所保育指針第4章「子育て支援」の1の(1)のアとイの記述である。子育て支援は、保護者が「子育ては楽しい」という子育ての喜びを感じられるように、保育士等の専門性に基づく声掛けや振る舞い、環境作りや保育所の特性を生かして支援していくものである。最近の子育ての課題である「孤立化」に配慮し、保育士等は保護者の不安や悩みに寄り添い、子育ての些細な疑問にすぐに応えることのできる身近な専門家としての役割が求められている。

問24 次の【事例】を読んで、【設問】に答えなさい。

【事例】

　S保育所の園庭開放日のことである。あまり見かけない親子が園庭の砂場で遊んでいた。見ると親子は他の親子との交流はしておらず、また親子での会話もほとんどなく子どもはただ黙々とシャベルで砂をバケツに入れている。遠くからしばらくその様子を見ていた保育士が、親子に近づき「こんにちは。今日は良いお天気になりましたね。お住まいはお近くですか？お子さんは何歳？」と母親ににこやかに話しかけた。すると母親は「息子は1歳半です。私は散歩が趣味でよく隣町やさらに遠くまで歩いています。子どもの歩行訓練のためにも散歩はとても良いと聞いているので、午前中はずっと二人で自宅から遠方まで散歩をしていて、今日はたまたまこの前を通りかかっただけです」とあまり表情を変えることなく答えた。話を聞きながら子どもの遊びに関わっていた保育士は、子どもにも話しかけたが応答はなく、やはり表情は硬い印象を受けた。

【設問】

　保育士のその後の対応として、「保育所保育指針」第4章「子育て支援」に照らし、適切な記述を○、不適切な記述を×とした場合の正しい組み合わせを一つ選びなさい。

A　母親に保育所のパンフレットを渡し、相談があったら保育所に電話をするように伝える。

B　家庭で育児されている子どものため、その場では丁寧に対応するが、生活状況や家庭環境などは個人情報なので触れないようにし、今後の来園については特に言及しないでおく。

C　次回の園庭開放日も来園するように誘い、親子との関係を築き、家庭における子育ての状況を把握することを心がける。

D　その後の関わりのなかで母親の困りごとなど相談の希望がある場合に備えて、親子の住む地域を管轄する保健センターや子育て支援センターを紹介できるように調べておく。

組み合わせ			
A	B	C	D
1 ○	○	○	×
2 ○	○	×	○
3 ○	×	○	○
4 ×	○	○	○
5 ×	×	○	×

正答 3　令3-後-8

A ○：第４章「子育て支援」の３「地域の保護者等に対する子育て支援」の (1)「地域に開かれた子育て支援」には、「地域の保護者等に対して、保育所保育の専門性を生かした子育て支援を積極的に行うよう努めること」と記載されている。

B ✕：上記と同様。さらに保育所保育指針解説には、「こうした取組を進める上で、保護者が参加しやすい雰囲気づくりを心がけることが大切である。気軽に訪れ、相談することができる保育所が身近にあることは、家庭で子どもを育てていく上での安心感につながる。育児不安を和らげ、虐待の防止に資する役割が保育所にも求められていることを踏まえ、地域の子育て家庭を受け入れていくことが重要である」と記載されている。

C ○：保育所保育の特性は、たとえば、生活習慣の自立や遊び方、遊具の使い方、子どもとの適切な関わりなどについて一人一人の子どもや保護者の状況に応じて具体的に助言したり、行動見本を実践的に提示することであり、家庭での子育て状況を把握することは必要である。

D ○：第４章の３の (2)「地域の関係機関等との連携」のアに「市町村の支援を得て、地域の関係機関等との連携及び協働を図るとともに、子育て支援に関する地域の人材と積極的に連携を図るよう努めること」と記載されている。さらに解説には、保育所での子育て支援が関係機関と連携することで、子どもの健全育成や子育て家庭の養育力の向上等につながることが記載されている。

問25 次の保育所での【事例】を読んで、【設問】に答えなさい。

【事例】

　４月に入所してきた５歳児クラスのＹ児は、製作遊びや絵を描くことに戸惑いや自信のなさがみられる。Ｙ児は入所当初から着替えなどが自分一人でできないので、保護者には生活習慣面の自立が課題であることを話していた。しかし、母親は「Ｙちゃん、こう言うのよ」「Ｙちゃん、次はこうするのよ」などＹ児の判断と行動を先回りする傾向があった。Ｙ児は母親と離れた保育所の生活で、保育士や友だちの援助のもとに少しずつ自分で自分のことができるようになり、課題活動に取り組もうとする意欲も出てきた。

　ある朝、空き箱製作のためにＹ児は家から空き箱をたくさん持ってきた。担当保育士は感謝し、Ｙ児に大・中・小の大きさ別にして段ボール箱に入れるように伝えた。Ｙ児は分類を始めたが、大きい箱か小さい箱か自分で決められず何度も保育士に聞きにくる。段ボール箱が一杯になりあふれそうになると、Ｙ児はどうしてよいかわからず戸惑っていた。その様子を見ていた母親は、急いで保育室に入ってＹ児の代わりに自分で分類作業をし始めた。

【設問】

　「保育所保育指針」第１章「総則」の１「保育所保育に関する基本原則」、第４章「子育て支援」に照らし、保育士の対応として適切な記述を○、不適切な記述を×とした場合の正しい組み合わせを一つ選びなさい。

A　入所するまで家庭でどのような生活を送ってきたのか、なぜ母親が先回りをするような接し方をするのかを理解しながら、子どもが自分で自分のことをしようとすることの大切さなど、保育所が育てようとしている内容について母親に伝える。

B　母親に「もう５歳なのだから、手伝ってはいけません。手伝っているといつまでも自立できません」と厳しく伝え、すぐに保育室から出るように促す。

C　Ｙ児に対して「もう５歳なのだから、手伝ってもらってはいけない」ことを知らせ、Ｙ児自身が母親に対して「手伝わないでほしい」と言わなければならないと伝える。

D　箱を自ら分類しようとする母親にさりげなく話しかけてその場から離し、Ｙ児が戸惑いながらも自分で分類しようとする姿に目を向け、一緒にそのことを待ち、喜びあうようにする。

E　保育士も母親の分類作業に参加しながら、Ｙ児を誘い、Ｙ児が自分で分類し始める姿に母親が気付くようにしていく。

組み合わせ				
A	B	C	D	E
1　○	○	○	×	×
2　○	×	○	×	○
3　○	×	×	○	○
4　×	○	○	×	×
5　×	×	○	○	○

正答 3 平31-前-18

A ○：子育て支援は、保護者との連携が大切である。相互理解を図るよう母親の気持ちを理解しながら、保育所での保育のねらいや内容を伝えていくことが大切である。

B ✕：母親の思いに沿っていない不適切な対応である。「厳しく」伝える必要も、保育室から出てもらう必要もない。

C ✕：Y児の思いも母親の思いも受け止め、保育者としてY児が自分で自分のことができるような保育の在り方を考えていく必要がある。

D ○：Y児にも母親にも寄り添った適切な対応である。一緒にそのことを待ち、喜びあうことが、母親に子どもの成長を知ってもらうことにつながる。

E ○：Y児にも母親にも寄り添った適切な対応である。Y児が自分で分類し始める姿を見ることにより母親も安心し、視野を広げることができる。

　子育て支援は、保育所保育指針第4章にあるように、「子どもの育ちを家庭と連携して支援していく」ものである。また、「保護者及び地域が有する子育てを自ら実践する力の向上」に資するよう具体的な留意事項が示されている。

「子育て支援」は保育者に求められる大切な役割だよ

問26 次のうち、「保育所保育指針」第4章「子育て支援」⑶「不適切な養育等が疑われる家庭への支援」に関する記述として、適切なものの組み合わせを一つ選びなさい。

A 保護者に育児不安等が見られる場合には、保護者の希望に応じて個別の支援を行うよう努める。

B 保護者に不適切な養育等が疑われる場合には、市町村や関係機関と連携し、要保護児童対策地域協議会で検討するなど適切な対応を図る。

C 虐待が疑われる場合には、速やかに警察に相談し、適切な対応を図る。

D 虐待に対しては秘密保持の観点からできるだけ少人数の保育士が関わり、虐待に関する事実関係の記録も最小限にとどめる。

組み合わせ		
1	A	B
2	A	C
3	A	D
4	B	C
5	C	D

正答 1 令6-前-19

A ○：保育所保育指針第4章「子育て支援」の2「保育所を利用している保護者に対する子育て支援」の⑶「不適切な養育等が疑われる家庭への支援」のアに記載されている。

B ○：保育所保育指針第4章「子育て支援」の2「保育所を利用している保護者に対する子育て支援」の⑶「不適切な養育等が疑われる家庭への支援」のイに記載されている。

C ×：保育所保育指針第4章「子育て支援」の2「保育所を利用している保護者に対する子育て支援」の⑶「不適切な養育等が疑われる家庭への支援」のイに、警察に相談するのではなく、市町村又は児童相談所に通告すると記載されている。

D ×：虐待が疑われる場合には、市町村又は児童相談所への速やかな通告とともに、関係機関との連携が求められる。またその通底となる考え方として、「子ども虐待対応の手引き（平成25年8月改正版）」に保育所が組織的対応を図ること、虐待に関する事実関係はできるだけ細かく具体的に記録しておくこと等が記載されている。

テーマ **6** 子育て支援（保育所保育指針第4章） ➡ 『合格テキスト』P.30〜33、45〜47、65

問27 次の【事例】を読んで、【設問】に答えなさい。

【事例】

　Kちゃん（生後7か月）は、家庭では保護者がおんぶ紐でおんぶをしたまま昼寝をする習慣がある。保育所に入所後は、担当保育士が保護者に家庭での昼寝の様子を聞き、家庭での入眠方法を踏襲し保育士がおんぶをして午睡をしていた。Kちゃんは入所後1か月が経過したが布団ではなかなか眠れず、ウトウトしてもすぐに目を覚ましては泣いてしまい、十分に睡眠がとれない日々が続いている。

【設問】

　担当保育士の今後の対応として、「保育所保育指針」第1章「総則」、第2章「保育の内容」、第4章「子育て支援」に照らし、適切な記述を○、不適切な記述を×とした場合の正しい組み合わせを一つ選びなさい。

A 担当保育士との信頼関係を築けるようにKちゃんが泣いたら応答し、担当保育士との関わりがKちゃんにとって安心で心地よいものとなることをまず心がける。

B いずれ保育所の睡眠環境に慣れて眠るようになるとの見通しから、今後もしばらく担当保育士がおんぶして寝かせるようにしていく。

C 保護者に保育所でのKちゃんの状況を伝え、家庭でも保育所の環境を想定して、睡眠導入時から布団で寝られるようにするためにおんぶ紐の使用をやめるように話す。

D なるべく早く保育所の睡眠環境に慣れて眠れるように、泣いても極力応答せずにKちゃん自身が入眠リズムをつくっていくことを心がける。

組み合わせ			
A	B	C	D
1 ○	○	×	×
2 ○	×	○	○
3 ○	×	×	○
4 ×	○	○	×
5 ×	×	○	×

正答 1 令1-後-8

A ○：保育所保育指針第2章「保育の内容」の1「乳児保育に関わるねらい及び内容」の(1)「基本的事項」において「特定の大人との応答的な関わりを通じて情緒的な絆が形成される」とあり、これら発達の特徴を踏まえて「乳児保育は、愛情豊かに、応答的に行われることが特に必要である」と書かれている。

B ○：保育所保育指針第2章「保育の内容」の1の(2)「ねらい及び内容」のイ「身近な人と気持ちが通じ合う」の(ｱ)「ねらい」の③の「身近な人と親しみ、関わりを深め、愛情や信頼感が芽生える」との内容に相当する。

C ×：保育所保育指針第4章「子育て支援」の2の(2)「保護者の状況に配慮した個別の支援」に「保護者の状況に配慮するとともに、子どもの福祉が尊重されるよう努め、子どもの生活の連続性を考慮すること」と記載されている。

D ×：乳児保育では「応答的な関わり」が基本となる。

問28 次の文は、保育所における子育て支援の基本的事項に関する記述である。「保育所保育指針」第4章「子育て支援」に照らして、適切な記述を○、不適切な記述を×とした場合の正しい組み合わせを一つ選びなさい。

A 保護者の気持ちを受け止め、相互の信頼関係を基本に、保護者自らが選択、決定していけるように支援する。

B 保護者の話から不適切と思われる行動が行われているとわかれば、はっきりと非難の意思を示し禁止するように指示する。

C 保護者とのコミュニケーションは、日常の送迎時における対話や連絡帳、電話、面接など様々な機会をとらえて行う。

D 保育士や看護師、栄養士等の専門性を有する職員が配置されていることを生かして、保護者が子どもの成長に気付けるようにする。

E 保護者の保育参観や保育体験への参加の機会は、他の子どもの家庭の状況がわかることから子育ての支援としては行わない。

組み合わせ				
A	B	C	D	E
1 ○	○	○	○	×
2 ○	○	×	×	○
3 ○	×	○	○	×
4 ×	○	×	○	○
5 ×	×	○	×	×

正答 3 令2-後-10

A ○：子育て支援では「保護者自らが選択、決定」することが大切である。保育所保育指針第4章の1の (1)「保育所の特性を生かした子育て支援」のアに「保護者の自己決定を尊重すること」と記載されている。

B ×：保育所保育指針第4章の2の (3)「不適切な養育等が疑われる家庭への支援」のイに「保護者に不適切な養育等が疑われる場合には、市町村や関係機関と連携し、要保護児童対策地域協議会で検討するなど適切な対応を図ること。また、虐待が疑われる場合には、速やかに市町村又は児童相談所に通告し、適切な対応を図ること」と記載されている。

C ○：保育所保育指針第4章の2の (1)のアに記載されており、保育所保育指針解説に選択肢の通り記載されている。

D ○：保育所保育指針第4章の1の (1)の (イ)に「保育所の特性を生かし、保護者が子どもの成長に気付き子育ての喜びを感じられるように努めること」と記載されている。

E ×：保護者の保育参観や保育体験への参加は、保護者との相互理解において必要なことである（保育所保育指針第4章の2の (1)「保護者との相互理解」のア及びイ）。

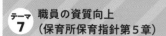

→『合格テキスト』P.68

テーマ 7 職員の資質向上
（保育所保育指針第5章）

問29 次の文は、「保育所保育指針」第5章「職員の資質向上」の一部である。（a）〜（e）の下線部分が正しいものを○、誤ったものを×とした場合の正しい組み合わせを一つ選びなさい。

　子どもの最善の利益を考慮し、**（a）環境**に配慮した保育を行うためには、職員一人一人の**（b）倫理観**、人間性並びに保育所職員としての職務及び責任の理解と自覚が基盤となる。

　各職員は、**（c）自己評価**に基づく課題等を踏まえ、保育所内外の**（d）研究**等を通じて、保育士・看護師・調理員・栄養士等、それぞれの職務内容に応じた専門性を高めるため、必要な知識及び**（e）技術**の修得、維持及び向上に努めなければならない。

組み合わせ				
a	b	c	d	e
1 ○	○	○	○	×
2 ×	×	×	○	○
3 ○	×	×	×	○
4 ×	○	○	×	○
5 ×	×	○	○	×

正答 4 令4-前-12

a ×：人権　**b** ○：倫理観　**c** ○：自己評価　**d** ×：研修　**e** ○：技術

　保育所保育指針第5章「職員の資質向上」の1「職員の資質向上に関する基本的事項」の⑴「保育所職員に求められる専門性」の原文からの出題である。保育の質の向上を図るには、保育所において子どもの保育に関わるあらゆる職種の職員一人一人が、その資質を向上させることが大切である。また、子どもの最善の利益を考慮し、人権に配慮した保育を行うためには、その人間性や保育所職員としての自らの職務を適切に遂行していくことに対する責任の自覚が必要である。

問30 次のうち、「保育所保育指針」第5章「職員の資質向上」の一部として、（a）〜（d）の下線部分が正しいものを○、誤ったものを×とした場合の正しい組み合わせを一つ選びなさい。

● 保育所においては、当該保育所における保育の課題や各職員の（a）キャリアアップも見据えて、初任者から管理職員までの（b）職位や職務内容等を踏まえた体系的な研修計画を作成しなければならない。

● 外部研修に参加する職員は、自らの（c）専門性の向上を図るとともに、保育所における保育の課題を理解し、その解決を実践できる力を身に付けることが重要である。また、研修で得た（d）知識及び判断力を他の職員と共有することにより、保育所全体としての保育実践の質及び専門性の向上につなげていくことが求められる。

組み合わせ			
a	b	c	d
1 ○	○	○	×
2 ○	×	×	○
3 ×	○	○	×
4 ×	○	×	○
5 ×	×	○	×

正答 3 令6-前-9

a ×：キャリアパス等
b ○：職位や職務内容
c ○：専門性の向上
d ×：知識及び技能

　保育所保育指針第5章「職員の資質向上」の4「研修の実施体制等」の(1)及び(2)からの出題である。研修は、内部研修、外部研修ともに計画を立てて行われることが求められており、また外部研修に参加した職員は、研修で得た知識及び技能を他の職員と共有し、保育所全体の保育実践の質及び専門性の向上につなげていくことが求められる。

テーマ7 職員の資質向上（保育所保育指針第5章）

→『合格テキスト』P.69

問31 次の（a）～（d）の下線部分のうち、「保育所保育指針」第5章「職員の資質向上」の一部として、正しいものを○、誤ったものを×とした場合の正しい組み合わせを一つ選びなさい。

　職員が日々の保育実践を通じて、必要な知識及び技術の修得、維持及び向上を図るとともに、<u>（a）保育の課題等への共通理解</u>や<u>（b）計画性</u>を高め、保育所全体としての保育の<u>（c）効率化</u>を図っていくためには、日常的に職員同士が<u>（d）主体的に学び合う</u>姿勢と環境が重要であり、職場内での研修の充実が図られなければならない。

組み合わせ	a	b	c	d
1	○	○	○	×
2	○	×	○	×
3	○	×	×	○
4	×	○	×	×
5	×	×	○	○

正答 3 令3-後-10

a ○：保育所保育指針第5章の3「職員の研修等」の(1)「職場における研修」の通りである。

b ×：協働性

c ×：質の向上

d ○：保育所保育指針第5章の3「職員の研修等」の(1)「職場における研修」の通りである。

　保育所保育指針第5章「職員の資質向上」の3「職員の研修等」の(1)「職場における研修」の原文からの出題である。(2)には「外部研修の活用」について示されている。職員研修は、園内研修と外部研修がある。

問32 次の文のうち、「保育所保育指針」第5章「職員の資質向上」の一部として、正しいものを○、誤ったものを×とした場合の正しい組み合わせを一つ選びなさい。

A 子どもの最善の利益を考慮し、人権に配慮した保育を行うためには、職員一人一人の倫理観、人間性並びに保育所職員としての職務及び責任の理解と自覚が基盤となる。

B 施設長は、保育所の保育課程や、各職員の職位等を踏まえて、体系的・計画的な研修機会を確保するとともに、職員の勤務体制の工夫等により、職員が計画的に外部研修に参加し、その専門性の向上が図られるよう努めなければならない。

C 職員が日々の保育実践を通じて、必要な知識及び技術の修得、維持及び向上を図るとともに、保育の課題等への共通理解や協働性を高め、保育所全体としての保育の質の向上を図っていくためには、日常的に職員同士が主体的に学び合う姿勢と環境が重要であり、職場内での研修の充実が図られなければならない。

D 保育所においては、当該保育所における保育の課題や各職員のキャリアパス等も見据えて、初任者から管理職員までの職位や職務内容等を踏まえた体系的な研修計画を作成しなければならない。

組み合わせ	A	B	C	D
1	○	○	○	×
2	○	○	×	×
3	○	×	○	○
4	×	○	×	○
5	×	×	○	○

正答 3 令3-前-10

A ○：保育所保育指針第5章の1「職員の資質向上に関する基本的事項」の(1)「保育所職員に求められる専門性」の原文通りである。

B ×：保育所保育指針第5章の2「施設長の責務」の(2)「職員の研修機会の確保等」の文言に似ているが、「保育課程」ではなく「全体的な計画」、「職位」ではなく「研修の必要性」、「外部研修」ではなく「研修等」である。

C ○：保育所保育指針第5章の3「職員の研修等」の(1)「職場における研修」の原文通りである。

D ○：保育所保育指針第5章の4「研修の実施体制等」の(1)「体系的な研修計画の作成」の原文通りである。

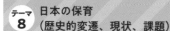

テーマ **8** 日本の保育
（歴史的変遷、現状、課題）

➡ 『合格テキスト』P.76

問33 次の表は、令和2年4月の年齢区分別の保育所等利用児童数および待機児童数を示したものである。この表を説明した記述として、正しいものを一つ選びなさい。ただし、ここでいう「保育所等」は、従来の保育所に加え、平成27年4月に施行した子ども・子育て支援新制度において新たに位置づけられた幼保連携型認定こども園等の特定教育・保育施設と特定地域型保育事業（うち2号・3号認定）を含むものとする。

表 年齢区分別の保育所等利用児童数および待機児童数

	利用児童数	待機児童数
低年齢児（0〜2歳）	1,109,650人　（40.5%）	10,830人　（87.1%）
うち0歳児	151,362人　（5.5%）	1,227人　（9.9%）
うち1・2歳児	958,288人　（35.0%）	9,603人　（77.2%）
3歳以上児	1,627,709人　（59.5%）	1,609人　（12.9%）
全年齢児計	2,737,359人（100.0%）	12,439人（100.0%）

出典：厚生労働省「保育所等関連状況取りまとめ（令和2年4月1日）」

1　利用児童数は、低年齢児（0〜2歳）よりも3歳以上児の方が少ない。

2　待機児童数は、3歳以上児が最も多い。

3　待機児童数は、1万2千人を上回っているが、そのうち低年齢児（0〜2歳）が9割以上を占めている。

4　利用児童数の割合は、低年齢児（0〜2歳）が4割を超えており、待機児童数は低年齢児（0〜2歳）が3歳以上児よりも多くなっている。

5　利用児童数の割合は、3歳以上児が約6割であるが、待機児童数の割合は3歳以上児が低年齢児（0〜2歳）よりも多くなっている。

正答 4 令4-前-20

1 ✕：利用児童数は、低年齢児（0〜2歳）110万9650人（40.5%）、3歳以上児162万7709人（59.5%）で、3歳以上児の方が多い。

2 ✕：待機児童数は、低年齢児は1万830人（87.1%）、3歳以上児1609人（12.9%）で、低年齢児が多い。

3 ✕：待機児童数は、全年齢児計は1万2439人（100.0%）、低年齢児（0〜2歳）は1万830人（87.1%）で、9割には達していない。

4 ○：利用児童数は、低年齢児（0〜2歳）110万9650人（40.5%）で4割を超えており、待機児童数は低年齢児1万830人（87.1%）、3歳以上児1609人（12.9%）で、低年齢児が3歳以上児よりも多い。

5 ✕：3歳以上児の利用児童数は162万7709人（59.5%）で約6割であるが、待機児童数は1609人（12.9%）で、低年齢児（0〜2歳）の1万830人（87.1%）より少ない。

問34 次の【Ⅰ群】の記述と【Ⅱ群】の語句を結びつけた場合の正しい組み合わせを一つ選びなさい。

【Ⅰ群】

A 1899（明治32）年、文部省令として公布され、幼稚園の保育目的、編制、保育内容などに関して国として最初の基準を定めた。

B 1926（大正15）年、日本の幼稚園に関する最初の単独の勅令として公布された。

C 1948（昭和23）年に文部省から出された幼児教育の手引書で、幼稚園のみならず保育所や子どもを育てる母親を対象とする幅広い手引書となった。

D 1951（昭和26）年5月5日、「日本国憲法」の精神にしたがい、すべての児童の権利を保障し、幸福を図るために制定された。

【Ⅱ群】

ア 保育要領

イ 幼稚園保育及設備規程

ウ 児童憲章

エ 幼稚園令

組み合わせ			
	A	B	C	D
1	ア	イ	ウ	エ
2	ア	ウ	エ	イ
3	イ	ア	ウ	エ
4	イ	エ	ア	ウ
5	ウ	エ	ア	イ

正答 **4** 令2-後-18

A イ：幼稚園保育及設備規程。幼稚園についての最初の国家的基準である。

B エ：幼稚園令。1947（昭和22）年学校教育法が制定され、幼稚園は学校として位置づけられ、幼稚園令は廃止された。

C ア：保育要領。幼稚園の保育内容・方法を示すものであるが、保育所や家庭で子育てする母親にも役立つように配慮されている。現在の幼稚園教育要領、保育所保育指針のもとになっている。

D ウ：児童憲章。前文と12項目から成っている。

歴史については、最近は基本的な問題が多くなっているよ

フレーフレー

→ 『合格テキスト』P.27〜28

テーマ 8 日本の保育（歴史的変遷、現状、課題）

問35 次のうち、日本の保育制度の変遷に関する記述として、適切な記述を○、不適切な記述を×とした場合の正しい組み合わせを一つ選びなさい。

A 1999（平成11）年、文部省と厚生省の幼児教育に関わる担当局長の連名による通知においてはじめて、「保育所のもつ機能のうち、教育に関するものは、幼稚園教育要領に準ずることが望ましいこと」とされた。

B 2008（平成20）年、「保育所保育指針」は大臣告示として改定され、規範性を有する基準としての性格が明確になった。

C 2017（平成29）年の「保育所保育指針」改定で、教育に関わる側面のねらい及び内容に関して、「幼稚園教育要領」、「幼保連携型認定こども園教育・保育要領」との整合性を図った。

D 2012（平成24）年の子ども・子育て支援新制度により、保育所が幼児教育を行う施設として位置づけられた。

組み合わせ			
	A	B	C	D
1	○	○	○	×
2	○	×	○	○
3	×	○	○	×
4	×	○	×	○
5	×	×	○	×

正答 3 令4-前-3

A ×：1963（昭和38）年の通知である。
B ○：記述の通りである。
C ○：記述の通りである。
D ×：2015（平成27）年である。

　1963（昭和38）年の通知「幼稚園と保育所との関係について」は保育の歴史において大切な通知である。「保育所のもつ機能のうち、教育に関するものは、幼稚園教育要領に準ずることが望ましいこと」と示され、保育内容の統一化が図られた。2015（平成27）年の子ども・子育て支援新制度については、今後も出題が予想されるため、確認しておこう。

問36 次のうち、日本における保育の歴史に関する記述として、適切なものを○、不適切なものを×とした場合の正しい組み合わせを一つ選びなさい。

A 1876（明治9）年、幼稚園が創設されると同時に保姆資格が法律で規定された。

B 1890（明治23）年に赤沢鍾美が創設した新潟静修学校では、子守をしながら通う生徒のために次第に乳幼児を別室で預かるようになり、これがのちの保育事業へと発展した。

C 1900（明治33）年、経済的に恵まれない家庭の子どもたちのために野口幽香と森島峰の二人が二葉幼稚園を創設した。

D 1947（昭和22）年、幼児教育への期待が高まり、幼稚園に関する最初の独立した法律である「幼稚園令」が制定された。

組み合わせ			
A	B	C	D
1 ○	○	×	×
2 ○	×	×	○
3 ×	○	○	×
4 ×	×	○	×
5 ×	×	×	○

正答 3 令6-前-12

A ×：1876（明治9）年、日本で初めての公立幼稚園東京女子師範学校附属幼稚園が創設されたときには、資格について、法律による規定はされなかった。現在の幼稚園教諭にあたる保姆の資格が初めて法令に規定されたのは、1926（大正15）年に発布された「幼稚園令」においてである。

B ○：選択肢の通りである。現在の保育所の始まりの一つである。

C ○：選択肢の通りである。「貧しい子どもたちにも富裕層の子どもと同じ教育を」との思いから、フレーベル主義に基づき、恩物を用いた教育を行った。

D ×：「幼稚園令」が制定されたのは1926（大正15）年である。

テーマ **8** 日本の保育（歴史的変遷、現状、課題）　→ 『合格テキスト』P.72〜73

問37 次の【Ⅰ群】の記述と、【Ⅱ群】の人名を結びつけた場合の正しい組み合わせを一つ選びなさい。

【Ⅰ群】

A 高等女学校在学中に二葉幼稚園を知り卒業後保姆となり「二葉の大黒柱」と呼ばれた。二葉保育園と改称された同園の分園を設立し、保育にとどまらず社会事業に尽力した。特に「母の家」はわが国初の母子寮として知られる。

B さまざまな事情で教育を受けられない貧しい子どもたちに私塾を開いた。また生徒が子守りから解放されて勉強できるように、生徒の幼い弟妹を校内で預り世話をした。

【Ⅱ群】

ア 赤沢鍾美

イ 野口幽香

ウ 徳永恕

組み合わせ		
	A	B
1	ア	イ
2	ア	ウ
3	イ	ア
4	イ	ウ
5	ウ	ア

正答 5　令3-後-6

A ウ：徳永恕（ゆき）は、二葉幼稚園（のちに二葉保育園と改称）の保姆、園長、理事長として幼児教育・社会福祉に貢献したほか、日本初の母子寮「母の家」を開設した。二葉幼稚園は、野口幽香と森島峰（美根）により設立され、貧しい家の子どもにも裕福な家の子どもと同じ教育をとの考えから始まった。

B ア：赤沢鍾美（あつとみ）は、日本の保育所のルーツの一つの新潟静修学校の創始者である。生徒が幼い弟や妹、または奉公先の赤ちゃんを背負って勉強する姿を見て、「別室」で赤ちゃんの世話をした。これが新潟静修学校付設託児所であり、日本人による本格的託児所の始まりといわれている。

問38 次の【Ⅰ群】の記述と、【Ⅱ群】の人物を結びつけた場合の正しい組み合わせを一つ選びなさい。

【Ⅰ群】

A 華族女学校附属幼稚園に勤めていたが、貧しい子どもたちを対象とする幼児教育の必要性を感じ、森島峰とともに二葉幼稚園を設立した。

B リズミカルな歌曲に動作を振り付けた「律動遊戯」と童謡などに動作を振り付けた「律動的表情遊戯」を創作した。

C 東京女子師範学校附属幼稚園の創設時の主任保姆として保姆たちの指導にあたり、日本の幼稚園教育の基礎を築いた。

D 恩物中心主義の保育を批判し、著書『幼稚園保育法』（明治37年）において、幼児の自己活動を重視するとともに遊戯の価値を論じた。

【Ⅱ群】

ア 松野クララ
イ 土川五郎
ウ 東基吉
エ 野口幽香
オ 倉橋惣三

組み合わせ	A	B	C	D
1	ア	イ	エ	ウ
2	ア	ウ	エ	オ
3	エ	イ	ア	ウ
4	エ	イ	ア	オ
5	エ	ウ	ア	イ

正答 3 令4-前-15

A エ：野口幽香は、森嶋峰とともに貧しい子どもたちの教育のために二葉幼稚園を設立し、東京女子師範学校附属幼稚園や華族女学校附属幼稚園同様に、フレーベルの教育をした。

B イ：土川五郎は、幼児期にふさわしい遊戯の創作をした。大正期にリズミカルな歌曲に振り付けをして幼児音楽に影響をもたらした。「律動遊戯」「律動的表情遊戯」はキーワードである。

C ア：松野クララ。東京女子師範学校附属幼稚園創設時の主任保姆、松野クララはドイツ人である。フレーベルが創設した「幼児教育指導者講習科」という指導者養成校で学び、日本の近代幼児教育の基盤整備に取り組み、フレーベルの恩物やピアノを用いた教育をした。

D ウ：東基吉は、フレーベル理論そのものを批判したのではなく、形骸化した恩物中心主義の保育を批判した。幼児の自発的な遊びの重要性を主張し『幼稚園保育法』を著した。

| テーマ 8 | 日本の保育
（歴史的変遷、現状、課題） | ➡ 『合格テキスト』P.78〜79 |

問39 次の文のうち、「子ども・子育て支援新制度」による地域型保育事業に含まれる事業についての記述として、適切な記述を○、不適切な記述を×とした場合の正しい組み合わせを一つ選びなさい。

A 「小規模保育事業」とは、保育を必要とする乳児・幼児であって満3歳未満のものの保育を、利用定員が6人から19人までの施設で行う事業である。

B 「家庭的保育事業」とは、保育を必要とする乳児・幼児であって満3歳未満のものの保育を、家庭的保育者の居宅等において行う事業であり、利用定員は10人以下である。

C 「居宅訪問型保育事業」とは、保育を必要とする乳児・幼児であって満3歳未満のものの保育を、乳児・幼児の居宅において家庭的保育者により行う事業である。

D 「事業所内保育事業」とは、事業主がその雇用する労働者の監護する乳児・幼児及びその他の乳児・幼児の保育を、自ら設置する施設又は事業主が委託した施設において行う事業である。

| 組み合わせ |
| A B C D |
| 1 ○ ○ × × |
| 2 ○ × ○ × |
| 3 ○ × ○ × |
| 4 × ○ × ○ |
| 5 × × ○ × |

正答 2 令1-後-19

A ○：「小規模保育事業」は、利用定員6〜19人の施設で、小規模かつ0歳〜2歳までの事業である。

B ×：「家庭的保育事業」は、家庭的保育者の居宅等で5人以下の満3歳未満の乳幼児を保育する。

C ○：「居宅訪問型保育事業」は、保育を必要とする満3歳未満の乳幼児の居宅において、保育士等が1対1を基本として保育を行う。

D ○：「事業所内保育事業」は、主として自社の従業員の子どものほか、地域において保育を必要とする乳幼児に保育を提供する。

「子ども・子育て支援新制度」による新たな認可施設は、上記の四つである。事業所内保育事業の一部を除き、いずれも0〜2歳がその対象であるため、就学前の受け皿の役割を担う連携施設の設定・確保が求められている。

問40 次のうち、日本における保育の歴史についての記述として、適切なものを○、不適切なものを×とした場合の正しい組み合わせを一つ選びなさい。

A　貧しい家庭の子どもたちのための幼稚園が明治期につくられ始めた。その一つ、二葉幼稚園は赤沢鍾美が慈善により開設したものである。

B　日本において最も早く設立された公立の幼稚園は、東京女子師範学校附属幼稚園であった。そこでは設立当初から、子どもの自由で自主的な活動が保育の中心であった。

C　幼児教育への期待が高まり全国に幼稚園が普及し始めた 1926（大正 15）年、「幼稚園基本法」が制定された。これによって、幼稚園ははじめて制度的な地位を確立した。

D　1948（昭和 23）年に文部省から刊行された「保育要領」は、幼稚園のみならず保育所及び家庭における幼児期の教育や世話の仕方などを詳細に解説したものである。

組み合わせ			
A	B	C	D
1 ○	○	○	×
2 ○	×	×	○
3 ×	×	×	×
4 ×	○	○	×
5 ×	×	×	○

正答 5　令5-前-19

A ×：貧しい家庭の子どもたちのためにつくられ始めたのは「保育所」とされる。「二葉幼稚園」は野口幽香、森島峰により開設。赤沢鍾美・仲子夫妻が開設したのは「新潟静修学校附設託児所」である。

B ×：日本で初めて設立された公立の幼稚園は「東京女子師範学校附属幼稚園」である。その保育内容はフレーベル主義に基づき、恩物を使用しての集団保育と呼ばれるものである。フレーベル主義の模倣から始まり、子どもの自主的な活動はまだ考えられなかった。

C ×：1926（大正15）年に制定されたのは「幼稚園令」である。小学校令から独立した初めての幼稚園固有の法律である。なお、幼稚園基本法という法律はない。

D ○：「保育要領」は、日本で最初の保育内容の基準書である。幼稚園の保育内容を示すものであるが、保育所や家庭での子育てにも役立つように配慮されており、現在の幼稚園教育要領、保育所保育指針の礎になるものである。

テーマ 8 日本の保育（歴史的変遷、現状、課題）

➡ 『合格テキスト』P.201〜202

問41 次のうち、2019（令和元）年10月1日から日本において実施された「幼児教育・保育の無償化」に関する記述として、適切なものを○、不適切なものを×とした場合の正しい組み合わせを一つ選びなさい。

A 「幼児教育・保育の無償化」の対象となる施設は、幼稚園、保育所、認定こども園のみである。

B 「幼児教育・保育の無償化」の対象となる子どもは、3歳から5歳児クラスの子どもであり、原則、満3歳になった後の4月1日から小学校入学前までの3年間である。

C 無償になるのは、保育所等の利用料であり、通園送迎費、食材料費、行事費等は保護者負担になる。ただし、食材料費については、保護者の年収等によって副食（おかず・おやつ等）の費用が免除される。

D 就学前の障害児の発達支援を利用する3歳から5歳までの子ども（満3歳になった後の4月1日から小学校入学前までの3年間）の利用料が無料となる。

組み合わせ			
A	B	C	D
1 ○	○	○	×
2 ○	○	×	×
3 ○	×	○	○
4 ×	○	○	○
5 ×	×	×	○

正答 4 令5-前-16

　「子ども・子育て支援新制度」の「幼児教育・保育の無償化」に関する出題である。この機会に内閣府のホームページを確認しておくとよい。

A ×：「幼稚園、保育所、認定こども園などを利用する3歳から5歳児クラスの子どもたち、住民税非課税世帯の0歳から2歳児クラスまでの子供たちの利用料が無料」とされている。幼稚園、保育所、認定こども園のほかにも、認可外保育施設や一時預かり事業、障害児を対象とした児童発達支援センターなどの利用料についても、無償化の対象となる。

B ○：「無償化の期間は、満3歳になった後の4月1日から小学校入学前までの3年間」とされている。

C ○：「通園送迎費、食材料費、行事費などは、これまでどおり保護者の負担」「ただし、年収360万円未満相当世帯の子供たちと全ての世帯の第3子以降の子供たちについては、副食（おかず・おやつ等）の費用が免除」とされている。

D ○：「就学前の障害児の発達支援を利用する3歳から5歳までの子供たちの利用料が無料」とされている。

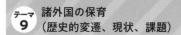
問42 次の【Ⅰ群】の記述と、【Ⅱ群】の人名を結びつけた場合の正しい組み合わせを一つ選びなさい。

【Ⅰ群】

A 経営する工場の労働者とその家族のために教育施設を開設し、そこに「幼児学校」をおいた。

B 最も恵まれない子どもを豊かに育む方法こそ、すべての子どもにとって最良の方法であるとする考えに基づき、「保育学校」を創設し、医療機関との連携を図って保育を進めた。

【Ⅱ群】

ア デューイ（Dewey, J.）
イ オーエン（Owen, R.）
ウ マクミラン（McMillan, M.）
エ オーベルラン（Oberlin, J.F.）

組み合わせ		
	A	B
1	ア	イ
2	イ	ア
3	イ	ウ
4	エ	ア
5	エ	ウ

正答 **3** 令5-後-11

A イ：オーエン（Owen, R.）：オーエンは、自分の経営する工場の労働者とその家族のために教育施設「性格形成学院」を開設し、そこに子どものための「幼児学校」をおいた。

B ウ：マクミラン（McMillan, M.）：マクミランは、ロンドンの恵まれない地区で幼児の健康を改善するための改革に熱心に取り組み、「保育学校」（今日の保育園の先駆）を創設した。

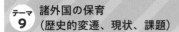

テーマ 9 諸外国の保育（歴史的変遷、現状、課題）　→ 『合格テキスト』P.81～83

問43 次のうち、保育の発展に寄与した人物とその主な功績についての記述として、適切なものを○、不適切なものを×とした場合の正しい組み合わせを一つ選びなさい。

A　コダーイ（Kodály, Z.）は、ハンガリーの作曲家である。民俗音楽による音楽教育法はのちに「コダーイ・システム」などにまとめられ、幼児教育にも活用された。

B　エレン・ケイ（Key, E.）は、フランスにおいて、放任されていた子どもたちのための教育を始めた。このうちの幼児学校（幼児保護所）では、子どもの保護のみならず、楽しく遊ぶことや教育も実施された。

C　フレーベル（Fröbel, F.W.）は、ドイツの教育者で、世界で最初の幼稚園を創設した。彼の哲学的な人間教育に根ざした幼稚園教育は他の多くの国の幼児教育に大きな影響を与えた。

D　モンテッソーリ（Montessori, M.）は、スウェーデンの社会運動家であり教職に就く傍ら多くの著作を世に出した。代表作に『児童の世紀』がある。

組み合わせ			
A	B	C	D
1　○	○	○	×
2　○	○	×	×
3　○	×	○	×
4　×	○	○	○
5　×	×	○	○

正答 3　令5-前-18

A ○：コダーイは、ハンガリーの作曲家、民族音楽学者である。「音楽教育は音楽的母語であるわらべ歌や民謡からはじまる」という思想で、その音楽メソッドは世界中の幼児教育・学校教育の場で採用されている。

B ×：エレン・ケイは、スウェーデンの社会思想家、教育者である。その著書「児童の世紀」は、女性解放運動や労働問題、宗教批判など19世紀末の社会問題について論じ、その中で子どもについても言及している。エレン・ケイの思想は日本においても、児童中心主義に立った新教育運動（大正自由教育運動）に大きな影響を与えた。「幼児保護所」はオーベルランと覚えよう。

C ○：フレーベルは、「幼児教育の父」と呼ばれ、世界で初めて幼稚園キンダーガルテンを創設した。恩物を用いての教育は、遊びの大切さを説いている。

D ×：エレン・ケイについて述べている。モンテッソーリは、イタリアの精神科医であり、教育者である。ローマのスラム街に貧しい子どもたちのために「子どもの家」を作り、モンテッソーリメソッドに基づく教育を行った。

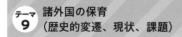

問44 次の文は、ルソー（Rousseau, J.- J.）についての記述である。適切な記述を○、不適切な記述を×とした場合の正しい組み合わせを一つ選びなさい。

A 『人間不平等起源論』（1755年）や『社会契約論』（1762年）を著した。

B 『エミール』（1762年）では、人間は、自然、事物、人間という3種類の先生によって教育されるとし、これら3者のうちで人間の力ではどうすることもできないのは「自然の教育」であるため、優れた教育のためには「人間の教育」と「事物の教育」を「自然の教育」に合わせなければならないと主張した。

C 『エミール』（1762年）では、人間の心は、その誕生の段階において、いかなる観念や原理も書き込まれていないまっさらな白紙の状態にあるとし、そのため教育が与える影響が大きいと主張した。

D 『エミール』（1762年）の中で示された、「美徳や真理を教えることではなく、心を不徳から、精神を誤謬からまもる」教育の考え方は「消極教育」と呼ばれ、子どもの内発的な力を重視する教育の源流となった考え方である。

組み合わせ			
A	B	C	D
1 ○	○	○	○
2 ○	○	×	○
3 ×	○	○	×
4 ×	○	×	×
5 ×	×	×	○

正答 2 平31-前-7

A ○：ルソー（1712-1778）は、『人間不平等起源論』（1755年）、『社会契約論』（1762年）において、全ての人は生まれながらに「善」であり、平等であると説いている。

B ○：『エミール』（1762年）はエミールという主人公が成人期に至るまでの理想的教育の過程を描いた物語で、「自然主義教育（消極教育）」を説いている。

C ×：設問の「白紙説」を説いたのはロック（Rocke, J ., 1632-1704）である。

D ○：「消極教育」とは、大人が子どもに対して必要以上に教育的な介入をせず、体験させることによって理解に導くという考え方である。

　ルソーは、「子どもの発見者」と呼ばれ、フランスで活躍した思想家である。ロックは、イギリスの経験論の哲学者で、主著『教育に関する若干の見解』（1693年）の中で、「子どもの心は白紙のようなものであるため、外からの力によっていかようにも形成される」という白紙説（タブラ・ラサ説）を唱えた。また、その序文の中で「健全な身体に宿る健全な精神」という言葉をあげて、精神と身体の関係の重要性を明らかにした。

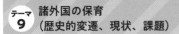
テーマ 9 諸外国の保育（歴史的変遷、現状、課題）

問45 次のうち、適切な記述を○、不適切な記述を×とした場合の正しい組み合わせを一つ選びなさい。

A コメニウス（Comenius, J. A.）は、『大教授学』や『世界図絵』等を著した。『世界図絵』は最初の絵入り教科書といわれ、その後の絵本や教科書に影響を与えた。

B オーエン（Owen, R.）は、ドイツに「性格形成学院」を開設し、子どもの保護と教育を行った。

C フレーベル（Fröbel, F.W.）は、教育の目的実現の基盤は乳幼児の健康であると考え、1908年、5歳以下の幼児を対象とする診療所を開設した。

D デューイ（Dewey, J.）は、1907年「子どもの家」の指導の任に就き、独自に開発した障害児の教育方法を幼児に適用した。

組み合わせ	A	B	C	D
1	○	○	○	×
2	○	×	○	○
3	○	×	×	×
4	×	○	×	×
5	×	×	○	○

正答 3 令4-後-18

A ○：『大教授学』では、あらゆる人が学べるように、書物をそれぞれの母国語で書くことをすすめた。

B ×：オーエン（1771-1858）は、ドイツではなくイギリスに「性格形成学院」を開設した。

C ×：フレーベル（1782-1852）が開設したのは、診療所ではなく世界初の幼稚園（「キンダーガルテン」）である。

D ×：デューイ（1859-1952）ではなく、モンテッソーリ（Montessori, M., 1870-1952）に関する記述である。

問46 次の文のうち、レッジョ・エミリアの保育・教育実践に関する記述として、適切な記述を○、不適切な記述を×とした場合の正しい組み合わせを一つ選びなさい。

A　フランスの都市レッジョ・エミリアの保育・教育実践は、その学校建築設計の特徴として、食育ができる「食堂」と、表現活動の拠点となる「アトリエ」があげられる。

B　「アトリエリスタ（芸術教師）」が配置されていることは、レッジョ・エミリアの保育・教育実践の特徴の一つである。

C　「ドキュメンテーション（子どもの日々の活動や学びの記録）」は、レッジョ・エミリアの保育・教育実践の特徴の一つである。

D　レッジョ・エミリアの保育・教育実践の考え方を支えてきたのは、教師であり思想家であるルドルフ・シュタイナー（Steiner, R.）である。

組み合わせ			
A	B	C	D
1 ○	○	○	×
2 ○	×	○	○
3 ×	○	○	×
4 ×	○	×	○
5 ×	×	×	○

正答 3　令1-後-11

A ×：レッジョ・エミリア市はイタリア北部にある都市である。また、特徴として「食堂」ではなく「広場」がある。

B ○：レッジョ・エミリア保育では、アトリエリスタ（芸術専門家）と呼ばれる芸術教師の存在が特徴である。アトリエリスタは、美術や音楽の専門家として子どもたちの創作活動に携わる。

C ○：ドキュメンテーションは、日々実践している保育を映像や動画、音声などで記録するものである。保育の評価・反省の材料の一つとして、今では日本の多くの幼児教育施設でも取り入れている。

D ×：レッジョ・エミリアの教育実践を支えてきたのは、ローリス・マラグッツィ（Malaguzzi, L.）である。レッジョ・エミリアという小さな町で生まれた教育方法である。

テーマ **9**　諸外国の保育
（歴史的変遷、現状、課題）

➡ 『合格テキスト』P.83〜84

問47　次の文のうち、諸外国の幼児教育・保育に関する記述として、適切な記述を○、不適切な記述を×とした場合の正しい組み合わせを一つ選びなさい。

A 「ラーニング・ストーリー」は、子どもたちの育ちや経験を観察し、写真や文章などの記録を通して理解しようとする方法であり、自らも保育者であったマーガレット・カー（Carr, M.）を中心にニュージーランドで開発された。

B 1965 年に、スウェーデンで開始された「ヘッド・スタート計画」は、主に福祉的な視点から、貧困家庭の子どもたちに適切な教育を与えて小学校入学後の学習効果を高めることを意図した包括的プログラムである。

C イタリアのレッジョ・エミリア市では、第二次世界大戦後、ローリス・マラグッツィ（Malaguzzi, L.）のリーダーシップのもと、独創的な保育の取り組みが進められてきた。

組み合わせ		
A	B	C
1 ○	○	○
2 ○	○	×
3 ○	×	○
4 ×	○	×
5 ×	×	×

正答 3　令2-後-19

A ○：ラーニング・ストーリーは、マーガレット・カーを中心にニュージーランドで開発された。子どものできないことやマイナス面に着目するのではなく、興味関心のあるもの等に着目して子どもの可能性を伸ばしていく方法である。

B ×：「ヘッド・スタート計画」は1965年、貧困撲滅政策の一環としてアメリカで開始された。

C ○：レッジョ・エミリアの保育は、ローリス・マラグッツィが中心となり行われた幼児教育実践法である。個々の意思を大切にしながら、子どもの表現力やコミュニケーション能力、探究心、考える力などを養うことを目的としている。

問48 次の【Ⅰ群】の記述と、【Ⅱ群】の法律・省令を結びつけた場合の正しい組み合わせを一つ選びなさい。

【Ⅰ群】

A すべて国民は、健康で文化的な最低限度の生活を営む権利を有する。

B 乳児及び幼児は、心身ともに健全な人として成長してゆくために、その健康が保持され、かつ、増進されなければならない。

C 保育所における保育は、養護及び教育を一体的に行うことをその特性とし、その内容については、厚生労働大臣が定める指針に従う。

D 保育士は、保育士の信用を傷つけるような行為をしてはならない。

【Ⅱ群】

ア 児童福祉法

イ 児童福祉施設の設備及び運営に関する基準（昭和23年厚生省令第63号）

ウ 母子保健法

エ 日本国憲法

オ 子ども・子育て支援法

組み合わせ			
A	B	C	D
1 ア	イ	ウ	オ
2 ア	ウ	イ	オ
3 エ	イ	オ	ア
4 エ	ウ	イ	ア
5 エ	ウ	オ	ア

正答 **4** 令2-後-11

A エ：日本国憲法第25条の内容である。

B ウ：母子保健法第3条の内容である。

C イ：児童福祉施設の設備及び運営に関する基準第35条の内容である。

D ア：児童福祉法第18条の21の内容である。

それぞれの法律の根底にある考え方を復習しておこう！

問49 次の（ **A** ）・（ **B** ）にあてはまる数字の正しい組み合わせを一つ選びなさい。

● 保育所は保育を必要とする乳児・幼児を日々保護者の下から通わせて保育を行うことを目的とする施設で、利用定員が（ **A** ）人以上である。

● 保育所における保育時間は、1日につき8時間が原則となっているが、フルタイムで働く保護者を想定した利用可能な保育標準時間は最長（ **B** ）時間である。

組み合わせ		
	A	B
1	10	11
2	10	13
3	15	11
4	20	11
5	20	13

正答 4 令4-後-15

A 20：「児童福祉法第39条」により規定されている。

B 11：「子ども・子育て支援新制度」では、保育を必要とする事由や保護者の状況に応じ「保育標準時間」と「保育短時間」のいずれかに区分される。「保育標準時間」とは最長11時間（フルタイム就労を想定した利用時間）であり、「保育短時間」とは最長8時間（パートタイム就労を想定した利用時間）である。

試験当日は、温度調節をしやすいカーディガンやひざ掛けを持っていこう

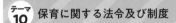

テーマ 10 保育に関する法令及び制度

問50 次のうち、「児童福祉施設の設備及び運営に関する基準」（昭和23年厚生省令第63号）において、保育所の職員として、位置づけられているものを○、位置づけられていないものを×とした場合の正しい組み合わせを
一つ選びなさい。

A 調理員
B 事務員
C 保育士
D 嘱託医

組み合わせ			
A	B	C	D
1 ○	○	○	○
2 ○	○	○	×
3 ○	×	○	○
4 ×	○	○	×
5 ×	×	×	○

正答 3 令5-後-19

「児童福祉施設の設備及び運営に関する基準」の第33条により、保育所の職員として保育士、嘱託医、調理員が位置づけられている。

（職員）
第33条 保育所には、保育士（特区法第十二条の五第五項に規定する事業実施区域内にある保育所にあっては、保育士又は当該事業実施区域に係る国家戦略特別区域限定保育士。次項において同じ。）、嘱託医及び調理員を置かなければならない。ただし、調理業務の全部を委託する施設にあっては、調理員を置かないことができる。

さらにチェック！ ○✕問題　保育原理

❶ 保育所保育指針第4章「子育て支援」には、「全ての子どもの健やかな育ちを実現することができるよう、子どもの育ちを家庭と連携して支援していく」ことが記載されている。

❶ ○

❷ 保育所保育指針第5章「職員の資質向上」には、「施設長の責務」が記載されている。

❷ ○

❸ 保育所保育指針では、1965（昭和40）年発行時から、5領域が設定されていた。

❸ ✕ 発行当時は健康、社会、自然、言語、絵画製作、音楽リズムの6領域であった。

❹ 2017（平成29）年、保育所保育指針、幼稚園教育要領、幼保連携型認定こども園教育・保育要領は、同時改訂・改定された。

❹ ○

❺ 保育所保育指針第2章「保育の内容」には、「乳児保育に関わるねらい及び内容」が記載されている。

❺ ○

❻ 保育所における保育士は、児童福祉法第18条の4により登録をしなければならない。

❻ ○

❼ 保育所保育指針第1章「総則」の1「保育所保育に関する基本原則」の(2)「保育の目標」の中で「様々な体験を通して、豊かな感性や表現力を育み、創造性の芽生えを培うこと」とあるのは具体的に5領域の「環境」の目標を表している。

❼ ✕ 「表現」の目標を表している。

❽ 保育所保育指針第1章「総則」の1「保育所保育に関する基本原則」の(5)「保育所の社会的責任」には、「保育所は、入所する子ども等の個人情報を適切に取り扱うとともに、保護者の苦情などに対し、その解決を図るよう努めなければならない」と書かれている。

❽ ○

❾ 保育所の社会的責任の一つに守秘義務があるが、保育士にはその義務はない。

❿ 保育における養護とは、子どもの「生命の保持」と「人権の尊重」である。

⓫ 保育における養護とは、子どもの生命の保持及び情緒の安定を図るために保育士等が行う援助や関わりである。

⓬ 保育所における保育は、養護を中心に行わなければならない。

⓭ 指導計画において3歳未満児については個別の計画を作成しなければならない。

⓮ 「健康、安全な生活に必要な習慣や態度を身に付け、見通しをもって行動する」は、3歳以上児の領域「表現」のねらいである。

⓯ 「身近な環境に親しみ、自然と触れ合う中で様々な事象に興味や関心をもつ」は、3歳以上児の領域「環境」のねらいである。

⓰ 「10の姿」は、小学校に入るまでに完成しているべき姿である。

⓱ 保育所保育指針では、子どもの健康に関する保健計画は全体的な計画に基づいて作成し、保育士はそのねらいや内容を踏まえ、一人一人の子どもの健康の保持及び増進に努めていくとされている。

⓲ 「子どもが食材や食の循環・環境への意識、調理する人への感謝の気持ちが育つように、子どもと調理員等の関わりや、調理室など食に関わる保育環境に配慮すること」が求められている。

❾ ✕ 児童福祉法第18条の22で「保育士は、正当な理由がなく、その業務に関して知り得た人の秘密を漏らしてはならない。保育士でなくなった後においても、同様とする」と定められている。

❿ ✕ 養護とは、「生命の保持」と「情緒の安定」である。

⓫ 〇

⓬ ✕ 保育所における保育は、養護及び教育を一体的に行うことをその特性とするものである。

⓭ 〇

⓮ ✕ 3歳以上児の領域「健康」のねらいである。

⓯ 〇

⓰ ✕ 保育所保育指針には、「第2章に示すねらい及び内容に基づく保育活動全体を通して資質・能力が育まれている子どもの小学校就学時の具体的な姿であり、保育士等が指導を行う際に考慮するもの」と記載されている。

⓱ ✕ 「保育士は」ではなく「全職員が」である。

⓲ 〇

⓳ 保育所保育において、子どもの健康及び安全の確保は、子どもの生命の保持と健やかな生活の基本である。

⓳ ○

⓴ 外国籍家庭など、特別な配慮を必要とする家庭の場合には、状況等に応じて個別の支援を行うよう努める。

⓴ ○

㉑ 保育の活動に対する保護者の積極的な参加は、保育の妨げになるので、できるだけ避けることが望ましい。

㉑ × 保育所保育指針第4章「子育て支援」に「保育の活動に対する保護者の積極的な参加は、保護者の子育てを自ら実践する力の向上に寄与することから、これを促すこと」と記載されている。

㉒ 保育所保育指針第5章「職員の資質向上」には、「職員の研修等」が記載されている。

㉓ 保育所における保育の課題への的確な対応や、保育士等の専門性の向上を図るためには、職場内での研修に加え、関係機関等による研修の活用が有効であることから、必要に応じて、外部研修への参加機会が確保されるよう努めなければならない。

㉒ ○

㉓ ○

㉔ 「キャリアパス」とは、ある職位や職務に就くために必要な職務経験とその順番やルートである。

㉔ ○

㉕ 研修を修了した職員については、その職務内容等において、当該研修の成果等が適切に勘案されることが望ましい。

㉕ ○

㉖ 学校教育法は、1947（昭和22）年に制定され、幼稚園は学校として位置づけられた。

㉖ ○

㉗ 児童福祉法は、1947（昭和22）年に制定され、保育所は児童福祉施設として位置づけられた。

㉗ ○

㉘ 児童福祉法では、「保育士は、保育士の信用を傷つけるような行為をしてはならない」とされている。

㉘ ○

㉙ 保育所保育指針は、1965（昭和40）年に公表された。

㉙ ○

㉚ 1948（昭和23）年に発効された「保育要領—幼児教育の手引き」は、幼稚園と保育所での使用を前提としていたが、家庭での幼児教育の在り方についても示している。

㉚ ○

㉛ 1936（昭和11）年、保育問題研究会を設立したのは、東基吉である。

㉛ ✕ 東基吉ではなく、城戸幡太郎である。

㉜ 東京女子師範学校附属幼稚園は、日本で初めての公立幼稚園で、フレーベル主義の保育を展開し、初代監事（園長）は関信三、首席保姆（主任）は松野クララである。

㉜ ○

㉝ 橋詰良一は、露天保育を提唱し、自然の中で子どもたちを自由に遊ばせるために、自動車で郊外に連れ出して保育を行った。

㉝ ○

㉞ 華族女学校附属幼稚園は、1900（明治33）年、野口幽香・森島峰によって設立された施設で、フレーベルの精神を基本とする保育を行った。

㉞ ✕ 華族女学校附属幼稚園ではなく、二葉幼稚園である。

㉟ 「一時預かり事業」とは、家庭において保育を受けることが一時的に困難となった乳幼児を保育所等において一時的に預かり保護を行う事業である。

㉟ ○

㊱ ペスタロッチは、スイスの教育実践家であり、教育は家庭での日常生活において育まれるものとし、「生活が陶冶する」ことを提唱した。

㊱ ○

㊲ オーエン（Owen, R., 1771-1858）は、イギリスに性格形成学院を開設した。その中には「幼児学校」も併設されている。

㊲ ○

❸❽ ドイツの教育思想家フレーベル（Fröbel, F. W. A., 1782-1852）は、「幼児教育の父」と呼ばれ、世界で初めての幼稚園（Kindergarten）を作った。

❸❾ コダーイ（Kodaly, Z., 1882-1967）は、ハンガリーの作曲家である。民族音楽による音楽教育「コダーイシステム」を創始し、子どもの内面を育て、人間形成を図ろうとした。

❹⓪ ドイツの教育思想家フレーベル（Fröbel, F. W. A., 1782-1852）は、人智学という独自の立場と神秘主義的思想からオイリュトミーやフォルメンという独特の活動を保育の実践に取り入れた。

❹❶ 児童福祉施設の設備及び運営に関する基準では、「保育所における保育時間は、一日につき8時間を原則とし、その地方における乳幼児の保護者の労働時間その他家庭の状況等を考慮して、自治体の長がこれを定める」とされている。

❹❷ 児童権利宣言は、1989（平成元）年に採択された。

❹❸ 児童の権利に関する条約は、1989（平成元）年に国連で採択され、日本は1994（平成6）年に批准した。

❹❹ 「児童の権利に関する条約」における児童の定義には、15歳以上は含まれない。

❹❺ 幼保連携型認定こども園は、国、地方公共団体、学校法人、社会福祉法人及び株式会社のみが設置することができる。

❸❽ ○

❸❾ ○

❹⓪ × フレーベルではなく、シュタイナー（Steiner, R.）である。

❹❶ × 「自治体の長」ではなく「保育所の長」が定める。

❹❷ × 児童権利宣言は、1959（昭和34）年に国際連合で採択された子どもの権利を促進する国際文書である。

❹❸ ○

❹❹ × 児童の権利に関する条約では、18歳未満のすべての者を児童と定義している。ただし、結婚等、法律により、早く成年に達したものは除かれる。

❹❺ × 認定こども園法第12条により株式会社は含まれない。

第 2 章

教育原理

子どもが健やかに成長し、その活動がより豊かに展開されるための発達を支援するため、「教育原理」は重要な意味を持っているよ。養護及び教育を一体的に行うという特性を持っているし、小学校への接続を支援するためにも、大切な学習内容といえるよね。試験では教育基本法と学校教育法、幼稚園教育要領、西洋と日本の教育法や教育理論、子どもの権利やその保護、中央教育審議会の答申などの教育政策が多く出題されているよ。

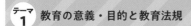

テーマ ① 教育の意義・目的と教育法規

問1 次のうち、「教育基本法」に関する記述として、適切なものを○、不適切なものを×とした場合の正しい組み合わせを一つ選びなさい。

A 「教育基本法」は学校教育に関する法律であり、家庭教育や社会教育に関しては記述がない。

B 1947（昭和22）年に制定された「教育基本法」は、2006（平成18）年に改正されるまでの約60年間、一度も改正されることがなかった。

C 2006（平成18）年に改正された「教育基本法」では、第11条「幼児期の教育」の記載が加えられた。

組み合わせ			
	A	B	C
1	○	○	×
2	○	×	○
3	×	○	○
4	×	○	×
5	×	×	×

正答 3 令5-前-1

A ×：教育基本法は学校教育だけでなく、家庭教育や社会教育を含めた日本の教育に関する法律であり、教育の憲法ともいわれる。第10条は家庭教育、第12条は社会教育に関して規定されている。

B ○：教育基本法は、戦後1947（昭和22）年に制定され、2006（平成18）年に全面的に改正されるまで、一度も改正されることはなかった。

C ○：2006（平成18）年に改正された教育基本法で付け加えられた主な条文は、以下の通りである。特に、第10条（家庭教育）と第11条（幼児期の教育）は、保育に関連する条文として押さえておきたい。

教育基本法（2006（平成18）年改正）で新たに追加された主な条文

第3条	生涯学習の理念
第7条	大学
第8条	私立学校
第10条	家庭教育
第11条	幼児期の教育
第13条	学校、家庭及び地域住民等の相互の連携協力
第17条	教育振興基本計画

テーマ 1 教育の意義・目的と教育法規

問2 次の文は、「教育基本法」第4条の一部である。（ **A** ）〜（ **C** ）にあてはまる語句の正しい組み合わせを一つ選びなさい。

すべて国民は、ひとしく、その能力に応じた教育を受ける機会を与えられなければならず、人種、（ **A** ）、性別、社会的身分、（ **B** ）的地位又は門地によって、教育上差別されない。

● 国及び地方公共団体は、（ **C** ）のある者が、その（ **C** ）の状態に応じ、十分な教育を受けられるよう、教育上必要な支援を講じなければならない。

● 国及び地方公共団体は、能力があるにもかかわらず、（ **B** ）的理由によって修学が困難な者に対して、奨学の措置を講じなければならない。

組み合わせ			
	A	B	C
1	信条	経済	資質
2	宗教	階層	資質
3	信条	経済	障害
4	宗教	経済	障害
5	信条	階層	障害

正答 **3** 令4-前-2

A 信条：「宗教」よりもっと広範囲な「信条」に関わる記述である。
B 経済：現在のわが国では身分的な「階層」の概念は存在しない。
C 障害：資質の有無を論じるのは、教育の機会均等の理念に反する。

「教育の機会均等」の副題がつけられた教育基本法第4条の全文が出題されており、個人的な条件によって教育を受ける権利が差別されてはならないという理念を提示したもの。また、この条文では国や地方公共団体などが対応すべき教育的配慮の原則についても規定している。

章末の『○×問題』を活用して、知識の「穴」をしっかり埋めよう！

問3 次の文は、「教育基本法」第10条の一部である。(**A**)・(**B**)にあてはまる語句の正しい組み合わせを一つ選びなさい。

父母その他の保護者は、子の教育について第一義的責任を有するものであって、生活のために必要な(**A**)を身に付けさせるとともに、(**B**)を育成し、心身の調和のとれた発達を図るよう努めるものとする。

組み合わせ		
	A	**B**
1	態度	自立心
2	技能	自立心
3	技能	社会性
4	習慣	社会性
5	習慣	自立心

正答 **5** 令3-後-1

A：習慣　B：自立心

教育基本法第10条は家庭教育について規定されている。この条文は、教育基本法が2006（平成18）年に改正された際に加えられたものである。保護者が子の教育について「第一義的責任」を有することが明記されている。

なお、問題文は第10条の第1項であるが、第2項では、国及び地方自治体は、「家庭教育を支援するために必要な施策を講ずるよう努めなければならない」ことが規定されている。

教育基本法第10条

> 2　国及び地方公共団体は、家庭教育の自主性を尊重しつつ、保護者に対する学習の機会及び情報の提供その他の家庭教育を支援するために必要な施策を講ずるよう努めなければならない。

問4 次の文は、「学校教育法」第24条の一部である。(**A**)・(**B**)にあてはまる数字及び語句の正しい組み合わせを一つ選びなさい。

幼稚園においては、第（ **A** ）条に規定する目的を実現するための教育を行うほか、幼児期の教育に関する各般の問題につき、保護者及び地域住民その他の関係者からの相談に応じ、必要な（ **B** ）及び助言を行うなど、家庭及び地域における幼児期の教育の支援に努めるものとする。

組み合わせ		
	A	B
1	9	子育て支援
2	9	情報の提供
3	22	子育て支援
4	22	情報の提供
5	22	対応

正答 **4** 令1-後-2

A 22：第9条は校長・教員として着任できない条件を規定している。

B 情報の提供：「家庭及び地域における幼児期の教育の支援」に「子育て支援」を含むことは文脈上、内容的に重複が生じる。また、「対応」では行うべきことが不明瞭である。

学校教育法第24条は「家庭・地域における幼児期の教育の支援」について規定されている。

第22条は、以下の通り「幼稚園の目的」が規定されている。

学校教育法

第22条 幼稚園は、義務教育及びその後の教育の基礎を培うものとして、幼児を保育し、幼児の健やかな成長のために適当な環境を与えて、その心身の発達を助長することを目的とする。

テーマ 1 教育の意義・目的と教育法規

➡ 『合格テキスト』P.96〜97

問5 次の文は、「学校教育法」の一部である。（　A　）〜（　C　）にあてはまる語句の正しい組み合わせを一つ選びなさい。

第22条　幼稚園は、義務教育及びその後の教育の基礎を培うものとして、幼児を保育し、幼児の健やかな成長のために適当な（　A　）を与えて、その心身の発達を（　B　）することを目的とする。

第29条　小学校は、心身の発達に応じて、義務教育として行われる普通教育のうち基礎的なものを（　C　）ことを目的とする。

組み合わせ			
	A	B	C
1	環境	援助	施す
2	教材	援助	教授する
3	教材	助長	施す
4	環境	助長	施す
5	環境	援助	教授する

正答 4 令2-後-2

A：環境　B：助長　C：施す

　学校教育法第22条は「幼稚園の目的」、第29条は「小学校の目的」について規定されている。

　学校教育法第23条では、「幼稚園における教育の目標」が示されている。

学校教育法

第23条　幼稚園における教育は、前条に規定する目的を実現するため、次に掲げる目標を達成するよう行われるものとする。

一　健康、安全で幸福な生活のために必要な基本的な習慣を養い、身体諸機能の調和的発達を図ること。

二　集団生活を通じて、喜んでこれに参加する態度を養うとともに家族や身近な人への信頼感を深め、自主、自律及び協同の精神並びに規範意識の芽生えを養うこと。

三　身近な社会生活、生命及び自然に対する興味を養い、それらに対する正しい理解と態度及び思考力の芽生えを養うこと。

四　日常の会話や、絵本、童話等に親しむことを通じて、言葉の使い方を正しく導くとともに、相手の話を理解しようとする態度を養うこと。

五　音楽、身体による表現、造形等に親しむことを通じて、豊かな感性と表現力の芽生えを養うこと。

テーマ **2** 幼稚園教育要領並びに幼稚園における学校評価

➡ 『合格テキスト』P.100

問6 次の文は、「幼稚園教育要領」（平成29年3月告示）前文の一部である。（ **A** ）～（ **C** ）にあてはまる語句の正しい組み合わせを一つ選びなさい。

　これからの幼稚園には、（ **A** ）の始まりとして、こうした教育の目的及び目標の達成を目指しつつ、一人一人の幼児が、将来、自分の（ **B** ）を認識するとともに、あらゆる他者を価値のある存在として尊重し、多様な人々と協働しながら様々な社会的変化を乗り越え、豊かな人生を切り拓き、（ **C** ）の創り手となることができるようにするための基礎を培うことが求められる。

	組み合わせ		
	A	B	C
1	生涯学習	個性や能力	平和な国家
2	生涯学習	よさや可能性	持続可能な社会
3	学校教育	個性や能力	持続可能な社会
4	学校教育	よさや可能性	持続可能な社会
5	学校教育	よさや可能性	平和な国家

正答 **4** 　平31-前-2

A 学校教育：文末に「基礎を培う」とあることから、「生涯教育」や「生涯学習」といった概念ではなく、「学校教育」の期間を対象として説明が記載されていることが推察できる。

B よさや可能性：幼児期の教育は「人格形成の基礎を培う」段階であり、将来の成長への可能性や自己肯定感を持たせることが大切である。

C 持続可能な社会：2016（平成28）年12月の中央教育審議会答申「幼稚園、小学校、中学校、高等学校及び特別支援学校の学習指導要領等の改善及び必要な方策等について」に「持続可能な開発のための教育（ESD）は次期学習指導要領改訂の全体において基盤となる理念」とあり、2017（平成29）年3月に公示された幼稚園教育要領ほか、各学校の学習指導要領にも「持続可能な社会の創り手」の育成が掲げられた。

問7 次の文は、「幼稚園教育要領」の一部である。（ **A** ）～（ **C** ）にあてはまる語句を【語群】から選択した場合の正しい組み合わせを一つ選びなさい。

（ **A** ）は、生涯にわたる人格形成の基礎を培う重要なものであり、（ **B** ）は、（ **C** ）に規定する目的及び目標を達成するため、幼児期の特性を踏まえ、環境を通して行うものであることを基本とする。

語群		
ア 乳幼児教育	イ 幼稚園教育	ウ 幼児期の教育
エ 就学前教育	オ 教育基本法	カ 学校教育法

組み合わせ		
	A	B	C
1	ア	イ	オ
2	ア	ウ	カ
3	ウ	ア	カ
4	ウ	イ	カ
5	エ	ウ	オ

正答 4 令5-後-2

A ウ：幼児期の教育　B イ：幼稚園教育　C カ：学校教育法

　幼稚園教育要領の第1章「総則」の第1「幼稚園の基本」からの出題である。幼稚園教育の目的及び目標、基本的な重要事項が示されている部分である。しっかり読み込んでおきたい。

　また、幼稚園は「学校」の一種であるため根拠法令が「学校教育法」であることもおさえておきたい。

> 保育所は「児童福祉施設」なので、根拠法令は「児童福祉法」だね！

テーマ **2** 幼稚園教育要領並びに
幼稚園における学校評価

➡ 『合格テキスト』P.99〜103

問8 次の文は、「幼稚園教育要領」（平成29年3月告示）の第3章「教育課程に係る教育時間の終了後等に行う教育活動などの留意事項」の一部である。（ A ）・（ B ）にあてはまる語句の正しい組み合わせを一つ選びなさい。

　幼稚園の運営に当たっては、子育ての支援のために保護者や地域の人々に機能や施設を開放して、園内体制の整備や関係機関との連携及び協力に配慮しつつ、幼児期の教育に関する相談に応じたり、情報を提供したり、幼児と保護者との登園を受け入れたり、保護者同士の交流の機会を提供したりするなど、幼稚園と（ A ）が一体となって幼児と関わる取組を進め、地域における（ B ）としての役割を果たすよう努めるものとする。その際、心理や保健の専門家、地域の子育て経験者等と連携・協働しながら取り組むよう配慮するものとする。

組み合わせ

	A	B
1	家庭	幼児期の教育のセンター
2	家庭	子育ての相談機関
3	地域社会	幼児期の教育のセンター
4	地域社会	子育ての相談機関
5	地域社会	就学前の教育機関

正答 1 平31-前-8

A 家庭：「一体となって幼児と関わる」とあることから、子どもを養育している「家庭」を指すことがわかる。

B 幼児期の教育のセンター：子育ての支援について、心理士、小児保健の専門家、幼児教育アドバイザーなどの活用や地域の保護者と連携・協働しながら取り組む「幼児期の教育のセンター」としての機能が求められている（文部科学省「新幼稚園教育要領のポイント」）。

　第1章「総則」の第3「教育課程に係る教育時間の終了後等に行う教育活動など」においても、「幼稚園は、地域の実態や保護者の要請により教育課程に係る教育時間の終了後等に希望する者を対象に行う教育活動について、学校教育法第22条及び第23条並びにこの章の第1に示す幼稚園教育の基本を踏まえ実施すること。また、幼稚園の目的の達成に資するため、幼児の生活全体が豊かなものとなるよう家庭や地域における幼児期の教育の支援に努めること」とあり、家庭支援の重要性を説いている。

問9 次のうち、「幼保連携型認定こども園教育・保育要領」第1章「総則」第2「教育及び保育の内容並びに子育ての支援等に関する全体的な計画等」の一部として、誤ったものの組み合わせを一つ選びなさい。

A 「幼児期の終わりまでに育ってほしい姿」を踏まえ教育及び保育の内容並びに子育ての支援等に関する全体的な計画を作成すること

B 満3歳以上の園児の教育課程に係る教育週数は、特別の事情のある場合を除き、51週を下ってはならない

C 1日の教育課程に係る教育時間は、8時間を標準とする。ただし、園児の心身の発達の程度や季節などに適切に配慮するものとする

D 園長の方針の下に、園務分掌に基づき保育教諭等職員が適切に役割を分担しつつ、相互に連携しながら、教育及び保育の内容並びに子育ての支援等に関する全体的な計画や指導の改善を図るものとする

E 教育及び保育の内容並びに子育ての支援等に関する全体的な計画に基づき組織的かつ計画的に各幼保連携型認定こども園の教育及び保育活動の質の向上を図っていくこと（以下「カリキュラム・マネジメント」という。）に努めるものとする

組み合わせ		
1	A	B
2	A	C
3	B	C
4	B	E
5	D	E

正答 **3** 令5-後-3

A ○：「幼児期の終わりまでに育ってほしい姿」については、幼稚園教育要領や保育所保育指針と同様に記載されている。

B ×：51週ではなく39週が正しい。満3歳以上の園児に関する教育週数に関することであるため、幼稚園教育と同様の教育週数である。

C ×：8時間ではなく4時間が正しい。「教育課程」、つまり満3歳以上の園児に関する教育課程に関することであるため、幼稚園教育と同様の教育時間である。

D ○：「教育及び保育の内容並びに子育ての支援等に関する全体的な計画の実施上の留意事項」に記載されている。

E ○：組織的かつ計画的に教育・保育の質の向上を図っていくことを「カリキュラム・マネジメント」という。

　幼保連携型認定こども園教育・保育要領の第1章「総則」の第2「教育及び保育の内容並びに子育ての支援等に関する全体的な計画等」からの出題である。幼稚園における「教育課程」や保育所における「全体的な計画」と同様、認定こども園では「教育及び保育の内容並びに子育ての支援等に関する全体的な計画等」を作成することが求められている。言葉が長いため、上記のように、問題文にラインを引くなどして読んでいくとよい。

問10 次の文は、「保育所保育指針」第1章「総則」4「幼児教育を行う施設として共有すべき事項」(2)「幼児期の終わりまでに育ってほしい姿」の一部である。（　A　）～（　C　）にあてはまる語句を【語群】から選択した場合の正しい組み合わせを一つ選びなさい。

　家族を大切にしようとする気持ちをもつとともに、（　A　）の身近な人と触れ合う中で、人との様々な関わり方に気付き、相手の気持ちを考えて関わり、自分が役に立つ喜びを感じ、（　A　）に親しみをもつようになる。また、保育所内外の様々な（　B　）に関わる中で、遊びや生活に必要な（　C　）を取り入れ、（　C　）に基づき判断したり、（　C　）を伝え合ったり、活用したりするなど、（　C　）を役立てながら活動するようになるとともに、公共の施設を大切に利用するなどして、社会とのつながりなどを意識するようになる。

語群

ア　地域　イ　郷土　ウ　情報　エ　環境　オ　知識

組み合わせ

	A	B	C
1	ア	ウ	オ
2	ア	エ	ウ
3	ア	エ	オ
4	イ	ウ	オ
5	イ	エ	ウ

正答 2 令6-前-9

A ア：地域。園外における地域の人々との触れ合いの機会をつくることで、相互の交流が生まれ、子どもたちの人間関係の幅も広がっていく。

B エ：環境。ここでの「環境」とは、保護者や地域の人々といった人的環境、地域の商店街や公園などの物的環境や自然環境、地域の祭りや公共施設での行事などの社会事象などがあげられる。

C ウ：情報。ここでの「情報」とは、家庭や地域との交流のなかから得られた情報や、本や新聞、インターネット等から得られた情報などがあげられる。

　保育所保育指針第1章「総則」の4「幼児教育を行う施設として共有すべき事項」の(2)「幼児期の終わりまでに育ってほしい姿」（10の姿）のオ「社会生活との関わり」からの出題である。「保育所保育指針」からの文章であるが、「幼稚園教育要領」「幼保連携型認定こども園教育・保育要領」と同じ内容である。

　「幼児期の終わりまでに育ってほしい姿」の10項目については、三つの指針・要領のすべてにおいて同様の記載となっているため、内容をよく理解しておきたい。具体的な保育実践と結びつけたり、5領域との関連を考えたりすることで、理解を深めていくとよい。

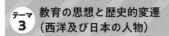
問11 次の【Ⅰ群】の記述と、【Ⅱ群】の人物を結びつけた場合の正しい組み合わせを一つ選びなさい。

【Ⅰ群】

A 愛知県出身。欧州を数年旅した後、1875（明治8）年に東京女子師範学校の創設とともに英語教師として招かれる。翌年、東京女子師範学校附属幼稚園の開設に伴い初代監事に任じられた。

B 愛媛県出身の心理学者・教育学者。1936（昭和11）年に保育問題研究会を結成し、その会長に就任。研究者と保育者の共同による幼児保育の実証的研究を推進した。

C 兵庫県出身。東京女子師範学校卒業後、同校附属幼稚園の保母となる。その後、華族女学校附属幼稚園で保母をしながら、1900（明治33）年に二葉幼稚園を設立した。

【Ⅱ群】

ア 松野クララ

イ 野口幽香

ウ 倉橋惣三

エ 関信三

オ 城戸幡太郎

組み合わせ		
A	B	C
1 ア	ウ	イ
2 ウ	エ	ア
3 ウ	エ	イ
4 エ	オ	ア
5 エ	オ	イ

正答 5 令3-後-5

近代の日本の幼児教育に関する知識を問う問題である。

A エ：関信三は、松野クララとともに、日本初の幼稚園の経営に取り組んだ。

B オ：城戸幡太郎は雑誌『教育』を創刊し、教育刷新委員会の委員も務めた。

C イ：野口幽香は森島峰とともに二葉幼稚園を設立した。経済的に恵まれない子どもたちの救済に人生を捧げた。

　松野クララはドイツ人で、東京女子師範学校附属幼稚園で主席保母を務めた。倉橋惣三は「誘導保育」を提唱した。著書に『幼稚園真諦』がある。

問12 次の文にあてはまる人物として、正しいものを一つ選びなさい。

　江戸時代初期の儒学者。日本における陽明学の祖とされ、「近江聖人」と呼ばれた。『翁問答（おきなもんどう）』を著す。その内容は、人が単に外的な規範に形式的に従うことをよしとせず、人の内面の道徳的可能性を信頼し、聖人の心を模範として自らの心を正しくすることこそが真の正しい行為と正しい生き方をもたらすと説いた。

1　中江　藤樹
2　伊藤　仁斎
3　緒方　洪庵
4　林　羅山
5　貝原　益軒

正答 1 令5-後-7

　江戸時代における日本の教育に関する出題は、保育士国家試験に見られる特徴の一つである。人物名と私塾、人物名と著書、あるいは藩校や寺子屋が出題されたこともある。他の選択肢の人物も押さえておきたい。

1 ○：中江藤樹は、江戸時代初期の儒学者で「陽明学」の祖として有名である。

2 ×：伊藤仁斎は、古義学派の儒学者。江戸時代の私塾として、京都堀川に「古義堂」を開いた（1622年）。

3 ×：緒方洪庵は、幕末、大阪に「適々斎塾（適塾）」を開いた（1838年）。福沢諭吉などの人材を輩出した。

4 ×：林羅山は、江戸時代の朱子学者。

5 ×：貝原益軒は、江戸時代の儒学者。日本で初めての体系的な教育書と呼ばれる『和俗童子訓』を著した。

人物と結びつくキーワードを『合格テキスト』で確認しておこう！

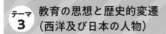
問13 次の【Ⅰ群】の記述と、【Ⅱ群】の人物を結びつけた場合の正しい組み合わせを一つ選びなさい。

【Ⅰ群】

A 一般の庶民にも開かれた教育機関である綜芸種智院を設立し、総合的な人間教育をめざした。

B 町人社会における実践哲学である石門心学を創始した。子どもの教育の可能性、子どもの善性を説く大人の役割についても言及した。

【Ⅱ群】

ア 石田梅岩

イ 最澄

ウ 大原幽学

エ 空海

オ 広瀬淡窓

組み合わせ		
	A	B
1	ア	エ
2	イ	ア
3	ウ	オ
4	エ	ア
5	エ	ウ

正答 4 令4-前-4

A エ：空海は、真言宗の祖。弘法大師とも呼ばれる。土木や建築にも長けていた。空海に関しては、綜芸種智院、東寺（教王護国寺）、高野山金剛峯寺、『三教指帰』なども覚えておこう。

B ア：石田梅岩は、中国・王陽明の学説に根拠を置き、神道・仏教や道教などの思想を合した石門心学の創始者。著書に『都鄙問答』がある。

最澄は、天台宗の祖。伝教大師とも呼ばれる。遣唐使として中国大陸に渡り、天台の教えを修めた。比叡山延暦寺を開山して護国に努めた。大原幽学は、江戸後期の人。千葉県の香取で農業協同組合の基礎を築き、村内で子どもを交換する教育法を実践した。幕府の弾圧に悲観して自刃した。広瀬淡窓は、江戸後期の儒学者で教育者。保育士国家試験では私塾である咸宜園が何度も出題されている。

問14 次の記述にあてはまる人物として、正しいものを一つ選びなさい。

ドイツの哲学者、教育学者。カントの後任としてケーニヒスベルク大学で哲学などの講座を受け持つ。教育の課題とは道徳的品性の陶冶であるとし、多方面への興味を喚起することが必要だと考え「教育（訓育）的教授」という概念を提示した。また、教授の過程は興味の概念に対応しており、「形式的段階」と呼ばれるようになった。この「形式的段階」概念は弟子たちに引き継がれ、「予備・提示・比較・総合・応用」の 5 段階へと改変された。

1 ヘルバルト（Herbart, J.F.）
2 ペスタロッチ（Pestalozzi, J.H.）
3 キルパトリック（Kilpatrick, W.H.）
4 デューイ（Dewey, J.）
5 コメニウス（Comenius, J.A.）

正答 **1** 令3-前-7

設問の人物は、ヘルバルト（Herbart, J.F.）である。「道徳的品性の陶冶」の文言から解答を導き出せる。

ヘルバルトは、「明瞭・連合・系統・方法」の 4 段階を提唱した。

ヘルバルトの考え方は、教育の目的を倫理学の側面から、方法を心理学の側面から体系化しようとしたもので、特に人格形成のプロセスに心理学が有効であるととらえていた。学習手法に偏った一元的な教育理論ではなく、多面的な教育実践を志していたといえる。代表的な著書に『教育学講義綱要』がある。

「予備・提示・比較・総合・応用」を提唱したのはヴィルヘルム・ライン（Rein, W.）で、彼はヘルバルト派の代表的な人物であり、その考え方は明治の中頃に日本にも伝わり、教育界に大きな影響を与えた。

覚えにくい人物名などは、
単語カードの活用も
オススメだよ

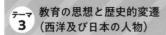
問15 次の記述に該当する人物は誰か。正しいものを一つ選びなさい。

　イギリス産業革命期にスコットランドのニュー・ラナークの紡績工場の経営に従事した。この工場での労働者教育の経験から、人間の性格が環境の産物であり、環境を整えることで性格形成が可能であるとの考えをもつに至り、『新社会観』を執筆した。また性格形成学院を開校。彼は、人間の性格形成において幼児期の環境の影響をとりわけ重視し、性格形成学院内に今日の保育所的機能を果たす幼児学校を設け、労働者の子どもを1歳から預かった。

1　ベル（Bell, A.）
2　コメニウス（Comenius, J.A.）
3　オーエン（Owen, R.）
4　ランカスター（Lancaster, J.）
5　ロック（Locke, J.）

正答 3　令5-前-5

1 ✕：ベルは、ランカスターとともにベル・ランカスター法（助教法、モニトリアル・システム）といわれる教授法を生み出した。

2 ✕：コメニウスは、「直感教授」を提唱。世界最初の絵入り教科書である『世界図絵』を出版した。

3 ○：オーエンはイギリスの実業家で、自分が経営する紡績工場に「性格形成学院」を設置し、工場労働者の子弟を教育した。健全な環境における幼児からの育成を強調した幼児教育の先駆者といえる。「適切な方法が用いられるならば、どのような地域社会でも、（中略）最も最善な性格をも、最も劣悪な性格をも、最も無恥な性格をも、最も知性的な性格をも、どんな性格をも備えられるだろう」（『新社会観（性格形成論）』より）。

4 ✕：ランカスターは、ベルとともにベル・ランカスター法を生み出した。

5 ✕：ロックは、「健全な身体と健全な精神」を持つ紳士（ジェントリー）の育成をめざす私教育論を展開。経験論に基づく「精神白紙説」（タブラ・ラサ）を主張した。

　日本や西洋の重要人物に関しては、人物名と著書、あるいは理論など、事績との関連性を問う設問が多くなっている。表にまとめるなどの工夫をして、誰が、どこで、何を言ったか、何をしたかという基本的な内容を整理して覚える必要がある。

テーマ **4**　子どもの権利並びに保護　→ 『合格テキスト』P.114〜115

問16　次の文の出典はどれか。正しいものを一つ選びなさい。

　児童は、特別の保護を受け、また、健全、かつ、正常な方法及び自由と尊厳の状態の下で身体的、知能的、道徳的、精神的及び社会的に成長することができるための機会及び便益を、法律その他の手段によつて与えられなければならない。この目的のために法律を制定するに当つては、児童の最善の利益について、最高の考慮が払われなければならない。

1　児童の権利に関する条約
2　児童福祉法
3　児童憲章
4　世界人権宣言
5　児童権利宣言

正答　5　平31-前-3

1 ✕：法的な措置を別途求めている記述で規定・協定等の語句がないことから、条約ではないと判断できる。児童の権利に関する条約は1989年の第44回国連総会で採択され1990年に発効、日本は1994（平成6）年に批准している。

2 ✕：「自由」と「尊厳」から、福祉ではなく権利に関する文面であることが推察できる。児童福祉法は1947（昭和22）年に成立し、2004（平成16）年には児童虐待に関する改正が行われた。

3 ✕：児童憲章は「日本国憲法の精神にしたがい、児童に対する正しい観念を確立」する目的を明記し、12項目すべてが「すべての児童は」で始まる。制定は1951（昭和26）年5月5日である。

4 ✕：世界人権宣言は児童に限定された内容ではない。冒頭に「人類社会のすべての構成員の固有の尊厳と平等で譲ることのできない権利とを承認する」とある。1948年、国際連合第3回総会で採択された宣言文である。

5 ◯：児童権利宣言は国際連合第14回総会で1959年11月20日に採択された。1924年の国際連盟の「ジュネーブ児童権利宣言」、1948年の「世界人権宣言」の精神を踏まえて、さらに発展させていくことを意図している。

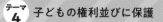

問17 次の文は、「児童憲章」の一部である。（　**A**　）・（　**B**　）にあてはまる語句の正しい組み合わせを一つ選びなさい。

　すべての児童は、家庭で、正しい（　**A**　）と知識と技術をもつて育てられ、家庭に恵まれない児童には、これにかわる（　**B**　）が与えられる。

組み合わせ		
	A	B
1	愛着形成	環境
2	愛着形成	支援の場
3	かかわり	環境
4	愛情	支援の場
5	愛情	環境

正答 5 令6-前-2

A 愛情：「愛情と知識と技術をもつて育てられ」という文脈から推察できる。
B 環境：児童に影響を与え得るものとして、環境（人的環境、物的環境、自然環境、社会環境など）を幅広く捉えている。

　「児童憲章」は、児童の基本的人権を尊重し、その幸福をはかるために大人の守るべき事項を制定した道徳的規範である。1951（昭和26）年5月5日に制定された。法的拘束力をもつものではないが、児童福祉の増進のための指標とされており、前文、3項目の基本総則及び本則12条から成っている。母子健康手帳に記載されていることも多い。
　本問題は、全12条のうち第2条に定められた家庭の養育に関する条文である。家庭における養育については、児童虐待等の問題から注目すべき事項となっている。そのため、児童憲章以外の各種法令（教育基本法やこども基本法など）の規定も確認しておくとよい。

テーマ **5** 教育行政及び教育制度

問18 次の文のうち、日本の学校教育制度に関するものとして、適切なものを○、不適切なものを×とした場合の正しい組み合わせを一つ選びなさい。

A　1945（昭和20）年、「日本国憲法」と「教育基本法」が施行された。

B　2006（平成18）年、「教育基本法」が改正され、義務教育は「9年の普通教育」から「12年の普通教育」へと変更になった。

C　現行の「学校教育法」では、学校を「幼稚園、保育所、小学校、中学校、義務教育学校、高等学校、中等教育学校、特別支援学校、大学及び高等専門学校」と定めている。

組み合わせ	A	B	C
1	○	○	○
2	○	○	×
3	×	○	×
4	×	×	○
5	×	×	×

正答 5　令2-後-7

A ×：日本国憲法は1946（昭和21）年公布、1947（昭和22）年施行。教育基本法は1947（昭和22）年公布・施行である。

B ×：義務教育の修業年限は変更されていない。

C ×：保育所は学校として定められていない。保育所は児童福祉法第39条に定められた児童福祉施設である。

　日本国憲法は「国民主権」「基本的人権の尊重」「平和主義」を軸として民主政治をめざした日本の根本法（統治姿勢の基礎を定めたもの）である。日本国憲法では第26条で「教育を受ける権利」「教育を受けさせる義務」が示されている。

　教育基本法はその憲法の精神に則り、教育の目的、方針、機会均等、義務教育などを定めた日本の教育の基本方針を確立したものである。学校教育法は教育基本法とともに公布され、国として教育を行う学校の定義や種類、設置者との関係、教員の定義や資格などのほか、教育目標や修業年限、教科及び教科用図書、授業料や生徒の懲戒など、詳細にわたり方針を示している。教育基本法が教育の理念（あり方）を、学校教育法がその実践手段（やり方）を定めている。

問19 次の文は、日本における明治期の教育についての記述である。（ **A** ）・（ **B** ）にあてはまる語句の正しい組み合わせを一つ選びなさい。

明治維新後、近代教育制度が確立されていった。1871（明治4）年に文部省が創設され、1872（明治5）年には学区制度と単線型の学校制度を構想した（ **A** ）が公布された。その後、初代文部大臣となった（ **B** ）は、国民教育制度の確立に力を注ぎ、特に初等教育の普及と教員養成の充実を図った。

組み合わせ		
	A	B
1	教育令	西村茂樹
2	教育令	森有礼
3	学制	伊藤博文
4	学制	西村茂樹
5	学制	森有礼

正答 5 令4-前-7

A 学制：学制は1872（明治5）年8月に公布された日本初の近代的な学校制度に関する法律で、全国の学区を大学区・中学区・小学区に分け、中央政府の管理権限を重くしていた。「必ず邑（むら）に不学の戸なく家に不学の人なからしめんことを期す」との文言にある通り、国民皆学の精神を示している。しかし社会の実情に合わないとの声により、1879（明治12）年の教育令の公布によって廃止された。

　教育令は1879（明治12）年9月に公布された、学校教育の基本を定めた法令である。それまでの学制を廃止して、教育に関する地方の権限を大幅に拡充した。1886（明治19）年に学校令が公布されて廃止となった。

B 森有礼：1885（明治18）年に内閣制度が始まり、第一次・伊藤博文内閣の文部大臣に就任し、近代社会に適した人材の開発に注力した。

　西村茂樹は森有礼、福沢諭吉と共に明六社を結成した啓蒙思想家。1875（明治8）年に文部省に任官した後は『古事類苑』などの編纂にも携わった。道徳の啓発に尽力した人物である。

　伊藤博文は吉田松陰の松下村塾に学んだ政治家で、1885（明治18）年に内閣制度を創始して、初代内閣総理大臣に就任した。皇室典範や大日本帝国憲法の草案作成を主導的に具体化させた。

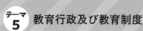
問20 次のうち、「幼保連携型認定こども園教育・保育要領」第1章「総則」第3「幼保連携型認定こども園として特に配慮すべき事項」の一部として、適切なものを○、不適切なものを×とした場合の正しい組み合わせを一つ選びなさい。

A　園児の一日の生活の連続性及びリズムの多様性に配慮するとともに、保護者の生活形態を反映した園児の在園時間の長短、入園時期や登園日数の違いを踏まえ、園児一人一人の状況に応じ、教育及び保育の内容やその展開について工夫をすること。

B　満3歳未満の園児については睡眠時間等の個人差に配慮するとともに、満3歳以上の園児については集中して遊ぶ場と家庭的な雰囲気の中でくつろぐ場との適切な調和等の工夫をすること。

C　満3歳以上の園児については、特に長期的な休業中、園児が過ごす家庭や園などの生活の場が異なることを踏まえ、それぞれの多様な生活経験が長期的な休業などの終了後等の園生活に生かされるよう工夫をすること。

組み合わせ		
A	B	C
1 ○	○	○
2 ○	○	×
3 ○	×	○
4 ×	○	○
5 ×	×	○

正答 **1**　令4-後-5

　いずれも「幼保連携型認定こども園教育・保育要領」本文に記載の通りである。Aの「園児一人一人の状況に応じ」、Bの「満3歳以上の園児については」、Cの「それぞれの多様な生活経験」など、子どもを一括りに扱わない配慮が求められている。

　幼保連携型認定こども園教育・保育要領では、「保育教諭*等は、園児との信頼関係を十分に築き、園児が自ら安心して身近な環境に主体的に関わり、環境との関わり方や意味に気付き、これらを取り込もうとして、試行錯誤したり、考えたりするようになる幼児期の教育における見方・考え方を生かし、その活動が豊かに展開されるよう環境を整え、園児と共によりよい教育及び保育の環境を創造するように努める」姿勢を求めている。

＊　保育教諭＝幼稚園教諭免許状と保育士資格の両方を保有する者

問21 次の文は、中央教育審議会答申「新しい時代を切り拓く生涯学習の振興方策について〜知の循環型社会の構築を目指して〜」（平成20年）の一部である。（ Ａ ）・（ Ｂ ）にあてはまる語句の正しい組み合わせを一つ選びなさい。

　変化の激しい社会においては、各個人が「自立した一人の人間として力強く生きていくための総合的な力」を身に付けるために、生涯にわたって学習を継続できるようにすることが求められている。特に技術の進展等が著しい中で、知識や（ Ａ ）等は陳腐化しないよう常に更新する必要がある。また、いわゆる狭義の知識・（ Ａ ）のみならず、他者との関係を築く力等の豊かな人間性を含む総合的な力は、学校教育の期間と場のみならず、ライフステージに応じて多様な場所や方法で学習し、（ Ｂ ）やその他の社会における活動においてその成果を発揮することを経て身に付くものでもあり、成人の学習についても、このような国民の継続的な学習へのニーズに応えられる環境整備、すなわち学ぶ機会の充実とその成果を生かせる環境づくりが必要である。

	組み合わせ	
	Ａ	Ｂ
1	判断力	私生活
2	思考力	私生活
3	思考力	職業生活
4	技能	私生活
5	技能	職業生活

正答 5 　令3-前-9

Ａ 技能：文脈上、「知識」と対になるものであることに注意。直前に「技術の進展等が著しい」とあり、その進展に対応して、知識とその使い方を変えていく必要性について述べている。また、「判断力」や「思考力」は「陳腐化」という表現に適さない。

Ｂ 職業生活：直後に「社会における活動」とあり、「私生活」は適さない。

　この設問で引用されている答申では、「生きる力」という語句が文章タイトルを除いて13回も表記されており、生涯学習と「生きる力」との関係性を重視していることがわかる。「生きる力」は、学んだことを人生や社会に生かそうとする「学びに向かう力、人間性など」、実際の社会や生活で生きて働く「知識及び技能」、未知の状況にも対応できる「思考力、判断力、表現力など」の三つの力をバランスよく育むことをめざした考え方である。

➡『合格テキスト』P.128～129

テーマ 5 教育行政及び教育制度

問22 次の文は、中央教育審議会答申「「令和の日本型学校教育」の構築を目指して～全ての子供たちの可能性を引き出す、個別最適な学びと、協働的な学びの実現～」(令和3年1月)に関する記述である。適切なものを○、不適切なものを×とした場合の正しい組み合わせを一つ選びなさい。

A　学校教育には、一人一人の児童生徒が、自分のよさや可能性を認識するとともに、あらゆる他者を価値のある存在として尊重し、多様な人々と協働しながら様々な社会的変化を乗り越え、豊かな人生を切り拓き、持続可能な社会の創り手となることができるよう、その資質・能力を育成することが求められている。

B　次代を切り拓く子供たちに求められる資質・能力として、文章の意味を正確に理解する読解力、教科等固有の見方・考え方を働かせて自分の頭で考えて表現する力、対話や協働を通じて知識やアイディアを共有し新しい解や納得解を生み出す力などが挙げられている。

C　「みんなと同じことができる」「言われたことを言われたとおりにできる」というように、均質な労働者の育成が現代社会の要請として学校教育に求められている。

D　「予測困難な時代」の中、目の前の事象から解決すべき課題を見いだし、主体的に考え、多様な立場の者が協働的に議論し、納得解を生み出すなどの資質・能力が求められている。

組み合わせ			
A	B	C	D
1 ○	○	○	×
2 ○	○	×	○
3 ○	×	○	○
4 ×	○	○	×
5 ×	×	○	×

正答 2　令5-後-10

A ○：「多様な人々と協働しながら」「持続可能な社会の創り手」がキーワードである。

B ○：「読解力」「表現する力」「対話や協働」がキーワードである。

C ×：「均質な労働者の育成」は、社会の変化にそぐわず、学校教育に求められているものではない。

D ○：「予測困難な時代」「主体的に考え、多様な立場の者が協働的に議論し」がキーワードである。

　A、B、Dは、すべて答申の「I総論」の「1．急激に変化する時代の中で育むべき資質・能力」に記載されている部分である。本答申は、「Society5.0時代」の到来や新型コロナウイルスの感染拡大など「予測困難な時代」という急激な社会変化を踏まえ、今後の学校教育の方向性が示された。今後の教育の方向性のキーワードは「個別最適な学び」と「協働的な学び」である。

問23 次の文のうち、「いじめ防止対策推進法」第3条の一部として、下線部分が正しいものを○、誤ったものを×とした場合の正しい組み合わせを一つ選びなさい。

A　いじめの防止等のための対策は、いじめが全ての児童等に関係する問題であることに鑑み、児童等が安心して学習その他の活動に取り組むことができるよう、<u>学校内では</u>いじめが行われなくなるようにすることを旨として行われなければならない。

B　いじめの防止等のための対策は、全ての児童等がいじめを行わず、及び他の児童等に対して行われるいじめを認識しながらこれを放置することがないようにするため、いじめが児童等の心身に及ぼす影響その他のいじめの問題に関する<u>児童等の理解を深めること</u>を旨として行われなければならない。

C　いじめの防止等のための対策は、いじめを受けた児童等の生命及び心身を保護することが特に重要であることを認識しつつ、国、地方公共団体、学校、地域住民、家庭その他の<u>関係者の連携の下</u>、いじめの問題を克服することを目指して行われなければならない。

組み合わせ		
A	B	C
1 ○	○	○
2 ○	○	×
3 ○	×	○
4 ×	○	○
5 ×	○	×

正答 4　令2-後-10

A ×：学校内ではなく、「学校の内外を問わず」と記載されている。

B ○：単に規制すればよいという考え方ではなく、児童の自発的な理解を伴うことが重要である。

C ○：部局や立ち位置を超えた連携ができなければ、対策に死角を生じ、抜け穴が生じることになる。

　教育界においては、いじめ防止対策が近年の重要課題の一つとなっている。令和3年・後期試験では、2013（平成25）年10月の文部科学省資料『学校における「いじめ防止」「早期発見」「いじめに対する措置」のポイント』からも出題があり、インターネットを介した子どもたちの間でのトラブルに関して問われた。いじめの「防止」と「早期発見」が相互に切り離せない抑止の姿勢として重視されている。

『合格テキスト』P.132～133

テーマ 6 教育を取り巻く諸問題

問24 次のうち、「持続可能な開発目標（SDGs）と日本の取組」（外務省）の一部として、正しいものを○、誤ったものを×とした場合の正しい組み合わせを一つ選びなさい。

A すべての人に包摂的かつ公正な質の高い教育を確保し、初等教育レベルの学力を獲得する

B ジェンダー平等を達成し、すべての女性及び女児のエンパワーメントを行う

C あらゆる年齢のすべての人々の健康的な生活を確保し、福祉を促進する

組み合わせ		
A	B	C
1 ○	○	○
2 ○	○	×
3 ○	×	○
4 ×	○	○
5 ×	×	○

正答 4 令4-前-9

　SDGsは Sustainable Development Goals の略称で、17の目標と169のターゲットから成る。2016年から2030年までに国際社会が達成すべき包括的な目標として、2015（平成27）年9月、国連「持続可能な開発サミット」において採択された。

　設問は、目標4【教育】の内容であり、選択肢Aが誤り。正しくは「すべての人に包摂的かつ公正な質の高い教育を確保し、生涯学習の機会を促進する」である。

筆記用具は"予備"を持っていくと安心だよ

問25 次の文は、「障害者差別解消法【合理的配慮の提供等事例集】」(平成29年11月内閣府障害者施策担当)の一部である。適切な記述を○、不適切な記述を×とした場合の正しい組み合わせを一つ選びなさい。

A 言葉だけでの指示だと、内容を十分に理解できないで混乱してしまうことがある。
　→小学校へ入学してから苦労しないように、言葉だけで指示を聞けるよう指導を続けた。

B 咀嚼することが苦手であり、通常の給食では喉に詰まらせてしまう可能性がある。
　→大きな食材については、小さく切ったりミキサーで細かくしたりして、食べやすいサイズに加工することとした。

C 触覚に過敏さがあり、給食で使うステンレスの食器が使用できず、手づかみで食べようとする。
　→根気強くステンレスの食器を使用することで慣れさせることとした。

D 多くの人が集まる場が苦手で、集会活動や儀式的行事に参加することが難しい。
　→集団から少し離れた場所で本人に負担がないような場所に席を用意したり、聴覚に過敏があるのであれば、イヤーマフなどを用いることとした。

E 聴覚に過敏さがあり、運動会のピストル音が聞こえると、パニックを起こしてしまうかもしれない。
　→すぐ近くではピストルの音をならさないようにしたが、小学校ではピストルを使うことが多いので、少し離れたところからピストルでスタートの合図をすることとした。

組み合わせ	A	B	C	D	E
1	○	○	○	×	○
2	○	○	×	○	×
3	○	×	○	○	○
4	×	○	×	○	×
5	×	○	○	×	×

正答 4 平31-前-10

A ×：コミュニケーションには言語以外の要素も大きく影響を与えるため、ボディランゲージなどの非言語的要素も交えた指示をすることで、理解しやすくなる。
B ○：咀嚼が苦手な子どもの場合、窒息などの重大な事故を引き起こす可能性もあり、個々への配慮が求められる。
C ×：「合理的配慮」とは障害の状態に応じた、あるいはそれを踏まえた配慮をすることであり、ステンレス以外の素材のスプーンやフォークを試してみる等の対応が考えられる。
D ○：多くの人が集まる場を苦手とする子どもの場合、敏感に精神的な圧迫感や恐怖心を覚えることがある。個々への配慮が求められる。
E ×：ピストル音そのものに恐怖を覚えている可能性が高く、対象物そのものを忌避することが望ましい。

→ 『合格テキスト』P.139

テーマ 6 教育を取り巻く諸問題

問26 次のA～Cのうち、「特別支援教育の推進について（通知）」（平成19年文部科学省）の一部として、下線部分が正しいものを○、誤ったものを×とした場合の正しい組み合わせを一つ選びなさい。

A 特別支援教育は、これまでの特殊教育の対象の障害だけでなく、<u>知的な遅れのない発達障害も含めて</u>、特別な支援を必要とする幼児児童生徒が在籍する全ての学校において実施されるものである。

B 特別支援教育は、障害のある幼児児童生徒への教育にとどまらず、障害の有無やその他の個々の違いを認識しつつ様々な人々が生き生きと活躍できる<u>共生社会の形成の基礎となるもの</u>であり、我が国の現在及び将来の社会にとって重要な意味を持っている。

C 特別な支援が必要と考えられる幼児児童生徒については、<u>担任一人が責任</u>をもって保護者の理解を得ることができるよう慎重に説明を行い、学校や家庭で必要な支援や配慮について、保護者と連携して検討を進めること。

組み合わせ		
A	B	C
1 ○	○	○
2 ○	○	×
3 ○	×	○
4 ×	○	×
5 ×	×	○

正答 2 令1-後-10

A ○：「特別支援教育の推進について（通知）」（以下、通知）の「1．特別支援教育の理念」に明記されている。

B ○：同じく通知の「1．特別支援教育の理念」に明記されている。

C ×：通知の「3．特別支援教育を行うための体制の整備及び必要な取組」の「（2）実態把握」において、「特別支援教育コーディネーター等と検討を行った上で、」と明記されている。「担任一人が責任をもって」との記述は、文部科学省が推進する「チーム学校」の考え方とも矛盾する。

文部科学省からの通知や中央教育審議会の答申は、文部科学省のWebページに掲載されているよ！

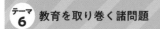

問27 次の文は、「小学校学習指導要領」（平成29年告示）に示された「教育課程の編成」の一部である。（ A ）～（ C ）にあてはまる語句を【語群】から選択した場合の正しい組み合わせを一つ選びなさい。

　低学年における教育全体において、例えば（ A ）において育成する自立し生活を豊かにしていくための資質・能力が、他教科等の学習においても生かされるようにするなど、教科等間の関連を積極的に図り、（ B ）及び中学年以降の教育との円滑な接続が図られるよう工夫すること。特に、小学校入学当初においては、幼児期において自発的な活動としての（ C ）を通して育まれてきたことが、各教科等における学習に円滑に接続されるよう、（ A ）を中心に、合科的・関連的な指導や弾力的な時間割の設定など、指導の工夫や指導計画の作成を行うこと。

語群

ア	総合的な学習の時間	イ　生活科
ウ	幼児期の教育	エ　スタートプログラム
オ	自然体験	カ　遊び

組み合わせ

	A	B	C
1	ア	ウ	オ
2	ア	ウ	カ
3	ア	エ	オ
4	イ	ウ	カ
5	イ	エ	カ

正答 4　令4-前-6

　第1章「総則」の第2「教育課程の編成」の4「学校段階等間の接続」の（1）からの出題である。

A イ：生活科。直後の「生活を豊かにしていく」から推察できる。
B ウ：幼児期の教育。「中学年以降の教育」とあわせ、「低学年における教育」の前後との連携を説いている。
C カ：遊び。「幼児期において自発的な活動としての」から推察できる。

　平成29年告示の学習指導要領においては、「生きる力」の実践的活動への落とし込みが意識され、かつ、学校種間・教科間の垣根を越えた接続・連携を考慮した取り組み姿勢が打ち出された。また「幼児期の終わりまでに育ってほしい姿」（文部科学省）をも意識した内容となっている。

幼小接続・幼小連携は、今後も出題の可能性が高いよ！

さらにチェック！ ○✕問題 教育原理

❶ 教育基本法第１条では、「幼児期の教育」を「生涯にわたる人格形成の基礎を培う重要なもの」ととらえている。

❶○

❷ 教育基本法第10条では、「父母その他の保護者は、子の教育について共同責任を有する」とされている。

❷✕ 「共同責任」ではなく、「第一義的責任」である。

❸ 教育基本法第１条では、教育の目的として「人格の陶冶」を目指している。

❸✕ 第1条で、「人格の完成」を教育の目的として目指している。

❹ 市町村は、その設置する幼稚園の設置廃止等を行おうとするときは、あらかじめ、文部科学大臣に届け出なければならない（学校教育法第４条の２）。

❹✕ 「文部科学大臣」ではなく「都道府県の教育委員会」に届け出なければならない。

❺ 教育基本法第３条には、「学校を設置しようとする者は、学校の種類に応じ、監督庁の定める設備、編制、その他に関する設置基準に従い、これを設置しなければならない」と規定されている。

❺✕ 「教育基本法」ではなく、「学校教育法」である。

❻ 学校教育法第25条では、幼稚園の教育課程その他の保育内容に関する事項は、文部科学大臣が定めるとしている。

❻○

❼ 文部科学大臣は、その区域内にある学齢児童及び学齢生徒のうち、視覚障害者、聴覚障害者、知的障害者、肢体不自由者又は病弱者で、その障害が政令で定める程度のものを就学させるに必要な特別支援学校を設置しなければならない（学校教育法第80条）。

❼✕ 「文部科学大臣」ではなく「都道府県」である。

❽ 幼稚園は学校教育法第1条で定められている「学校」には含まれない。

❽ ✕ 学校教育法第1条で、学校の一つとして筆頭にあげられている。

❾ 幼稚園教育要領第1章「総則」の第1「幼稚園教育の基本」においては、幼児期の教育を「生涯にわたる人格形成の基礎を培う重要なもの」と定義している。

❾ ○

❿ 幼稚園教育要領は国が教育基本法に基づき定めている大綱的基準である。

❿ ✕ 「教育基本法」ではなく「学校教育法」。

⓫ 教育課程に係る教育時間の終了後等に行う教育活動の計画の作成までは求められていない。

⓫ ✕ 幼稚園教育要領第3章1の(2)に「教育活動の計画を作成するようにすること」と明記されている。

⓬ 学ぶ内容をそれぞれの分野に分けて系統的に教えるような編成をしたカリキュラムを「教科カリキュラム」という。

⓬ ○

⓭ エレン・ケイは児童中心主義の考えをもとに『児童の世紀』を著した。

⓭ ○

⓮ モンテッソーリは、幼児の自己活動の一種として遊戯を重視し、教育遊具を考案した。そして、これを「恩物」と名づけた。

⓮ ✕ モンテッソーリではなく、フレーベルである。

⓯ 倉橋惣三の「誘導保育」は、教育者の思想を幼児に均一学習させる目的をもつ。

⓯ ✕ 幼児が自発的な遊びの中で気付きを得られる環境づくりを説いた。

⓰ 咸宜園は林羅山によって設立された私塾である。

⓰ ✕ 「林羅山」ではなく「広瀬淡窓」による私塾である。

⓱ 最澄は、一般の庶民にも開かれた教育機関である綜芸種智院を設立し、総合的な人間教育をめざした。

⓱ ✕ 「最澄」ではなく、「空海」である。

⓲ ヘルバルトは「管理」「教授」「徳育」の3要素を教育的教授と考えた。

⓲ ✕ 「管理」「教授」「訓練」の3要素である。

⑲ ブルーナーは「有意味受容学習」を提唱した。

⑲ ✕ ブルーナーは「発見学習」を提唱した。「有意味受容学習」を提唱したのは、オーズベルである。

⑳ 「児童の権利に関する条約」の基本的な考え方は、「差別の禁止」「子どもの最善の利益」「生命、生存及び発達に対する権利」「子どもの意見の尊重」の四つの原則で表されている。

⑳ ○

㉑ 「三　すべての児童は、適当な栄養と住居と被服が与えられ、また、疾病と災害からまもられる」は児童憲章の一文である。

㉑ ○

㉒ 「すべての人間は、生れながらにして自由であり、かつ、尊厳と権利とについて平等である」は児童権利宣言の一文である。

㉒ ✕ 世界人権宣言第1条の一部である。

㉓ 学校教育法は日本国憲法と同じく1946（昭和21）年に公布、翌1947（昭和22）年に施行された。

㉓ ✕ 教育基本法とともに1947（昭和22）年に公布・施行されている。

㉔ 1872（明治5）年に公布された学制は全国を大学区、高等学区、中学区、小学区に分け、学区制で各学校を設置した。

㉔ ✕ 全国を大学区、中学区、小学区に区分した。

㉕ 幼保連携型認定こども園では、1日の教育課程に係る教育時間は4時間を標準とし、発達の程度や季節などによらずにこれを実行する。

㉕ ✕ 4時間を標準とし、発達の程度や季節などに配慮することが求められている。

㉖ 「レッジョ・エミリア・アプローチ」は、個々の感性を伸ばすことに重点を置いたニュージーランドの保育実践である。

㉖ ✕ 「ニュージーランド」ではなく、「イタリア」である。

㉗ 小学校学習指導要領では、小学校入学当初においては、幼児期において自発的な活動としての遊びを通して育まれてきたことが、各教科等における学習に円滑に接続されるよう、道徳科を中心に指導計画の作成を行うこととされている。

㉗ ✕ 「道徳科」ではなく、「生活科」である。

㉘ 中央教育審議会は内閣府に設置された教育関連の審議会である。

㉘ ✕ 内閣府ではなく文部科学省である。

㉙ いじめ防止対策推進法では、「児童等は、いじめを行ってはならない」と明確に規定されている。

㉙ ◯

㉚ SDGsとは、国連で採択された「持続可能な開発のための教育」のことである。

㉚ ✕ 「持続可能な開発のための教育」は「ESD」のことで、SDGsは「持続可能な開発目標」である。

㉛ SDGsはUNICEF（国際連合児童基金）が主導する取り組みである。

㉛ ✕ 主導機関はUNESCO（国際連合教育科学文化機関）である。

㉜ 「特別支援教育の推進について（通知）」では、校長に「特別支援教育コーディネーター」となる教員の指名を求めている。

㉜ ◯

第 3 章

社会的養護

「社会的養護」というのは、事情によって親と生活することが難しい子どもを、社会が家庭の代わりになって育てることをいうよ。この科目では、社会的養護の方法として、どのような養育方法があるのかを学んだり、施設の運営について理解したりすることを目的としているよ。10問しか出題されないけれど、人間の弱さや生き方について考えさせられる、保育士試験の中でも重要な科目であるのは確かだよ。

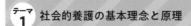

問1 次のA〜Dの事項を年代の古い順に並べた場合の正しい組み合わせを一つ選びなさい。

A 「社会的養護の課題と将来像」（児童養護施設等の社会的養護の課題に関する検討委員会・社会保障審議会児童部会社会的養護専門委員会）

B 「新しい社会的養育ビジョン」（新たな社会的養育の在り方に関する検討会）

C 「児童の権利に関する条約」（国連）

D 「児童の代替的養護に関する指針」（国連）

　＊C、Dについては国連総会採択時

組み合わせ						
1	A	→	B	→	C	→ D
2	A	→	B	→	D	→ C
3	C	→	A	→	B	→ D
4	C	→	D	→	A	→ B
5	D	→	C	→	A	→ B

正答 **4** 令4-前-5

A ：「社会的養護の課題と将来像」は、2011（平成23）年、社会的養護の充実のために取りまとめられた。子どもの養育の場としての社会的養護は、日々の営みの中で大人との愛着関係が形成され、心身と社会性の適切な発達が促されることが必要であるとした。

B ：「新しい社会的養育ビジョン」は、2017（平成29）年に打ち出された。前年の児童福祉法改正の理念の具現化をめざし、子どもが権利の主体であることを明確にし、家庭への養育支援から代替養育までの社会的養育の充実とともに、家庭養育優先の理念を規定し、実親による養育が困難であれば特別養子縁組による永続的解決（パーマネンシー保障）や里親による養育を推進することを明確にした。

C ：「児童の権利に関する条約」は、1989年に国連総会において採択され、日本では1994（平成6）年に批准した。

D ：「児童の代替的養護に関する指針」は、2009年に国連総会で採択された。これは家庭での養育と永続的解決の原則を各国に求めるものであり、その後の日本の児童福祉法改正等に大きな影響を与えるものとなった。

したがって、4のC→D→A→Bの順になる。

➡ 『合格テキスト』P.148〜149

テーマ 1 社会的養護の基本理念と原理

問2 次のうち、「新しい社会的養育ビジョン」(平成29年　厚生労働省) に示された内容として、適切なものを○、不適切なものを×とした場合の正しい組み合わせを一つ選びなさい。

A　社会的養育の対象は全ての子どもであり、家庭で暮らす子どもから代替養育を受けている子ども、その胎児期から自立までが対象となる。

B　新たな社会的養育という考え方では、そのすべての局面において、子ども・家族の参加と支援者との協働を原則とする。

C　子どもに永続的な家族関係をベースにしたパーマネンシーを保障するために、特別養子縁組や普通養子縁組は実父母の死亡などの場合に限られる。

D　施設で培われた豊富な体験による子どもの養育の専門性をもとに、施設が地域支援事業やフォスタリング機関事業等を行う多様化を、乳児院から始め、児童養護施設、児童心理治療施設、児童自立支援施設でも行う。

組み合わせ			
A	B	C	D
1 ○	○	×	○
2 ○	×	○	○
3 ○	○	○	×
4 ×	○	○	×
5 ×	×	×	○

正答 1　令6-前-3

A ○：「新しい社会的養育ビジョン」<本文編>のⅡ「新しい社会的養育ビジョンの全体像」の1「子どもの権利を基礎とした社会的養育の全体像」に記載されている。

B ○：「新しい社会的養育ビジョン」<本文編>のⅡ「新しい社会的養育ビジョンの全体像」の1「子どもの権利を基礎とした社会的養育の全体像」に記載されている。

C ×：「新しい社会的養育ビジョン」<要約編>の1「新しい社会的養育ビジョンの意義」では、「平成28年児童福祉法改正では、子どもが権利の主体であることを明確にし、家庭への養育支援から代替養育までの社会的養育の充実とともに、家庭養育優先の理念を規定し、実親による養育が困難であれば、特別養子縁組による永続的解決(パーマネンシー保障)や里親による養育を推進することを明確にした」とされている。

D ○：「新しい社会的養育ビジョンの」<要約編>の3「新しい社会的養育ビジョンの実現に向けた工程」の(6)「子どもニーズに応じた養育の提供と施設の抜本改革」に記載されている。

→ 『合格テキスト』P.148〜149

テーマ 1 社会的養護の基本理念と原理

問3 次のうち、「新しい社会的養育ビジョン」（平成29年　新たな社会的養育の在り方に関する検討会）における社会的養護の考え方に関する記述として、適切なものを○、不適切なものを×とした場合の正しい組み合わせを一つ選びなさい。

A　社会的養護とは、「サービスの開始と終了に行政機関が関与し、子どもに確実に支援を届けるサービス形態」と定義づけられている。

B　社会的養護には、在宅指導措置（児童福祉法第27条第1項第2号）が含まれる。

C　新たな社会的養育という考え方では、そのすべての局面において、子ども・家族の参加と支援者との協働を原則とする。

D　保護者と分離した子どもの代替養育は、長期間にわたって養育することを原則とする。

組み合わせ			
A	B	C	D
1 ○	○	○	×
2 ○	○	×	×
3 ○	×	○	×
4 ×	○	○	○
5 ×	×	○	○

正答 1 令4-後-1

すべて「新しい社会的養育ビジョン」（平成29年　新たな社会的養育の在り方に関する検討会）から出題されている。

A ○：Ⅱ「新しい社会的養育ビジョンの全体像」2「「社会的養護」の考え方と永続的解決の必要性」に記載されている。

B ○：Ⅱ「新しい社会的養育ビジョンの全体像」2「「社会的養護」の考え方と永続的解決の必要性」に記載されている。

C ○：Ⅰ「子どもの権利を基礎とした社会的養育の全体像」に記載されている。

D ×：Ⅱ「新しい社会的養育ビジョンの全体像」2「「社会的養護」の考え方と永続的解決の必要性」では、「代替養育は、本来は一時的な解決であり（中略）漠然とした長期間にわたる代替養育措置はなくなる必要がある。」とあり、長期間にわたって養育することを原則としていない。

問題文をよく読んで解くことが基本だよ！

問4 次の文は、「社会的養護関係施設における親子関係再構築支援ガイドライン」（平成26年　厚生労働省）に示された「親子関係再構築」についての考え方を説明したものである。（　**A**　）〜（　**C**　）にあてはまる語句の正しい組み合わせを一つ選びなさい。

　このガイドラインでは、（　**A**　）の回復を支えるという視点で親子関係再構築を捉えている。そのため、その内容は、内的イメージから外的現実まで幅広く、家族形態や問題の程度も様々なものを含む等、多面的で重層的に考える必要がある。ガイドラインでは、親子関係再構築を「子どもと親がその相互の（　**B**　）すること」と定義する。

　親子関係再構築支援を家族の状況によって2つに分類すると、分離となった家族に対するものと、（　**C**　）親子に対するものとがある。

組み合わせ

	A	B	C
1	親自身	肯定的なつながりを主体的に回復	代替養育による新たな
2	親自身	親愛の情を自然発生的に醸成	代替養育による新たな
3	子ども	肯定的なつながりを主体的に回復	代替養育による新たな
4	子ども	肯定的なつながりを主体的に回復	ともに暮らす
5	子ども	親愛の情を自然発生的に醸成	ともに暮らす

正答 4　令6-前-2

　「社会的養護施設における親子関係再構築支援ガイドライン」（平成26年　厚生労働省）第1章「親子関係再構築の定義－子どもの回復と成長の視点から」の4「親子関係再構築の定義」の考え方をまとめた内容である。

　原文は以下の通りである。

> 　このように子どもの回復を支えるという視点で親子関係再構築を捉えると、その内容は、内的イメージから外的現実まで幅広く、家族形態や問題の程度も様々なものを含む等、多面的で重層的に考える必要がある。そのためここでは、親子関係再構築を「子どもと親がその相互の肯定的なつながりを主体的に回復すること」と定義する。
>
> 　このガイドラインでは、養育の問題を抱えている、ともに暮らす家族と分離中の家族と双方を対象として、「子どもと親との相互の肯定的なつながりを主体的に回復する」ために、乳児院、児童養護施設、情緒障害児短期治療施設、児童自立支援施設、母子生活支援施設、児童家庭支援センターが、親、子ども、親子関係、家族・親族に対して行うあらゆる支援について述べる。最終的にこの支援の目的は子どもが自尊感情をもって生きていけるようになること、生まれてきてよかったと自分が生きていることを肯定できるようになることである。

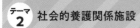
問5 次の【Ⅰ群】の施設種別と【Ⅱ群】の各施設の目的と役割を結びつけた場合の正しい組み合わせを一つ選びなさい。

【Ⅰ群】
A 児童心理治療施設
B 児童発達支援センター
C 児童家庭支援センター
D 児童自立支援施設

【Ⅱ群】
ア 地域の児童の福祉に関する各般の問題につき、児童に関する家庭その他からの相談のうち、専門的な知識および技術を必要とするものに応じ、必要な助言を行うとともに、市町村の求めに応じ、技術的助言その他必要な援助を行う。

イ 家庭環境、学校における交友関係その他の環境上の理由により社会生活への適応が困難となった児童を、短期間入所させ、または保護者の下から通わせて、社会生活に適応するために必要な心理に関する治療及び生活指導を主として行い、あわせて退所した者について相談その他の援助を行う。

ウ 日常生活における基本的動作の指導及び独立自活に必要な知識技能の習得並びに集団生活への適応のための訓練又はこれに併せて児童発達支援センターにおいて肢体不自由児に対して治療を行う。

エ 不良行為をなし、またはなすおそれのある児童及び家庭環境その他の環境上の理由により生活指導等を要する児童を入所させ、または保護者の下から通わせて、個々の児童の状況に応じて必要な指導を行い、その自立を支援し、あわせて退所した者について相談その他の援助を行う。

組み合わせ			
A	B	C	D
1 ア	イ	ウ	エ
2 ア	ウ	エ	イ
3 ア	エ	イ	ウ
4 イ	ウ	ア	エ
5 イ	エ	ウ	ア

正答 4 令1-後-4改

A イ：記述内容に社会生活に適応するために必要な心理に関する治療及び生活指導とあるため、児童心理治療施設に関する記述である。

B ウ：記述内容に日常生活における基本的動作の指導・訓練とあり、また児童発達支援センターにおける肢体不自由児への治療とあるため、児童発達支援センターに関する記述である。2022（令和4）年の改正により、2024（令和6）年4月より、肢体不自由児を対象とした医療型児童発達支援は、全ての児童を対象とする児童発達支援に一元化された。

C ア：記述内容に児童に関する家庭その他からの相談とあるため、児童家庭支援センターに関する記述である。

D エ：記述内容に不良行為をなしとあるため、児童自立支援施設に関する記述である。

➡ 『合格テキスト』P.152、157

テーマ **2** 社会的養護関係施設

問6 次のうち、児童養護施設における自立支援計画の策定に関する記述として、適切なものを○、不適切なものを×とした場合の正しい組み合わせを一つ選びなさい。

A 被虐待児の入所の増加に伴い、虐待を理由に入所している児童に限定し策定の対象とする。
B 児童の問題行動や短所の指摘を目的に策定する。
C 児童は未成年のため、保護者の意向を優先して策定する。
D 児童相談所など関係機関と連携を図りながら定期的に再評価を行う。

組み合わせ			
A	B	C	D
1 ○	○	×	×
2 ○	×	○	×
3 ○	×	×	○
4 ×	○	○	×
5 ×	×	×	○

正答 **5** 令4-後-6

すべて「児童養護施設等における入所者の自立支援計画について（平成17年8月）」の第1「児童養護施設、乳児院、児童自立支援施設又は情緒障害児短期治療施設に入所している子どもに係る自立支援計画について」から出題されている。

A × ：「入所中はもとより退所後についても継続した対応が求められている」とあるため、「入所している児童に限定し」というのは不適切である。
B × ：「子どものいわゆる問題行動や短所の指摘にとどまることのないよう留意し」とあるため、「短所の指摘を目的に策定する」ものではない。
C × ：「子ども本人、保護者、児童相談所及び関係機関の意見や協議などを踏まえ、策定する」とあるため、「保護者の意向を優先」するわけではない。
D ○ ：「子どもや保護者、児童相談所など関係者と連携を図り」定期的に再評価を行うこととしている。

試験当日は、待ち時間が長いので、参考書を持っていこうね！

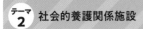
問7 次のうち、小規模住居型児童養育事業（ファミリーホーム）に関する記述として、適切なものを一つ選びなさい。

1 この事業は、家庭養護として養育者が親権者となり、委託児童を養育する取り組みである。
2 この事業の対象児童は、「児童福祉法」における「要支援児童」である。
3 この事業は、第一種社会福祉事業である。
4 この事業は、5人または6人の児童を養育者の家庭において養育を行う取り組みである。
5 この事業において委託児童の養育を担う養育者は、保育士資格を有していなければならない。

正答 4 令5-前-2

「小規模住居型児童養育事業（ファミリーホーム）実施要綱」を参照しながら、児童福祉法や社会福祉法を根拠に説明できる。

1 ✕：親権者は養育者ではなく児童相談所長である。児童福祉法第47条第2項によると、里親またはファミリーホームに委託中の児童および一時保護中の児童に、親権者または未成年後見人がいない場合には、児童相談所長が親権を行うとされている。
2 ✕：要支援児童ではなく、要保護児童である。
3 ✕：ファミリーホームは社会福祉法第2条第3項第2号に定められた第二種社会福祉事業である。
4 ◯：設問の通り、5人または6人の児童を養育者の家庭において養育を行う。
5 ✕：「保育士資格を有していなければならない」という規定はない。養育者の要件は以下の通り。

児童福祉法施行規則第1条の31

① 養育里親として2年以上同時に2人以上の委託児童の養育の経験を有する者
② 養育里親として5年以上登録し、かつ、通算して5人以上の委託児童の養育の経験を有する者
③ 児童養護施設等において児童の養育に3年以上従事した者
④ ①から③までに準ずる者として、都道府県知事が適当と認めた者
⑤ 児童福祉法第34条の20第1項各号の規定に該当しない者

➡ 『合格テキスト』P.151〜156

テーマ 2 社会的養護関係施設

問8 次のうち、社会的養護の地域支援に関する記述として、適切なものの組み合わせを一つ選びなさい。

A 短期入所生活援助（ショートステイ）事業の対象者は、疾病や疲労などにより家庭において児童を養育することが一時的に困難になった保護者の児童や、経済的問題等により緊急一時的に保護が必要になった母子等である。

B 「新しい社会的養育ビジョン」（平成29年　厚生労働省）では、入所児童以外の地域の子育て家庭を支援する専門職として、乳児院と児童養護施設に地域支援専門相談員を配置することとされた。

C 施設に入所する子どもの早期家庭復帰を支援するため、乳児院、児童養護施設、児童心理治療施設、児童自立支援施設には、児童家庭支援センターを設置する義務がある。

D 乳児院、母子生活支援施設、児童養護施設、児童心理治療施設及び児童自立支援施設の長は、その行う児童の保護に支障がない限りにおいて、当該施設の所在する地域の住民につき、児童の養育に関する相談に応じ、及び助言を行うよう努めなければならない。

組み合わせ		
1	A	B
2	A	D
3	B	C
4	B	D
5	C	D

正答 2 令5-後-4

A ○：厚生労働省「子育て短期支援事業実施要綱」によると、「市町村は、保護者が疾病、疲労その他の身体上若しくは精神上又は環境上の理由により家庭において児童を養育することが一時的に困難になった場合や経済的な理由により緊急一時的に母子を保護することが必要な場合等に実施施設において養育・保護を行うものとする」と示されている。

B ✕：地域支援専門相談員という職員は配置されない。

C ✕：これらの施設に児童家庭支援センターを設置する義務はない。

D ○：児童福祉法第48条の2に「乳児院、母子生活支援施設、児童養護施設、児童心理治療施設及び児童自立支援施設の長は、その行う児童の保護に支障がない限りにおいて、当該施設の所在する地域の住民につき、児童の養育に関する相談に応じ、及び助言を行うよう努めなければならない」と示されている。

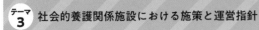

テーマ 3 社会的養護関係施設における施策と運営指針

『合格テキスト』P.157〜159

問9 次の文のうち、「児童養護施設運営指針」(平成24年3月厚生労働省)において示されている「権利擁護」に関する記述として最も不適切な記述を一つ選びなさい。

1 子ども自身の出生や生い立ち、家族の状況については、義務教育終了後に開示する。

2 入所時においては、子どものそれまでの生活とのつながりを重視し、そこから分離されることに伴う不安を理解し受けとめ、不安の解消を図る。

3 子どもが相談したり意見を述べたりしたい時に、相談方法や相談相手を選択できる環境を整備し、子どもに伝えるための取り組みを行う。

4 いかなる場合においても、体罰や子どもの人格を辱めるような行為を行わないよう徹底する。

5 様々な生活体験や多くの人たちとのふれあいを通して、他者への心づかいや他者の立場に配慮する心が育まれるよう支援する。

正答 1 令1-後-3

1 ✕：「義務教育終了後に開示する」ではなく「子どもの発達に応じて(中略)適切に知らせる」が正しい。子ども自身が自分の生い立ちや家族の状況を知ることも重要であり、適切なタイミングで伝えることが必要である。

2 ◯：子どもと保護者等との関係性を踏まえて、分離に伴う不安を理解し受けとめ、入所の相談から施設での生活が始まるまで、対応についての手順を定め、子どもの意向を尊重しながら今後のことについて説明する。

3 ◯：複数の相談方法や相談相手の中から自由に選べることをわかりやすく説明した文書を作成・配布する。また、日常的に相談できる相談窓口を明確にした上で、内容をわかりやすい場所に掲示する。

4 ◯：就業規則等の規程に体罰等の禁止を明記し、子どもや保護者に対して、体罰等の禁止を周知する。また職員に暴力、人格的辱め、心理的虐待などの不適切なかかわり等を伴わない援助技術を習得させる。

5 ◯：同年齢、上下の年齢などの人間関係を日常的に経験できる生活状況を用意し、自他の権利を尊重できる人間性を育成する。

テーマ 3 社会的養護関係施設における施策と運営指針　→『合格テキスト』P.147〜148

問10 次の文のうち、「児童養護施設運営指針」（平成24年3月厚生労働省）において示されている「社会的養護の原理」に関する記述として最も適切な記述を一つ選びなさい。

1 社会的養護は、できる限り特定の養育者による一貫性のある養育が望まれる。

2 社会的養護における養育は、つらい体験をした過去を現在、そして将来の人生と切り離すことを目指して行われる。

3 社会的養護における養育は、効果的な専門職の配置ができるよう、大規模な施設において行う必要がある。

4 社会的養護における支援は、子どもと緊密な関係を結ぶ必要があるので、他機関の専門職との連携は行わない。

5 社会的養護は、措置または委託解除までにすべての支援を終結し、自立させる必要がある。

正答 1　令1-後-8

1 ○：児童養護施設運営指針（以下、指針）は、「社会的養護は、その始まりからアフターケアまでの継続した支援と、できる限り特定の養育者による一貫性のある養育が望まれる」としている。

2 ×：指針は、「社会的養護における養育は、『人とのかかわりをもとにした営み』である。子どもが歩んできた過去と現在、そして将来をより良くつなぐために、一人一人の子どもに用意される社会的養護の過程は、『つながりのある道すじ』として子ども自身にも理解されるようなものであることが必要である」としている。

3 ×：指針は、「児童養護施設、乳児院等の施設養護も、できる限り小規模で家庭的な養育環境（小規模グループケア、グループホーム）の形態に変えていくことが必要である」としている。

4 ×：指針は、「児童相談所等の行政機関、各種の施設、里親等の様々な社会的養護の担い手が、それぞれの専門性を発揮しながら、巧みに連携し合って、一人一人の子どもの社会的自立や親子の支援を目指していく社会的養護の連携アプローチが求められる」としている。

5 ×：指針は、「社会的養護の下で育った子どもたちが社会に出てからの暮らしを見通した支援を行うとともに、入所や委託を終えた後も長くかかわりを持ち続け、帰属意識を持つことができる存在になっていくことが重要である」としている。

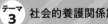

テーマ3 社会的養護関係施設における施策と運営指針　→『合格テキスト』P.160

問11 次のうち、「里親及びファミリーホーム養育指針」（平成24年3月　厚生労働省）で示された養育・支援に関する記述として、適切なものを○、不適切なものを×とした場合の正しい組み合わせを一つ選びなさい。

A　里親及びファミリーホームに委託される子どもは、原則として新生児から義務教育終了までの子どもが対象である。

B　児童相談所は、子どもが安定した生活を送ることができるよう自立支援計画を作成し、養育者はその自立支援計画に基づき養育を行う。

C　里親に委託された子どもは、里親の姓を通称として使用することとされている。

D　里親やファミリーホームは、特定の養育者が子どもと生活基盤を同じ場におき、子どもと生活を共にする。

組み合わせ			
A	B	C	D
1　○	○	○	×
2　○	×	○	○
3　×	○	×	○
4　×	○	×	○
5　×	×	×	○

正答 4　令6-前-6

A ×：「里親及びファミリーホーム養育指針」第Ⅰ部「総論」の4「対象児童」からの出題である。里親及びファミリーホームに委託される子どもは、新生児から年齢の高い子どもまで、すべての子どもが対象となる。

B ○：「里親及びファミリーホーム養育指針」第Ⅱ部「各論」の2「自立支援計画と記録」の(1)「自立支援計画」に記載されている。

C ×：「里親及びファミリーホーム養育指針」第Ⅱ部「各論」の1「養育・支援」の(4)「子どもの名前、里親の呼称等」からの出題である。「子どもを迎え入れた里親の姓を通称として使用することがあるが、その場合には、委託に至った子どもの背景、委託期間の見通しとともに、子どもの利益、子ども自身の意思、実親の意向の尊重といった観点から個別に慎重に検討する」とされている。

D ○：「里親及びファミリーホーム養育指針」第Ⅰ部「総論」の5「家庭養護のあり方の基本」の(1)「基本的な考え方（家庭の要件）」の②「特定の養育者との生活基盤の共有」に記載されている。

テーマ **3** 社会的養護関係施設における施策と運営指針

問12 次の文は、「里親及びファミリーホーム養育指針」（平成24年３月　厚生労働省）の一部である。（　**A**　）〜（　**C**　）にあてはまる語句を【語群】から選択した場合の正しい組み合わせを一つ選びなさい。

● 子どもを（　**A**　）として尊重する。子どもが自分の気持ちや意見を素直に表明することを保障するなど、常に子どもの（　**B**　）に配慮した養育・支援を行う。

（中略）

● 子どもに対しては、（　**A**　）であることや守られる権利について、（　**C**　）などを活用し、子どもに応じて、正しく理解できるよう随時わかりやすく説明する。

語群
ア　権利の主体　　イ　権利の客体　　ウ　最低限の生活保障
エ　最善の利益　　オ　権利ノート　　カ　第三者評価

組み合わせ	A	B	C
1	ア	ウ	オ
2	ア	エ	オ
3	ア	エ	カ
4	イ	ウ	オ
5	イ	エ	カ

正答 2 令4-後-2

A ア：権利の主体　B エ：最善の利益　C オ：権利ノート

　「里親及びファミリーホーム養育指針」の第Ⅱ部「各論」の３「権利擁護」の（１）「子どもの尊重と最善の利益の考慮」より抜粋されている。

　なお、子どもの権利に関する条約（1994年批准）では、児童を権利の主体として位置づけるとともに、子どもの最善の利益についても示されており、語群から選択するヒントとなる。

　子どもの権利ノートとは、児童養護施設をはじめとする児童福祉施設に子どもたちが入所する際に配布される小冊子で、施設内で子どもの権利が守られていることについて記されている。

子どもの権利に関する設問は、近年出題率が高いよ！

フレーフレー

問13 次のうち、「里親及びファミリーホーム養育指針」（平成24年3月　厚生労働省）の一部として、正しいものを○、誤ったものを×とした場合の正しい組み合わせを一つ選びなさい。

A　社会的養護を必要とする子どもを、養育者の家庭に迎え入れて養育する「家庭的養護」である。

B　養育者の個人的な責任に基づいて提供される養育の場である。

C　家庭内における養育上の課題や問題を解決し或いは予防するためにも、養育者は協力者を活用し、養育のありかたをできるだけ「ひらく」必要がある。

D　里親制度は、養育里親、専門里親、養子縁組里親、親族里親の4つの類型の特色を生かしながら養育を行う。

組み合わせ			
A	B	C	D
1 ○	○	○	×
2 ○	○	×	○
3 ○	×	○	×
4 ×	×	○	○
5 ×	×	×	○

正答 4　令5-後-2

　厚生労働省通知「里親及びファミリーホーム養育指針」の第1部「総論」の3「里親・ファミリーホームの役割と理念」の (2)「里親・ファミリーホームの理念」から出題されている。

A ×：「里親及びファミリーホームは、社会的養護を必要とする子どもを、養育者の家庭に迎え入れて養育する『家庭養護』である」と記載されている。なお、家庭養護と家庭的養護は似ている言葉だが、家庭養護は小さい単位での養育、家庭的養護はグループ単位での養育という意味である。

B ×：「社会的養護の養育は、家庭内の養育者が単独で担えるものではなく、家庭外の協力者なくして成立し得ない。養育責任を社会的に共有して成り立つものである」と記載されている。

C ○：養育指針からそのまま抜粋されている。

D ○：養育指針からそのまま抜粋されている。

第3章 社会的養護

問14 次の【事例】を読んで、【設問】に答えなさい。

【事例】

　夫からのDV被害により、Lちゃん（8歳、女児）と3か月前から母子生活支援施設に入所している母親のMさん（20代）は、入所後に始めたアルバイトにも慣れ、家計のやりくりにも自信が持てるようになり、最近ようやく生活が落ち着いてきた。しかし、Mさんは今でも男性を見るとDV被害の場面を思い出して震えてしまうことがある。またMさんのストレスが高まった場面では、Lちゃんを怒鳴ることがあるが、こうした状況の後は必ず職員に「私は悪い親だ」と泣きながら話し、後悔している様子がうかがえる。Lちゃんは突然泣き出したりするなど情緒的に不安定な面が時折見られるが、小学校で仲の良い友人ができ、笑顔で過ごせるようになっている。

【設問】

　次のうち、Mさん親子に対する母子生活支援施設の当面の支援として最も適切なものを一つ選びなさい。

1　MさんのLちゃんに対する対応は、虐待であるとの自覚を強く促す。
2　母子の自立支援の観点から、Mさんの就労支援を優先する。
3　DV被害による自己否定からの回復のため、Mさんにエンパワメントの取り組みを行う。
4　Lちゃんを児童養護施設に措置する方向で児童相談所に連絡する。
5　退所に向けて生活費の管理を母子支援員が行う。

正答 3 　令3-後-10

1 ✕：Mさんを精神的に追い詰めるような対応は適切ではない。
2 ✕：就労支援も大切だが、優先すべきは心の回復であり、適切ではない。
3 ○：福祉におけるエンパワメントとは、自らの生活を自らコントロールできること、または、自立する力を得ることを意味する。したがって、Mさんへの対応として適切である。
4 ✕：ここでは、母子を引き離すような対応は適切ではない。
5 ✕：退所に向けての対応は、この時点では適切とはいえない。

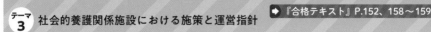

問15 次の【事例】を読んで、【設問】に答えなさい。

【事例】

　Ｙ君（10歳）は、乳児院に入所後、現在は児童養護施設で生活をしている。児童養護施設に入所後は、親との面会がない状態が続いている。同じ児童養護施設にいるＺ君（9歳）は、親との面会交流があり、その都度、玩具を買ってもらう等、面会交流後、笑顔で居住スペースに戻ってくる。そんなＺ君を見たＹ君は、Ｚ君に対し暴言を吐いたり、いいがかりをつけるなど、Ｚ君を困らせている。

【設問】

　次のうち、児童養護施設におけるＹ君への対応として、最も適切なものを一つ選びなさい。

1　Ｚ君の、親との面会の回数を減らす。
2　Ｚ君とＹ君、どちらかを違う児童養護施設に移動させる。
3　Ｙ君を厳しく指導する。
4　Ｙ君へのライフストーリーワークの実施を検討する。
5　Ｙ君へのスーパービジョンの実施を検討する。

正答 4　令5-後-10

1 ✕：ソーシャルワークの観点から、支援計画（プランニング）を立てるべきであり、Ｚ君の親との面会の回数を減らすことは不適切である。

2 ✕：ソーシャルワークの観点から、課題分析（アセスメント）をするべきであり、Ｚ君またはＹ君を違う児童養護施設に移動させることは不適切である。

3 ✕：ソーシャルワークの観点から、非審判的態度をとるべきであり、Ｙ君を厳しく指導することは不適切である。

4 ◯：ライフストーリーワークとは、社会的養護の子どもに対するソーシャルワーク実践の一部であり、子どもの日々の生活やさまざまな思いに光を当て、自分は自分であっていいということを確かめること、自分の生い立ちや家族との関係を整理し、過去−現在−未来をつなぎ、前向きに生きていけるよう支援する取り組みである。

5 ✕：スーパービジョンは、ソーシャルワークなどの現場で用いられている専門職から職員への助言であり、入所児童（Ｙ君）には実施されない。

テーマ 4 社会的養護に関わる機関と専門職

問16 次のうち、社会的養護に関わる専門職等とその職種が必置と定められている施設・機関の組み合わせとして、正しいものを一つ選びなさい。

1 児童委員 ——————— 福祉事務所
2 児童福祉司 ——————— 児童相談所
3 個別対応職員 ——————— 児童家庭支援センター
4 支援コーディネーター ——— 児童相談所の一時保護所
5 里親支援専門相談員 ——— 児童自立支援施設

正答 2 令3-後-7

1 ✕：児童委員は民間ボランティアであり、福祉事務所で必置という位置づけではない。

2 ○：児童福祉司は、児童相談所長の命を受けて、児童の保護その他の児童の福祉に関する事項について、相談に応じ、専門的技術に基づいて必要な指導を行う、児童相談所には欠かせない職員であり、必置と定められている（児童福祉法第13条第1項）。

3 ✕：児童家庭支援センターでは、個別対応職員は必置ではない。個別対応職員は、母子生活支援施設において、DV等により個別に特別な支援を行う必要があると認められる母子に当該支援を行う場合に必置となる（児童福祉施設の設備及び運営に関する基準第27条第4項）。

4 ✕：児童相談所の一時保護所では、支援コーディネーターは必置ではない。

5 ✕：里親支援専門相談員は、児童自立支援施設では必置ではない。里親支援専門相談員は、厚生労働省通知「家庭支援専門相談員、里親支援専門相談員、心理療法担当職員、個別対応職員、職業指導員及び医療的ケアを担当する職員の配置について」（平成24年4月5日雇児発0405第11号）によって、里親支援を行う乳児院や児童養護施設において配置されている。

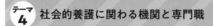

テーマ **4** 社会的養護に関わる機関と専門職　→ 『合格テキスト』P.165

問17 次のうち、家庭支援専門相談員の配置が<u>義務づけられていない</u>児童福祉施設を一つ選びなさい。

1 児童養護施設
2 児童自立支援施設
3 乳児院
4 母子生活支援施設
5 児童心理治療施設

正答 **4** 令4-後-4

　家庭支援専門相談員とは、子育てや介護、経済的な問題、人間関係の悩みなど、家庭や地域で抱える様々な問題について、相談者と一緒に解決策を考える専門職のことである。

1 ：児童養護施設には義務づけられている。
2 ：児童自立支援施設には義務づけられている。
3 ：乳児院には義務づけられている。
4 ：「児童福祉施設の設備及び運営に関する基準」第27条第1項によると、「母子生活支援施設には、母子支援員（母子生活支援施設において母子の生活支援を行う者をいう。以下同じ。）、嘱託医、少年を指導する職員及び調理員又はこれに代わるべき者を置かなければならない。」とあるが、家庭支援専門相談員の配置は義務づけられていない。
5 ：児童心理治療施設には義務づけられている。

試験では、途中退出する人が多いけれど、気にしないで集中しよう！

テーマ 4 社会的養護に関わる機関と専門職　

テーマ 4　社会的養護に関わる機関と専門職　→ 『合格テキスト』P.165

問18 次のうち、社会的養護に関わる専門職に関する記述として、適切なものを○、不適切なものを×とした場合の正しい組み合わせを一つ選びなさい。

A　児童養護施設、児童心理治療施設、福祉型障害児入所施設には、保育士を置かなければならない。

B　里親支援専門相談員は、里親会等と連携して、里親の新規開拓や里親委託の推進、里親への研修等を行う専門職であり、乳児院、児童養護施設、児童相談所に置かなければならない。

C　心理療法を行う必要があると認められる児童が10人以上いる児童養護施設、児童自立支援施設には、心理療法担当職員を置かなければならない。

D　虐待を受けた児童が10人以上いる乳児院、児童養護施設、児童自立支援施設には個別対応職員を置かなければならないが、虐待を受けた児童が10人未満の施設には任意で置くことができる。

組み合わせ			
A	B	C	D
1　○	○	○	×
2　○	×	○	○
3　○	×	○	×
4　×	○	○	○
5　×	×	×	○

正答 3　令5-後-3

A ○：「児童福祉施設の設備及び運営に関する基準」第42条、第73条、第49条に定められている。

B ×：厚生労働省通知「家庭支援専門相談員、里親支援専門相談員、心理療法担当職員、個別対応職員、職業指導員及び医療的ケアを担当する職員の配置について」において、「里親支援専門相談員を配置する施設は、里親支援を行う児童養護施設及び乳児院とする」とされている。

C ○：「児童福祉施設の設備及び運営に関する基準」第42条第3項および第80条第3項に示されている。

D ×：「児童福祉施設の設備及び運営に関する基準」第21条、第42条、第80条によると、個別対応職員は虐待を受けた児童の有無や人数にかかわらず必置であることが示されている。

第3章　社会的養護

テーマ 4 社会的養護に関わる機関と専門職

➡ 『合格テキスト』P.163〜164

問19 次のうち、児童相談所の一時保護に関する記述として、適切なものを○、不適切なものを×とした場合の正しい組み合わせを一つ選びなさい。

A 児童養護施設や里親に委託一時保護することができる。

B 一時保護所における一時保護期間は、上限が2週間と定められている。

C 一時保護所には、近隣の小学校及び中学校の分教室が設置されている。

D 児童の保護者の同意なしに一時保護することはできない。

組み合わせ

	A	B	C	D
1	○	○	×	×
2	○	×	×	×
3	×	○	×	○
4	×	×	○	○
5	×	×	○	×

正答 2 令4-後-5

A ○：「児童相談所運営指針」（令和4年3月30日・厚生労働省）によると、「児童相談所において一時保護している子どもで、法第28条第1項又は第33条の7の申し立て等により一時保護期間が相当長期化すると推察される場合においても、里親等、児童養護施設等への委託一時保護を検討する」と記載されている。

B ×：「児童福祉法」第33条第3項「前2項の規定による一時保護の期間は、当該一時保護を開始した日から二月を超えてはならない」と記載されている。

C ×：一時保護所に近隣の小学校や中学校の分教室が設置されていることはなく、そのような規定もない。

D ×：「児童福祉法」第33条第5項「前項の規定により引き続き一時保護を行うことが当該児童の親権を行う者又は未成年後見人の意に反する場合においては、児童相談所長又は都道府県知事が引き続き一時保護を行おうとするとき、及び引き続き一時保護を行った後二月を超えて引き続き一時保護を行おうとするときごとに、児童相談所長又は都道府県知事は、家庭裁判所の承認を得なければならない」とあるため、承認を得れば保護者の同意なしに一時保護できる。

テーマ 5 児童虐待と被措置児童虐待

問20 次の文は、「児童福祉法」第25条の一部である。（　A　）～（　C　）にあてはまる語句および数値の正しい組み合わせを一つ選びなさい。

　要保護児童を発見した者は、これを市町村、都道府県の設置する（　A　）若しくは児童相談所又は（　B　）を介して市町村、都道府県の設置する（　A　）若しくは児童相談所に通告しなければならない。ただし、罪を犯した満（　C　）歳以上の児童については、この限りでない。この場合においては、これを家庭裁判所に通告しなければならない。

組み合わせ

	A	B	C
1	児童家庭支援センター	児童委員	16
2	福祉事務所	児童委員	14
3	児童家庭支援センター	児童虐待対応協力員	16
4	福祉事務所	児童虐待対応協力員	16
5	福祉事務所	児童虐待対応協力員	14

正答 2 令2-後-2

A：福祉事務所　B：児童委員　C：14

　児童虐待を受けたと思われる児童を発見した場合、すべての国民に通告する義務が定められている。児童福祉法第25条において、要保護児童を発見した者は、これを市町村、都道府県の設置する福祉事務所若しくは児童相談所または児童委員を介して市町村、都道府県の設置する福祉事務所若しくは児童相談所に通告しなければならないと定められている。さらに、学校・児童福祉施設・病院など児童虐待を発見しやすい立場にある人や団体は、より積極的な児童虐待の早期発見に努めなければならないとされている。

> ここは重要な条文なので、すべて覚えておこう！

フレーフレー

第3章 社会的養護

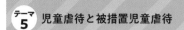
問21 次のうち、「被措置児童等虐待対応ガイドライン」（令和4年 厚生労働省）に示された虐待防止のための施設運営に関する記述として、<u>不適切なもの</u>を一つ選びなさい。

1 組織全体が活性化され、風通しのよい組織づくりを進める。
2 第三者評価の積極的な受審や活用など、外部の目を取り入れる。
3 施設内で生じた被措置児童等虐待に関する情報提供は、当該施設等で生活を送っている他の被措置児童等に対しては行わない。
4 自立支援計画の策定や見直しの際には、子どもの意見や意向等を確認し、確実に反映する。
5 経験の浅い職員等に対し、施設内外からスーパービジョンを受けられるようにする。

正答 3 令6-前-7

「被措置児童等虐待対応ガイドライン」（令和4年 厚生労働省）に示されている記述からの出題である。

1 ○：「被措置児童等虐待対応ガイドライン」のⅡ「被措置児童等虐待に対する対応」の11「被措置児童等虐待の予防等」の1）「風通しのよい組織運営」に記載されている。

2 ○：「被措置児童等虐待対応ガイドライン」のⅡ「被措置児童等虐待に対する対応」の11「被措置児童等虐待の予防等」の2）「開かれた組織運営」に記載されている。

3 ×：「被措置児童虐待対応ガイドライン」のⅠ「被措置児童等虐待の防止に向けた基本的視点」の2「基本的な視点」の5）「発生予防から虐待を受けた児童の保護、安定した生活の確保までの継続した支援」では、「特に、施設等の複数の子どもが生活を送る場で被措置児童等虐待が発見された場合には、被害を受けた被措置児童等のほかにも、当該施設等で生活を送っている他の被措置児童等に対しても、適切で分かりやすい経過説明ときめ細かなケアを実施することが必要」とされている。

4 ○：「被措置児童等虐待対応ガイドライン」のⅡ「被措置児童等虐待に対する対応」の11「被措置児童等虐待の予防等」の5）「子どもの意見を実現する仕組み等」に記載されている。

5 ○：「被措置児童等虐待対応ガイドライン」のⅡ「被措置児童等虐待に対する対応」の11「被措置児童等虐待の予防等」の3）「養育者の研修、資質の向上」に記載されている。

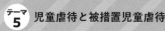

問22 次の【事例】を読んで、【設問】に答えなさい。

【事例】

Ｘちゃん（３歳、女児）は、父からの母に対する身体的暴力を理由に、母と共に母子生活支援施設に入所することとなった。暴力被害の可能性が引き続きあることから、父には施設に入所していることや居住場所を伝えていない。母は離婚の意向を示している。また、母は緊急で逃げ出してきたため、経済的に困窮している。さらに暴力の影響により働ける状況にはなく、うつ病と診断され、心療内科に通っている。

【設問】

次のうち、適切なものを一つ選びなさい。

1 母が働いていないため、保育所の利用はできず、Ｘちゃんは母子生活支援施設内で保育を受ける必要がある。

2 母子生活支援施設入所中は生活保護費の受給ができないため、母子生活支援施設がＸちゃん母子の生活に必要な費用を支出する。

3 暴力の被害にあう可能性があるため、裁判所から父に対して接近禁止命令などの保護命令を出してもらうように職員に協力してもらい手続きをすることができる。

4 Ｘちゃんにとって実の両親と暮らすことは最善の利益になることから、母子生活支援施設の職員は父母の関係改善を支援方針とする必要がある。

5 母子生活支援施設の入所期間は法律で２年以内と定められていることから、２年間で母子で自立した生活ができるように施設は支援する必要がある。

正答 3 令4-後-9

1 ×：母子生活支援施設に併設された保育所や母子生活支援施設から近い保育所など、このケースのような特別な条件では保育所を利用することが可能である。

2 ×：母子生活支援施設に入所していても、生活保護の受給資格がある場合は受給が可能である。ただし、当施設で食事や住居などの生活必需品が提供されるため、生活保護の必要性が薄れる場合はある。

3 ○：このケースは、DV防止法第10条「配偶者からの身体に対する暴力又は生命等に対する脅迫」を受けた者（被害者）として、保護命令の対象になる。

4 ×：DVの場合、まずは被害者の安全を確保することを最優先とする。加害者との関係を改善することで逆に被害者の安全を脅かすことがあるため、個別の状況に合わせた対応が必要である。

5 ×：そのような規定はない。

第3章 社会的養護

問23 次の【事例】を読んで、【設問】に答えなさい。

【事例】

　Ｕちゃん（小学３年生、女児）は、母親と二人でＫ母子生活支援施設に入所している。Ｕちゃんの母親は、最近就職した。まだ仕事に慣れない様子で、疲れている様子がその表情にも見られた。ある日、施設内の学習室にＵちゃんが来て、「お母さんがイライラしてすぐに怒る。一緒にいると喧嘩になるからこっちに来た。本当はみてもらいたい宿題だってあるのに」とＨ母子支援員に言った。

【設問】

　次のうち、Ｈ母子支援員のとるべき対応として、<u>最も不適切なもの</u>を一つ選びなさい。

1　「宿題をみるのが私でも良いのであれば、一緒にやろうか」とＵちゃんに話す。
2　Ｕちゃんの母親を学習室に呼び、Ｕちゃんの宿題をみるよう指導する。
3　Ｕちゃんが母親に言い返したり喧嘩をしたりせずに学習室に来たことをほめ、Ｕちゃんの話を聴く。
4　「お母さんは、新しい仕事に行くようになって疲れがたまっているのかもしれないね」とＵちゃんに話す。
5　Ｕちゃんの母親に、職場の様子や体調、精神的なストレスの様子について話を聴く。

正答 **2** 令5-前-9

　母子生活支援施設運営指針の第Ⅱ部各論　１支援 (3)「母親への日常生活支援」及び (4)「子どもへの支援」に出てくるような受容的な対応が基本となる。

1 ○：子どもへの学習や、悩み等への相談支援を行っている。
2 ×：母親の不安定な状況を無視した強引な指導を行っている。
3 ○：子どもに安らぎと心地よさを与えられる配慮がなされている。
4 ○：母親と子どもの関係を構築するための支援を行っている。
5 ○：母親のストレス等の軽減に向けた相談・支援を行っている。

問24　次の文は、里親制度に関する記述である。適切な記述を○、不適切な記述を×とした場合の正しい組み合わせを一つ選びなさい。

A　「社会的養育の推進に向けて」（令和2年10月　厚生労働省）によると、平成30年3月末の里親及び小規模住居型児童養育事業（ファミリーホーム）への社会的養護を利用する児童全体に占める委託率は約4割である。

B　小規模住居型児童養育事業（ファミリーホーム）は、「社会福祉法」に定める第一種社会福祉事業である。

C　都道府県知事は、児童を里親に委託する措置をとった場合には、児童福祉司、知的障害者福祉司、社会福祉主事のうち一人を指定して、里親の家庭を訪問して、必要な指導をさせなければならない。

組み合わせ			
	A	B	C
1	○	×	○
2	○	×	×
3	×	○	○
4	×	○	×
5	×	×	○

正答 5　令2-後-3改

A ×：「社会的養育の推進に向けて」（令和2年10月）によると、2018（平成30）年度末の里親等委託率は20.5%となっているため、約2割である。社会的養護を利用する児童全体とは、乳児院入所児、児童養護施設入所児、里親、小規模住居型児童養育事業（ファミリーホーム）委託児を指す。

B ×：社会福祉法第2条でファミリーホームは第二種社会福祉事業と定められている。ファミリーホームは児童福祉法にも記載があるが、この問題では社会福祉法で定めているので注意が必要である。第一種と第二種では、第一種の方が利用者の保護の必要性が高い事業とされており、入所して生活を送る施設や社会的養護の支援の必要性が高い事業が第一種になっている。

C ○：児童福祉法施行令第30条により里親委託措置をとった際には、児童福祉司、知的障害者福祉司、社会福祉主事のうち一人が都道府県知事に指定されて、里親家庭に対して訪問指導をすることになっている。

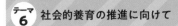

問25 次の文のうち、「児童養護施設入所児童等調査の概要（令和5年2月1日現在）」（こども家庭庁）における、児童養護施設の入所児童の状況に関する記述として、適切なものを一つ選びなさい。

1　6歳未満で入所した児童が約8割である。
2　児童の平均在所期間は、10年を超えている。
3　児童の入所経路では、「家庭から」が約6割である。
4　心身の状況において障害等を有する児童は、約7割である。
5　虐待を受けた経験がある児童のうち、心理的虐待は約6割である。

正答 **3**　令4-前-2改

1 ✕：児童養護施設に「6歳未満で入所した児童」は48.2％である。なお、乳児院は全員（100％）、里親62.0％、ファミリーホーム40.9％となっている。12歳以上で入所した児童は、児童養護施設で17.4％、児童心理治療施設で32.7％、児童自立支援施設で81.5％となっている。

2 ✕：児童養護施設の「児童の平均在所期間」は5.2年である。なお、平均委託（在所）期間は、里親4.5年、児童心理治療施設2.5年、児童自立支援施設1.1年、乳児院1.4年、ファミリーホーム4.3年、自立援助ホーム1.2年となっている。

3 ◯：児童養護施設の児童の入所経路では「家庭から」が62.4％である。なお、「家庭から」入所した（委託された）児童の割合は、里親では43.9％、児童心理治療施設では60.9％、児童自立支援施設では59.3％、乳児院では43.8％、ファミリーホームでは39.3％、自立援助ホームでは47.6％と、いずれも家庭からの入所・委託が最も多い。

4 ✕：児童養護施設の「心身の状況において障害等を有する児童」は42.8％である。なお、里親では29.6％、児童心理治療施設では87.6％、児童自立支援施設では72.7％、乳児院では27.0％、母子生活支援施設では31.0％、ファミリーホームでは51.2％、自立援助ホームでは50.8％となっている。

5 ✕：虐待を受けた経験がある児童のうち「心理的虐待」は33.1％である。なお、この調査は複数回答であり、身体的虐待42.4％、性的虐待5.2％、ネグレクト61.2％となっている。

➡ 『合格テキスト』P.152～153、208～209

テーマ 6 社会的養育の推進に向けて

問26 次のうち、「児童養護施設入所児童等調査の概要（令和5年2月1日現在）」（こども家庭庁）における母子生活支援施設入所世帯（母親）の状況に関する記述として、適切なものを一つ選びなさい。

1 入所理由は「経済的理由による」が最も多い。
2 在所期間は「10年以上」が最も多い。
3 母子世帯になった理由は、「未婚の母」が最も多い。
4 平均所得金額（不明を除く）はおおよそ「166万円」である。
5 母の従業上の地位は、「常用勤労者」が最も多い。

正答 4 令4-後-3改

1 ✕：母子生活支援施設への入所理由は、「配偶者からの暴力」が50.3％で最も多く、次いで「住宅事情による」が15.8％、「経済的理由による」が10.6％となっている。

2 ✕：母子生活支援施設へ入所してからの期間は、「5年未満」が84.2％と大部分を占め（前回87.1％）、「5年未満」の中でも「1年未満」が29.4％（前回33.1％）、「1年」が23.1％（前回23.9％）となっている。

3 ✕：母子世帯になった理由は、「離婚」が56.1％と最も多く、次いで「未婚の母」が17.0％となっている。

4 ○：母子生活支援施設入所世帯の2022（令和4）年の年間所得分布は、「165万円」となっており、一般家庭の545万7000円（令和4年国民生活基礎調査）の3割程度にとどまっている。

5 ✕：母子生活支援施設の入所世帯の母親の59.6％は就業している。就業している母親では、「臨時・日雇・パート」が40.1％と最も多く、「常用勤労者」が13.8％となっている。また「不就業」については、39.2％となっている。

問27　次の【事例】を読んで、【設問】に答えなさい。

【事例】
　Yくん（4歳、男児）は、食事が与えられないなどのネグレクトを理由に児童養護施設に入所して半年になる。両親共に養育拒否の意向を示し、また他に養育できる親族等がいないため、児童相談所は児童養護施設に入所後に措置変更し、養育里親に委託をするとの方針を立てた。里親委託に対して、両親は同意している。その後、委託候補の夫婦が決まり、夫婦とYくんの交流が始まった。Yくんには施設の担当職員が里親について事前に丁寧に説明をした後、週末に園内で顔合わせをして、公園に出かけるという交流を行った。交流後にYくんは、「とても楽しかった」「おばちゃんのお家に遊びに行ってみたい」と前向きな反応を示した一方、「お母さんに会いたい」と実親を思い出し泣き出す場面が見られた。

【設問】
　次のうち、「里親委託ガイドライン」（平成30年3月　厚生労働省）に照らした際、適切なものを○、不適切なものを×とした場合の正しい組み合わせを一つ選びなさい。

A　両親共に養育拒否の意向を示しているが、子どもは実親の元で暮らすことが最優先されるため、里親委託を方針としたのは不適切である。
B　里親候補であることを伝えることは、委託がうまくいかなかった場合にダメージとなる可能性があるため、Yくんには里親委託が検討されていることは伏せて交流すべきである。
C　「お母さんに会いたい」というYくんの意向を尊重し、方針を変更し、実親との家族再統合に切り替える。
D　担当保育士はYくんの気持ちに寄り添いつつ、里親との交流を継続した。

組み合わせ			
A	B	C	D
1 ○	○	○	○
2 ○	○	×	×
3 ○	×	○	○
4 ×	○	○	×
5 ×	×	×	○

「里親委託ガイドライン」（平成30年３月・厚生労働省）を参照とした場合、

A ✕：3「里親委託する子ども」⑵子どもの年齢①では、「長期的に実親の養育が望めない場合は、子どもにとって安定し継続した家庭における養育環境と同様の養育環境を提供することが重要である」とされているため、里親委託は適切といえる。

B ✕：5「里親への委託」⑴「里親委託の共通事項」では、「子ども担当職員は、子どもに対し、面会についての事前説明や、里親や里親家庭についての紹介をした上で、里親との面会がうまく進むよう支援する」とされているため、伏せて交流すべきではない。

C ✕：5「里親への委託」⑴「里親委託の共通事項」③では、「子どもの気持ちを大切にしながら、子どもが安心できるよう支援し、里親と委託する子どもとの適合を調整することが重要であり、丁寧に準備を進めることが大切である」とされているため、急な方針の変更は不適切といえる。

D 〇：5「里親への委託」⑴「里親委託の共通事項」③では、「子どもの不安感等にも配慮し、子どもと里親の両方の気持ちや状況を十分に把握し、交流を進める」とされており、適切な対応である。

事例問題は、問題文をよく読んで、これまでに得た知識を活用して素直に答えれば正解できるよ！

第**3**章 社会的養護

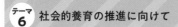

問28 次のうち、フォスタリング機関（里親養育包括支援機関）の業務として、**不適切なもの**を一つ選びなさい。

1 里親のリクルート及びアセスメント
2 子どもと里親家庭のマッチング
3 子どもの里親委託中における里親養育への支援
4 里親登録前後及び委託後における里親に対する研修
5 養子縁組成立後の養親及び養子への支援

正答 **5** 令3-前-8

　フォスタリング業務とは、里親の広報・リクルート及びアセスメント、里親登録前後及び委託後における里親に対する研修、子どもと里親家庭のマッチング、子どもの里親委託中における里親養育への支援、里親委託措置解除後における支援に至るまでの一連の過程において、子どもにとって質の高い里親養育がなされるために行われる様々な支援のことである。

　フォスタリング業務は都道府県（児童相談所）の本来業務であり、児童相談所がフォスタリング機関となるが、民間機関への委託も可能である。

　フォスタリング業務を包括的に実施する機関を「フォスタリング機関（里親養育包括支援機関）」と呼び、都道府県知事から一連のフォスタリング業務の包括的な委託を受けた民間機関を「民間フォスタリング機関」という。フォスタリング業務を民間フォスタリング機関へ委託する場合であっても、フォスタリング業務全体の最終的な責任は都道府県（児童相談所）が負うことになっている。

さらにチェック！ ○×問題 社会的養護

❶ 国連総会は、児童の権利に関する条約20周年とともに、「児童の代替的養護に関する指針」を検討した。

❶ ○

❷ 社会的養護の考え方として、保護者や子どもの意向を尊重しつつも、子どもの成長発達の保障のためには、確実に保護者の養育支援ないし子どもへの直接的な支援を届けることが必要であると行政機関が判断する場合がある。

❷ ○

❸ 児童養護施設では、入所中はもとより退所後についても継続した対応が求められている。

❸ ○

❹ 社会的養護の原理は、①家庭的養護と個別化、②発達の保障と自立支援、③回復を目指した支援、④家族との連携・協働、⑤継続的支援と連携アプローチ、⑥社会全体で子どもを育む、である。

❹ ✕ 社会的養護には六つの原理が定められている。⑥は正しくは「ライフサイクルを見通した支援」である。

❺ 「新しい社会的養育ビジョン」（平成29年）によると、子どもに永続的な家族関係をベースにしたパーマネンシーを保障するために、特別養子縁組や普通養子縁組は実父母の死亡などの場合に限られる。

❺ ✕ 実親による養育が困難であれば、特別養子縁組による永続的解決（パーマネンシー保障）や里親による養育が推進されている。

❻ 児童養護施設運営指針に「児童養護施設における養護は、児童に対して安定した生活環境を整えるとともに、日常指導、教育指導、安全指導及び家庭環境の調整を行いつつ児童を養育することにより、児童の心身の健やかな成長とその自立を支援することを目的として行う」と記述されている。

❻ ✕ 「日常指導、教育指導、安全指導」ではなく「生活指導、学習指導、職業指導」を行う（第1部の3「児童養護施設の役割と理念」）。

❼ 里親及びファミリーホーム養育指針によると、「つまずきや失敗が起こらないように、自主的な解決等を通して、自己肯定感を形成し、たえず自己を向上発展させるための態度を身につけられるよう支援する」とされている。

❼ ✕ 「つまずきや失敗の体験を大切にし」とされている。

❽ 里親には養育里親、専門里親、親族里親、養子縁組里親の四つの種類がある。

❽ ◯

❾ ファミリーホームの養育者は、養育里親としての経験、児童養護施設等での勤務経験がある者とされる。

❾ ◯

❿ 「里親及びファミリーホーム養育指針」（平成24年）によると、里親に委託された子どもは、里親の姓を通称として使用することとされている。

❿ ✕ 子どもの姓は、その子どもの背景、子ども自身の意向、実親の意向も踏まえ、慎重に検討される。

⓫ 危機介入アプローチとは、心理的危機に直面している対象者に、迅速な介入を行うことである。

⓫ ◯

⓬ 母子生活支援施設では、母子支援員が必置となっている。

⓬ ◯

⓭ 乳児院では、保育士が必置となっている。

⓭ ✕ 看護師、個別対応職員などは必置だが、保育士は必置ではない。

⓮ 母子生活支援施設では、心理療法担当職員を必ず配置しなければならない。

⓮ ✕ 心理療法を行う必要があると認められる母子10人以上に心理療法を行う場合に配置をするが、必置ではない。

⓯ 家庭支援専門相談員は、母子生活支援施設への配置が義務づけられている。

⓯ ✕ 義務づけられていない。

⓰ 家庭支援専門相談員は乳児院と児童養護施設のみに配置が義務づけられている。

⓰ ✕ 児童心理治療施設、児童自立支援施設にも配置が義務づけられている。

⓱ 家庭支援専門相談員の業務内容は対象児童の早期家庭復帰のための保護者等に対する相談援助、里親委託促進のための業務等である。

⓲ 児童相談所が受ける児童虐待相談のうち、最も多いのは身体的虐待である。

⓳ 2019（令和元）年改正、2020（令和２）年施行の児童福祉法では、児童相談所長による体罰の禁止が明文化された。

⓴ 虐待を受けた子どもは、小学生よりも３歳から学齢前児童のほうが多い。

㉑ 2018（平成30）年、児童虐待の防止等に関する法律（児童虐待防止法）に児童虐待の早期発見に係る責務を有する者として、歯科医師、助産師、看護師が追加された。

㉒ 母子生活支援施設への入所理由は経済的理由によるものが最も多い。

㉓ 母子生活支援施設の入所期間は「５年未満」が８割以上を占めるが、利用期限に決まりはない。

㉔ 保育所は乳児院・児童養護施設と同じく第一種社会福祉事業に分類される。

㉕ 普通養子縁組の養子になると実親との親族関係は残らない。

⓱ ○

⓲ ✕ 心理的虐待である。

⓳ ○

⓴ ✕ 最も多いのは小学生で34.2％、次いで３歳から学齢前児童が25.7％、０歳から３歳未満が19.3％である。

㉑ ○

㉒ ✕ 最も多いのは「配偶者からの暴力」で50.7％である。次いで「住宅事情による」が16.4％、「経済的理由による」が12.8％となっている。

㉓ ○

㉔ ✕ 保育所は第二種社会福祉事業に分類される。

㉕ ✕ 普通養子縁組の養子になっても実親との親族関係は残る。戸籍上、養親（育ての親）と養子の続柄は「養子」「養女」と記される。

㉖ 児童養護施設入所児童等調査の概要によると、児童養護施設入所者で被虐待経験のある児童は、心理的虐待よりも身体的虐待やネグレクトのほうが多い。

㉖ ◯

㉗ 児童養護施設入所児童等調査の概要によると、母子生活支援施設への入所理由は、「配偶者からの暴力」が5割程度を占めている。

㉗ ◯

㉘ 「被措置児童等虐待対応ガイドライン」（令和4年）によると、「施設内で生じた被措置児童等虐待に関する情報提供は、当該施設等で生活を送っている他の被措置児童等に対しては行わない」とされる。

㉘ ✕ 丁寧で分かりやすい経過説明と、きめ細やかなケアを実施することが必要とされている。

㉙ 民間フォスタリング機関は里親とチームを組みやすく、里親の思いに寄り添ったサポートやスーパービジョンが行いやすいというようなメリットがある。

㉙ ◯

㉚ 社会的養護自立支援事業の職員配置として継続支援計画作成は支援コーディネーター、生活相談は生活相談支援担当職員、就労相談は就労相談支援担当職員が担当している。

㉚ ◯

㉛ 社会的養護の対象となっている児童は、約1万5000人である。

㉛ ✕ 約4万5000人である。

㉜ 「社会的養育の推進に向けて」（令和2年10月）によれば、里親等委託率は平成20年度末から平成30年度末には約2倍に上昇した。

㉜ ◯

㉝ 里親委託ガイドラインでは、「子ども担当職員は、子どもに対し、面会についての事前説明や、里親や里親家庭についての紹介をした上で、里親との面会がうまく進むよう支援する」とされている。

㉝ ◯

第 **4** 章

子ども家庭福祉

「子ども家庭福祉」の科目では、子どもに対する支援・保護者に対する支援・親子関係に対する支援について勉強していくよ。そして、保育所を含む"子育て環境の移り変わり"について理解することが目的だよ。国際的には"子どもの権利に関する条約"、日本では"児童福祉法"が重要なポイントとなるから、しっかり覚えていこうね！

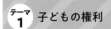
テーマ 1 子どもの権利

問1 次の文は、「児童の権利に関する条約」第3条の一部である。（　　）にあてはまる記述として正しいものを一つ選びなさい。

児童に関するすべての措置をとるに当たっては、公的若しくは私的な社会福祉施設、裁判所、行政当局又は立法機関のいずれによって行われるものであっても、（　　）。
1　保護者の意向が主として考慮されるものとする
2　親権が主として考慮されるものとする
3　児童の意向が主として考慮されるものとする
4　児童の最善の利益が主として考慮されるものとする
5　父母の同意を得るものとする

正答 4 令3-前-5

1 ✕：保護者の意向を全く無視するわけではないが、「児童の最善の利益」と逆行する考え方であり不適切である。
2 ✕：「児童の父母、法定保護者又は児童について法的に責任を有する他の者の権利及び義務を考慮に入れて」とあるが、主として考慮される権利ではない。
3 ✕：「児童の福祉に必要な保護及び養護を確保することを約束し、このため、すべての適当な立法上及び行政上の措置をとる」とあるように、児童の意向が主として考慮されるものではない。
4 ◯：「児童の最善の利益」は児童の権利に関する条約の主たるテーマであり、考慮されるべき事柄である。
5 ✕：同条約第3条には同意についての記載はない。

児童の権利に関する条約は、1989年に国際連合総会で採択された、児童の権利を保障するための国際条約。この条約には、児童の最善の利益を尊重すること、差別を受けない権利、生存・発達・参加・保護に必要な権利などが含まれており、条約のさまざまな部分から抜粋されて出題される。

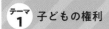

テーマ 1 子どもの権利 ➡ 『合格テキスト』P.185〜187

問2 次のうち、「児童の権利に関する条約」の一部として、<u>誤ったもの</u>を一つ選びなさい。

1 締約国は、いかなる場合も児童がその父母の意思に反してその父母から分離されないことを確保する。

2 児童に関するすべての措置をとるに当たっては、公的若しくは私的な社会福祉施設、裁判所、行政当局又は立法機関のいずれによって行われるものであっても、児童の最善の利益が主として考慮されるものとする。

3 締約国は、自己の意見を形成する能力のある児童がその児童に影響を及ぼすすべての事項について自由に自己の意見を表明する権利を確保する。

4 締約国は、休息及び余暇についての児童の権利並びに児童がその年齢に適した遊び及びレクリエーションの活動を行い並びに文化的な生活及び芸術に自由に参加する権利を認める。

5 締約国は、学校の規律が児童の人間の尊厳に適合する方法で及びこの条約に従って運用されることを確保するためのすべての適当な措置をとる。

正答 1 令4-前-4

1 ✕：第9条第1項に、「締約国は、児童がその父母の意思に反してその父母から分離されないことを確保する。ただし、権限のある当局が司法の審査に従うことを条件として適用のある法律及び手続に従いその分離が児童の最善の利益のために必要であると決定する場合は、この限りではない」とある。

2 ◯：第3条第1項から正しいといえる。

3 ◯：第12条第1項から正しいといえる。

4 ◯：第31条第1項から正しいといえる。

5 ◯：第28条第2項から正しいといえる。

児童の権利に関する条約からは
ほぼ毎回出題されているよ！

第4章 子ども家庭福祉

149

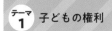
問3 次の文は、「児童の権利に関する条約」第31条第1項の一部である。（　A　）～（　C　）にあてはまる語句の正しい組み合わせを一つ選びなさい。

第31条

　締約国は、（　A　）及び余暇についての児童の権利並びに児童がその年齢に適した遊び及び（　B　）の活動を行い並びに文化的な生活及び（　C　）に自由に参加する権利を認める。

	組み合わせ		
	A	B	C
1	休息	レクリエーション	集会
2	休息	レクリエーション	芸術
3	休息	表現	集会
4	運動	表現	芸術
5	運動	レクリエーション	集会

正答 2 令4-後-5

A：休息　B：レクリエーション　C：芸術

　「児童の権利に関する条約」第31条第1項からの出題である。第2項もあわせて確認しておこう。

児童の権利に関する条約第31条

> 1　締約国は、休息及び余暇についての児童の権利並びに児童がその年齢に適した遊び及びレクリエーションの活動を行い並びに文化的な生活及び芸術に自由に参加する権利を認める。
> 2　締約国は、児童が文化的及び芸術的な生活に十分に参加する権利を尊重しかつ促進するものとし、文化的及び芸術的な活動並びにレクリエーション及び余暇の活動のための適当かつ平等な機会の提供を奨励する。

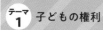
テーマ **1** 子どもの権利

➡ 『合格テキスト』P.186

問4 次の文は、「児童の権利に関する条約」第23条の一部である。（ **A** ）〜（ **C** ）にあてはまる語句の正しい組み合わせを一つ選びなさい。

締約国は、精神的又は身体的な障害を有する児童が、その（ **A** ）を確保し、（ **B** ）を促進し及び（ **C** ）を容易にする条件の下で十分かつ相応な生活を享受すべきであることを認める。

	A	B	C
		組み合わせ	
1	尊厳	社会参加	自立
2	幸福	自立	意見表明
3	幸福	意見表明	社会への積極的な参加
4	尊厳	自立	社会への積極的な参加
5	尊厳	社会参加	意見表明

第**4**章 子ども家庭福祉

正答 4 令5-後-1

A：尊厳　B：自立　C：社会への積極的な参加

「児童の権利に関する条約」第23条第1項からの出題である。第2項もあわせて確認しておこう。

児童の権利に関する条約第23条

1　締約国は、精神的又は身体的な障害を有する児童が、その尊厳を確保し、自立を促進し及び社会への積極的な参加を容易にする条件の下で十分かつ相応な生活を享受すべきであることを認める。
2　締約国は、障害を有する児童が特別の養護についての権利を有することを認めるものとし、利用可能な手段の下で、申込みに応じた、かつ、当該児童の状況及び父母又は当該児童を養護している他の者の事情に適した援助を、これを受ける資格を有する児童及びこのような児童の養護について責任を有する者に与えることを奨励し、かつ、確保する。

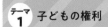

テーマ 1 子どもの権利

➡ 『合格テキスト』P.185

問5 次のうち、「児童憲章」に関する記述として、<u>不適切な記述</u>を一つ選びなさい。

1 「児童は、よい環境の中で育てられる。」と明記された。
2 「日本国憲法の精神にしたがい、児童に対する正しい観念を確立し、すべての児童の幸福をはかる」ために定められた。
3 「児童は、人として尊ばれる。」と明記された。
4 「児童は、権利の主体である。」と明記された。
5 「すべての児童は、虐待・酷使・放任その他不当な取扱からまもられる。」と明記された。

正答 4 令3-後-3

　児童憲章は、1951（昭和26）年5月5日、新しい児童観を確立し、児童の福祉を図るために宣言された。なお、児童は権利の主体であるとして扱われたのは、児童の権利に関する条約である。

「児童憲章」前文

> 　われらは日本国憲法の精神にしたがい、児童に対する正しい観念を確立し、すべての児童の幸福をはかるために、この憲章を定める。
> 　児童は、人として尊ばれる。
> 　児童は、社会の一員として重んぜられる。
> 　児童は、よい環境の中で育てられる。

児童憲章の前文は
しっかり覚えておこう！

テーマ 2 子ども家庭福祉に関する法律

➡ 『合格テキスト』P.190〜191

問6 次のうち、「児童福祉法」第11条に規定される都道府県の業務として、<u>誤ったもの</u>を一つ選びなさい。

1 児童及びその家庭につき、必要な調査並びに医学的、心理学的、教育学的、社会学的及び精神保健上の判定を行う
2 里親につき、その相談に応じ、必要な情報の提供、助言、研修その他の援助を行う
3 児童委員のうちから、主任児童委員を指名する
4 里親に関する普及啓発を行う
5 児童に関する家庭その他からの相談のうち、専門的な知識及び技術を必要とするものに応ずる

正答 3 令4-前-6

児童福祉法第11条第1項（「都道府県は、この法律の施行に関し、次に掲げる業務を行わなければならない」）を出題根拠とした問題である。

1 ○：第11条第1項第2号ハに記載されている。
2 ○：第11条第1項第2号ト (2) に記載されている。
3 ✕：第11条ではなく、第16条第3項に「厚生労働大臣は、児童委員のうちから、主任児童委員を指名する」と記載されている。
4 ○：第11条第1項第2号ト (1)に記載されている。
5 ○：第11条第1項第2号ロに記載されている。

児童福祉法は
戦後すぐに制定されたよ

フレーフレー

第4章 子ども家庭福祉

問7 次の文のうち、「母子保健法」の一部として誤った記述を一つ選びなさい。

1　市町村は、すべての妊産婦若しくはその配偶者又は乳児若しくは幼児の保護者に対して、医師、歯科医師について保健指導を受けることを命令しなければならない。

2　市町村長は、(中略) 当該乳児が新生児であつて、育児上必要があると認めるときは、医師、保健師、助産師又はその他の職員をして当該新生児の保護者を訪問させ、必要な指導を行わせるものとする。

3　市町村は、(中略) 厚生労働省令の定めるところにより、健康診査を行わなければならない。

4　市町村は、妊娠の届出をした者に対して、母子健康手帳を交付しなければならない。

5　市町村は、妊産婦が (中略) 妊娠又は出産に支障を及ぼすおそれがある疾病につき医師又は歯科医師の診療を受けるために必要な援助を与えるように努めなければならない。

正答 1　令1-後-9

1 ✕：「命令しなければならない」ではなく、「勧奨しなければならない」と母子保健法 (以下、法) 第10条に定められている。

2 ○：法第11条第1項に定められている。さらに同条第2項では、「新生児に対する訪問指導は、当該新生児が新生児でなくなった後においても、継続することができる」と定められている。

3 ○：法第12条において、その対象は、満1歳6か月を超え満2歳に達しない幼児、及び満3歳を超え満4歳に達しない幼児と定められている。

4 ○：法第16条に定められている。

5 ○：法第17条第2項に定められている。

　2019 (令和元) 年12月に母子保健法の一部を改正する法律が公布され、市町村に以下の産後ケア事業の実施の努力義務が規定されている。

産後ケア事業 (法第17条の2)

1　出産後1年を経過しない女子及び乳児につき、産後ケア事業を行うよう努めなければならない。

2　産後ケア事業を行うに当たっては、産後ケア事業の人員、設備及び運営に関する基準として内閣府令で定める基準に従って行わなければならない。

3　産後ケア事業の実施に当たっては、妊娠中から出産後に至る支援を切れ目なく行う観点から、母子健康包括支援センターその他の関係機関や、母子保健に関する他の事業等との連携を図ることにより、妊産婦及び乳児に対する支援の一体的な実施その他の措置を講ずるよう努めなければならない。

問8 次のうち、「配偶者からの暴力の防止及び被害者の保護等に関する法律」第3条に示された配偶者暴力相談支援センターの業務に関する記述の一部として、<u>不適切な記述</u>を一つ選びなさい。

1　被害者が自立して生活することを促進するため、就業の促進、住宅の確保、援護等に関する制度の利用等について、情報の提供、助言、関係機関との連絡調整その他の援助を行うこと。
2　被害者を居住させ保護する施設の利用について、情報の提供、助言、関係機関との連絡調整その他の援助を行うこと。
3　被害者に関する各般の問題について、相談に応ずること又は婦人相談員若しくは相談を行う機関を紹介すること。
4　配偶者の意向を聴取し、必要な指導を行うこと。
5　被害者（中略）の緊急時における安全の確保及び一時保護を行うこと。

正答 4　令3-後-12

　DV（ドメスティック・バイオレンス）への対策として、「配偶者からの暴力の防止及び被害者の保護等に関する法律」（DV防止法）が2001（平成13）年に制定された。被害者の保護命令を規定し、被害者を守っている。そして、国は都道府県の婦人相談所などに被害者に対する相談や援助を行う配偶者暴力相談支援センターを設置しているが、「配偶者の意向を聴取し必要な指導を行う」ことは含まれていない。

DV被害はいまだに深刻なので保育士としてしっかり知識を身につけようね！

問9　次の**A〜E**は、子ども家庭福祉に関する法律である。これらを制定年の古い順に並べた場合の正しい組み合わせを一つ選びなさい。

A　母子保健法

B　児童買春、児童ポルノに係る行為等の規制及び処罰並びに児童の保護等に関する法律

C　少子化社会対策基本法

D　少年法

E　児童福祉法

組み合わせ
1　A → E → D → C → B
2　D → A → B → E → C
3　D → E → A → B → C
4　E → A → D → C → B
5　E → D → A → B → C

正答 **5**　令5-後-5

　古い順に**E→D→A→B→C**となる。何度も改正されている法律もあるが、制定された年をしっかり覚えておこう。

A　母子保健法：1965年

B　児童買春、児童ポルノに係る行為等の規制及び処罰並びに児童の保護等に関する法律：1999年

C　少子化社会対策基本法：2003年

D　少年法：1948年

E　児童福祉法：1947年

テーマ 2 子ども家庭福祉に関する法律

➡『合格テキスト』P.195

問10 次の文は、「児童買春、児童ポルノに係る行為等の規制及び処罰並びに児童の保護等に関する法律」の第1条である。（　A　）〜（　C　）にあてはまる語句の正しい組み合わせを一つ選びなさい。

　この法律は、児童に対する性的（　A　）及び性的虐待が児童の権利を著しく侵害することの重大性に鑑み、あわせて児童の権利の擁護に関する（　B　）動向を踏まえ、児童買春、児童ポルノに係る行為等を規制し、及びこれらの行為等を処罰するとともに、これらの行為等により（　C　）に有害な影響を受けた児童の保護のための措置等を定めることにより、児童の権利を擁護することを目的とする。

	組み合わせ		
	A	B	C
1	搾取	国際的	心身
2	強要	教育的	精神
3	暴力	教育的	発達
4	暴力	道徳的	心身
5	搾取	国際的	発達

正答 1 　令6-前-5

A：搾取　B：国際的　C：心身

　「児童買春、児童ポルノに係る行為等の規制及び処罰並びに児童の保護等に関する法律」第1条からの出題である。

（目的）
第1条　この法律は、児童に対する性的搾取及び性的虐待が児童の権利を著しく侵害することの重大性に鑑み、あわせて児童の権利の擁護に関する国際的動向を踏まえ、児童買春、児童ポルノに係る行為等を規制し、及びこれらの行為等を処罰するとともに、これらの行為等により心身に有害な影響を受けた児童の保護のための措置等を定めることにより、児童の権利を擁護することを目的とする。

第4章　子ども家庭福祉

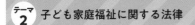

→『合格テキスト』P.167〜168、195

テーマ 2 子ども家庭福祉に関する法律

問11 次の文は、「児童虐待の防止等に関する法律」第14条の一部である。（ A ）〜（ C ）にあてはまる語句の正しい組み合わせを一つ選びなさい。

児童の（ A ）を行う者は、児童のしつけに際して、児童の（ B ）を尊重するとともに、その年齢及び発達の程度に配慮しなければならず、かつ、（ C ）その他の児童の心身の健全な発達に有害な影響を及ぼす言動をしてはならない。

組み合わせ		
	A	B	C
1	親権	権利	体罰
2	親権	人格	懲戒
3	親権	人格	体罰
4	養育	権利	体罰
5	養育	人格	懲戒

正答 3 令6-前-7

A：親権　B：人格　C：体罰

「児童虐待の防止等に関する法律」第14条第1項からの出題である。

（児童の人格の尊重等）
第14条 児童の親権を行う者は、児童のしつけに際して、児童の人格を尊重するとともに、その年齢及び発達の程度に配慮しなければならず、かつ、体罰その他の児童の心身の健全な発達に有害な影響を及ぼす言動をしてはならない。

問12 次の【Ⅰ群】の地域子ども・子育て支援事業の概要と【Ⅱ群】の事業名を結びつけた場合の正しい組み合わせを一つ選びなさい。

【Ⅰ群】

A　子ども及びその保護者が、確実に子ども・子育て支援給付を受け、及び地域子ども・子育て支援事業その他の子ども・子育て支援を円滑に利用できるよう、子ども及びその保護者の身近な場所において、地域の子ども・子育て支援に関する各般の問題につき、子どもまたは子どもの保護者からの相談に応じ、必要な情報の提供及び助言を行うとともに、関係機関との連絡調整等を総合的に行う事業

B　養育支援が特に必要であると判断した家庭に対し、保健師・助産師・保育士等がその居宅を訪問し、養育に関する指導、助言等を行うことにより、当該家庭の適切な養育の実施を確保することを目的とする事業

C　保護者の疾病その他の理由により家庭において養育を受けることが一時的に困難となった児童について、児童養護施設その他の施設に入所させ、または里親やその他の者に委託し、当該児童につき必要な保護を行う事業

D　乳児または幼児及びその保護者が相互の交流を行う場所を開設し、子育てについての相談、情報の提供、助言その他の援助を行う事業

E　家庭において保育を受けることが一時的に困難となった乳幼児を、主として昼間において、保育所、認定こども園その他の場所において、一時的に預かり、必要な保護を行う事業

【Ⅱ群】

ア　地域子育て支援拠点事業
イ　養育支援訪問事業
ウ　利用者支援事業
エ　子育て短期支援事業
オ　一時預かり事業

組み合わせ				
A	B	C	D	E
1 ア	イ	エ	オ	ウ
2 ア	ウ	オ	イ	エ
3 ウ	イ	ア	エ	オ
4 ウ	イ	エ	ア	オ
5 ウ	エ	イ	ア	オ

正答 4 令5-後-10

地域子ども・子育て支援事業については出題されることが多いので、しっかり確認しておく必要がある。

A　ウ：利用者支援事業
B　イ：養育支援訪問事業
C　エ：子育て短期支援事業
D　ア：地域子育て支援拠点事業
E　オ：一時預かり事業

第 **4** 章　子ども家庭福祉

問13 次のうち、病児保育事業に関する記述として、適切な記述を○、不適切な記述を×とした場合の正しい組み合わせを一つ選びなさい。

A 実施主体は、市町村（特別区及び一部事務組合を含む）であるが、市町村が認めた者へ委託等を行うことができる。

B 事業類型は、病児対応型、病後児対応型、体調不良児対応型、非施設型（訪問型）、送迎対応である。

C 乳児・幼児が対象であり、小学校に就学している児童は対象にならない。

D 病児対応型及び病後児対応型では、病児の看護を担当する看護師等を利用児童おおむね10人につき1名以上配置するとともに、保育士を利用児童おおむね3人につき1名以上配置しなければならない。

組み合わせ	A	B	C	D
1	○	○	○	×
2	○	○	×	○
3	○	×	○	○
4	×	○	×	○
5	×	×	○	○

正答 2 令3-後-11

A ○：病児保育事業の実施主体は市町村（特別区及び一部事務組合を含む）であるが、実際の運営は市町村が認めた者への委託等として、民間保育所が担うところが多い。

B ○：「非施設型（訪問型)」とは、地域の病児・病後児について、看護師等が保護者の自宅へ訪問し、一時的に保育を行う事業である。

C ×：病児対応型と病後児対応型は、小学生も対象となる。

D ○：病児保育は非常に繊細な保育が必要となるため、職員配置について徹底することはもちろん、その環境整備も含めて、ゆとりある運営が必要となる。

問14 次のうち、多様な保育事業に関する記述として、適切な記述を○、不適切な記述を×とした場合の正しい組み合わせを一つ選びなさい。

A 「夜間保育所の設置認可等について」（平成12年　厚生省）によると、開所時間は原則として概ね11時間とし、おおよそ午後10時までとすることとされている。

B 厚生労働省によると、2019（平成31）年4月1日現在、全国に設置されている夜間保育所は79か所となっており、2014（平成26）年4月1日現在に比べて10か所以上増加した。

C 延長保育事業には、都道府県及び市町村以外の者が設置する保育所又は認定こども園など適切に事業が実施できる施設等で実施される一般型と、利用児童の居宅において実施する訪問型がある。

D 厚生労働省によると、2018（平成30）年度の病児保育事業実施か所数は、2014（平成26）年度に比べて1,000か所以上増加した。

E 企業主導型保育事業は、企業が従業員の働き方に応じた柔軟な保育サービスを提供するために設置する保育施設であり、全企業に設置義務が課されている。

組み合わせ				
A	B	C	D	E
1 ○	○	×	○	×
2 ○	×	○	○	×
3 ×	○	○	×	×
4 ×	○	×	○	○
5 ×	○	×	×	○

正答 2 令4-前-11

A ○：「夜間保育所の設置認可等について 1 (6)保育の方法」では、「開所時間は原則として概ね11時間とし、おおよそ午後10時までとすること」としている。

B ×：「平成31年度　夜間保育所の設置状況（平成31年4月1日時点）」によると、夜間保育所は2014（平成26）年4月1日現在の85か所から2019（平成31）年4月1日現在の79か所へと、むしろ減少している。

C ○：「延長保育事業実施要項（令和2年4月）」にて詳細が記載されている。

D ○：内閣府資料（病児保育事業　実施か所数及び延べ利用児童数）によると、2014（平成26）年度に1,839か所だったものが、2018（平成30）年度には3,130か所まで増加している。

E ×：全企業に保育施設の設置義務はない。

テーマ
3 子ども・子育て支援に関する法律と事業 ➡ 『合格テキスト』P.285〜286

問15 次のうち、児童委員・主任児童委員に関する記述として、適切な記述を○、不適切な記述を×とした場合の正しい組み合わせを一つ選びなさい。

A 市町村長は、児童委員の研修を実施しなければならない。

B 児童委員は、その職務に関し、市町村長の指揮監督を受ける。

C 都道府県知事は、児童委員のうちから、主任児童委員を指名する。

D 主任児童委員は、児童の福祉に関する機関と児童委員との連絡調整を行うとともに、児童委員の活動に対する援助及び協力を行う。

組み合わせ			
A	B	C	D
1 ○	○	○	×
2 ○	○	×	×
3 ○	×	○	○
4 ×	○	○	○
5 ×	×	×	○

正答 **5** 令4-後-8

A ✕：児童福祉法第18条の2に、「都道府県知事は、児童委員の研修を実施しなければならない」と定められている。

B ✕：児童福祉法第17条第4項に、「児童委員は、その職務に関し、都道府県知事の指揮監督を受ける」と定められている。

C ✕：児童福祉法第16条第3項に、「厚生労働大臣は、児童委員のうちから、主任児童委員を指名する」と定められている。

D ○：児童福祉法第17条第2項に、「主任児童委員は、(中略)児童委員の職務について、児童の福祉に関する機関と児童委員（主任児童委員である者を除く。以下この項において同じ。）との連絡調整を行うとともに、児童委員の活動に対する援助及び協力を行う」と定められている。

問題用紙には自分の答えを写しておこう。自己採点に役立つよ！

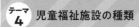
テーマ **4** 児童福祉施設の種類

問16 次の【Ⅰ群】の施設名と、【Ⅱ群】の説明を結びつけた場合の正しい組み合わせを一つ選びなさい。

【Ⅰ群】

A 母子生活支援施設

B 助産施設

C 母子・父子福祉センター

D 女性自立支援施設

【Ⅱ群】

ア 無料又は低額な料金で、母子家庭等に対して、各種の相談に応ずるとともに、生活指導及び生業の指導を行う等母子家庭等の福祉のための便宜を総合的に供与することを目的とする施設

イ 配偶者のない女子又はこれに準ずる事情にある女子及びその者の監護すべき児童を入所させて、これらの者を保護するとともに、これらの者の自立の促進のためにその生活を支援することを目的とする施設

ウ 保健上必要があるにもかかわらず、経済的理由により、入院助産を受けることが難しい妊産婦を入所させて、助産を受けさせることを目的とする施設

エ 「困難な問題を抱える女性への支援に関する法律」に基づき都道府県や社会福祉法人が設置し、また、「配偶者からの暴力の防止及び被害者の保護等に関する法律」に基づく保護も行う施設

組み合わせ			
A	B	C	D
1 ア	イ	エ	ウ
2 イ	ア	ウ	エ
3 イ	ウ	ア	エ
4 ウ	イ	エ	ア
5 エ	ア	イ	ウ

正答 3 令4-前-8改

A イ：児童福祉法第38条に記載されている母子生活支援施設の説明である。

B ウ：児童福祉法第36条に記載されている助産施設の説明である。

C ア：母子及び父子並びに寡婦福祉法第39条第2項に記載されている母子・父子福祉センターの説明である。

D エ：女性自立支援施設の設置については困難な問題を抱える女性への支援に関する法律第12条に記載されており、また、配偶者からの暴力の防止及び被害者の保護等に関する法律（DV防止法）第5条には、「都道府県は、女性自立支援施設において被害者の保護を行うことができる」と記載されている。

問17 次の図は、児童福祉施設等に入所している児童の人数に関する調査結果である。（　**A**　）〜（　**D**　）にあてはまる語句の正しい組み合わせを一つ選びなさい。

図

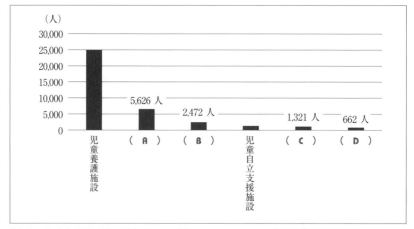

「令和2年度福祉行政報告例の概況」（令和3年11月25日）及び厚生労働省家庭福祉課調べ（令和元年10月）

	組み合わせ			
	A	B	C	D
1	乳児院	母子生活支援施設	自立援助ホーム	児童心理治療施設
2	乳児院	母子生活支援施設	児童心理治療施設	自立援助ホーム
3	母子生活支援施設	乳児院	自立援助ホーム	児童心理治療施設
4	母子生活支援施設	乳児院	児童心理治療施設	自立援助ホーム
5	児童心理治療施設	乳児院	母子生活支援施設	自立援助ホーム

正答 4 令2-後-13改

A：母子生活支援施設　B：乳児院　C：児童心理治療施設　D：自立援助ホーム

　上記の児童福祉施設等の利用率は全国で50〜80％で、地域性もあるが、すべての施設で定員には達していない。

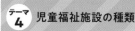

テーマ **4** 児童福祉施設の種類 → 『合格テキスト』P.225

問18 次の少年非行に関する記述のうち、<u>不適切な記述</u>の組み合わせを一つ選びなさい。

A 触法少年とは、刑罰法令に触れる行為をした12歳未満の者である。

B ぐ犯少年とは、犯罪行為をした14歳以上20歳未満の者である。

C 少年鑑別所は、家庭裁判所の求めに応じて、鑑別を行う。

D 2005（平成17）年以降、ぐ犯少年の補導人数は、減少傾向にある。

組み合わせ		
1	A	B
2	A	C
3	B	C
4	B	D
5	C	D

正答 **1** 令2-後-15改

A ✗：触法少年とは、14歳未満で刑罰法令に触れる行為をした者をいう。

B ✗：ぐ（虞）犯少年とは、犯罪等を犯す虞（おそ）れのある、20歳未満の者をいう。

C ◯：少年鑑別所はその他に、観護の措置が執られて少年鑑別所に収容される者等に対し、健全な育成のための支援を含む観護処遇を行うこと、地域社会における非行及び犯罪の防止に関する援助を行うことを業務とする法務省所管の施設である。

D ◯：ぐ犯少年の補導人数は減少傾向が続いている（2005（平成17）年1万5000人超→2020（令和2）年869人→2021（令和3）年795人）。なお、触法少年の補導人数も減少傾向にあったが（2005（平成17）年2万人超→2020（令和2）年5086人）、2021（令和3）年は5581人と、前年よりも増加している（警察庁生活安全局少年課「令和3年中における少年の補導及び保護の概況」）。

試験会場近くのコンビニは混雑するから、昼食は自宅近くで購入しておくといいよ！

フレーフレー

第**4**章 子ども家庭福祉

問19 次の文は、「児童福祉法」に規定された、ある児童福祉施設についての記述である。「児童福祉施設の設備及び運営に関する基準」（昭和23年　厚生省令第63号）において示された、この施設に置かなければならない職種として**誤ったものを一つ選びなさい。**

　家庭環境、学校における交友関係その他の環境上の理由により社会生活への適応が困難となった児童を、短期間、入所させ、又は保護者の下から通わせて、社会生活に適応するために必要な心理に関する治療及び生活指導を主として行い、あわせて退所した者について相談その他の援助を行うことを目的とする施設とする。

1　看護師
2　個別対応職員
3　医師
4　家庭支援専門相談員
5　児童生活支援員

正答 5　令2-後-9

　記述にある施設は、児童心理治療施設である（児童福祉法第43条の2）。児童福祉施設の設備及び運営に関する基準第73条で、「児童心理治療施設には、医師、心理療法担当職員、児童指導員、保育士、看護師、個別対応職員、家庭支援専門相談員、栄養士及び調理員を置かなければならない。ただし、調理業務の全部を委託する施設にあっては、調理員を置かないことができる」とされている。

1〜4は下線の通り、定められている。
5 ✕：児童生活支援員は児童自立支援施設に配置義務があるが、児童心理治療施設には配置される規定はない。児童生活支援員は、施設の入所児童と一緒に生活をしながら、入所児童が自立して社会で生きていける力、順応できる力を身に付けられるよう支援を行う。

問20　次のA〜Eは、日本の少子化対策と子育て支援に関する法制度と取り組みである。これらを年代の古い順に並べた場合の正しい組み合わせを一つ選びなさい。

A　「子ども・子育てビジョン」の策定
B　「少子化社会対策基本法」の施行
C　「ニッポン一億総活躍プラン」の閣議決定
D　「待機児童解消加速化プラン」の実施
E　「新エンゼルプラン」の策定

組み合わせ
1　B → A → E → C → D
2　B → A → E → D → C
3　B → E → A → C → D
4　E → B → A → D → C
5　E → B → D → A → C

正答　4　令2-後-2

　1.57ショック（1990（平成2）年）以来、1994（平成6）年の「エンゼルプラン」を皮切りに様々な施策を講じてきた。

A：2010（平成22）年に策定。
B：2003（平成15）年の施行。
C：2016（平成28）年に決定。
D：2013（平成25）年に実施。
E：1999（平成11）年の策定。

　以上により、4のE→B→A→D→Cの順となる。

少子化対策と主な内容

施策名		主な内容
1999（平成11）年	新エンゼルプラン	保育所の量的拡大、低年齢児保育延長
2003（平成15）年	少子化社会対策基本法	次世代育成支援対策推進法の基盤
2010（平成22）年	子ども・子育てビジョン	チルドレンファースト、「生活と仕事と子育ての調和」
2013（平成25）年	待機児童解消加速化プラン	約40万人分の保育の受け皿を確保 2017（平成29）年度末までに待機児童解消を目指す
2016（平成28）年	ニッポン一億総活躍プラン	「希望を生み出す強い経済」「夢をつむぐ子育て支援」「安心につながる社会保障」

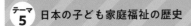

問21 次の文は、子どもや子育て家庭のための計画に関する記述である。（ A ）〜（ C ）にあてはまる語句の正しい組み合わせを一つ選びなさい。

（ A ）は、平成13年から開始した、母子の健康水準を向上させるための様々な取り組みを、みんなで推進する国民運動計画である。

（ B ）は、平成6年に策定された少子化対策のための最初の国の具体的な計画で、「今後の子育て支援のための施策の基本的方向について」のことを指す。

（ C ）は、5年間の計画期間における乳幼児の学校教育・保育・地域の子育て支援についての需給計画である。

	組み合わせ		
	A	B	C
1	エンゼルプラン	健やか親子21	ゴールドプラン
2	子ども・子育て新制度	エンゼルプラン	健やか親子21
3	エンゼルプラン	健やか親子21	市町村子ども・子育て支援事業計画
4	健やか親子21	エンゼルプラン	ゴールドプラン
5	健やか親子21	エンゼルプラン	市町村子ども・子育て支援事業計画

正答 5　令1-後-16

A **健やか親子21**：2001（平成13）年から開始した、母子の健康水準を向上させるための様々な取り組みを、みんなで推進する国民運動計画である。2015（平成27）年度からは、現状の課題を踏まえ、新たな健やか親子（第2次）（〜2024（令和6）年度）が始まっている。

B **エンゼルプラン**：保育所における低年齢児の受け入れ枠や延長保育の拡大、病気回復期の乳幼児の一時預かり、低学年児童の放課後対策（学童保育）、地域子育てセンターの増設など、保育サービスを中心に、働く女性が子育てしながら仕事を続けられる社会づくりを目指した。

C **市町村子ども・子育て支援事業計画**：市町村は、潜在ニーズも含めた地域での子ども・子育てに係るニーズを把握したうえで、管内における新制度の給付・事業の需要見込量、提供体制の確保の内容及びその実施時期等を盛り込んだ「市町村子ども・子育て支援事業計画」を策定する。

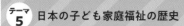
テーマ 5 日本の子ども家庭福祉の歴史

問22 次のうち、人物と関連の深い事項の組み合わせとして、適切なものを一つ選びなさい。

A　バーナード（Barnardo, T . J .）—— ハル・ハウス
B　石井十次 ———————————— 岡山孤児院
C　留岡幸助 ———————————— 池上感化院
D　エレン・ケイ（Key, E .）————『児童の世紀』

組み合わせ	
1	A	B
2	A	C
3	B	C
4	B	D
5	C	D

正答 4 令6-前-4

A ✕：バーナードはバーナードホーム（イギリスの孤児院）を設立した。ハル・ハウスを設立したのは、アダムズである。
B ○：石井十次は、1887（明治20）年に岡山孤児院を設立した。
C ✕：留岡幸助は東京家庭学校を設立した。
D ○：エレン・ケイは、スウェーデンの女性思想家で「20世紀は児童の世紀である」と主張した。

近年、人物名とその功績に関する出題が増えてきているので、しっかり覚えておこう！

第4章 子ども家庭福祉

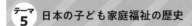
問23 次のうち、日本の児童福祉の歴史に関する記述として、<u>不適切なもの</u>を一つ選びなさい。

1 糸賀一雄は、第二次世界大戦後の混乱期に「近江学園」を設立し、園長に就任した。その後「びわこ学園」を設立した。「この子らを世の光に」という言葉を残したことで有名である。
2 野口幽香らは、東京麹町に「二葉幼稚園」を設立し、日本の保育事業の草分けの一つとなった。
3 岩永マキは、1887（明治20）年に「岡山孤児院」を設立した。
4 日本で最初の知的障害児施設は、1891（明治24）年に石井亮一が設立した「滝乃川学園」である。
5 留岡幸助は、1899（明治32）年に東京巣鴨に私立の感化院である「家庭学校」を設立した。

正答 **3** 令5-後-2

1 ○：問題文の通り。
2 ○：野口幽香は、森嶋峰とともに二葉幼稚園を設立した。
3 ✕：岩永マキは明治から大正時代の社会事業家とされており、孤児の救済活動（現、浦上養育院）をしてきた。岩永マキによって始められた事業は、日本における奉仕活動の草分けとなった。岡山孤児院を設立したのは、石井十次である。
4 ○：問題文の通り。
5 ○：問題文の通り。

　日本の児童福祉の歴史（人物名）に関する記述である。令和5年後期試験で5年ぶりに出題されたが、今後も出題の可能性があるため、基本はおさえておくこと。

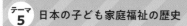

問24　次の文は、「男女共同参画白書　令和4年版」（2022（令和4）年　内閣府）の一部である。（　A　）〜（　D　）にあてはまる語句の正しい組み合わせを一つ選びなさい。

　家族の姿の変化を見てみると、昭和55（1980）年時点では、全世帯の6割以上を「（　A　）（42.1％）」と「（　B　）（19.9％）」の家族が占めていた。令和2（2020）年時点では、「（　A　）」世帯の割合は25.0％に、「（　B　）」世帯の割合も7.7％に低下している一方で、「（　C　）」世帯の割合が38.0％と、昭和55（1980）年時点の19.8％と比較して2倍近く増加している。また、子供のいる世帯が徐々に減少する中、「（　D　）」世帯は増加し、令和2（2020）年に「（　B　）」世帯の数を上回っている。

	組み合わせ		
	A	B	C	D
1	夫婦と子供	夫婦のみ	単独	3世代等
2	夫婦と子供	3世代等	単独	ひとり親と子供
3	夫婦と子供	3世代等	ひとり親と子供	夫婦のみ
4	3世代等	夫婦のみ	夫婦と子供	ひとり親と子供
5	3世代等	夫婦と子供	夫婦のみ	ひとり親と子供

正答 **2**　令5-後-6

A：夫婦と子供　B：3世代等　C：単独　D：ひとり親と子供

　以下の通り、家族の姿がずいぶんと変化していることがわかる。

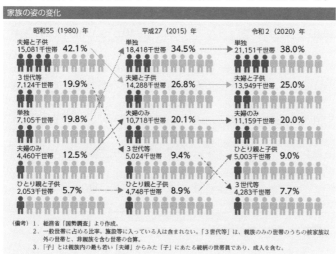

家族の姿の変化

出典：内閣府『男女共同参画白書　令和4年版』

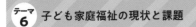

テーマ 6 子ども家庭福祉の現状と課題

➡ 『合格テキスト』P.216〜217

問25 次のうち、「令和3年（2021）人口動態統計（確定数）の概況」（2022（令和4）年　厚生労働省）に関する記述として、適切なものを○、不適切なものを×とした場合の正しい組み合わせを一つ選びなさい。

A 2021（令和3）年の婚姻件数は、2020（令和2）年に比べて増加している。

B 2021（令和3）年の出生数は、2020（令和2）年に比べて減少している。

C 2021（令和3）年の離婚件数は、2020（令和2）年に比べて増加している。

組み合わせ		
A	B	C
1 ○	○	○
2 ○	○	×
3 ○	×	○
4 ×	○	×
5 ×	×	×

正答 4 令5-後-9

A ×：2021（令和3）年の婚姻件数は、2020（令和2）年に比べて減少している。

B ○：2021（令和3）年の出生数は、2020（令和2）年に比べて減少している。

C ×：2021（令和3）年の離婚件数は、2020（令和2）年に比べて減少している。

　厚生労働省でとりまとめた確定数。「人口動態統計（確定数）」は、出生、死亡、婚姻、離婚および死産の実態を表すものとして毎年作成されており、以下は調査結果のポイントとして示されている。

調査結果のポイント

○出生数は過去最少	<u>811,622人</u>	（令和2年840,835人から29,213人減少）
○合計特殊出生率は低下	<u>1.30</u>	（令和2年1.33から0.03ポイント低下）
○死亡数は増加し戦後最多	<u>1,439,856人</u>	（令和2年1,372,755人から67,101人増加）
○自然増減数は15年連続減少	<u>△628,234人</u>	（令和2年△531,920人から96,314人減少）
○婚姻件数は戦後最少	<u>501,138組</u>	（令和2年525,507組から24,369組減少）
○離婚件数は減少	<u>184,384組</u>	（令和2年193,253組から8,869組減少）

問26 次の文は、「少子化社会対策大綱」(令和2年5月29日閣議決定)の一部である。(**A**)〜(**E**)にあてはまる語句の正しい組み合わせを一つ選びなさい。

　一人でも多くの若い世代の結婚や出産の希望をかなえる「希望出生率(**A**)」の実現に向け、令和の時代にふさわしい(**B**)し、国民が結婚、妊娠・出産、子育てに希望を見出せるとともに、男女が互いの生き方を(**C**)しつつ、(**D**)な選択により、希望する時期に結婚でき、かつ、希望するタイミングで希望する数の子供を持てる社会をつくることを、少子化対策における基本的な目標とする。

　このため、若い世代が将来に展望を持てるような雇用環境の整備、結婚支援、男女共に仕事と子育てを両立できる環境の整備、地域・社会による子育て支援、(**E**)の負担軽減など、「希望出生率(**A**)」の実現を阻む隘路の打破に取り組む。

			組み合わせ		
	A	B	C	D	E
1	1.57	雇用を創出	尊重	積極的	ひとり親世帯
2	1.57	環境を整備	共同	総合的	多子世帯
3	1.8	雇用を創出	共同	総合的	ひとり親世帯
4	1.8	環境を整備	尊重	主体的	多子世帯
5	1.8	環境を整備	共同	主体的	ひとり親世帯

正答 4 令4-後-12

A：1.8　B：環境を整備　C：尊重　D：主体的　E：多子世帯

　「少子化社会対策大綱(令和2年5月29日閣議決定)」のⅡ「少子化対策における基本的な目標」からの出題である。文章をよく読んで前後の文脈や語句の意味を考えれば、解答を導くことはできる。

A：「1.57」は、1990年の1.57ショックにひっかけた選択肢である。
B：出生率に関する内容なので、ここでは「雇用を創出」するより「環境を整備」するほうが大切だと考えられる。
C：前後の文脈から「共同」ではなく「尊重」が正しい。
D：前後の文脈から「主体的」が正しい。
E：少子化対策に関する内容なので「ひとり親世帯」ではなく「多子世帯」の負担軽減が正しい。

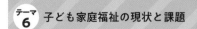

テーマ **6** 子ども家庭福祉の現状と課題

問27 次のうち、里親制度に関する記述として、適切な記述を○、不適切な記述を×とした場合の正しい組み合わせを一つ選びなさい。

A 里親の新規開拓から委託児童の自立支援までの一貫した里親支援は、市町村の業務として位置づけられる。

B 専門里親に委託される対象児童は、①児童虐待等の行為により心身に有害な影響を受けた児童、②非行等の問題を有する児童、③身体障害、知的障害又は精神障害がある児童のうち、都道府県知事がその養育に関し特に支援が必要と認めたものである。

C 小規模住居型児童養育事業（ファミリーホーム）は、平成29年3月末現在、全国に約100か所ある。

D 平成30年7月に、厚生労働省より「都道府県社会的養育推進計画の策定要領」が示された。

組み合わせ			
	A	B	C	D
1	○	○	×	○
2	○	○	×	×
3	○	×	○	×
4	×	○	×	○
5	×	×	×	○

正答 4 令3-後-13

A ×：国は、里親制度の普及に向けて、これまであった里親支援事業を2019（平成31）年に里親養育包括支援（フォスタリング）事業に再編した。一貫した里親養育支援として、実施主体は都道府県・指定都市・児童相談所設置市（民間団体等への委託も可）としている。

B ○：「専門里親」とは、要保護児童の養育経験を有する等の要件を満たし、専門里親研修を修了した養育里親のことをいう。なお、「要保護児童」とは、内閣府令で定めるところにより、保護者のない児童又は保護者に監護させることが不適当であると認められる児童のことをいう。

C ×：2017（平成29）年3月末では313か所、2022（令和4）年3月末では427か所まで増加している。

D ○：策定要領の位置づけとしては、子どもの権利保障のために、「新しい社会的養育ビジョン」で掲げられた取組を通じて、「家庭養育優先原則」を徹底し、子どもの最善の利益を実現していくことが挙げられる。

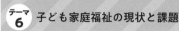

テーマ **6** 子ども家庭福祉の現状と課題　　　　　➡『合格テキスト』P.222〜225

問28 次の文は、「要保護児童対策地域協議会設置・運営指針」（令和2年3月31日　厚生労働省）の一部である。<u>誤った記述</u>を一つ選びなさい。

1 支援対象児童等を早期に発見することができる。
2 保育所や幼稚園等教育・保育施設を除く、要保護児童関係機関・施設が集中的に連絡を取り合うことで情報の共有化ができる。
3 情報アセスメントの共有化を通じて、それぞれの関係機関等の間で、それぞれの役割分担について共通の理解を得ることができる。
4 関係機関等の役割分担を通じて、それぞれの機関が責任をもって支援を行う体制づくりができる。
5 関係機関等が分担をし合って個別の事例に関わることで、それぞれの機関の責任、限界や大変さを分かち合うことができる。

正答 2 令1-後-17改

1 ○：要保護児童対策地域協議会設置・運営指針（以下、指針）第1章「要保護児童対策地域協議会とは」の2「要保護児童対策地域協議会の意義」の一つとして、「支援対象児童等を早期に発見することができる」と記載されている。
2 ×：「保育所や幼稚園等教育・保育施設を除く」ではなく「含む」が正しい。要保護児童対策地域協議会の連携する対象には、保育所や幼稚園等も含まれる。
3 ○：指針の第1章の2「要保護児童対策地域協議会の意義」の一つとして、「情報アセスメントの共有化を通じて、それぞれの関係機関等の間で、それぞれの役割分担について共通の理解を得ることができる」と記載されている。
4 ○：指針の第1章の2「要保護児童対策地域協議会の意義」の一つとして、「関係機関等の役割分担を通じて、それぞれの機関が責任をもって支援を行う体制づくりができる」と記載されている。
5 ○：指針の第1章の2「要保護児童対策地域協議会の意義」の一つとして、「関係機関等が分担をし合って個別の事例に関わることで、それぞれの機関の責任、限界や大変さを分かち合うことができる」と記載されている。

第 **4** 章　子ども家庭福祉

問29 次のうち、「体罰等によらない子育てのために〜みんなで育児を支える社会に〜」（令和2年　厚生労働省）についての記述として、適切な記述を○、不適切な記述を×とした場合の正しい組み合わせを一つ選びなさい。

A　2019（令和元）年6月に「児童虐待防止対策の強化を図るための児童福祉法等の一部を改正する法律」が成立し、体罰が許されないものであることが法定化され、2020（令和2）年4月1日から施行された。

B　体罰のない社会を実現していくためには、一人一人が意識を変えていくとともに、子育て中の保護者に対する支援も含めて社会全体で取り組んでいかなくてはならない。

C　しつけのためだと親が思っても、身体に何らかの苦痛を引き起こす場合は、どんなに軽いものであっても体罰に該当する。

D　子どもを保護するための行為（道に飛び出しそうな子どもの手をつかむ等）や、第三者に被害を及ぼすような行為を制止する行為（他の子どもに暴力を振るうのを制止する等）等であっても、体罰に該当する。

組み合わせ			
A	B	C	D
1 ○	○	○	×
2 ○	○	×	○
3 ○	×	○	×
4 ×	○	○	○
5 ×	○	×	○

正答 1　令4-前-12

厚生労働省が作成したパンフレット「体罰等によらない子育てのために〜みんなで育児を支える社会に〜」からの出題である。

A ○：「I　はじめに」に記載されている。

B ○：「I　はじめに」に記載されている。

C ○：「II　しつけと体罰は何が違うのか」では、「たとえしつけのためだと親が思っても、身体に、何らかの苦痛を引き起こし、又は不快感を意図的にもたらす行為（罰）である場合は、どんなに軽いものであっても体罰に該当し、法律で禁止されます。」と記載されている。

D ×：体罰には該当しない。「II　しつけと体罰は何が違うのか」では、「ただし、罰を与えることを目的としない、子どもを保護するための行為（道に飛び出しそうな子どもの手をつかむ等）や、第三者に被害を及ぼすような行為を制止する行為（他の子どもに暴力を振るうのを制止する等）等は、体罰には該当しません。」と記載されている。

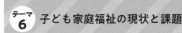

問30 次のうち、子ども虐待に関する記述として、適切な記述を○、不適切な記述を×とした場合の正しい組み合わせを一つ選びなさい。

A 「令和2年度福祉行政報告例の概況」（2021（令和3）年　厚生労働省）によると、全国の児童相談所における児童虐待に関する相談対応件数は、平成28年度より一貫して増加してきた。

B 「令和3年版子供・若者白書」（2021（令和3）年　内閣府）によると、児童が同居する家庭における配偶者などに対する暴力がある事案（面前DV）について警察からの通告が増加している。

C 「令和2年度福祉行政報告例の概況」（2021（令和3）年　厚生労働省）によると、令和2年度の全国の児童相談所の児童虐待相談における主な虐待者別構成割合では、実父による虐待が最も高かった。

組み合わせ	A	B	C
1	○	○	○
2	○	○	×
3	○	×	○
4	×	○	○
5	×	×	×

正答 2 令4-後-14

A ○：「令和2年度福祉行政報告例の概況」9「児童福祉関係」によると、一貫して増加している。

B ○：「令和3年版子供・若者白書」第3章「困難を有する子供・若者やその家族の支援」第3節「子供・若者の被害防止・保護」によると、「児童が同居する家庭における配偶者などに対する暴力がある事案（面前DV）について警察からの通告が増加している」と記載されている。

C ×：「令和2年度福祉行政報告例の概況」9「児童福祉関係」によると、実父よりも実母のほうが若干高い。

児童虐待相談における主な虐待者別構成割合の年次推移

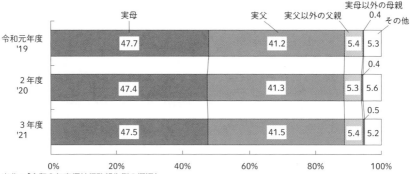

出典：「令和3年度福祉行政報告例の概況」

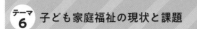

問31 次の【事例】を読んで、【設問】に答えなさい。

【事例】

　保育所で働くM保育士は、Nちゃん（6歳女児）より、同居の男性からものを投げつけられたり、とても寒い夜ベランダで長時間立たされたことを聞いた。Nちゃんは、最近足の指にしもやけができ、痒がっていることがあった。Nちゃんの家はひとり親家庭で、母親のLさんは以前の明るさはない。M保育士はLさんとは信頼関係はあり、過去には、短時間ではあったが子育てのことで相談に乗る機会もあった。

【設問】

　M保育士及び保育所の対応として適切な記述を○、不適切な記述を×とした場合の正しい組み合わせを一つ選びなさい。

A　保育士としての守秘義務の観点から、Nちゃんが話したことは、母親のLさんにも、保育所長にも伝えないようにした。

B　保育所長と相談し、情報不足のため虐待とは断言できないことから、要保護児童対策地域協議会の担当者には連絡せず、しばらく様子を見ることとした。

C　乳幼児期にふさわしい生活の場を豊かにつくり上げていくという保育所の役割を意識し、Nちゃんには特に配慮をしながら適切な保育を行うようにした。

D　M保育士による毎日の送迎時の母親のLさんへの声かけや、時には保育所長が個別の話し合いに誘い、養育の大変さに共感するなど、受容的に対応した。

組み合わせ			
A	B	C	D
1 ○	○	○	×
2 ○	○	×	○
3 ×	○	×	×
4 ×	×	○	○
5 ×	×	×	○

正答 4 令2-後-19

A ×：Nちゃんが話したことはすべて保護者や所長（園長）に報告することが原則である。この場合は、むしろ共有すべき事項といえる。

B ×：児童虐待の防止等に関する法律にも定められているように、児童虐待が疑われる場合も通告義務がある。要保護児童対策地域協議会への連絡も速やかに行う。

C ○：保育士が普段の保育において意識しておく内容である。

D ○：保護者の気持ちに寄り添いながら、保育所全体で取り組む姿勢が求められる。

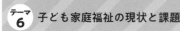

問32 次のうち、「子供の貧困対策に関する大綱」(内閣府) の一部として、<u>不適切な記述</u>を一つ選びなさい。

1 目指すべき社会を実現するためには、子育てや貧困を家庭のみの責任とするのではなく、地域や社会全体で課題を解決するという意識を強く持ち、子供のことを第一に考えた適切な支援を包括的かつ早期に講じていく必要がある。

2 子供の貧困対策を進めるに当たっては、子供の心身の健全な成長を確保するため、親の妊娠・出産期から、生活困窮を含めた家庭内の課題を早期に把握した上で、適切な支援へつないでいく必要がある。

3 生まれた地域によって子供の将来が異なることのないよう、地方公共団体は計画を策定しなければならない。

4 学校を地域に開かれたプラットフォームと位置付けて、スクールソーシャルワーカーが機能する体制づくりを進める。

5 ひとり親のみならず、ふたり親世帯についても、生活が困難な状態にある世帯については、親の状況に合ったきめ細かな就労支援を進めていく。

第4章　子ども家庭福祉

正答 3 令3-後-16

1 ○：子供の貧困対策に関する大綱の第1「はじめに」の「(新たな大綱の策定の目的)」からの出題である。

2 ○：「親の妊娠・出産期から子供の社会的自立までの切れ目のない支援体制を構築する」ことが示されている (第2の1の (2))。

3 ✕：地方公共団体の取組として、「生まれた地域によって子供の将来が異なることのないよう、地方公共団体による計画の策定を促すとともに、地域の実情を踏まえた取組の普及啓発を積極的に進めていく」とある (第2の1の (4))。策定は義務ではないという観点から、不適切といえる。

4 ○：「教育の支援では、学校を地域に開かれたプラットフォームと位置付ける」ことなどが示されている (第2の2「分野ごとの基本方針」の (1))。

5 ○：「保護者の就労支援では、職業生活の安定と向上に資するよう、所得の増大や、仕事と両立して安心して子供を育てられる環境づくりを進める」ことについて示されている (第2の2の (3))。

問33 次の文は、「子どもの貧困対策の推進に関する法律」第2条の一部である。（ **A** ）〜（ **D** ）にあてはまる語句の正しい組み合わせを一つ選びなさい。

● 子どもの貧困対策は、社会のあらゆる分野において、子どもの年齢及び発達の程度に応じて、その（ **A** ）が尊重され、その最善の利益が優先して考慮され、子どもが心身ともに健やかに育成されることを旨として、推進されなければならない。

● 子どもの貧困対策は、子ども等に対する（ **B** ）、生活の安定に資するための支援、職業生活の安定と向上に資するための就労の支援、経済的支援等の施策を、子どもの現在及び将来がその生まれ育った環境によって左右されることのない社会を実現することを旨として、子ども等の生活及び取り巻く環境の状況に応じて（ **C** ）かつ早期に講ずることにより、推進されなければならない。

● 子どもの貧困対策は、子どもの貧困の背景に様々な（ **D** ）な要因があることを踏まえ、推進されなければならない。

	組み合わせ		
A	B	C	D
1 意見	教育の支援	選択的	家庭的
2 意見	遊びの支援	選択的	社会的
3 意見	教育の支援	包括的	社会的
4 人権	遊びの支援	包括的	家庭的
5 人権	教育の支援	選択的	家庭的

正答 3 令4-前-15

A：意見　B：教育の支援　C：包括的　D：社会的

子どもの貧困対策の推進に関する法律第2条（基本理念）の一部分からの出題である。第2条は2019（令和元）年の改正で新設された部分が多く、児童の権利に関する条約の精神にのっとり、子どもの意見が尊重されることが明記され、以下四つのポイントが示されている。

①社会のあらゆる分野において、子どもの年齢及び発達の程度に応じて、その意見が尊重され、その最善の利益が優先して考慮されること
②子ども等の生活及び取り巻く環境の状況に応じて包括的かつ早期に講ずること
③背景に様々な社会的な要因があることを踏まえること
④国及び地方公共団体の関係機関相互の密接な連携の下に、関連分野における総合的な取組として行うこと

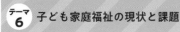

テーマ 6 子ども家庭福祉の現状と課題

問34 次の文は、「子どもの貧困対策の推進に関する法律」第2条の一部である。(A)〜(C)にあてはまる語句の正しい組み合わせを一つ選びなさい。

- 子どもの貧困対策は、社会のあらゆる分野において、子どもの年齢及び発達の程度に応じて、その(**A**)が尊重され、その最善の利益が優先して考慮され、子どもが心身ともに健やかに育成されることを旨として、推進されなければならない。

- 子どもの貧困対策は、子ども等に対する(**B**)の支援、生活の安定に資するための支援、職業生活の安定と向上に資するための就労の支援、経済的支援等の施策を、子どもの現在及び将来がその生まれ育った環境によって左右されることのない社会を実現することを旨として、子ども等の生活及び取り巻く環境の状況に応じて包括的かつ早期に講ずることにより、推進されなければならない。

- 子どもの貧困対策は、国及び(**C**)の関係機関相互の密接な連携の下に、関連分野における総合的な取組として行われなければならない。

組み合わせ			
	A	B	C
1	権利	教育	地方公共団体
2	権利	自立	地方公共団体
3	意見	教育	保護者
4	意見	教育	地方公共団体
5	意見	自立	保護者

正答 4 令5-後-4

A：意見　B：教育　C：地方公共団体

問33（令和4年－前期－問15）とほぼ同じ問題であった。このように、大切な条文からは複数回出題されることもある。以下、第1条もあわせて覚えておこう。

子どもの貧困対策の推進に関する法律第1条

> この法律は、子どもの現在及び将来がその生まれ育った環境によって左右されることのないよう、全ての子どもが心身ともに健やかに育成され、及びその教育の機会均等が保障され、子ども一人一人が夢や希望を持つことができるようにするため、子どもの貧困の解消に向けて、児童の権利に関する条約の精神にのっとり、子どもの貧困対策に関し、基本理念を定め、国等の責務を明らかにし、及び子どもの貧困対策の基本となる事項を定めることにより、子どもの貧困対策を総合的に推進することを目的とする。

問35 次のうち、「ヤングケアラー」について、<u>不適切な記述</u>を一つ選びなさい。

1 ヤングケアラー支援に関する法令として全国で初めて「埼玉県ケアラー支援条例」が2020（令和2）年に公布・施行された。
2 ヤングケアラーに対し、福祉と教育が連携して適切な支援を行う体制を構築するため、市町村教育委員会、学校の教職員等を対象とした合同研修を実施することが重要である。
3 がん・難病・精神疾患など慢性的な病気の家族の看病を日常的にしている子どもは、ヤングケアラーである。
4 日本語が第一言語でない家族や障害のある家族のために日常的に通訳をしている子どもは、ヤングケアラーである。
5 障害や病気のある家族に代わり、日常的に買い物・料理・掃除・洗濯などの家事をしている子どもは、ヤングケアラーではない。

正答 5 令5-前-19

1 ○：「埼玉県ケアラー支援条例」は、全国初のヤングケアラー支援に関する条例として、2020（令和2）年3月31日に公布・施行された。その後、いくつかの自治体が同様の条例を制定している。
2 ○：ヤングケアラーの支援に向けた福祉・介護・医療・教育の連携プロジェクトチーム報告（2021）によると、ヤングケアラーの早期発見のため、教育委員会と福祉・介護・医療の部局とが合同で研修を行うなどして、ヤングケアラーの概念等についての理解促進を図る必要があるとしている。
3 ○：こども家庭庁ホームページ「ヤングケアラーとは」によると、がん・難病・精神疾患など慢性的な病気の家族の看病を日常的にしている子どもはヤングケアラーである。
4 ○：こども家庭庁ホームページ「ヤングケアラーとは」によると、日本語が第一言語でない家族や障害のある家族のために日常的に通訳をしている子どもはヤングケアラーである。
5 ×：こども家庭庁ホームページ「ヤングケアラーとは」によると、障害や病気のある家族に代わり、日常的に買い物・料理・掃除・洗濯などの家事をしている子どももヤングケアラーである。

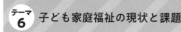

問36 次の文は、「新しい社会的養育ビジョン」（2017（平成29）年　厚生労働省）に関する記述である。適切な記述を○、不適切な記述を×とした場合の正しい組み合わせを一つ選びなさい。

A　代替養育は施設での養育を原則とする。
B　代替養育の目的の一つは、子どもが成人になった際に社会において自立的生活を形成、維持しうる能力を形成し、また、そのための社会的基盤を整備することにある。
C　実親による養育が困難であれば、特別養子縁組による永続的解決（パーマネンシー保障）や里親による養育を推進する。
D　代替養育の場における自律・自立のための養育、進路保障、地域生活における継続的な支援を推進する際に当事者の参画と協働は必要としない。

組み合わせ
	A	B	C	D
1	○	○	×	○
2	○	○	×	×
3	○	×	○	×
4	×	○	○	×
5	×	×	×	○

第4章　子ども家庭福祉

正答 4 令5-前-20

「新しい社会的養育ビジョン」からの出題である。要約編の1〜5ページ「意義・骨格・実現に向けた工程」から出題されている。

A ×：施設での養育が原則ではない。「代替養育は家庭での養育を原則とし、高度に専門的な治療的ケアが一時的に必要な場合には、子どもへの個別対応を基盤とした『できる限り良好な家庭的な養育環境』を提供し、短期の入所を原則とする」と示されている。
B ○：代替養育の目的の一つとして、「子どもが成人になった際に社会において自立的生活を形成、維持しうる能力を形成し、また、そのための社会的基盤を整備することにある」と示されている。
C ○：「実親による養育が困難であれば、特別養子縁組による永続的解決（パーマネンシー保障）や里親による養育を推進する」と示されている。
D ×：当事者の参画と協働が必要である。「代替養育の場における自律・自立のための養育、進路保障、地域生活における継続的な支援を推進する。その際、当事者の参画と協働を原則とする」と示されている。

「子ども家庭福祉」の科目は、「社会的養護」の出題範囲からも多く出題されているよ！

問37 次の図は、「令和3年度福祉行政報告例の概況」（2023（令和5）年　厚生労働省）の2021（令和3）年度中の児童相談所における相談の種類別対応件数の状況である。（　**A**　）・（　**B**　）にあてはまる相談種別の正しい組み合わせを一つ選びなさい。

【図】児童相談所における相談の種類別対応件数

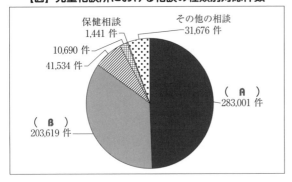

正答 **3**　令5-後-3

　令和3年度中の児童相談所における相談の対応件数は57万1961件となっている。相談の種類別にみると、「養護相談」が28万3001件（構成割合49.5%）と最も多く、次いで「障害相談」が20万3619件（同35.6%）、「育成相談」が4万1534件（同7.3%）となっている。

児童相談所における相談の種類別対応件数の年次推移

（単位：件）

	令和元年度（'19）	構成割合(%)	2年度（'20）	構成割合(%)	3年度（'21）	構成割合(%)	対前年度 増減数	対前年度 増減率(%)
総　数	544 698	100.0	527 272	100.0	571 961	100.0	44 689	8.5
養護相談	267 955	49.2	280 985	53.3	283 001	49.5	2 016	0.7
障害相談	189 714	34.8	162 351	30.8	203 619	35.6	41 268	25.4
育成相談	42 441	7.8	38 908	7.4	41 534	7.3	2 626	6.7
非行相談	12 410	2.3	10 615	2.0	10 690	1.9	75	0.7
保健相談	1 435	0.3	1 269	0.2	1 441	0.3	172	13.6
その他の相談	30 743	5.6	33 144	6.3	31 676	5.5	△ 1 468	△ 4.4

出典：「令和3年度福祉行政報告例の概況」

問38 次のうち、放課後児童健全育成事業に関する記述として、適切な記述を○、不適切な記述を×とした場合の正しい組み合わせを一つ選びなさい。

A 「児童福祉法」によると、放課後児童健全育成事業とは、小学校に就学している児童であって、その保護者が労働等により昼間家庭にいないものに、授業の終了後に児童厚生施設等の施設を利用して適切な遊び及び生活の場を与えて、その健全な育成を図る事業をいう。

B 「児童福祉法」によると、市町村は放課後児童健全育成事業の設備及び運営について、条例で基準を定めなければならないとされ、その基準は、児童の身体的、精神的及び社会的な発達のために必要な水準を確保するものでなければならないとされている。

C 「令和2年（2020年）放課後児童健全育成事業（放課後児童クラブ）の実施状況」（厚生労働省）によると、2015（平成27）年に比べて2018（平成30）年は待機児童数が1.6倍となっている。

D 「放課後児童健全育成事業の設備及び運営に関する基準」（平成26年厚生労働省令第63号）第10条第3項によると、放課後児童支援員は保育士か社会福祉士でなければならないとされている。

組み合わせ			
A	B	C	D
1 ○	○	○	×
2 ○	○	×	×
3 ○	×	○	○
4 ×	○	×	×
5 ×	×	×	○

正答 2 令4-前-10

A ○：児童福祉法第6条の3第2項に記載されている。

B ○：児童福祉法第34条の8の2第1項に記載されている。

C ×：「令和2年（2020年）放課後児童健全育成事業（放課後児童クラブ）の実施状況（令和2年（2020年）7月1日現在）」によると、待機児童数は、2015（平成27）年が1万6941人、2018（平成30）年が1万7279人であり、増加しているが1.6倍には至っていない。

D ×：「放課後児童健全育成事業の設備及び運営に関する基準」第10条第3項によると、「放課後児童支援員は、次の各号のいずれかに該当する者であって、都道府県知事又は地方自治法（中略）の指定都市若しくは（中略）中核市の長が行う研修を修了したものでなければならない」とあり、「次の各号のいずれかに該当する者」には、保育士、社会福祉士のほか、2年以上児童福祉事業に従事した者や、5年以上放課後児童健全育成事業に従事した者なども含まれている。

問39 次のうち、放課後児童健全育成事業（放課後児童クラブ）に関する記述として、**不適切なもの**を一つ選びなさい。

1 放課後児童健全育成事業者は、運営の内容について、自ら評価を行い、その結果を公表するよう努めなければならない。
2 放課後児童健全育成事業者の職員は、正当な理由がなく、その業務上知り得た利用者又はその家族の秘密を漏らしてはならない。
3 放課後児童健全育成事業に携わる放課後児童支援員は、保育士資格を有していなければならない。
4 厚生労働省が公表した「令和4年（2022年）放課後児童健全育成事業（放課後児童クラブ）の実施状況（令和4年（2022年）5月1日現在)」によると、登録児童数が1,392,158人となり、過去最高値となっている。
5 厚生労働省が公表した「令和4年（2022年）放課後児童健全育成事業（放課後児童クラブ）の実施状況（令和4年（2022年）5月1日現在)」によると、当該事業を利用できなかったいわゆる待機児童数は前年に比べ増加したことが報告されている。

正答 3 令6-前-12

1 ○：「放課後児童健全育成事業の設備及び運営に関する基準」第5条第4項に記載されている。
2 ○：「放課後児童健全育成事業の設備及び運営に関する基準」第16条第1項に記載されている。
3 ×：「放課後児童健全育成事業の設備及び運営に関する基準」第10条第3項によると、保育士資格は必須ではない。
4 ○：「令和4年（2022年）放課後児童健全育成事業（放課後児童クラブ）の実施状況」によると、登録児童数は1,392,158人（前年比43,883人増）とされ、過去最高値を更新している。
5 ○：「令和4年（2022年）放課後児童健全育成事業（放課後児童クラブ）の実施状況」によると、利用できなかった児童数は15,180人（前年比1,764人増）とされ、増加している。

問40 次のうち、市区町村子ども家庭総合支援拠点に関する記述として、適切な記述を○、不適切な記述を×とした場合の正しい組み合わせを一つ選びなさい。

A　細かな個人情報の取り扱いが求められることから、支援拠点の実施主体を民間に委託することはできない。

B　支援にあたっては、子どもの自立を保障する観点から、妊娠期（胎児期）から子どもの社会的自立に至るまでの包括的・継続的な支援に努めることが求められている。

C　支援計画の作成にあたっては、可能な限り子ども、保護者及び妊婦の意見や参加を求め、保護者に左右されずに子どもの意見を聞く配慮が必要である。

組み合わせ		
A	B	C
1　○	○	○
2　○	○	×
3　×	○	○
4　×	○	○
5　×	×	○

第 **4** 章　子ども家庭福祉

正答 4 令4-前-7

「市区町村子ども家庭総合支援拠点」設置運営要綱（令和2年3月）からの出題である。

A ×：2「実施主体」には、「支援拠点の実施主体は、市区町村（一部事務組合を含む。以下同じ。）とする。ただし、市区町村が適切かつ確実に業務を行うことができると認めた社会福祉法人等にその一部を委託することができる」と記載されており、民間に委託することはできる。

B ○：4「業務内容」には、「また、その支援に当たっては、子どもの自立を保障する観点から、妊娠期（胎児期）から子どもの社会的自立に至るまでの包括的・継続的な支援に努める」と記載されている。

C ○：4「業務内容」には、「必要に応じた関係機関等との連携を行い、子どもの権利を守るための支援方針や支援の内容を具体的に実施していくための支援計画を作成する。（中略）その際、可能な限り子ども、保護者及び妊婦の意見や参加を求め、保護者に左右されずに子どもの意見を聞く配慮が必要である」と記載されている。

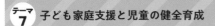

テーマ **7** 子ども家庭支援と児童の健全育成　　➡『合格テキスト』P.230〜237

問41 次の【事例】を読んで、【設問】に答えなさい。

【事例】

　Z保育所の4歳児クラスでは、運動会に向けてリレーの練習を行っている。多動傾向のあるYちゃんは、すぐに練習に飽きてしまい、他児にちょっかいを出したり、リレーで使用するバトンをいじったり落ち着きがない。そのうち、園庭を走りはじめたが転んでひじや膝をすりむいてしまった。

【設問】

　迎えに来たYちゃんの保護者に対する担当保育士の対応として適切な記述を○、不適切な記述を×とした場合の正しい組み合わせを一つ選びなさい。

A 「運動会の練習や運動会が、Yちゃんにとって負担になっていると思います。運動会の参加は見合わせませんか」と提案する。

B けがをした時の状況やその後の対応を伝える。

C 「このままではリレーに参加できないので、ご自宅でも繰り返し練習させて下さい」と伝える。

D 「Yちゃんは発達障害が疑われますので、すぐに保健センターで検査をしてはいかがでしょうか」と伝える。

組み合わせ			
A	B	C	D
1 ○	○	×	×
2 ○	×	×	×
3 ×	○	×	×
4 ×	×	○	×
5 ×	×	×	○

正答 **3** 令2-後-18

A ×：「参加は見合わせませんか」と不参加を促すよりも、保護者と一緒にYちゃんが運動会自体やその練習に取り組めるかを考えることが適切である。

B ○：園内で起こったけがや事故等については速やかに保護者へ連絡する。

C ×：一方的なお願いよりも、自宅でもできることを保護者と一緒に模索する姿勢が必要である。

D ×：保育士は、医学的診断はできないうえ、すぐに保健センターでの検査を促すのは時期尚早である。

問42　次の【事例】を読んで、【設問】に答えなさい。

【事例】

　5月中旬の月曜日に、放課後等デイサービスに勤めるK保育士は、Y君（6歳、男児）のランドセルや手提げ袋に、何日も洗濯をしないで汚れたままの給食袋や体操服が入っているのを見かけた。K保育士はこれまでもY君の荷物や身なりについて同様なことがあり気になっていた。今回の件で、不審に思ったK保育士はY君に汚れたままの給食袋や体操服が入っていることを尋ねると、Y君はあまり話したくない様子であった。しかし、しばらくするとY君は「週末はよく家にひとりでいることが多い」と答えた。

【設問】

　次のうち、K保育士の対応として、適切なものを○、不適切なものを×とした場合の正しい組み合わせを一つ選びなさい。

A　不衛生なので汚れた給食袋や体操服を廃棄する。
B　Y君の状況を放課後等デイサービスの管理者に報告し、他の職員と情報を共有する。
C　何日も洗濯していない給食袋や体操服があることについて、Y君を叱責する。
D　すぐにY君の保護者を呼び出し、給食袋や体操着を洗濯していないことを厳しく指導する。

組み合わせ			
A	B	C	D
1　○	○	○	○
2　○	○	×	×
3　×	○	×	×
4　×	×	○	○
5　×	×	×	○

正答　3　令5-後-20

　こうした事例問題は、ソーシャルワークの観点から考えれば正解を導き出せるので、問題文をよく読んで、確実に正解できるようにしておこう。

A ✕：ソーシャルワークの観点から、課題分析（アセスメント）するべきであり、汚れた給食袋や体操服を廃棄することは不適切である。
B ○：不適切な養育としてネグレクトの可能性があるため、管理者への報告と職員との情報共有が必要である。
C ✕：ソーシャルワークの観点から、非審判的態度をとるべきであり、Y君を叱責することは不適切である。
D ✕：ソーシャルワークの観点から、支援計画を立てる（プランニング）べきであり、Y君の保護者を呼び出し、厳しく指導することは不適切である。

問43 次のうち、児童館に関する記述として、適切な記述を○、不適切な記述を×とした場合の正しい組み合わせを一つ選びなさい。

A 児童館は「児童福祉法」第40条に規定された児童厚生施設の1つで、児童に健全な遊びを与えて、その健康を増進し、又は情操をゆたかにすることを目的とする児童福祉施設である。

B 「児童館数（公営・民営別）の推移」（厚生労働省）をみると、児童館は昭和40年代から50年代にかけて急激に増加したものの、その後は緩やかとなり、ここ数年はほぼ横ばいで推移していることが確認できる。

C 児童館には、児童の遊びを指導する者を置かなければならない。

D 2018（平成30）年10月に改正された「児童館ガイドライン」（厚生労働省）には、児童福祉法改正及び児童の権利に関する条約の精神にのっとり、子どもの意見の尊重、子どもの最善の利益の優先等について示されている。

E 児童館の館長は、保育士、児童指導員、社会福祉士のうち、いずれかの資格を有するものでなければならない。

組み合わせ				
A	B	C	D	E
1 ○	○	○	○	×
2 ○	○	×	×	×
3 ○	×	○	○	○
4 ×	○	○	×	○
5 ×	×	×	○	○

正答 1 令4-後-13

A ○：児童福祉法第40条では、「児童厚生施設は、児童遊園、児童館等児童に健全な遊びを与えて、その健康を増進し、又は情操をゆたかにすることを目的とする施設とする」と記載されている。

B ○：「厚生労働省児童館関係資料」によると、1965（昭和40）年には544か所だった児童館が、1985（昭和60）年には3517か所まで増えている。その後、2006（平成18）年の4718か所をピークに、横ばいかやや減少といった推移をたどっている。

C ○：児童福祉施設の設備及び運営に関する基準第38条第1項に記載されている。

D ○：「児童館ガイドライン」の「理念」に記載されている。

E ×：そのような規定はない。

テーマ 7 子ども家庭支援と児童の健全育成

問44 次の文は、「児童館ガイドライン」（平成30年10月1日　厚生労働省）の一部である。（　**A**　）～（　**C**　）にあてはまる語句の正しい組み合わせを一つ選びなさい。

　児童館は、子どもの（　**A**　）の拠点と居場所となることを通して、その活動の様子から、必要に応じて家庭や地域の子育て環境の（　**B**　）を図ることによって、子どもの安定した日常の生活を支援することが大切である。

　児童館が子どもにとって日常の安定した生活の場になるためには、最初に児童館を訪れた子どもが「来てよかった」と思え、利用している子どもがそこに自分の求めている場や活動があって、必要な場合には援助があることを実感できるようになっていることが必要となる。そのため、児童館では、訪れる子どもの（　**C**　）に気付き、子どもと信頼関係を築く必要がある。

	組み合わせ		
	A	B	C
1	遊び	構築	衣服の汚れなど
2	遊び	調整	心理と状況
3	学び	構築	衣服の汚れなど
4	学び	調整	不審な言動
5	遊び	構築	心理と状況

正答 2 令6-前-10

A：遊び　B：調整　C：心理と状況

　「児童館ガイドライン」第3章「児童館の機能・役割」の2「子どもの安定した日常の生活の支援」からの出題である。

　児童館は、子どもの遊びの拠点と居場所となることを通して、その活動の様子から、必要に応じて家庭や地域の子育て環境の調整を図ることによって、子どもの安定した日常の生活を支援することが大切である。

　児童館が子どもにとって日常の安定した生活の場になるためには、最初に児童館を訪れた子どもが「来てよかった」と思え、利用している子どもがそこに自分の求めている場や活動があって、必要な場合には援助があることを実感できるようになっていることが必要となる。そのため、児童館では、訪れる子どもの心理と状況に気付き、子どもと信頼関係を築く必要がある。

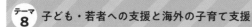

問45 次の文のうち、「令和４年人口動態統計」（厚生労働省）から読み取れる家庭の状況についての記述として、適切な記述を○、不適切な記述を×とした場合の正しい組み合わせを一つ選びなさい。

A 離婚率は、2.00を割り込んだ2010（平成22）年から反転し増加傾向にある。

B 合計特殊出生率は、1947（昭和22）年以降最低の1.26を2005（平成17）年に記録した。その後は若干の増減を繰り返しながらゆっくり上昇し、2022（令和４）年には1.26となっている。

C 死産率は、1960（昭和35）年前後をピークとし、多少の増減はあるものの減少する傾向にある。

組み合わせ		
A	B	C
1 ○	○	○
2 ○	○	×
3 ○	×	○
4 ×	○	○
5 ×	○	×

正答 4 令2-後-20改

A ×：離婚率（人口千対）は、2010（平成22）年以降横ばいまたはやや減少しており、増加傾向ではない。

（千対）

2010年	2011	2012	2013	2014	2015	2016	2017
1.99	1.87	1.87	1.84	1.77	1.81	1.73	1.70

2018	2019	2020	2021	2022
1.68	1.69	1.57	1.50	1.47

「令和４年（2022）人口動態統計（確定数の概況）」、**B・C**も同

B ○：1966（昭和41）年は「ひのえうま」で子どもの数が少なく、1989（平成元）年がいわゆる「1.57ショック」である。

1947年	1950	1961	1966	1970	1980	1989	1990
4.54	3.65	1.96	1.58	2.13	1.75	1.57	1.54

2000	2005	2010	2015	2016	2017	2018	2019
1.36	1.26	1.39	1.45	1.44	1.43	1.42	1.36

2020	2021	2022
1.33	1.30	1.26

C ○：死産率（出産（出生＋死産）千対）は、近年、減少する傾向にある。

（千対）

1960年	1970	1980	1990	2000	2010	2019	2020
100.4	65.3	46.8	42.3	31.2	24.2	22.0	20.1

2021	2022
19.7	19.3

問46 次のうち、子ども・若者支援地域協議会に関する記述として、適切な記述を○、不適切な記述を×とした場合の正しい組み合わせを一つ選びなさい。

A 運営は、構成機関の代表者で組織される代表者会議、実務者によって組織し進行管理等を担う実務者会議、個別のケースを担当者レベルで検討する個別ケース検討会議の三層構造としなければならない。

B 支援の対象となる「子ども・若者」の対象年齢は20歳代までを想定している。

C 支援の対象は、修学及び就業のいずれもしていない子ども・若者その他の子ども・若者であって、社会生活を円滑に営む上での困難を有するものである。

D 複数の市町村が共同で設置することが認められている。

組み合わせ			
A	B	C	D
1 ○	○	○	×
2 ○	○	×	×
3 ×	○	○	○
4 ×	×	○	○
5 ×	×	×	○

正答 4 令4-前-17

「子ども・若者支援地域協議会設置・運営指針」（2010（平成22）年）からの出題である。

A ×：2「協議会の基本的な仕組み」⑸「運営方法」によると、「三層構造とすることが考えられる。もっとも、実務者会議と個別ケース検討会議を分離せず同一の会議にすることや、個別ケース検討会議は対象とするケースの性質に応じて参加する構成機関を限定して開催することも考えられる。また、実務者会議のみで十分に関係者の意思疎通が図られ共通認識が醸成されるならば、必ずしも代表者会議を設ける必要はない場合もありうる」ということから、必ずしも三層構造としなければならないわけではない。

B ×：2「協議会の基本的な仕組み」⑴「対象となる子ども・若者」ア「原則」によると、「「子ども・若者」の対象年齢は30歳代までを想定している。」と記載されている。

C ○：2「協議会の基本的な仕組み」⑴「対象となる子ども・若者」ア「原則」に記載されている。

D ○：2「協議会の基本的な仕組み」⑵「設置主体」に記載されている。

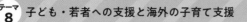

テーマ 8 子ども・若者への支援と海外の子育て支援

問47 次のうち、日本と諸外国における子どもや家庭の統計に関する記述として、適切な記述を○、不適切な記述を×とした場合の正しい組み合わせを一つ選びなさい。

A 「令和2年版 少子化社会対策白書」（2020（令和2）年　内閣府）によると、6歳未満の子供を持つ夫婦の家事・育児関連時間（1日当たり・国際比較）で、日本の妻の1日当たりの家事・育児平均時間が、記載国※の中で最も長かった。

B 「令和2年版 少子化社会対策白書」（2020（令和2）年　内閣府）によると、6歳未満の子供を持つ夫婦の家事・育児関連時間（1日当たり・国際比較）で、日本の夫の1日当たりの家事・育児平均時間が、記載国※の中で最も短かった。

C 「令和3年版 男女共同参画白書」（2021（令和3）年　内閣府）によると、OECD諸国の女性（15〜64歳）の就業率（2019（令和元）年）で、日本はOECD平均より高いことが示されている。

組み合わせ		
A	B	C
1 ○	○	○
2 ○	○	×
3 ○	×	×
4 ×	○	○
5 ×	×	×

※記載のある7か国　　日本、アメリカ、イギリス、フランス、ドイツ、スウェーデン、ノルウェー

正答 1 令4-後-18

A ○：日本の妻の1日当たりの家事、育児平均時間は7時間34分で最も長く、夫は1時間23分で最も短かった。

B ○：2011（平成23）年調査に比べて16分増加しているが、記載国のなかでは最も短かった。

C ○：OECD平均が61.3％であるのに対し、日本は71.0％となっている。

※第6章「保育の心理学」の問47に掲げられた図「6歳未満の子供を持つ夫婦の家事・育児関連時間（1日当たり・国際比較）」も参照のこと（P.314）

子ども家庭福祉

❶ 児童の権利に関する条約では、大きく三つの権利を保障している。

❷ 児童の権利に関する条約は国連加盟国のすべての国が批准している。

❸ 児童の権利に関する条約第4条では「締約国は、この条約において認められる権利の実現のため、すべての適当な立法措置、行政措置その他の措置を講ずる」と記されている。

❹ 児童の権利に関する条約では、「能力に応じ、すべての者に対して高等教育を利用する機会が与えられるもの」としている。

❺ 児童福祉法で定められる「児童」とは、18歳未満の者である。

❻ 「母子及び父子並びに寡婦福祉法」で定められる「児童」とは、20歳未満の者である。

❼ 児童福祉法第16条第2項によると「民生委員法による民生委員は、児童委員に充てられたもの」である。

❽ 「新生児マススクリーニング」は、赤ちゃんの先天性代謝異常等の病気をみつけるための検査である。

❾ 配偶者暴力相談支援センターは、第1種社会福祉事業である。

❶✗ 条約の四つの原則は、「命を守られ成長できること」「子どもにとって最もよいこと」「意見を表明し参加できること」「差別のないこと」である。

❷✗ アメリカ合衆国は署名はしているが、批准はしていない。

❸○

❹○

❺○

❻○

❼○

❽○

❾✗ 社会福祉事業には該当しない。

⑩ 子ども・子育て支援新制度は、「量」と「質」の両面から子育てを社会全体で支える。

⑪ 地域型保育には三つの種類の保育がある。

⑫ 子ども・子育て支援新制度では、「施設型給付」及び「地域型保育給付」を創設し、都道府県の確認を受けた施設・事業に対して、財政支援を保障している。

⑬ 施設型給付費・地域型保育給付費の支給については、保護者における個人給付を基礎とし、確実に学校教育・保育に要する費用に充てるため、市町村から法定代理受領する。

⑭ 「子ども・子育て支援法」に基づく利用者支援事業には「基本型」「特定型」「母子保健型」の三つがある。

⑮ 延長保育事業は地域子ども・子育て支援事業の一つである。

⑯ 放課後等デイサービスは、放課後児童健全育成事業の一つとして展開されている。

⑰ 国、都道府県及び市町村以外の者は、厚生労働省令の定めるところにより、都道府県知事の認可を得て、家庭的保育事業等を行うことができる。

⑱ 家庭的保育とは、児童福祉法に基づき、市町村の認可を受けた家庭的保育事業者が行う公的な保育である。

⑲ 子育て支援員研修事業の根拠法令は児童福祉法である。

⑩ ○

⑪ × 家庭的保育（保育ママ）、小規模保育、事業所内保育、居宅訪問型保育の四つがある。

⑫ × 都道府県ではなく、市町村の確認である。

⑬ ○

⑭ ○

⑮ ○

⑯ × 放課後等デイサービスは児童福祉法に基づくサービスであり、放課後児童健全育成事業には含まれない。

⑰ × 都道府県知事ではなく、市町村長の認可が必要である。

⑱ ○

⑲ × 「子ども・子育て支援法」に基づいている。

⑳ 企業主導型保育事業は、市町村が主体となって行う。

㉑ 幼保連携型認定こども園の設置主体に制限はない。

㉒ 「放課後児童健全育成事業の設備及び運営に関する基準」によると、市町村は「最低基準を達成すればそれ以上の向上は不要」としている。

㉓ 厚生労働省の調べでは、夜間保育所のニーズが高まり、全国的に設置認可数が増えている。

㉔ 児童委員は、「児童福祉司又は福祉事務所の社会福祉主事の行う職務に協力すること」とされている。

㉕ 児童養護施設は20歳未満まで在所できる。

㉖ 児童自立支援施設は入所と通所との両方の機能がある。

㉗ 乳児院は、乳児を入院させて、これを養育し、あわせて退院した者について相談その他の援助を行うことを目的とする施設である。

㉘ 児童相談所の一時保護の期間は原則1か月を超えてはならない。

㉙ 自立援助ホームは「児童自立生活援助事業」として児童福祉法に位置づけられている。

㉚ 児童心理治療施設は通所と入所と両方で利用できる。

㉛ 少年院は少年法に基づいて設置されている。

⑳ ✕ 国が主体で、実施主体は企業となる。

㉑ ✕ 国、地方公共団体、学校法人及び社会福祉法人のみが設置することができる。

㉒ ✕ 市町村は、「最低基準を常に向上させるように努めるもの」としている。

㉓ ✕ 2014（平成26）年度の85か所をピークに、2021（令和3）年度には75か所まで減少している。

㉔ ○

㉕ ✕ 22歳未満まで利用できる。

㉖ ○

㉗ ○

㉘ ✕ 2か月を超えてはならない。ただし、児童相談所長又は都道府県知事は、必要があると認めるときは、引き続き一時保護を行うことができる。

㉙ ○

㉚ ○

㉛ ✕ 少年院法に基づいており、4種類の少年院がある。

㉜ 保育所等訪問支援の申請は保育所等が判断して行う。

㉜ ✕ 保護者が申請する。

㉝ 子育て支援の充実を目指し、運営費の安定している公営の児童館が年々増加している。

㉝ ✕ 公営の児童館は1995（平成7）年をピークに減少を続けており、公営・民間合わせた総数も減少している。

㉞ 乳児院では看護師の代わりに保健師を置いてもよいことになっている。

㉞ ✕ そのような規定はない。

㉟ 子ども・子育て支援新制度における「保育を必要とする事由」に「就学」がある。

㉟ ○

㊱ 市町村子ども・子育て支援事業計画は児童福祉法が根拠法令である。

㊱ ✕ 「子ども・子育て支援法」に基づいている。

㊲ 子ども・子育て応援プランでは、「ヘルスプロモーション」が採り上げられた。

㊲ ✕ 「ヘルスプロモーション」は「健やか親子21」で策定された。

㊳ 少子化社会対策大綱（2020（令和2）年）によると、少子化対策の充実として、「消費税の引き上げにより子供や子育て世代に大胆に投資し、保育の受け皿の大幅な整備等を実現した」としている。

㊳ ○

㊴ 放課後等デイサービスを利用する場合、療育手帳が必要である。

㊴ ✕ 療育手帳ではなく、「受給者証」が必要である。

㊵ 2020（令和2）年3月の統計で、児童養護施設の入所児童数は2万4539人いる。

㊵ ○

㊶ 要保護児童対策地域協議会の支援対象者には非行児童等も含まれる。

㊶ ○

㊷ 要保護児童対策地域協議会の対象に、特定妊婦は含まれない。

㊷ ✕ 特定妊婦も含まれる。

㊸ 1979年にスウェーデンが体罰を禁止して以降、国際的な動向を踏まえ、日本でも2019（令和元）年の児童福祉法改正によって、体罰が許されないものであると法定化された。

㊸ ○

㊹ 要保護児童対策地域協議会の対象児童は「要保護児童」であり、虐待を受けた子どもに限られ、非行児童などは含まれない。

㊹ ✕ 非行児童も対象である。

㊺ 子供の貧困対策に関する大綱には、子どもの貧困に関する39の指標が示された。

㊺ ○

㊻ 2019（令和元）年改正の子どもの貧困対策の推進に関する法律では、第1条（目的）にて、子どもの将来のみならず、「現在」も改善することを明記した。

㊻ ○

㊼ 子育て世代包括支援センターは、母子保健法に基づいて設置されている。

㊼ ○

㊽ 市区町村子ども家庭総合支援拠点では、市区町村すべての子どもとその家庭及び妊産婦等を対象として、その福祉に関し必要な支援に係る業務全般を行う。

㊽ ○

㊾ 放課後児童健全育成事業（放課後児童クラブ）の職員には放課後児童支援員の資格は必須である。

㊾ ✕ 放課後児童支援員の数は、一の支援の単位ごとに2人以上とされているが、その1人を除き、補助員をもってこれに代えることができる。

㊿ 放課後児童健全育成事業（放課後児童クラブ）は、運営の内容について、自ら評価を行い、その結果を公表するよう努めなければならない。

㊿ ○

51 「令和3年（2021年）放課後児童健全育成事業（放課後児童クラブ）の実施状況」において民間（民営）の放課後児童クラブの運営主体は、社会福祉法人が最も多い。

51 ○

㉒ 放課後児童健全育成事業（放課後児童クラブ）に携わる放課後児童支援員は、保育士資格を有していなければならない。

㉒ ✕ 保育士資格は必須ではない。

㊑ 『令和元年版　子供・若者白書』では、日本の若者で「将来外国留学をしたいと思いますか」との問いに回答した者の割合が最も高かったのは「外国留学をしたい」で53.2％であった。

㊑ ✕ 「外国留学をしたいと思わない」が53.2％であり、外国留学を希望する者の割合は、諸外国の若者と比べて最も低い結果が出ている。

㊔ 保護司は法務大臣から委嘱を受けた無報酬の非常勤の国家公務員である。

㊔ ○

㊕ 日本の総人口は、2019（令和元）年10月1日現在で1億2616.7万人となっている。

㊕ ○

㊖ 子ども・若者育成支援推進法では、子ども・若者に対する支援が効果的かつ円滑に実施されるよう、子ども・若者支援地域協議会の設置を義務とした。

㊖ ✕ 設置に努めることとした。

㊗ 児童相談所における虐待相談の種別は、「ネグレクト」が最も多く、次いで「身体的虐待」となっている。

㊗ ✕ ネグレクトではなく心理的虐待が最も多い。

㊘ 少子化社会対策白書によると、日本では、男性が子育てや家事に費やす時間が先進国の中で最低の水準にとどまっている。

㊘ ○

第 5 章

社会福祉

「社会福祉」は合格率が一番低い科目なんだよ。子どもに関する出題だけでなく、高齢者や障害者、生活困窮者の福祉についてなど、範囲が広いから覚えるのも大変だね。でも「テキスト」の内容をしっかり理解して、「問題集」で出題形式に慣れておけば、本試験でも必ず得点できるよ。相談援助に関する英単語は、焦らず一つひとつ理解していこう。

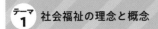

『合格テキスト』P.254

テーマ 1 社会福祉の理念と概念

問1 次の文のうち、社会福祉におけるノーマライゼーションの理念に関する記述として、適切な記述を○、不適切な記述を×とした場合の正しい組み合わせを一つ選びなさい。

A ノーマライゼーションとは、国民に対して最低限度の生活を保障することを意味し、「入所施設での生活を、より普通の生活に近づける」という考え方から始まった。

B ノーマライゼーションの考え方は、障害者福祉分野に限らず社会福祉分野全般の理念として使用されるようになっている。

C ノーマライゼーションの理念が国際的な場で初めて表明されたのは、1994年のサラマンカ声明（スペインのサラマンカで開催された「特別ニーズ教育世界会議」で採択された声明）である。

D ノーマライゼーションの理念とは、北欧の国から提唱された、障害者を施設から健常者が暮らす「ノーマルな社会」に戻すことである。

組み合わせ			
A	B	C	D
1 ○	○	○	×
2 ×	○	×	×
3 ×	×	○	×
4 ×	×	×	○
5 ×	×	×	×

正答 2 令1-後-1

A × : 国民に対して最低限度の生活を保障することはナショナルミニマムという。

B ○ : すべての社会福祉の領域における共通の基本的理念である。

C × : ノーマライゼーションは、デンマークのバンク＝ミケルセン（Bank-Mikkelsen,N.E.）による知的障害者施設の改善運動より始まり、1950年代に提唱された概念である。

D × : ノーマライゼーションは障害の有無にかかわらず、誰もが普通（ノーマル）の生活を送ることのできる社会の実現を目指す考え方である。例えば、スロープやエレベーターを設置する場合は、すべての人が使えるようになって初めてノーマライゼーションといえる。物と人の気遣いが一体となって障害のある人もない人も共生できる社会を指す。

問2 次のうち、日本の社会福祉の基本的な考え方に関する記述として、適切なものを○、不適切なものを×とした場合の正しい組み合わせを一つ選びなさい。

A 社会福祉における自立支援は、障害者福祉の分野ばかりでなく、高齢者福祉、子ども家庭福祉の分野にも共通の理念と考えられている。

B 私たち人間の幸福追求について、国が福祉政策によって関与することはない。

C 「日本国憲法」では、生存権を保障するため、最低限度の生活に関する基準を示している。

D 社会福祉における相談援助は、福祉サービスを必要とする人と社会資源を結びつける役割を果たす。

組み合わせ			
A	B	C	D
1 ○	○	×	○
2 ○	×	○	×
3 ○	×	×	○
4 ×	○	○	×
5 ×	×	○	○

正答 3 令5-後-1

A ○：身体障害者福祉法、老人福祉法、児童福祉法などで自立の促進が謳われているように、社会福祉のすべての領域において、自立支援が考え方や取り組みの基準となっている。

B ×：日本の社会福祉は「福祉行政」といわれ、行政が主体となって展開されている。したがって、国が福祉政策をリードしていく体制にある。

C ×：「日本国憲法」第25条では、生存権を保障しているが、最低限度の生活に関する基準を示しているのは厚生労働大臣である。

D ○：福祉サービスを必要としている人の気持ちに寄り添いながら、効果的な社会資源に結びつけることが相談援助の役割である。

第**5**章

社会福祉

問3 次のうち、社会福祉の理念に関する記述として、適切な記述を○、不適切な記述を×とした場合の正しい組み合わせを一つ選びなさい。

A 権利擁護とは、当事者が持っている権利を擁護し、虐待や差別等から当事者を守ることである。

B エンパワメントとは、当事者自身が力を得て、自らの力で問題を解決していけるように側面的に支援することを意味している。

C ソーシャル・インクルージョンとは、国民に対して最低限度の生活を保障すること（最低生活保障）である。

D ノーマライゼーションとは、障害の有無にかかわらず、だれもが地域で普通に暮らせる社会を目指す理念である。

組み合わせ	A	B	C	D
1	○	○	○	×
2	○	○	×	○
3	×	○	○	○
4	×	×	○	○
5	×	×	×	×

正答 2 令4-後-4

A ○：保育における権利擁護とは、児童労働や児童虐待の防止などに代表される社会的人権擁護と、日々の保育で子どもと関わるなかで直面する生活的人権擁護に大別できる。いずれも擁護される権利である。

B ○：保育におけるエンパワメントとは、子どもが自立する力をつけることと、それを支援することである。子どもの持っている潜在的な能力を引き出すことを中心とした相談支援の技法である。

C ×：ソーシャル・インクルージョンではなく、ナショナル・ミニマムの説明である。ソーシャル・インクルージョンは、社会的包括（包摂）と訳され、すべての人、特に社会的に不利になりがちな人を社会全体で包み込むという考え方である。

D ○：ノーマライゼーションには「一般化」「標準化」という意味があり、だれもが地域で普通に暮らせる社会を目指す理念である。

テーマ **1** 社会福祉の理念と概念　　→『合格テキスト』P.30〜31、229、252〜253

問4 次のうち、社会福祉の対象に関する記述として、適切な記述を○、不適切な記述を×とした場合の正しい組み合わせを一つ選びなさい。

A 病院に入院している患者が、医療費を支払えない等の問題を抱えている場合は、社会福祉の対象となる。

B 保護者の養育を支援することが特に必要と認められる要支援児童は、児童福祉の対象ではない。

C 社会福祉は生活問題を対象とするが、その問題状況を解明するために、生活の全体像を理解することが求められる。

D 保育所は保育を必要とする乳幼児の保育を行うことを目的とする施設であるので、地域住民は対象としない。

組み合わせ	A	B	C	D
1	○	○	×	×
2	○	×	○	×
3	×	○	×	○
4	×	○	×	○
5	×	×	×	○

正答 2 令5-前-2

A ○：社会福祉の対象は、児童、母子、障害者、高齢者、生活困窮者など、社会生活を送る上で社会的に不利な状態や何らかのハンディキャップを負った人たちである。

B ×：要支援児童は、児童福祉の対象である。要保護児童対策地域協議会の対象児童は、児童福祉法第6条の3に規定する「要保護児童（保護者のない児童又は保護者に監護させることが不適当であると認められる児童）」であり、虐待を受けた子どもに限られず、非行児童なども含まれるとしている。

C ○：日本国憲法第25条第2項で「国は、すべての生活部面について、社会福祉、社会保障及び公衆衛生の向上及び増進に努めなければならない」と定めているように、総合的な生活環境を鑑みることが求められている。

D ×：保育所保育指針第1章総則で、「保育所は、入所する子どもを保育するとともに、家庭や地域の様々な社会資源との連携を図りながら、入所する子どもの保護者に対する支援及び地域の子育て家庭に対する支援等を行う役割を担うものである」と定めている。

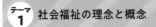

テーマ 1 社会福祉の理念と概念

問5 次の文のうち、ソーシャル・インクルージョンに関する記述として、適切な記述を○、不適切な記述を×とした場合の正しい組み合わせを一つ選びなさい。

A ソーシャル・インクルージョンは、バリアフリーの概念に代わって、アメリカの工学研究者ロナルド・メイス（Ronald Mace）によって示された概念である。

B ソーシャル・インクルージョンは、WHO憲章における「健康」の定義の中で、「身体的・精神的・社会的に良好な状態にあること」と記述されている。

C ソーシャル・インクルージョンは、ノーマライゼーション思想とも共通し、社会福祉の理念として用いられる場合、すべての人がそれぞれの違いを尊重され、社会の一員として認められ、人権を保障されることも意味することが多い。

D ソーシャル・インクルージョンは、抑圧され、本来持ちうる力が潜在化している状態に置かれている人々が、本来持っている力を発揮できるような機会を作り、その力を発揮できるよう支援することをいう。

組み合わせ			
A	B	C	D
1 ○	○	×	○
2 ○	×	○	○
3 ×	○	×	×
4 ×	×	○	×
5 ×	×	×	○

正答 4 令3-前-1

A × : ユニバーサル・デザイン（universal design）に関する記述である。

B × : ウェルビーイング（well-being）に関する記述である。

C ○ : ソーシャル・インクルージョン（social inclusion）は社会的包括（包摂）と訳され、すべての人を包み込む社会を目指す考え方である。反対語は、ソーシャル・エクスクルージョン（social exclusion）で社会的排除と訳される。

D × : エンパワメント（empowerment）に関する記述である。

言葉の定義は暗記ではなく内容を理解することが大事だよ！

テーマ 2 社会福祉の歴史

問6 次のうち、社会福祉の歴史的な事柄に関する記述として、適切なものを○、不適切なものを×とした場合の正しい組み合わせを一つ選びなさい。

A ベヴァリッジ報告では、貧困を生みだす5つの要因に対して、新たな社会保障システムを打ち出した。

B 「新救貧法」(1834(天保5)年)では、窮民の援助は、最下層の労働者の生活以下にとどめ、働ける者には強制労働を課した。

C 「恤救規則」(1874(明治7)年)では、血縁や地縁などの無い窮民に対してのみ公的救済を行ったが、救済の責任は、本来血縁や地縁などの人民相互の情誼によって行うべきであるとした。

D 「救護法」(1929(昭和4)年)では、保護の対象を13歳以下の幼者のみと規定した。

組み合わせ			
A	B	C	D
1 ○	○	○	×
2 ○	×	○	×
3 ○	×	×	○
4 ×	○	×	×
5 ×	×	○	○

正答 1 令5-後-2

A ○：5つの要因を「5つの巨人」と呼び、具体的には、貧窮、疾病、無知、不潔、怠惰があると提唱した。

B ○：1601年エリザベス救貧法が改正され、1834年に「新救貧法」が成立したが、「劣等処遇」の原則が導入され、最下層の自立労働者の生活よりも低いものであるという貧困観ができあがった。

C ○：恤救規則は「人民相互の情誼に因る」として、明治以降における救済制度の中心となったが、救済範囲は極めて制限されていた。1929(昭和4)年に「救護法」が制定されるまで運用された。

D ×：救護法の対象は「65歳以上の老衰者、13歳以下の幼者、妊産婦、障害者とされており13歳以下の幼者のみではない。

問7 次の文は、ソーシャルワークの成り立ちに関する記述である。適切な記述を○、不適切な記述を×とした場合の正しい組み合わせを一つ選びなさい。

A ケースワークの源流は、イギリスにおけるチャルマーズ（Chalmers, T.）の隣友運動とロンドンの慈善組織協会の活動である。

B セツルメント活動は、ロンドンのバーネット夫妻（Barnett, S. & H.）によるハル・ハウス、さらにはアダムズ（Addams, J.）の設立したシカゴのトインビーホールを拠点として展開された。

C バートレット（Bartlett, H.）は、ケースワークを理論的に体系化し、『社会診断論』、『ソーシャル・ケースワークとは何か』など多くの著書を出版した。

D パールマン（Perlman, H.H.）は、ケースワークの構成要素として「4つのP（人、問題、場所、過程）」をあげている。

組み合わせ			
A	B	C	D
1 ○	○	×	×
2 ○	×	○	×
3 ○	×	×	○
4 ×	○	×	○
5 ×	×	○	○

正答 3 令1-後-11

A ○：チャルマーズはスコットランドの長老教会の牧師であり神学者。1811年以降、貧民への救済と訪問の活動を開始した。貧困家庭の訪問等の隣友運動を熱意をもって開始している。

B ×：バーネット夫妻が設立したのが「トインビーホール」であり、アダムズが設立したのが「ハル・ハウス」である。

C ×：バートレットではなく、メアリー・リッチモンド（Richmond, M.E.）についての説明である。

D ○：「4つのP」とは、相互に関連するケースワークの四つの構成要素を指す。

パールマンの「4つのP」

人（Person）	対人的援助や制度的援助を必要とする人
問題（Problem）	援助を必要とするクライアントが悩んでいて解決すべき問題や調整・調停すべき人間関係のトラブル
場所（Place）	問題や苦悩を解決するための対人援助を実施する具体的な場所
過程（Process）	問題や苦悩を解決するための具体的なプロセス

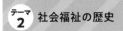

テーマ2 社会福祉の歴史

問8 次の文のうち、日本の社会福祉の動向に関する記述として、適切な記述を○、不適切な記述を×とした場合の正しい組み合わせを一つ選びなさい。

A　2000（平成12）年の「社会福祉法」の改正で、行政が利用者の処遇を決定する「措置制度」が廃止された。

B　1970（昭和45）年代に高度経済成長が終わると、いわゆる「福祉見直し」が進められ、老人医療費支給制度は廃止された。

C　1994（平成6）年、政府は児童虐待防止対策として「エンゼルプラン」を発表した。

D　1997（平成9）年の「児童福祉法」の改正では、児童家庭支援センターの創設、保育所入所手続きの変更、放課後児童健全育成事業の推進等が図られた。

組み合わせ			
A	B	C	D
1 ○	○	○	×
2 ○	○	×	○
3 ×	○	×	○
4 ×	×	○	○
5 ×	×	○	×

正答 3 令2-後-2

A ×：「措置制度」は、要保護児童に対する処遇や生活保護制度などにおいて、現在も用いられている制度である。

B ○：1983（昭和58）年2月に老人保健法が施行され、それにともなって老人医療費支給制度は廃止された。

C ×：「エンゼルプラン」は、1994（平成6）年、社会全体で子育てを支援するための少子化社会対策として発表された。

D ○：その他、下記に関する改正等が行われた。

児童福祉法の一部改正の要点

```
1  保育所に関する事項
  ①  保育所への入所の仕組みに関する事項
  ②  保育所による情報提供及び保育相談に関する事項
  ③  保育費用の徴収に関する事項
2  放課後児童健全育成事業に関する事項
3  児童相談所に関する事項
4  児童自立生活援助事業に関する事項
5  児童福祉施設の名称及び機能に関する事項
6  児童家庭支援センターに関する事項
7  関係地方公共団体等の連携等に関する事項
```

第5章 社会福祉

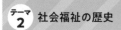
問9 次のうち、戦前の社会事業と、それに関わりのある人名の組み合わせとして、適切なものを○、不適切なものを×とした場合の正しい組み合わせを一つ選びなさい。

＜戦前の社会事業＞	＜人名＞
A 非行少年を対象とした「家庭学校」	留岡幸助
B 知的障害児を対象とした「滝乃川学園」	石井十次
C 孤児などを対象とした「岡山孤児院」	石井亮一
D 民生委員・児童委員制度の前身とされる「方面委員制度」	小河滋次郎

組み合わせ

	A	B	C	D
1	○	○	○	○
2	○	○	×	×
3	○	×	×	○
4	×	○	○	○
5	×	×	○	×

正答 3 令4-後-1

A ○：教誨師（きょうかいし）であった留岡幸助はアメリカ留学で非行少年が生まれる原因は社会全体にあると学び、帰国後の1899(明治32)年に東京の巣鴨に「東京家庭学校」を開設した。その後、留岡の故郷である北海道に「北海道家庭学校」を設立した。

B ×：1891（明治24）年に東京滝乃川村（現・東京都豊島区西巣鴨）に、知的障害児施設「滝乃川学園」を創設したのは、石井亮一である。妻の筆子と共にその生涯を施設運営に投じた。現在は、東京都国立市に移転している。

C ×：「岡山孤児院」は1887（明治20）年に石井十次により開設された。おなかいっぱい食事を与える満腹主義や、子ども一人一人と向き合う密室主義、保育士を中心に子ども十数人が小さな家で生活を共にする家族主義（岡山孤児院12則）や先駆的な養護法で児童教育に取り組んだ。

D ○：方面委員制度は、1918（大正7）年10月に小河滋次郎や林市蔵によって創設され、小学校通学区域を担当区域として、区域内の住民の生活状態を調査し、その情報を基に、要援護者に対する救済を行おうとする制度で、非常に画期的なものであった。

問10 次の文のうち、社会福祉の各法の年齢の定義に関する記述として、適切な記述を○、不適切な記述を×とした場合の正しい組み合わせを一つ選びなさい。

A 「児童福祉法」における「少年」とは、12歳以上18歳未満の者である。

B 「児童福祉法」における「障害児」とは、20歳未満の者である。

C 「母子及び父子並びに寡婦福祉法」における「寡婦」とは、65歳未満の者である。

D 「介護保険法」における「第一号被保険者」とは、65歳以上の者である。

組み合わせ

	A	B	C	D
1	○	○	×	×
2	○	×	○	×
3	×	○	×	○
4	×	×	○	×
5	×	×	×	○

第 **5** 章

社会福祉

正答 5 令2-後-6

A ×：児童福祉法における「少年」とは、小学校就学の始期から、18歳に達するまで（18歳未満）の者である。

B ×：児童福祉法における「障害児」とは、18歳未満の者である。

C ×：母子及び父子並びに寡婦福祉法における「寡婦」とは、配偶者のない女子で、かつて配偶者のない女子として児童を扶養していた者であり、年齢についての規定はない。

D ○：第一号被保険者は、原因によらず、要介護認定または要支援認定を受けたときに介護保険サービスを受けることができる。

各法律における主な定義

> **児童福祉法**（第4条第1項・第5条）
> 　乳児：満1歳に満たない者
> 　幼児：満1歳から、小学校就学の始期に達するまでの者
> 　少年：小学校就学の始期から、満18歳に達するまでの者
> 　妊産婦：妊娠中又は出産後1年以内の女子
> **母子及び父子並びに寡婦福祉法**（第6条第3項）
> 　児童：20歳に満たない者
> **介護保険法**（第9条）
> 　第一号被保険者：市町村の区域内に住所を有する65歳以上の者
> 　第二号被保険者：市町村の区域内に住所を有する40歳以上65歳未満の医療保険加入者

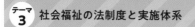
問11 次の文は、「児童福祉法」第18条の4の一部である。(**A**)～(**C**)にあてはまる語句を【語群】から選択した場合の正しい組み合わせを一つ選びなさい。

この法律で保育士とは（中略）登録を受け、保育士の名称を用いて、(**A**)、児童の保育及び(**B**)に対する(**C**)に関する指導を行うことを業とする者をいう。

語群

ア	子育て	イ	社会的養護	ウ	専門職
エ	児童の保護者	オ	保育		
カ	専門的知識及び技術をもって				

組み合わせ

	A	B	C
1	ア	ウ	エ
2	ア	ウ	オ
3	ウ	イ	オ
4	カ	イ	オ
5	カ	エ	オ

正答 5 令3-後-5

A カ：専門的知識及び技術をもって　**B エ**：児童の保護者　**C オ**：保育

第18条の4 この法律で、保育士とは、（中略）登録を受け、保育士の名称を用いて、専門的知識及び技術をもって、児童の保育及び児童の保護者に対する保育に関する指導を行うことを業とする者をいう。

他に保育士に関する項目としては以下の通り。

　第18条の6：保育士となる資格
　第18条の21：信用失墜行為の禁止
　第18条の22：守秘義務
　第18条の23：名称独占（保育士でない者が、保育士またはこれに紛らわしい名
　　　　　　　称を使用してはならない）

基礎的な内容を問う問題は
しっかり得点できるようにしよう！

問12 次の文は、「こども基本法」第3条の一部である。(**A**) ~ (**C**) にあてはまる語句の正しい組み合わせを一つ選びなさい。

● 全てのこどもについて、個人として尊重され、その基本的人権が保障されるとともに、(**A**) 的取扱いを受けることがないようにすること。

● 全てのこどもについて、その年齢及び発達の程度に応じて、自己に直接関係する全ての事項に関して意見を表明する機会及び多様な社会的活動に (**B**) する機会が確保されること。

● 全てのこどもについて、その年齢及び発達の程度に応じて、その (**C**) が尊重され、その最善の利益が優先して考慮されること。

	組み合わせ		
	A	B	C
1	画一	参加	個性
2	画一	参加	意見
3	差別	参画	個性
4	差別	参加	個性
5	差別	参画	意見

第5章

社会福祉

正答 5 令6-前-20

A：差別　B：参画　C：意見

　こども基本法第3条には基本理念が規定されている。また、「児童の権利に関する条約」の四つの原則である「差別の禁止」「子どもの最善の利益」「生命、生存及び発達に対する権利」「子どもの意見の尊重」の趣旨を踏まえている。

こども基本法第3条（基本理念）

・全てのこどもについて、個人として尊重され、その基本的人権が保障されるとともに、差別的取扱いを受けることがないようにすること。
・全てのこどもについて、その年齢及び発達の程度に応じて、自己に直接関係する全ての事項に関して意見を表明する機会及び多様な社会的活動に参画する機会が確保されること。
・全てのこどもについて、その年齢及び発達の程度に応じて、その意見が尊重され、その最善の利益が優先して考慮されること。

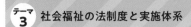

テーマ 3 社会福祉の法制度と実施体系

問13 次の法律を、制定された順に並べた場合の正しい組み合わせを一つ選びなさい。

A 救護法
B 介護保険法
C 子ども・子育て支援法
D 社会事業法

組み合わせ						
1	A	→ C	→ D	→ B
2	A	→ D	→ B	→ C
3	B	→ C	→ D	→ A
4	C	→ A	→ B	→ D
5	D	→ C	→ A	→ B

正答 2 令5-前-1

制定された順に、**A**（1929年）→**D**（1938年）→**B**（1997年）→**C**（2012年）となる。

A ：救護法は1929（昭和4）年に制定。1874（明治7）年に制定された恤救規則に替わって制定された。

B ：介護保険法は1997（平成9）年に制定。介護が必要となった主に高齢者とその家族を社会全体で支えていく仕組み。

C ：子ども・子育て支援法は2012（平成24）年に制定。子ども・子育て支援給付その他の子ども及び子どもを養育している者に必要な支援を行う仕組み。

D ：社会事業法は1938（昭和13）年に制定。1951（昭和26）年に社会福祉事業法に改称、2000（平成12）年に現行の社会福祉法に改称された。民間社会事業に対する「国家」の助成と監督を定めた法律である。

問14 次のうち、「母子及び父子並びに寡婦福祉法」に定められている事業として、正しいものを○、誤っているものを×とした場合の正しい組み合わせを一つ選びなさい。

A　母子家庭日常生活支援事業
B　父子家庭日常生活支援事業
C　母子家庭就業支援事業等
D　父子福祉資金の貸付け
E　母子福祉資金の貸付け

組み合わせ				
A	B	C	D	E
1 ○	○	○	○	○
2 ○	○	×	○	○
3 ○	×	×	×	○
4 ×	○	○	×	×
5 ×	×	×	○	○

正答 1　令3-後-6

A ○：「母子及び父子並びに寡婦福祉法（以下、法）」第17条に規定されている。
B ○：法第31条の7に規定されている。
C ○：法第30条に規定されている。
D ○：法第31条の6に規定されている。
E ○：法第13条に規定されている。

ひとり親家庭等日常生活支援事業

　母子家庭、父子家庭及び寡婦が、修学等や病気などの事由により、一時的に生活援助・保育サービスが必要な場合又は生活環境等の激変により日常生活を営むのに支障が生じている場合に、家庭生活支援員の派遣等を行う。
　支援内容は、①乳幼児の保育、②児童の生活指導、③食事の世話、④住居の掃除、⑤身の回りの世話、⑥生活必需品等の買物、⑦医療機関等との連絡、⑧その他必要な用務である。

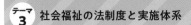
問15 次のうち、「障害者の日常生活及び社会生活を総合的に支援するための法律」に定められている障害福祉サービスとして、<u>不適切なもの</u>を一つ選びなさい。

1 就労継続支援
2 自立生活援助
3 共同生活援助
4 訪問リハビリテーション
5 療養介護

正答 4 令3-前-20

1 ○：障害者の日常生活及び社会生活を総合的に支援するための法律（障害者総合支援法。以下、法）第28条第2項に規定されている。
2 ○：法第28条第2項に規定されている。
3 ○：法第28条第2項に規定されている。
4 ×：訪問リハビリテーションは、介護保険法第8条第5項において、居宅要介護者の「居宅において、その心身の機能の維持回復を図り、日常生活の自立を助けるために行われる理学療法、作業療法その他必要なリハビリテーションをいう」と規定されている。
5 ○：法第28条第1項に規定されている。

障害者総合支援法に規定されている障害福祉サービス

第28条第1項	第28条第2項
●介護給付費（特例介護給付費）の支給対象となる障害福祉サービス	●訓練等給付費（特例訓練等給付費）の支給対象となる障害福祉サービス
1 居宅介護	1 自立訓練
2 重度訪問介護	2 就労移行支援
3 同行援護	3 就労継続支援
4 行動援護	4 就労定着支援
5 療養介護（医療に係るものを除く。）	5 自立生活援助
6 生活介護	6 共同生活援助
7 短期入所	
8 重度障害者等包括支援	
9 施設入所支援	

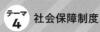

テーマ 4 社会保障制度 → 『合格テキスト』P.265～266、279

問16 次のうち、生活保護制度に関する記述として、適切なものを○、不適切なものを×とした場合の正しい組み合わせを一つ選びなさい。

A 「生活保護法」では、保護の原則として、申請保護の原則、基準及び程度の原則、必要即応の原則、世帯単位の原則の4つを掲げている。

B 「生活保護法」第11条で定めている保護の種類は、生活扶助、教育扶助、住宅扶助、医療扶助、介護扶助、出産扶助、生業扶助、葬祭扶助の8つがある。

C 「生活保護法」による保護施設は、救護施設、更生施設、医療保護施設の3つである。

D 令和4年版の「厚生労働白書」によると、生活保護制度の被保護者数は、1995（平成7）年を底に増加し、2015（平成27）年3月に過去最高を記録し、以降減少に転じたと示されている。

組み合わせ
A B C D
1 ○ ○ × ○
2 ○ × ○ ○
3 ○ × ○ ×
4 × ○ × ×
5 × × × ○

正答 1 令5-後-5

A ○：生活保護法では、保護について4つの原則と4つの原理を定めている。

4つの原則

申請保護の原則	本人や扶養義務者、親族等による申請に基づいて開始される。
基準及び程度の原則	最低限度の生活基準を超えない枠で、不足分を補う程度の保護が行われる。
必要即応の原則	要保護者の年齢や性別、健康状態等その個人又は世帯の実際の必要の相違を考慮して、有効かつ適切に行われる。
世帯単位の原則	世帯を単位として保護の要否及び程度が定められる。

4つの原理：国家責任の原理、無差別平等の原理、最低生活の原理、補足性の原理

B ○：保護の種類は、生活扶助、教育扶助、住宅扶助、医療扶助、介護扶助、出産扶助、生業扶助及び葬祭扶助の8種類であり、要保護者の必要に応じ、単給または併給として行われる。うち、医療扶助と介護扶助はサービスで支給する現物給付である。

C ×：保護施設は救護施設、更生施設、医療保護施設、授産施設、宿所提供施設の5つである。

D ○：生活保護制度の被保護者数は、2015（平成27）年3月に過去最高を記録したが、以降減少に転じ、2022（令和4）年2月には約203.4万人となり、ピーク時から約13万人減少している。

第5章 社会福祉

問17 次の文は、1950（昭和25）年の社会保障制度審議会（現、社会保障審議会）の勧告に基づいて、日本における社会保障と社会福祉の位置づけを説明したものである。（　**A**　）～（　**C**　）にあてはまる語句の正しい組み合わせを一つ選びなさい。

　社会保障制度とは、疾病や障害、老齢や失業などの困窮の原因に対し、（　**A**　）または公の負担で経済保障を行う。また、生活困窮に陥った者に対しては（　**B**　）によって最低限度の生活を保障する。加えて、（　**C**　）によって子どもへの保育や障害者等への福祉サービスを提供し、公衆衛生とともに、すべての国民が文化的社会の成員としての生活を営むことができるようにする。

	組み合わせ		
	A	B	C
1	保険的方法	国家扶助	社会福祉
2	保険的方法	地域保健	社会福祉
3	保険的方法	社会福祉	地域保健
4	社会福祉	保険的方法	地域保健
5	社会福祉	国家扶助	保険的方法

正答 1 令3-前-2

A：保険的方法　B：国家扶助　C：社会福祉

> 　社会保障制度とは、疾病や障害、老齢や失業などの困窮の原因に対し、保険的方法または公の負担で経済保障を行う。また、生活困窮に陥った者に対しては国家扶助によって最低限度の生活を保障する。加えて、社会福祉によって子どもへの保育や障害者等への福祉サービスを提供し、公衆衛生とともに、すべての国民が文化的社会の成員としての生活を営むことができるようにする。

　社会保障制度の３つの側面として「保険的方法」「国家扶助」「社会福祉」がある。「保険的方法」とは、あらかじめ保険料を徴収しその中から拠出する方法、「国家扶助」とは、税金を財源とし、国家責任として国民を扶助する方法、「社会福祉」とは、児童、母子、心身障害者、高齢者など、社会生活を送る上でハンディキャップのある人々に対して、公的な支援を行う制度である。

問18 次のうち、社会保険に関する記述として、適切なものを○、不適切なものを×とした場合の正しい組み合わせを一つ選びなさい。

A 国民年金は、原則として日本国内に住所を有する18歳以上65歳未満の者が被保険者となる年金制度である。

B 雇用保険は、雇用に関する総合的機能を有する保険制度であり、失業等給付、育児休業給付、雇用保険二事業（雇用安定事業及び能力開発事業）から成り立っている。

C 国民健康保険及び健康保険には、保険給付として、高額療養費制度がある。

D 介護保険の被保険者は、第一号被保険者と第二号被保険者と第三号被保険者の3つに大別されている。

組み合わせ			
A	B	C	D
1 ○	○	○	×
2 ○	×	○	×
3 ○	×	×	○
4 ×	○	○	×
5 ×	○	×	○

正答 4 令5-後-8

A ×：日本国内に居住している20歳以上60歳未満の者は国民年金の被保険者（加入者）となる（国民年金法第7条）。

B ○：労働者の生活及び雇用の安定と就職の促進のために、失業した人や教育訓練を受ける人等に対して、失業等給付を支給する。また、育児休業に伴う育児休業給付のほか失業の予防、雇用状態の是正及び雇用機会の増大、労働者の能力の開発及び向上その他労働者の福祉の増進等をはかるための二事業がある。

C ○：高額療養費制度とは、1か月（同じ月の1日〜末日）の病院などでの窓口負担額が自己負担限度額を超えたときに、その超えた金額が公的医療保険から支給される制度である。

D ×：介護保険制度の被保険者は、①65歳以上の者（第1号被保険者）、②40〜64歳の医療保険加入者（第2号被保険者）の2つに大別されている。

第5章 社会福祉

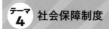

テーマ **4** 社会保障制度　　　　　　　　➡『合格テキスト』P.277、280～281

> **問19** 次のうち、社会保険制度に関する記述として、適切なものを○、不適切なものを×とした場合の正しい組み合わせを一つ選びなさい。
>
> **A** 国民年金の保険給付には、老齢基礎年金、障害基礎年金、遺族基礎年金等がある。
> **B** 健康保険の保険給付には、療養の給付、訪問看護療養費、出産育児一時金等がある。
> **C** 労働者災害補償保険の業務災害に関する保険給付には、療養補償給付、休業補償給付、障害補償給付等がある。
> **D** 介護保険の介護給付におけるサービスには、訪問介護、居宅療養管理指導、訪問入浴介護、訪問リハビリテーション等がある。
>
> | 組み合わせ | | | |
> |---|---|---|---|
> | A | B | C | D |
> | 1 ○ | ○ | ○ | ○ |
> | 2 ○ | × | ○ | × |
> | 3 ○ | × | × | ○ |
> | 4 × | ○ | ○ | × |
> | 5 × | × | × | ○ |

正答 **1**　令6-前-7

A ○：若いときに公的年金制度に加入して、保険料を納め続けることで、年をとったときの「老齢基礎年金」、病気やケガで障害が残ったときの「障害基礎年金」、家族の働き手が亡くなったときの「遺族基礎年金」を受け取ることができる。

B ○：健康保険の保険給付の種類としては、療養の給付、訪問看護療養費、出産育児一時金のほかに、療養費、高額療養費、傷病手当金、出産手当金、埋葬料（費）などがある。

C ○：労災保険で受けられる保険給付には、療養（補償）給付、休業（補償）給付、傷病（補償）年金、障害（補償）年金のほか、介護（補償）給付、遺族（補償）年金、葬祭料（葬祭給付）などがある。

D ○：介護保険の介護給付におけるサービスには、訪問介護、訪問入浴介護、訪問看護、訪問リハビリテーション、居宅療養管理指導、通所介護、通所リハビリテーション、短期入所生活介護、短期入所療養介護、特定施設入居者生活介護、福祉用具貸与、特定福祉用具販売などがある。

問20 次のうち、介護保険制度に関する記述として、適切な記述を一つ選びなさい。

1 要介護認定・要支援認定は、都道府県が行う。
2 第2号被保険者とは、市町村の区域内に住所を有する65歳以上の者である。
3 要介護認定・要支援認定には、有効期間がある。
4 介護認定審査会には、民生委員の参加が規定されている。
5 保険者は国である。

正答 3 令4-前-10

1 ✕：認定は、市町村の附属機関として設置された「介護認定審査会」で行われる。介護認定審査会は、要介護者等の保健、医療、福祉に関する学識経験者によって構成される合議体で、複数の市町村が共同で設置することもできる。

2 ✕：第2号被保険者は40歳以上65歳未満の健保組合、全国健康保険協会、市町村国保などの医療保険加入者であり、介護保険料は医療保険料と一体的に徴収される（40歳になった月から徴収開始）。原則は事業主が2分の1を負担する。

3 ○：要介護認定の有効期間は、新規申請の場合、原則として6か月間であり、申請者の状態（安定または不安定）によっては、介護認定審査会の判断により3か月から12か月の範囲内で有効期間が設定される場合がある。

4 ✕：民生委員の参加義務の規定はない。認定審査委員会の委員は、医師や歯科医師・薬剤師、看護師や保健師・歯科衛生士、介護福祉士や社会福祉士・介護支援専門員などの実務経験者が、市町村や関係団体からの推薦によって市町村長から任命される。

5 ✕：保険者（被保険者から保険料を徴収し、保険給付等を行う介護保険制度の実施主体）は、市区町村である。

第5章 社会福祉

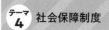
テーマ4 社会保障制度

問21 次の文は、社会手当に関する記述である。適切な記述を○、不適切な記述を×とした場合の正しい組み合わせを一つ選びなさい。

A 特別児童扶養手当の支給には、前年の所得が法定の額を超えないことが要件として含まれる。

B 障害児福祉手当は、重度障害児が対象である。

C 児童扶養手当の手当額は、法律で定められている。

D 児童手当は、15歳以下の児童が対象である。

組み合わせ				
	A	B	C	D
1	○	○	○	×
2	○	×	×	○
3	×	○	○	×
4	×	×	○	○
5	×	×	×	×

正答 1 令1-後-7改

A ○：特別児童扶養手当は、20歳未満で精神または身体に障害を有する児童を家庭で監護、養育している父母等に支給される。受給者もしくはその配偶者または扶養義務者の前年の所得が一定の額以上であるときは、手当は支給されない。これを所得制限という。

B ○：「重度障害児に対して、その障害のため必要となる精神的、物質的な特別の負担の軽減の一助として手当を支給することにより、特別障害児の福祉の向上を図ることを目的としています」（厚生労働省ホームページ）と示されている。

C ○：児童扶養手当法第5条に手当額が定められている。支給額は2023（令和5）年4月現在で児童1人の場合で（本体月額）全額支給の場合、月額4万4140円である。

D ×：2024（令和6）年10月より、高等学校修了前（18歳に到達した日以降最初の3月31日まで）の児童を養育していて、主に生計を維持している人に支給されることとなった。

児童手当の支給対象及び金額

支給対象：
  高等学校卒業まで（18歳の誕生日後の最初の3月31日まで）の児童の養育者
支給額（月額）：
  3歳未満：一律15,000円
  3歳以上高等学校修了前：10,000円（第3子以降は30,000円）

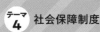
問22 次の文は、雇用保険制度に関する記述である。適切な記述を○、不適切な記述を×とした場合の正しい組み合わせを一つ選びなさい。

A 雇用保険の失業等給付には、求職者給付、就職促進給付、教育訓練給付、雇用継続給付の4つがある。

B 求職者給付には、病気やけがの場合の医療費の給付が含まれている。

C 求職者給付は、求職の申し込みをしてから疾病または負傷のために求職活動することができなくなった場合には、支給されない。

D 雇用保険の費用は、労働者の支払う保険料だけであり、その保険料は給料から天引きされる。

組み合わせ

	A	B	C	D
1	○	○	×	○
2	○	×	○	×
3	○	×	×	×
4	×	○	○	○
5	×	×	×	○

正答 3 令1-後-10

A ○：失業等給付は、労働者が失業した場合及び雇用の継続が困難となる事由が生じた場合に、必要な給付を行うことに加えて、その生活と雇用の安定を図るための給付とされている。

B ×：医療費の給付は、雇用保険制度ではなく、国民健康保険制度等の健康保険から支給される。

C ×：求職の申し込みをした後において15日以上引き続いて傷病のため職業に就くことができない状態となった場合、基本手当の日額に相当する額の傷病手当が、所定給付日数の範囲内で支給される。

D ×：雇用保険の失業等給付についての保険料は、労働者と事業者の折半としている。

事業主は従業員を1人以上雇った場合は、雇用保険に加入することが義務づけられている。「失業保険」ともいわれるが、失業したときに支給される求職者給付以外にもさまざまな給付がある（表）。

求職者給付	雇用保険に加入していた人が、退職や解雇・会社の倒産などで離職し、次の就業先が決まるまでの生活の安定を図るために支給される。
就職促進給付	早期再就職を促進することを目的とし、「再就職手当」「就業促進定着手当」「就業手当」等が支給される。
教育訓練給付	雇用保険には働く人のキャリアアップを支援する制度として、厚生労働大臣の指定する講座を受講し、修了すると本人が支払った受講料の一部が払い戻される。
雇用継続給付	職業生活の円滑な継続を援助、促進することを目的とし、「高年齢雇用継続給付」「育児休業給付」「介護休業給付」が支給される。

＊上記のほかに、介護休業給付、育児休業給付がある。

第5章
社会福祉

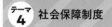
問23 次のうち、国民年金制度に関する記述として、適切な記述を○、不適切な記述を×とした場合の正しい組み合わせを一つ選びなさい。

A 20歳になれば、学生であっても被保険者となる。
B 老齢基礎年金の支給開始年齢は、75歳と規定されている。
C 第2号被保険者の被扶養配偶者は、第1号被保険者である。

組み合わせ

	A	B	C
1	○	○	○
2	○	○	×
3	○	×	×
4	×	○	○
5	×	×	○

正答 **3** 令4-前-9

A ○：学生も含め、日本国内に住むすべての人は、20歳になった時から国民年金の被保険者となり、保険料の納付が義務づけられるが、学生には、申請により在学中の保険料の納付が猶予される「学生納付特例制度」が設けられている。

B ×：原則として65歳から受給できる。65歳以後に受給資格期間の10年を満たした場合は、受給資格期間を満たしたときから老齢基礎年金を受け取ることができる。また、60歳から65歳までの間に繰上げて減額された年金を受け取る「繰上げ受給」や、66歳から75歳までの間に繰下げて増額された年金を受け取る「繰下げ受給」を選択することができる。

C ×：国民年金加入者が、厚生年金または共済年金に加入している配偶者の被扶養配偶者として認定されたときは第3号被保険者となり、配偶者である第2号被保険者を使用する事業主等を経由して届出をすることにより、保険料を納付したものとみなされる。

テーマ **5** 社会福祉に関わる専門職

問24 次の文のうち、社会福祉の相談員に関する記述として、適切な記述を○、不適切な記述を×とした場合の正しい組み合わせを一つ選びなさい。

A 女性相談支援員は、配偶者のない者で現に児童を扶養している者および寡婦に対し、相談に応じ、その自立に必要な情報提供および指導を行う。

B 都道府県に配置される身体障害者福祉司は、身体障害者更生相談所の長の命を受けて、身体障害者の福祉に関し専門的な知識及び技術を必要とする業務を行う。

C 乳幼児を10人以上入所させる乳児院には、家庭支援専門相談員を置かなければならない。

D 児童福祉司は、児童相談所長の命を受けて、児童の保護その他児童の福祉に関する事項について、相談に応じ、専門的技術に基づいて必要な指導を行う等、児童福祉の増進に努める。

組み合わせ			
A	B	C	D
1 ○	○	×	×
2 ○	×	○	×
3 ×	○	○	○
4 ×	○	×	○
5 ×	×	×	○

正答 **3** 令3-前-9改

A ×:「母子及び父子並びに寡婦福祉法」に基づく母子・父子自立支援員についての記述である。

B ○:身体障害者福祉司は、身体障害者福祉法第11条の２第３項で、「都道府県の身体障害者福祉司は、身体障害者更生相談所の長の命を受けて、次に掲げる業務を行うものとする」と規定され、業務については「専門的な知識及び技術を必要とするものを行うこと」とされている。

C ○:児童福祉施設の設備及び運営に関する基準第21条第１項で、「乳児院（乳幼児10人未満を入所させる乳児院を除く。）には、（中略）家庭支援専門相談員（中略）を置かなければならない」と規定されている。

D ○:児童福祉司については、児童福祉法第13条第４項に規定されている。

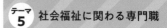
問25 次のうち、社会福祉施設の職員について、国が定めているそれぞれの配置基準に照らし、適切なものを○、不適切なものを×とした場合の正しい組み合わせを一つ選びなさい。

A 障害者支援施設の職員配置基準に、生活支援員が含まれている。

B 母子生活支援施設の職員配置基準に、少年を指導する職員が含まれている。

C 補装具製作施設の職員配置基準に、訓練指導員が含まれている。

D 養護老人ホームの職員配置基準に、生活相談員が含まれている。

組み合わせ			
A	B	C	D
1 ○	○	○	○
2 ○	○	×	×
3 ○	×	○	×
4 ×	○	×	○
5 ×	×	○	○

正答 1 令5-後-7

A ○：生活支援員は、障害者支援施設、地域生活支援センターなどで、障害者の日常生活上の支援や身体機能・生活能力の向上に向けた支援を行うほか、創作・生産活動をサポートする。

B ○：「児童福祉施設の設備及び運営に関する基準」の第27条に、「母子生活支援施設には、母子支援員（母子生活支援施設において母子の生活支援を行う者をいう。以下同じ。）、嘱託医、少年を指導する職員及び調理員又はこれに代わるべき者を置かなければならない」と規定されている。

C ○：「身体障害者社会参加支援施設の設備及び運営に関する基準」第26条で補装具製作施設に置くべき職員として、施設長1名、義肢装具技術員1名以上、訓練指導員1名以上と規定されている。同第27条では「訓練指導員は、解剖学及び生理学に関する基礎理論に精通し、かつ、理学療法及び作業療法に関する知識を有する者でなければならない」と定められている。

D ○：「養護老人ホームの設備及び運営に関する基準」第12条で養護老人ホームには、生活相談員の配置が義務づけられている。

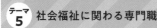

テーマ **5** 社会福祉に関わる専門職　　　➡『合格テキスト』P.285〜286

問26 次の文のうち、児童委員に関する記述として、適切な記述を○、不適切な記述を×とした場合の正しい組み合わせを一つ選びなさい。

A 児童福祉司または福祉事務所の社会福祉主事の行う職務に協力する。

B 児童および妊産婦について、生活および取り巻く環境の状況を適切に把握する。

C 児童の健やかな育成に関する気運の醸成に努める。

D 児童および妊産婦に対して、福祉サービスを適切に利用するために必要な情報の提供その他の援助および指導を行う。

組み合わせ			
A	B	C	D
1 ○	○	○	○
2 ○	○	○	×
3 ○	×	×	×
4 ×	○	○	○
5 ×	×	×	○

正答 **1**　令3-後-9

A ○：児童福祉法第17条第1項第4号に規定されている。
B ○：児童福祉法第17条第1項第1号に規定されている。
C ○：児童福祉法第17条第1項第5号に規定されている。
D ○：児童福祉法第17条第1項第2号に規定されている。

　その他、「児童及び妊産婦に係る社会福祉を目的とする事業を経営する者又は児童の健やかな育成に関する活動を行う者と密接に連携し、その事業又は活動を支援すること」（児童福祉法第17条第1項第3号）、「必要に応じて、児童及び妊産婦の福祉の増進を図るための活動を行うこと」（児童福祉法第17条第1項第6号）がある。

　主任児童委員とは、関係機関等と児童委員との連絡調整や、児童委員の活動に対する援助・協力を行う。厚生労働大臣は、児童委員のうちから、主任児童委員を指名する（児童福祉法第16条第3項）。主な活動内容は、児童相談所や保健所、学校等の関係機関と区域担当児童委員との連絡・調整、個別支援において区域担当児童委員の支援等である。

第5章 社会福祉

227

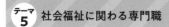

問27 次のうち、福祉の専門職としての保育士に関する記述として、適切な記述を○、不適切な記述を×とした場合の正しい組み合わせを一つ選びなさい。

A 保育士の資格は2001（平成13）年に改正された「児童福祉法」によって、国家資格となった。

B 保育士は、従来の子どもに対して直接的にかかわる保育の専門家としてだけでなく、保護者に対して保育に関する指導をおこなう専門職として位置づけられている。

C 「保育所保育指針」では、保育士の倫理観について言及している。

D 保育士は、社会制度の改編や創設を提案することもある。

組み合わせ			
A	B	C	D
1 ○	○	○	○
2 ○	○	○	×
3 ○	×	×	×
4 ×	○	×	○
5 ×	×	○	○

正答 1　令5-前-3

A ○：児童福祉法第18条の４に「この法律で、保育士とは、第18条の18第１項の登録を受け、保育士の名称を用いて、専門的知識及び技術をもつて、児童の保育及び児童の保護者に対する保育に関する指導を行うことを業とする者をいう」と法的に位置づけられ国家資格となった。

B ○：保育所保育指針第１章総則に「一人一人の保護者の状況やその意向を理解、受容し、それぞれの親子関係や家庭生活等に配慮しながら、様々な機会をとらえ、適切に援助すること」と定められている。

C ○：保育所保育指針第５章に「子どもの最善の利益を考慮し、人権に配慮した保育を行うためには、職員一人一人の倫理観、人間性並びに保育所職員としての職務及び責任の理解と自覚が基盤となる」と定められている。

D ○：保育士は社会福祉の専門職である。社会福祉運営の改善のために、議会や行政機関に働きかける、直接的に関係各方面に働きかけるなどの活動をすることも求められている。社会福祉援助技術の中にある「ソーシャルアクション」をさす。

問28 次の文のうち、地域福祉の推進に関する記述として、適切な記述を○、不適切な記述を×とした場合の正しい組み合わせを一つ選びなさい。

A 2021（令和3）年度の共同募金の募金金額は、募金方法別でみると、街頭募金が最も多い。

B 日本赤十字社の国内の活動においては、災害救護活動、医療事業、血液事業、ボランティアの組織化などを行っている。

C 社会福祉協議会は、2000（平成12）年に改正された「社会福祉法」において創設された。

D 民生委員及び児童委員は、地域社会の福祉を増進することを目的として市町村の区域に置かれている民間奉仕者である。

組み合わせ	A	B	C	D
1	○	○	×	×
2	○	×	○	○
3	○	×	○	×
4	×	○	○	○
5	×	○	×	○

正答 5 令2-後-19改

A ✕：共同募金会の「令和3年度年次報告書」によると、戸別募金が69.9％で最も多く、街頭募金は0.9％である。次いで、法人が10.8％、その他が6.7％、職域募金が4.3％となっている。

B ○：「苦しんでいる人を救いたい」をモットーに上記以外にも、国際活動、赤十字病院、看護師等の教育、青少年赤十字などを展開している。

C ✕：社会福祉協議会は、1951（昭和26）年の社会福祉事業法（現・社会福祉法）制定時に創設された。民間の社会福祉活動を推進することを目的とした営利を目的としない民間組織である。

D ○：民生委員法で定められている民間奉仕者で、活動例は以下の通りである。

相談・支援活動	ひとり暮らしの高齢者宅を訪問。 健康状態や困りごとがないか伺う。
地域福祉活動	災害福祉マップづくりに参加し、実際に地域を回る。 小学校の通学時間に合わせて見守りを兼ねた挨拶運動に参加。 高齢者の消費者トラブル防止キャンペーンのチラシを配布。

第5章　社会福祉

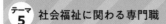
問29 次の文のうち、民生委員に関する記述として、適切な記述を○、不適切な記述を×とした場合の正しい組み合わせを一つ選びなさい。

A 住民の相談に応じ、必要な援助を行う。
B 職務に必要な知識および技術の修得に努めなければならない。
C 給与は支給されない。
D 任期は5年である。

組み合わせ

	A	B	C	D
1	○	○	○	×
2	○	○	×	×
3	○	×	○	○
4	×	○	×	×
5	×	×	○	○

正答 1 令3-前-10

民生委員は民生委員法が根拠法令で制度化されている。また、民生委員は同時に児童福祉法で根拠される「児童委員」を必ず兼務することが規定されている。

A ○：民生委員は、社会奉仕の精神をもつて、常に住民の立場に立つて相談に応じ、及び必要な援助を行い、もつて社会福祉の増進に努めるものとする（民生委員法第1条）。

B ○：民生委員は、常に、人格識見の向上と、その職務を行う上に必要な知識及び技術の修得に努めなければならない（民生委員法第2条）。

C ○：民生委員には、給与を支給しないものとする（民生委員法第3条）。

D ×：その任期は、3年とする。ただし、補欠の民生委員の任期は、前任者の残任期間とする（民生委員法第3条）。

試験当日は、筆記用具や消しゴムの予備を持っていくと安心だよ。

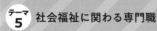

テーマ 5 社会福祉に関わる専門職　　→『合格テキスト』P.155、284、286〜287

問30 次のうち、社会福祉における専門職に関する記述として、適切な記述を ○、不適切な記述を×とした場合の正しい組み合わせを一つ選びなさい。

A 社会福祉士資格を持つ者は、児童指導員として児童養護施設等で働くことができる。

B 「児童福祉法」において、児童相談所に社会福祉主事を置かなければならない、と規定されている。

C 「社会福祉法」において、都道府県、市及び福祉に関する事務所を設置する町村に、社会福祉主事を置く、と規定されている。

D 乳児院は、国の規定により看護師の配置が義務づけられている。

組み合わせ

	A	B	C	D
1	○	○	○	×
2	○	○	×	○
3	○	×	○	○
4	×	○	×	○
5	×	×	○	×

第5章 社会福祉

正答 3 令5-前-6

A ○：「児童指導員及び指導員の資格要件等」の②に社会福祉士の資格を有する者と規定がある。その他、①地方厚生局長等の指定する児童福祉施設の職員を養成する学校その他の養成施設を卒業した者や、③精神保健福祉士の資格を有する者などがある。

B ×：社会福祉主事は、社会福祉各法に定める援護又は更生の措置に関する事務を行うために、福祉事務所には必置義務がある（福祉事務所のない町村には任意設置）が、児童相談所に必置義務があるのは、社会福祉主事ではなく、児童福祉司である（児童福祉法第13条）。

C ○：社会福祉法第18条第1項に「都道府県、市及び福祉に関する事務所を設置する町村に、社会福祉主事を置く」と、同条第2項に「前項に規定する町村以外の町村は、社会福祉主事を置くことができる」と定められている。

D ○：児童福祉施設の設備及び運営に関する基準の第21条に「乳児院（乳幼児10人未満を入所させる乳児院を除く。）には、小児科の診療に相当の経験を有する医師又は嘱託医、看護師、個別対応職員、家庭支援専門相談員、栄養士及び調理員を置かなければならない」と定められている。

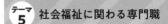

テーマ 5 社会福祉に関わる専門職

問31 次の文のうち、社会福祉の相談機関と専門職に関する記述として、適切な記述を○、不適切な記述を×とした場合の正しい組み合わせを一つ選びなさい。

A 福祉事務所には、精神保健福祉士その他これに準ずる者を配置しなければならない。

B 児童相談所には、介護支援専門員その他これに準ずる者を配置しなければならない。

C 児童発達支援センターには、介護福祉士その他これに準ずる者を配置しなければならない。

D 地域包括支援センターには、社会福祉士その他これに準ずる者を配置しなければならない。

組み合わせ			
A	B	C	D
1 ○	○	×	×
2 ○	×	×	○
3 ×	○	○	×
4 ×	×	○	×
5 ×	×	×	○

正答 5 令2-後-8

A ×：福祉事務所に、精神保健福祉士その他これに準ずる者の配置義務はない。①指導監督を行う所員、②現業を行う所員、③事務を行う所員（①②は社会福祉主事）が配置される（社会福祉法第15条）。

B ×：児童相談所に介護支援専門員その他これに準ずる者の配置義務はない。児童福祉司、公認心理師などが配置される。

C ×：児童発達支援センターに、介護福祉士その他これに準ずる者の配置義務はない。児童指導員、保育士、児童発達支援管理責任者などが配置される。

D ○：地域包括支援センターは、市町村が設置主体となり、保健師、社会福祉士、主任介護支援専門員等を配置している。

テーマ 6

問32 次の文のうち、ソーシャルワークの展開過程に関する記述として、適切な記述を○、不適切な記述を×とした場合の正しい組み合わせを一つ選びなさい。

A　インテークとは、受理面接といわれるもので、利用者のニーズや問題のアウトラインを聞き取る面接過程である。

B　インターベンションとは、介入や実施といわれるもので、利用者の問題解決への具体的な支援計画を立案する過程である。

C　モニタリングとは、経過観察といわれるもので、介入や実施した内容が妥当であるか検討する過程である。

D　エバリュエーションとは、終結を意味し、その後の経過を見守る段階である。

組み合わせ	A	B	C	D
1	○	×	○	×
2	○	×	×	○
3	×	○	×	×
4	×	×	○	○
5	×	×	○	×

第5章 社会福祉

正答 1　令3-前-12

A ○：相談者がどのような相談内容を抱えていて、その主訴の背景にある問題は何かを明らかにするために積極的、能動的に働きかけることを目的とした初対面の面接である。

B ×：インターベンションとは、立案した支援計画に沿って具体的に支援することであり、「介入」と訳される。

C ○：モニタリングとは、「経過観察」の意味で、援助が適切に行われているかを確認し、フィードバックすることである。そこには利用者の満足度評価も必要である。

D ×：エバリュエーションとは、「事後評価」の意味で、利用者と共に支援過程を振り返りながら問題解決できたかについて評価する。「終結」はターミネーションという。

相談援助過程での留意点

インテーク	「傾聴」と「受容」
アセスメント	「本当のニーズの発見」と「個別性の配慮」
プランニング	いつでも計画を変更できる柔軟性をもつ
インターベンション	支援者が地域や家庭へ出向く（アウトリーチ）
エバリュエーション	孤立感をもたせないよう、援助再開も可能であることの説明

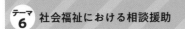
問33 次のうち、ソーシャルワークの社会資源についての説明として、適切なものを○、不適切なものを×とした場合の正しい組み合わせを一つ選びなさい。

A 社会資源とは、利用者等の問題解決やニーズを満たすために用いる、人的資源・物的資源・制度等の総称をいう。

B フォーマルな社会資源には、家族、親戚、知人、近隣住民、ボランティアがある。

C インフォーマルな社会資源には、行政や社会福祉法人によって提供されるサービスがある。

組み合わせ		
A	B	C
1 ○	○	○
2 ○	×	○
3 ○	×	×
4 ×	○	×
5 ×	×	×

正答 3 令5-後-12

A ○：社会資源は社会福祉実践には不可欠であり、社会福祉を支える資源である。援助者は社会資源の発見（開発）、特性の把握、利用を通じて、利用者の自立生活を支える。

B ×：フォーマルな社会資源には、行政や社会福祉法人によって提供されるサービスがある。

C ×：インフォーマルな社会資源には、家族、親戚、知人、近隣住民、ボランティアがある。

社会資源のイメージ

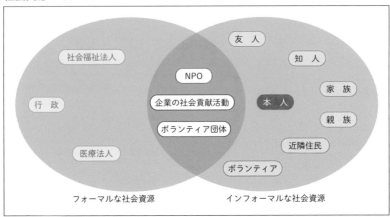

問34 次の文のうち、アセスメントに関する記述として、適切な記述を○、不適切な記述を×とした場合の正しい組み合わせを一つ選びなさい。

A アセスメントにおいて必要な情報として、利用者の社会的状況があげられる。

B アセスメントにおいて必要な情報として、利用者の心理・情緒的状況があげられる。

C アセスメントでは、ケース全体を可視化するために、ジェノグラムやエコマップなどのマッピング技法が用いられることがある。

組み合わせ		
A	B	C
1 ○	○	○
2 ○	○	×
3 ○	×	○
4 ×	○	○
5 ×	×	×

正答 **1** 令3-後-14

　アセスメントとは、インテークで集めた情報をもとに、現在、相談者が抱えている生活課題の原因などを把握することでそのニーズを掘り起こす「見立て」の段階である。最終的には相談者の「真のニーズ」を確定することをめざす。

A ○：生活課題はその人の社会的状況に起因しているので、どのような状況にあるのかを知ることは支援の第一歩である。

B ○：社会的状況に加えて人間の「心理・情緒的状況」も支援するうえで大きなファクターとなり得る。社会的状況と心理・情緒的状況の両方の側面から支援する必要がある。

C ○：ジェノグラムやエコマップなどのマッピング技法は、相談者の状況を俯瞰するために必要な技法であり、作成しながら状況を把握できるという特徴がある。

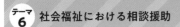

テーマ **6** 社会福祉における相談援助

➡『合格テキスト』P.290〜291

[問35] 次のうち、バイステック（Biestek, F.P.）の7原則の説明として、適切な記述を○、不適切な記述を×とした場合の正しい組み合わせを一つ選びなさい。

A 利用者を個人として捉える。
B 利用者を一方的に非難しない。
C 援助者は自分の感情を自覚して吟味する。
D 秘密を保持して信頼感を醸成する。

組み合わせ			
A	B	C	D
1 ○	○	○	○
2 ○	○	×	×
3 ○	×	○	×
4 ×	○	○	○
5 ×	×	×	○

正答 **1** 令5-後-10

A ○：「個別化の原則」にあたる。
B ○：「非審判的態度の原則」にあたる。
C ○：「統制された情緒的関与の原則」にあたる。
D ○：「秘密保持の原則」にあたる。

バイステックの7原則

原則名	内容
個別化	類似した相談内容でも、一人ひとり違う背景を持っているので、あくまでも個別的に対応する。
意図的な感情表出	「どんな感情も自由に表現したい」という気持ちを安心して表に出せる雰囲気をつくる。
統制された情緒的関与	感受性を働かせて利用者に共感し、自分の感情を制御しながら冷静に対応する。
受容	偏見や先入観を持たず、利用者をあるがままの姿で捉える。
非審判的態度	「援助」であるときちんと自覚し、善悪を判断（審判）しない。
利用者の自己決定	利用者が自己決定できるよう情報提供する。
秘密保持	正当な理由がなく、その業務に関して知り得た人の秘密を漏らしてはならない。

　バイステックの7原則は、あくまでも利用者との信頼関係を築いていくための技法であり、この技法だけで問題を解決できるわけではない。この技法の上に、具体的な支援技術で問題解決を図る。

問36 次の【事例】を読んで、【設問】に答えなさい。

【事例】

F児童家庭支援センターに子を連れて母親が来所した。その母親Hさん（30歳）は、発達障害と診断されたGちゃん（3歳）の養育と自分の仕事との両立に悩んでいた。父親は仕事のため同行することができなかった。この来所相談に応じたのは相談員Jだった。

【設問】

次の文のうち、相談員Jによる初回面接時の対応として、適切な記述を○、不適切な記述を×とした場合の正しい組み合わせを一つ選びなさい。

A 相談員Jは、Gちゃんの養育と仕事の両立に悩んでいるという主訴に対して、Gちゃんの養育を優先させることの大切さを主張した。

B 相談員Jは、主訴がすぐに表明されたので、女性の社会進出の権利を前提に話した後、発達障害児が利用できる制度を紹介して、ぜひ仕事を続けるように主張した。

C 相談員Jは、主訴を聞いた後で、Gちゃんの発達の遅れを診断するために母子をプレイルームに案内して、Gちゃんの遊ぶ様子を観察しながら、Gちゃんの生育歴を丁寧に質問した。

D 相談員Jは、主訴を聞いた後で、母親Hさんの心情について表出を促し、その後、家族関係の状況を質問した。

組み合わせ			
A	B	C	D
1 ○	○	○	×
2 ○	×	○	×
3 ×	○	○	○
4 ×	○	×	×
5 ×	×	×	○

正答 5 令2-後-14

A ×：「Gちゃんの養育を優先させることの大切さを主張した」と支援者の考え方を一方的に伝えることは不適切である。

B ×：養育と自分の仕事との両立に悩んでいる母親に、「ぜひ仕事を続けるように主張した」という支援は、本人の自立や自己決定の原則に反するものである。

C ×：相談員は、「Gちゃんの発達の遅れを診断する」ことはできない。また、初回面接では生育歴を詳しく聞くのではなく、母親との信頼関係構築を優先する。

D ○：バイステックの7原則の「意図的な感情表出の原則」に則って、信頼関係を築きながら、そのうえで母親の心に寄り添った支援をしている。

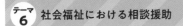

テーマ 6 社会福祉における相談援助

➡ 『合格テキスト』P.294

問37 次のうち、相談援助の方法・技術等に関する記述として、適切なものを○、不適切なものを×とした場合の正しい組み合わせを一つ選びなさい。

A ケアマネジメントとは、利用者に対して、効果的・効率的なサービスや社会資源を組み合わせて計画を策定し、それらを利用者に紹介や仲介するとともに、サービスを提供する機関などと調整を行い、さらにそれらのサービスが有効に機能しているかを継続的に評価する等の一連のプロセス及びシステムである。

B ソーシャルアクションとは、関係機関、専門職、住民と問題の解決に向けて、情報交換、学習、地域活動を通して相互の役割や違いを認め、既存の制度や組織の制約を超えて、多様的かつ多元的な価値観や関係性をつくりあげていくことをいう。

C ネットワーキングとは、行政や議会などに個人や集団、地域住民の福祉ニーズに適合するような社会福祉制度やサービスの改善、整備、創造を促す方法である。

組み合わせ		
A	B	C
1 ○	○	○
2 ○	×	×
3 ×	○	×
4 ×	×	○
5 ×	×	×

正答 2 令5-後-11

A ○：ケアマネジメントとは、選択肢にあるとおり、利用者に対して、効果的・効率的なサービスや社会資源を組み合わせて計画を策定し、それらを利用者に紹介や仲介するとともに、サービスを提供する機関などと調整を行い、さらにそれらのサービスが有効に機能しているかを継続的に評価する等の一連のプロセス及びシステムである。

B ×：Bの選択肢はネットワーキングについての説明文である。ソーシャルアクションとは、行政や議会などに個人や集団、地域住民の福祉ニーズに適合するような社会福祉制度やサービスの改善、整備、創造を促す方法である。

C ×：Cの選択肢はソーシャルアクションについての説明文である。ネットワーキングとは、関係機関、専門職、住民と問題の解決に向けて、情報交換、学習、地域活動を通して相互の役割や違いを認め、既存の制度や組織の制約を超えて、多様的かつ多元的な価値観や関係性をつくりあげていくことをいう。

問38 次のうち、成年後見制度に関する記述として、適切なものを○、不適切なものを×とした場合の正しい組み合わせを一つ選びなさい。

A 成年後見制度は、「社会福祉法」を根拠として2000（平成12）年4月から施行された制度である。

B 任意後見契約は、本人の判断能力が不十分になった場合に家族などの申し立てにより、家庭裁判所によって選任された後見人を決定、開始するもので、本人の判断能力の程度に応じて「補助人、保佐人、後見人」の3類型がある。

C 法定後見制度は、利用契約制度のもとで自己決定など判断能力が不十分な高齢者や意思決定が難しい知的障害者及び精神障害者などの自己決定権を法的に保障する制度である。

組み合わせ		
A	B	C
1 ○	○	×
2 ○	×	×
3 ×	○	○
4 ×	○	×
5 ×	×	○

正答 5 令5-後-14

A ×：成年後見制度は、1999（平成11）年の民法改正によって導入され、2000（平成12）年4月1日から施行されている。認知症、知的障害、精神障害などにより物事を判断する能力が十分でない者について、本人の権利を守る援助者（「成年後見人」等）を選ぶことで、本人を法律的に支援する制度である。

B ×：「補助人、保佐人、後見人」の3類型があるのは、法定後見制度である。

```
          成 年 後 見 制 度

   法 定 後 見 制 度
   後 見   保 佐   補 助      任 意 後 見 制 度
```

種　類	対　　象
補助	判断能力が不十分な人
保佐	判断能力が著しく不十分な人
後見	判断能力が欠けているのが通常の状態の人

C ○：選択肢のとおり、法定後見制度は、利用契約制度のもとで自己決定など判断能力が不十分な高齢者や意思決定が難しい知的障害者及び精神障害者などの自己決定権を法的に保障する制度である。

第5章 社会福祉

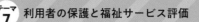

テーマ 7 利用者の保護と福祉サービス評価

→ 『合格テキスト』P.297〜298

問39 次のうち、福祉サービスの第三者評価事業に関する記述として、適切なものを○、不適切なものを×とした場合の正しい組み合わせを一つ選びなさい。

A 第三者評価事業を受審することで、他の事業所や施設などとの優劣を示すことが目的である。

B 福祉サービスの第三者評価事業の普及促進については、「福祉サービス第三者評価事業に関する指針」において市町村社会福祉協議会の義務であることが規定されている。

C 福祉サービスの第三者評価事業を行う評価機関は、都道府県推進組織における第三者評価機関認証委員会から認証を受ける必要がある。

D 福祉サービス第三者評価機関認証ガイドラインの策定・更新は、厚生労働大臣が実施する。

組み合わせ			
A	B	C	D
1 ○	○	○	○
2 ○	○	×	×
3 ○	×	○	×
4 ×	○	○	○
5 ×	×	○	×

正答 5 令5-後-13

A ×：優劣を示すことが目的ではなく、質の高い福祉サービスを事業者が提供するために、保育所、指定介護老人福祉施設（特別養護老人ホーム）、障害者支援施設、社会的養護施設などにおいて実施される事業について、公正・中立な第三者機関による専門的・客観的な立場からの評価を受ける仕組みである。

B ×：市町村社会福祉協議会ではなく、全国社会福祉協議会が、評価事業普及協議会・評価基準等委員会を設置し、福祉サービス第三者評価事業の推進及び都道府県推進組織に対する支援を行う。

C ○：福祉施設に対して第三者評価を行う機関は、第三者評価機関認証要件を満たすことで認証される。「福祉サービス第三者評価機関認証ガイドライン」を満たしていることが認証要件となる。

D ×：「福祉サービス第三者評価機関認証ガイドライン」の策定・更新は、厚生労働大臣ではなく、全国社会福祉協議会である。

全国社会福祉協議会の業務

① 「都道府県推進組織に関するガイドライン」の策定・更新に関すること
② 「福祉サービス第三者評価機関認証ガイドライン」の策定・更新に関すること
③ 「福祉サービス第三者評価基準ガイドライン」の策定・更新に関すること
④ 「福祉サービス第三者評価結果の公表ガイドライン」の策定・更新に関すること
⑤ 「評価調査者養成研修等モデルカリキュラム」の作成・更新その他評価調査者養成研修に関すること
⑥ 福祉サービス第三者評価事業の普及・啓発に関すること
⑦ その他福祉サービス第三者評価事業の推進に関すること

出典：厚生労働省資料

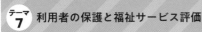

テーマ **7** 利用者の保護と福祉サービス評価　→『合格テキスト』P.285、299〜300

問40 次の文のうち、福祉サービス等の情報提供に関する記述として、適切な記述を○、不適切な記述を×とした場合の正しい組み合わせを一つ選びなさい。

A 「社会福祉法」においては、福祉サービスの情報の提供に関することが定められている。

B 「民生委員法」においては、援助を必要とする者が福祉サービスを適切に利用するために必要な情報の提供その他の援助を行うことが定められている。

C 「障害者の日常生活及び社会生活を総合的に支援するための法律」においては、視聴覚障害者に対する情報提供の施設として、視聴覚障害者情報提供施設が定められている。

D 「介護保険法」においては、介護サービス情報の報告及び公表に関することが定められている。

組み合わせ			
A	B	C	D
1 ○	○	○	×
2 ○	○	×	○
3 ○	×	○	○
4 ×	○	×	○
5 ×	×	○	×

第**5**章
社会福祉

正答 2 令3-後-16

A ○：社会福祉法第75条第1項において「社会福祉事業の経営者は、福祉サービスを利用しようとする者が、適切かつ円滑にこれを利用することができるように、その経営する社会福祉事業に関し情報の提供を行うよう努めなければならない」と規定されている。

B ○：民生委員の職務の1つとして、民生委員法第14条第1項第3号において「援助を必要とする者が福祉サービスを適切に利用するために必要な情報の提供その他の援助を行うこと」と規定されている。

C ×：視聴覚障害者情報提供施設は身体障害者福祉法第34条において「視聴覚障害者情報提供施設は、無料又は低額な料金で、点字刊行物、視覚障害者用の録音物、聴覚障害者用の録画物その他各種情報を記録した物であつて専ら視聴覚障害者が利用するものを製作し、若しくはこれらを視聴覚障害者の利用に供し、又は点訳若しくは手話通訳等を行う者の養成若しくは派遣その他の厚生労働省令で定める便宜を供与する施設とする」と規定されている。

D ○：介護保険法第115条の35第1項において「介護サービス事業者は、（中略）その提供する介護サービスに係る介護サービス情報を、当該介護サービスを提供する事業所又は施設の所在地を管轄する都道府県知事に報告しなければならない」と規定されている。

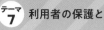
問41 次のうち、「社会福祉法」で定めている福祉サービスの情報提供等に関する記述として、適切な記述を○、不適切な記述を×とした場合の正しい組み合わせを一つ選びなさい。

A 社会福祉事業の経営者に対して、福祉サービスの利用者が、適切かつ円滑に福祉サービスを利用することができるように、その経営する社会福祉事業に関する情報の提供を行うよう努めなければならないと定めている。

B 国と地方公共団体に対して、福祉サービスを利用しようとする者が必要な情報を容易に得られるように、必要な措置を講ずるよう努めなければならないと定めている。

C 利用者から実際に福祉サービスの利用契約の申込みがあった場合、社会福祉事業の経営者は、利用者に対して、福祉サービスを利用する事項について説明するように努めなければならないと定めている。

D 社会福祉事業の経営者は、利用契約が成立した際に、利用者に対して、定められた事項を記載した書面を交付しなければならないと定めている。

組み合わせ			
A	B	C	D
1 ○	○	○	○
2 ○	○	×	×
3 ×	○	○	×
4 ×	○	○	○
5 ×	×	×	○

正答 **1** 令4-後-16

A ○：社会福祉法第75条第1項において「社会福祉事業の経営者は、福祉サービスを利用しようとする者が、適切かつ円滑にこれを利用することができるように、その経営する社会福祉事業に関し情報の提供を行うよう努めなければならない」と規定されている。

B ○：社会福祉法第75条第2項において「国及び地方公共団体は、福祉サービスを利用しようとする者が必要な情報を容易に得られるように、必要な措置を講ずるよう努めなければならない」と規定されている。

C ○：社会福祉法第76条において「社会福祉事業の経営者は、その提供する福祉サービスの利用を希望する者からの申込みがあつた場合には、その者に対し、当該福祉サービスを利用するための契約の内容及びその履行に関する事項について説明するよう努めなければならない」と規定されている。

D ○：社会福祉法第77条第1項において「社会福祉事業の経営者は、福祉サービスを利用するための契約が成立したときは、その利用者に対し、遅滞なく、次に掲げる事項を記載した書面を交付しなければならない」とその義務を規定している。

　努力義務はあくまでも推奨レベルであるが、実際には義務として受け止め実施している場合が多い。

テーマ 7 利用者の保護と福祉サービス評価

➡ 『合格テキスト』P.300

問42 次のうち、福祉サービス利用援助事業（日常生活自立支援事業）に関する記述として、適切なものを○、不適切なものを×とした場合の正しい組み合わせを一つ選びなさい。

A 地域福祉権利擁護事業として開始され、2020（令和2）年度より日常生活自立支援事業に名称が変更された。

B 認知症高齢者、精神障害者のうち判断能力が不十分な者を対象としており、知的障害者は対象外とされている。

C 福祉サービス利用援助事業（日常生活自立支援事業）は、国庫補助事業として実施されている。

D 住民の立場に立って相談に応じ、必要な支援を行う民生委員が実施主体とされている。

組み合わせ			
	A	B	C	D
1	○	○	○	○
2	○	○	×	×
3	×	○	○	○
4	×	×	○	×
5	×	×	×	○

正答 4 令5-後-15

A × : 「地域福祉権利擁護事業」は1999（平成11）年に始まり、2007（平成19）年に「日常生活自立支援事業」に名称変更された。実施主体は都道府県社会福祉協議会。

B × : 援助対象は、判断能力が不十分な人（認知症高齢者、知的障害者、精神障害者等であって、日常生活を営むのに必要なサービスを利用するための情報の入手、理解、判断、意思表示を本人のみでは適切に行うことが困難な人）であり、知的障害者も対象となっている。

C ○ : 日常生活自立支援事業は国庫補助事業であり、第二種社会福祉事業に規定された「福祉サービス利用援助事業」に該当する。

D × : 実施主体は民生委員ではなく、都道府県社会福祉協議会及び指定都市社会福祉協議会である。窓口業務は、利用者の利便性を考慮し、都道府県社会福祉協議会又は指定都市社会福祉協議会から委託を受けた市区町村社会福祉協議会等（基幹的社協）が実施している。

第5章 社会福祉

問43 次の文は、「社会福祉法」第4条に関する記述である。（　**A**　）〜（　**C**　）にあてはまる語句を【語群】から選択した場合の最も適切な組み合わせを一つ選びなさい。

- 地域福祉の推進は、地域住民が相互に人格と個性を尊重し合いながら、参加し、（　**A**　）する地域社会の実現を目指して行うこと。
- 地域住民等は、地域福祉の推進に当たっては、福祉サービスを必要とする地域住民及びその世帯が抱える福祉、介護、介護予防、保健医療、住まい、就労及び教育に関する課題、福祉サービスを必要とする地域住民の地域社会からの（　**B**　）等の課題を把握すること。
- 地域住民等は、地域福祉の推進に当たっては、（　**C**　）課題の解決に資する支援を行う関係機関との連携等によりその解決を図るよう留意すること。

語群
ア　包摂　　イ　共生　ウ　相談支援　エ　排除
オ　孤立　　カ　地域生活

組み合わせ	A	B	C
1	ア	エ	ウ
2	ア	エ	オ
3	ア	オ	ウ
4	イ	ウ	カ
5	イ	オ	カ

正答 5　令5-後-18

社会福祉法第4条（地域福祉の推進）からの出題である。

A イ：共生。地域福祉の推進は、地域住民が相互に人格と個性を尊重し合いながら、参加し、（共生）する地域社会の実現を目指して行うこと。

B オ：孤立。地域住民等は、地域福祉の推進に当たっては、福祉サービスを必要とする地域住民及びその世帯が抱える福祉、介護、介護予防、保健医療、住まい、就労及び教育に関する課題、福祉サービスを必要とする地域住民の地域社会からの（孤立）等の課題を把握すること。

C カ：地域生活。地域住民等は、地域福祉の推進に当たっては、（地域生活）課題の解決に資する支援を行う関係機関との連携等によりその解決を図るよう留意すること。

テーマ 8 地域福祉の推進

問44 次のうち、多様化する地域生活課題に関する記述として、適切なものの組み合わせを一つ選びなさい。

A 「令和3年度 児童生徒の問題行動・不登校等生徒指導上の諸課題に関する調査結果について」（文部科学省）によると、令和3年度における小学生・中学生の不登校児童生徒数は約25万人であり、平成24年度から令和3年度にかけて、9年連続で増加している。

B 「ひきこもりの評価・支援に関するガイドライン」では、ひきこもりについて、様々な要因の結果として社会的参加を回避し、原則的には1年以上にわたって概ね家庭にとどまり続けている状態と定義している。

C 「令和3年中における自殺の状況」（厚生労働省自殺対策推進室）によると、令和3年における自殺者数は約2万人であった。このうち女性の自殺者数は約7千人であり、令和2年から2年連続で増加している。

D ヤングケアラーの行っているケアの内容として、家族に代わり、幼いきょうだいの世話をすることについては含まれていない。

組み合わせ		
1	A	B
2	A	C
3	B	C
4	B	D
5	C	D

正答 2 令5-後-20

A ○：小学生・中学生の不登校児童生徒数は、2012（平成24）年度の11万2689人から2021（令和3）年度の24万4940人まで増加し続けている。なお、2022（令和4）年度には、さらに増加し、29万9048人となっている。

B ✕：同ガイドラインでは、「様々な要因の結果として社会的参加（義務教育を含む就学、非常勤職を含む就労、家庭外での交遊など）を回避し、原則的には6ヵ月以上にわたって概ね家庭にとどまり続けている状態（他者と交わらない形での外出をしていてもよい）を指す現象概念」と定義している。なお、「ひきこもりは原則として統合失調症の陽性あるいは陰性症状に基づくひきこもり状態とは一線を画した非精神病性の現象とするが、実際には確定診断がなされる前の統合失調症が含まれている可能性は低くないことに留意すべき」としている。

C ○：2021（令和3）年の女性の自殺者数は、7068人であり、2020（令和2）年の7026人から2年連続増加している。

D ✕：子ども家庭庁はヤングケアラーについて、障害や病気のある家族に代わり、買い物・料理・掃除・洗濯などの家事をしている、家族に代わり、幼いきょうだいの世話をしている、障害や病気のあるきょうだいの世話や見守りをしている、目を離せない家族の見守りや声かけなどの気づかいをしているなど、10項目を挙げている。

問45 次のうち、「地域福祉・在宅福祉の推進」に関する記述として、適切な記述を○、不適切な記述を×とした場合の正しい組み合わせを一つ選びなさい。

A 在宅福祉では、ノーマライゼーションを具体化するために、今後は施設福祉との連携をしないことが求められている。

B 地域福祉を推進するためには、ボランティアや住民など多様な民間団体の参加が不可欠である。

C 「保育所保育指針」の中で、保育所には、業務として地域の子育て家庭への支援に積極的に取り組むことが求められており、地域福祉推進の役割を担うものとされている。

D 「社会福祉法」では、その目的に地域福祉の推進を図ることがあげられている。

組み合わせ			
A	B	C	D
1 ○	○	×	×
2 ○	×	×	×
3 ×	○	○	○
4 ×	○	×	○
5 ×	×	○	○

正答 3 令4-前-4

A ×：「今後は施設福祉との連携をしないこと」が不適切である。在宅福祉と施設福祉は両輪であり、どちらかだけでノーマライゼーションが具体化できるわけではない。

B ○：行政機関の福祉サービスを「フォーマル・サービス」と呼び、ボランティアなどの非固定的集団の福祉サービスを「インフォーマル・サービス」と呼ぶ。両者のバランスが取れて初めて福祉サービスが達成される。

C ○：保育所保育指針の第1章「総則」に「地域の子育て家庭に対する支援等を行う役割を担うものである」と規定されている。

D ○：社会福祉法第4条第1項に「地域福祉の推進は、地域住民が相互に人格と個性を尊重し合いながら、参加し、共生する地域社会の実現を目指して行われなければならない」と規定されている。

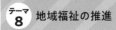

➡『合格テキスト』P.207、227、306〜307

テーマ 8 地域福祉の推進

問46 次のうち、地域福祉を推進するための拠点の名称と、その根拠となる法律名の組み合わせとして、適切なものを○、不適切なものを×とした場合の正しい組み合わせを一つ選びなさい。

<地域福祉を推進する
　ための拠点の名称>　　　　　　　　<法律名>

A　児童家庭支援センター ——————「児童福祉法」
B　こども家庭センター ——————「児童福祉法」
C　市町村障害者虐待防止センター ——「児童虐待の防止等に関する法律」
D　地域包括支援センター ——————「介護保険法」

組み合わせ			
A	B	C	D
1 ○	○	○	×
2 ○	○	×	○
3 ○	×	○	×
4 ×	○	○	○
5 ×	×	○	○

第5章
社会福祉

正答 **2**　令2-後-20改

A ○：児童福祉法第44条の2に規定されている。
B ○：児童福祉法第10条の2に規定されている。
C ×：児童虐待の防止等に関する法律ではなく、障害者虐待の防止、障害者の養護者に対する支援等に関する法律第32条に規定されている。
D ○：介護保険法第115条の46に規定されている。

主な業務内容

児童家庭支援センター：子どもと家庭に関するさまざまな相談に応じる専門機関
こども家庭センター：妊娠期から子育て期にわたる切れ目のない支援を提供
市町村障害者虐待防止センター：障害者虐待に係る通報・届出の窓口
地域包括支援センター：地域住民の保健・医療の向上と福祉の増進を包括的に支援する

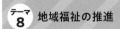

テーマ 8 地域福祉の推進

問47 次の文は、「配偶者からの暴力の防止及び被害者の保護等に関する法律」に関する記述である。適切な記述を○、不適切な記述を×とした場合の正しい組み合わせを一つ選びなさい。

A 配偶者からの暴力だけでなく、事実上婚姻関係と同様の事情にある相手からの暴力にも適用される。

B 地域包括支援センターは、配偶者暴力相談支援センターとしての機能を果たすようになった。

C 配偶者暴力相談支援センターの機能には、生活資金の給付が含まれている。

D この法律には、「売春防止法」に基づく婦人保護施設が暴力被害女性の保護を行うことができる旨、記載されている。

組み合わせ			
A	B	C	D
1 ○	○	○	○
2 ○	○	×	○
3 ○	×	×	○
4 ×	○	○	×
5 ×	×	○	×

正答 3 令1-後-15

A ○：「配偶者」には、婚姻の届出をしていないが事実上婚姻関係と同様の事情にある者を含み、「離婚」には、婚姻の届出をしていないが事実上婚姻関係と同様の事情にあった者が、事実上離婚したと同様の事情に入ることを含むものとするという解釈がある。

B ×：地域包括支援センターは、地域住民の心身の健康の保持及び生活の安定のために必要な援助を行うことにより、包括的に支援することを目的とする施設であり、配偶者暴力相談支援センターとしての機能はない。

C ×：配偶者暴力相談支援センターの機能に、生活資金の給付は含まない。各地方自治体では、犯罪被害者のための総合的対応窓口の設置や犯罪被害者等に対する見舞金等の支給制度、生活資金等の貸付制度の導入など生活支援に対する取り組みがなされている。

D ○：配偶者からの暴力の防止及び被害者の保護等に関する法律第5条で、「都道府県は、婦人保護施設において被害者の保護を行うことができる」と定められている。

問48 次のうち、共同募金に関する記述として、適切なものを○、不適切なものを×とした場合の正しい組み合わせを一つ選びなさい。

A 共同募金及び共同募金会に関する基本的な事項は、「共同募金法」に規定されている。

B 毎年12月に実施される「歳末たすけあい運動」は、共同募金の一環として行われている。

C 共同募金は、地域福祉の推進を図るために行われている。

D 共同募金による寄附金の公正な配分を行うために、共同募金会に配分委員会が置かれている。

組み合わせ			
A	B	C	D
1 ○	○	○	×
2 ○	○	×	×
3 ○	×	×	○
4 ×	○	○	○
5 ×	×	○	○

正答 4 令6-前-19

A ×：共同募金法という法律はない。共同募金は「都道府県の区域を単位として、毎年1回、厚生労働大臣の定める期間内に限ってあまねく行う寄附金の募集」であると社会福祉法第112条に規定されている。

B ○：歳末たすけあい運動は、共同募金の一環として、住民の参加や理解を得て多様な福祉活動を展開するもので、「歳末たすけあい募金」もあわせて実施している。

C ○：「その区域内における地域福祉の推進を図るため、その寄附金をその区域内において社会福祉事業、更生保護事業その他の社会福祉を目的とする事業を経営する者に配分することを目的」としていると社会福祉法第112条に規定されている。

D ○：社会福祉法第115条に、「寄附金の公正な配分に資するため、共同募金会に配分委員会を置く」と規定されている。

第5章 社会福祉

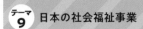

テーマ 9 日本の社会福祉事業

問49 次のうち、「社会福祉法」における施設の種別と事業の組み合わせとして、**不適切なもの**を一つ選びなさい。

	＜施設＞	＜事業＞
1	児童自立支援施設	第一種社会福祉事業
2	特別養護老人ホーム	第一種社会福祉事業
3	授産施設	第二種社会福祉事業
4	視聴覚障害者情報提供施設	第二種社会福祉事業
5	地域活動支援センター	第二種社会福祉事業

正答 3 令5-後-6

第一種社会福祉事業	第二種社会福祉事業
利用者への影響が大きいため、経営安定を通じた利用者の保護の必要性が高い事業（主として入所施設サービス）	利用者への影響が比較的大きくないため、公的規制の必要性が低い事業（主として在宅サービス）
経営主体：行政又は社会福祉法人が原則	経営主体：制限なし。すべての主体が届出をすることにより事業経営が可能
主な施設：授産施設、乳児院、児童養護施設、母子生活支援施設、障害児入所施設、児童自立支援施設、特別養護老人ホーム等	主な施設：保育所、助産施設、ファミリーホーム、障害児通所支援事業、児童家庭支援センター、視聴覚障害者情報提供施設、地域活動支援センター等

1 ○：社会福祉法第2条第2項第2号に規定されている。

2 ○：社会福祉法第2条第2項第3号に規定されている。

3 ✕：社会福祉法第2条第2項第7号に規定されている第一種社会福祉事業である。

4 ○：社会福祉法第2条第3項第5号に規定されている。

5 ○：社会福祉法第2条第3項第4号の2に規定されている。

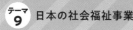

➡ 『合格テキスト』P.309〜312

テーマ
9 日本の社会福祉事業

問50 次の文のうち、社会福祉の事業主体に関する記述として、適切な記述を
○、不適切な記述を×とした場合の正しい組み合わせを一つ選びなさい。

A 共同募金の事業は、社会福祉法人以外も実施できる。

B 社会福祉協議会は、地方公共団体が運営することが定められている。

C 第一種社会福祉事業は、国、地方公共団体または社会福祉法人が経営するこ
とを原則とする。

D 株式会社は、第二種社会福祉事業を経営できない。

組み合わせ			
A	B	C	D
1 ○	×	×	○
2 ○	×	×	×
3 ×	○	○	○
4 ×	○	×	×
5 ×	×	○	×

正答 5 令2-後-5

A ×：共同募金は、社会福祉法人である共同募金会が実施している。社会福祉法第
113条第1項では、「共同募金を行う事業は、第2条の規定にかかわらず、第
一種社会福祉事業とする」と規定され、同条第2項では、「共同募金事業を行
うことを目的として設立される社会福祉法人を共同募金会と称する」と規定
され、同条第3項では、「共同募金会以外の者は、共同募金事業を行ってはな
らない」と規定されている。

B ×：社会福祉協議会は、公的機関ではなく、民間の社会福祉活動を推進すること
を目的とした営利を目的としない民間組織である。1951（昭和26）年に制
定された社会福祉事業法（現・社会福祉法）に基づき、設置されている。

C ○：社会福祉法第60条に規定されている。

D ×：第二種社会福祉事業の実施主体の制限はない。

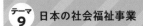

➡ 『合格テキスト』P.310〜311

テーマ 9 日本の社会福祉事業

問51 次のうち、「社会福祉法」第2条に基づく、児童福祉施設の第一種社会福祉事業と第二種社会福祉事業の組み合わせとして、適切なものを○、不適切なものを×とした場合の正しい組み合わせを一つ選びなさい。

A 助産施設 ―――――――― 第一種社会福祉事業
B 母子生活支援施設 ――――― 第一種社会福祉事業
C 保育所 ―――――――――― 第二種社会福祉事業
D 児童家庭支援センター ――― 第二種社会福祉事業

組み合わせ			
A	B	C	D
1 ○	○	○	○
2 ○	○	×	○
3 ○	×	○	×
4 ×	○	○	○
5 ×	×	×	○

正答 4 令4-後-8

A ×：助産施設は入所施設ではあるが、第二種社会福祉事業に位置づけられている。

B ○：母子生活支援施設は入所施設であることから第一種社会福祉事業に位置づけられている。

C ○：保育所は通所施設であることから第二種社会福祉事業に位置づけられている。

D ○：児童家庭支援センターは利用型の施設であることから第二種社会福祉事業に位置づけられている。

最近では、基礎的な知識を問う問題が増えているよ

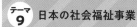

テーマ **9** 日本の社会福祉事業 　　　→ 『合格テキスト』P.268

問52 次の障害者施策に関する法律を、制定された順に並べた場合の正しい組み合わせを一つ選びなさい。

A 「障害者虐待の防止、障害者の養護者に対する支援等に関する法律」
B 「障害を理由とする差別の解消の推進に関する法律」
C 「身体障害者補助犬法」
D 「発達障害者支援法」

組み合わせ
1　A → C → D → B
2　B → A → D → C
3　C → B → A → D
4　C → D → A → B
5　D → B → C → A

第5章 社会福祉

正答 4 令3-後-19

　古い順に**C→D→A→B**となる。

A ：「障害者虐待の防止、障害者の養護者に対する支援等に関する法律」は2011（平成23）年に制定され、2012（平成24）年に施行された。同法では、障害者の虐待を、①身体的暴行・身体拘束、②性的虐待、③心理的虐待、④ネグレクト、⑤経済的虐待として定義している。

B ：「障害を理由とする差別の解消の推進に関する法律」は2013（平成25）年に制定され、2016（平成28）年に施行された。同法は、全ての国民が、障害の有無によって分け隔てられることなく、相互に人格と個性を尊重し合いながら共生する社会の実現に向け、障害を理由とする差別の解消を推進することを目的としている。

C ：「身体障害者補助犬法」は2002（平成14）年に制定され、一部を除き同年10月に施行された。盲導犬は、視覚障害のある人が街なかを安全に歩けるようにサポートする。介助犬は、肢体不自由のある人の日常生活動作をサポートする。聴導犬は、聴覚障害のある人に生活の中の必要な音を知らせ、音源まで誘導する。

D ：「発達障害者支援法」は2004（平成16）年に制定され、2005（平成17）年に施行された。児童を含む発達障害のある人への適切な支援を推進するための法律である。この法律ができるまでは発達障害のある人への支援を明確にした法制度がなく、適切な支援が受けられなかった。

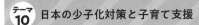

テーマ 10 日本の少子化対策と子育て支援 → 『合格テキスト』P.216〜218、318

問53 次の文は、わが国の少子化の状況に関する記述である。適切な記述を○、不適切な記述を×とした場合の正しい組み合わせを一つ選びなさい。

A 厚生労働省の人口動態統計によると、わが国の合計特殊出生率は、2023（令和5）年で1.20であった。

B 「日本の将来推計人口（平成29年推計）」によると、少子高齢化が進行した結果、わが国の総人口は、2065年には8808万人に減少すると推計されている。

C 厚生労働省の人口動態統計によると、出生数は、2016（平成28）年には約97.7万人と、統計開始以来はじめて100万人を割った。

D 厚生労働省の人口動態統計によると、都道府県別の合計特殊出生率は、東京などの都市部において高く、地方において低い傾向にある。

組み合わせ	A	B	C	D
1	○	○	○	×
2	○	○	×	○
3	○	×	○	×
4	×	○	×	○
5	×	×	○	○

正答 1 令1-後-18改

A ○：合計特殊出生率は「15歳から49歳までの女性の年齢別出生率を合計したもの」で、1人の女性がその年齢別出生率で一生の間に生むとしたときの子どもの数に相当する。

B ○：2053（令和35）年に日本の人口が1億人を割りこむであろうと予測されている。

C ○：1975（昭和50）年に200万人を割り込み、それ以降、毎年減少し続けた。1984（昭和59）年には150万人を割り込み、1991（平成3）年以降は増加と減少を繰り返しながら、緩やかな減少傾向となっている。

D ×：2023（令和5）年では、東京都0.99は国内最低で、沖縄県1.60が国内最高となっていることから、都市部のほうが低い傾向にあるといえる。

テーマ 10 日本の少子化対策と子育て支援

➡ 『合格テキスト』P.316

問54 次の文は、「少子化社会対策基本法」第2条「施策の基本理念」の一部である。（ **A** ）～（ **D** ）にあてはまる語句の正しい組み合わせを一つ選びなさい。

　少子化に対処するための施策は、父母その他の保護者が子育てについての（ **A** ）を有するとの認識の下に、国民の意識の変化、（ **B** ）の多様化等に十分留意しつつ、（ **C** ）の形成とあいまって、家庭や子育てに夢を持ち、かつ、次代の社会を担う子どもを安心して生み、育てることができる（ **D** ）を整備することを旨として講ぜられなければならない。

組み合わせ			
A	B	C	D
1　第一義的任務	価値観	男女雇用均等社会	社会
2　第一義的役割	金銭感覚	男女同権平等社会	地域
3　第一義的義務	生活環境	男女平等推進社会	生活
4　第一義的責任	生活様式	男女共同参画社会	環境
5　第一義的責務	問題意識	男女協働施策社会	条件

第5章　社会福祉

正答 4 令1-後-20

A 第一義的責任：責任を有し、責務を果たすことにつながる。
B 生活様式：意識の変化の次にくるものとして、より具体的な「生活様式」が適切である。
C 男女共同参画社会：少子化社会対策の設題から、「共同参画」という概念が最も適切である。男女共同参画社会とは、「男女が、社会の対等な構成員として、自らの意思によって社会のあらゆる分野における活動に参画する機会が確保され、もって男女が均等に政治的、経済的、社会的及び文化的利益を享受することができ、かつ、共に責任を担うべき社会」をいう。
D 環境：整備につながる文言として、また、全体の意味からも環境が適している。

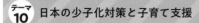

テーマ **10** 日本の少子化対策と子育て支援

問55 次のうち、「2022（令和4）年　国民生活基礎調査の概況」（令和5年7月4日　厚生労働省）における2022（令和4）年の状況に関する記述として、適切なものを○、不適切なものを×とした場合の正しい組み合わせを一つ選びなさい。

A　児童のいる世帯のうち、核家族世帯は8割以上を占めている。

B　児童のいる世帯は、全世帯の3割未満である。

C　平均世帯人員は、3人未満である。

D　65歳以上の者のいる世帯では、夫婦のみの世帯よりも、三世代世帯が多い。

組み合わせ			
A	B	C	D
1 ○	○	○	×
2 ○	×	×	×
3 ×	○	○	○
4 ×	○	×	×
5 ×	×	○	○

正答 **1** 令5-後-19改

A ○：児童のいる世帯のうち、核家族世帯は837万4000世帯で、これは児童のいる世帯の84.4％にあたる。

B ○：児童のいる世帯は991万7000世帯で全世帯の18.3％となっている。児童が「1人」いる世帯は488万9000世帯（全世帯の9.0％、児童のいる世帯の49.3％）、「2人」いる世帯は377万2000世帯（全世帯の6.9％、児童のいる世帯の38.0％）となっている。

C ○：世帯構造では、単独世帯が全世帯の32.9％で最も多く、平均世帯人員は、2.25人である。

D ×：65歳以上の者のいる世帯では、「三世代世帯」が194万7000世帯（65歳以上の者のいる世帯の7.1％）で、「夫婦のみの世帯」の882万1000世帯（同32.1％）より少ない。

問56 次の文のうち、少子高齢社会に関する記述として、適切な記述を○、不適切な記述を×とした場合の正しい組み合わせを一つ選びなさい。

A 日本における2016（平成28）年の出生数は100万人を割った。

B 第二次世界大戦後、増加が続いていた日本の総人口は、2005（平成17）年に戦後初めて前年を下回り、2011（平成23）年以後は減少を続けている。

C 「2022年 国民生活基礎調査の概況」（厚生労働省）によると、日本の世帯の動向について、世帯構造別にみた65歳以上の者のいる世帯で、2022（令和4）年時点では、夫婦のみの世帯より単独世帯の方が多い。

D 「令和5年（2023）人口動態統計月報年計（概数）の概況」（厚生労働省）によると、日本では、昭和50年代後半から75歳以上の高齢者の死亡数が増加しており、2012（平成24）年からは全死亡数の7割を超えている。

組み合わせ			
A	B	C	D
1 ○	○	×	○
2 ○	×	○	○
3 ○	×	○	×
4 ×	○	○	○
5 ×	○	×	○

正答 **1** 令3-後-18改

A ○：日本の年間の出生数は、第1次ベビーブーム期には約270万人、第2次ベビーブーム期の1973（昭和48）年には約210万人であったが、1975（昭和50）年に200万人を割り込み、それ以降、毎年減少し続け、2016（平成28）年には100万人を割った。妊娠届出数から算出した2023（令和5）年の出生数（日本人）は、前年比5.6％減の72.7万人程度と見込まれる。

B ○：2024（令和6）年4月1日現在の概算値では、日本の総人口は「1億2393万人」で、前年同月に比べ55万人減少している。

C ×：世帯構造別にみた65歳以上の者のいる世帯では、夫婦のみの世帯が32.1％、単独世帯が31.8％であり、夫婦のみの世帯の方が多い。

D ○：75歳以上の高齢者の死亡数の年次推移をみると、昭和50年代後半から増加傾向となり、2003（平成15）年に100万人を超え、2023（令和5）年では全死亡数157万5936人のうちの124万6110人と、79％に達している。

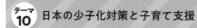

問57 次の文のうち、社会福祉の行政計画に関する記述として、適切な記述を○、不適切な記述を×とした場合の正しい組み合わせを一つ選びなさい。

A 市町村障害福祉計画は、「障害者の日常生活及び社会生活を総合的に支援するための法律」に規定されている。

B 「次世代育成支援対策推進法」は、市町村、都道府県における行動計画の策定について定めている。

C 都道府県地域福祉支援計画は、市町村地域福祉計画を支援する事項を定めている。

D 都道府県障害児福祉計画は、「児童福祉法」に規定されている。

組み合わせ	A	B	C	D
1	○	○	○	○
2	○	○	×	×
3	×	○	×	○
4	×	×	○	○
5	×	×	×	×

正答 1 令2-後-7

A ○：市町村障害福祉計画は、障害者の日常生活及び社会生活を総合的に支援するための法律第88条に規定されている。市町村は、厚生労働大臣が定める基本指針に基づき、3年ごとに障害福祉計画を作成する。

B ○：都道府県行動計画、市町村行動計画、一般事業主行動計画等について、次世代育成支援対策推進法第2章に定められている。

C ○：都道府県地域福祉支援計画は、社会福祉法第108条に定められている。市町村の地域福祉の支援に関する事項として、「地域福祉に関して共通して取り組むべき事項」、「市町村の地域福祉の推進を支援するための基本的方針」等を一体的に定める計画を策定する。

D ○：都道府県障害児福祉計画は、児童福祉法第33条の22に市町村障害児福祉計画の達成に資するため定めると規定されている。「障害児通所支援等の提供体制の確保に係る目標に関する事項」、「当該都道府県が定める区域ごとの各年度の指定通所支援又は指定障害児相談支援の種類ごとの必要な見込量」、「各年度の指定障害児入所施設等の必要入所定員総数」等を定める。

テーマ 10 日本の少子化対策と子育て支援　　➡『合格テキスト』P.203、273

問58 次のうち、福祉計画等と、このことが定められている法律名の組み合わせとして、適切なものを○、不適切なものを×とした場合の正しい組み合わせを一つ選びなさい。

＜福祉計画等＞		＜法律名＞
A	市町村地域福祉計画 ―――――	「社会福祉法」
B	市町村障害児福祉計画 ―――――	「障害者の日常生活及び社会生活を総合的に支援するための法律（障害者総合支援法）」
C	市町村介護保険事業計画 ―――――	「介護保険法」
D	市町村子ども・子育て支援事業計画 ――	「子ども・子育て支援法」

組み合わせ

	A	B	C	D
1	○	○	○	×
2	○	○	×	×
3	○	×	○	○
4	×	○	○	○
5	×	×	×	○

正答 3 令1-後-19

A ○：社会福祉法第107条に「市町村は、地域福祉の推進に関する事項として次に掲げる事項を一体的に定める計画（以下「市町村地域福祉計画」という。）を策定するよう努めるものとする」と定められている。

B ×：児童福祉法第33条の20に「市町村は、基本指針に即して、障害児通所支援及び障害児相談支援の提供体制の確保その他障害児通所支援及び障害児相談支援の円滑な実施に関する計画（以下「市町村障害児福祉計画」という。）を定めるものとする」と定められている。

C ○：介護保険法第117条に「市町村は、基本指針に即して、３年を一期とする当該市町村が行う介護保険事業に係る保険給付の円滑な実施に関する計画（以下「市町村介護保険事業計画」という。）を定めるものとする」と定められている。

D ○：子ども・子育て支援法第61条に「市町村は、基本指針に即して、５年を一期とする教育・保育及び地域子ども・子育て支援事業の提供体制の確保その他この法律に基づく業務の円滑な実施に関する計画（以下「市町村子ども・子育て支援事業計画」という。）を定めるものとする」と定められている。

第5章 社会福祉

❶ 日本のナショナルミニマムを保障しているのは、日本国憲法第25条の生存権である。

❶ ○

❷ 母子及び父子並びに寡婦福祉法における寡婦とは「配偶者のない女子であって、かつて配偶者のない女子として（中略）児童を扶養していたことのある者」である。

❷ ○

❸ ユニバーサル・デザインとは、障害の有無、性別や年齢、人種などに関わらず、すべての人が使いやすい設計のことである。

❸ ○

❹ メアリー・リッチモンド（Richmond,M.E.）は「ケースワークの母」といわれている。

❹ ○

❺ イギリスのトインビーホールに影響を受けた、ジェーン・アダムズ（Addams,J.）は、1889年にハルハウスを設立した。

❺ ○

❻ 障害者の残存機能を最大限に生かし、障害のない同世代の仲間と可能な限り一緒に学び、成長することが双方の人格形成にとって大切であるという考え方を「メイン・ストリーミング」という。

❻ ○

❼ 「救護法」（1929（昭和4）年）では、妊産婦は保護の対象ではなかった。

❼ × 65歳以上の老衰者、13歳以下の幼者などのほか、妊産婦も含まれていた。

❽ ベヴァリッジ報告は、イギリスの社会保険と公的扶助を組み合わせた所得補償制度である。

❽ ○

❾ 放課後児童クラブとは、児童福祉法第6条の3第2項の規定に基づき、保護者が労働等により昼間家庭にいない小学校に就学している児童に対し、授業の終了後等に小学校の余裕教室や児童館等を利用して適切な遊びおよび生活の場を与えて、その健全な育成を図るものである。

❿ 「びわこ学園」の創設者である糸賀一雄は「この子らに世の光を」という言葉を残している。

⓫ 児童福祉法における「幼児」とは、1歳未満の者をいう。

⓬ 介護保険法における第二号被保険者とは20歳以上の者をいう。

⓭ 社会福祉法では、地域福祉については、行政が主体であると定めている。

⓮ 禁錮以上の刑に処せられ、その執行を終わり、または執行を受けることがなくなった日から起算して3年を経過しない者は、保育士となることができない。

⓯ 生活困窮者自立支援法では、生活困窮者を「経済的に困窮し最低限度の生活ができない者」としている。

⓰ 母子生活支援施設は、母子及び父子並びに寡婦福祉法に規定されている。

❾ ○

❿ ✕ 「この子らに世の光を」ではなく「この子らを世の光に」と唱えた。

⓫ ✕ 幼児とは、満1歳から、小学校就学の始期に達するまでの者とされている。

⓬ ✕ 40歳以上65歳未満の医療保険加入者をいう。

⓭ ✕ 同法第4条第2項では、「地域住民、社会福祉を目的とする事業を経営する者及び社会福祉に関する活動を行う者（「地域住民等」）」を地域福祉の推進の主体として定めている。

⓮ ✕ 3年ではなく、2年（児童福祉法第18条の5第2号）である。

⓯ ✕ 同法第3条で、「現に経済的に困窮し、最低限度の生活を維持することができなくなるおそれのある者をいう」と規定している。

⓰ ✕ 母子生活支援施設は、児童福祉施設として、児童福祉法第38条に規定されている。

⑰ 母子・父子福祉センターは、母子及び父子並びに寡婦福祉法に規定されている。

⑰○

⑱ 後期高齢者医療制度の対象年齢は、65歳以上である。

⑱✕ 75歳以上である。ただし、65歳以上75歳未満の一定の障害者を含む。

⑲ 社会保障制度の基本的な考え方は、日本国憲法の「生存権」の保障である。

⑲○

⑳ 日本の社会保障は「社会保険」「社会福祉」「公的扶助」「年金制度」の四つとされている。

⑳✕ 「社会保険」「社会福祉」「公的扶助」「保健医療・公衆衛生」の四つである。

㉑ 「失業」とは、離職した人が、「就職しようとする意思といつでも就職できる能力があるにもかかわらず職業に就けず、積極的に求職活動を行っている状態」と定義されている。

㉑○

㉒ 国民健康保険はサラリーマンまたはその家族が加入する保険である。

㉒✕ フリーランスの労働者や無業者、個人事業主が加入する保険であり、保険者は区市町村である。

㉓ 生活保護受給者の介護保険料は介護扶助から支払われる。

㉓✕ 介護保険料は強制加入なので日常生活にかかる費用とみなされ、生活扶助から支払われる。

㉔ 児童手当には所得制限が設けられている。

㉔○

㉕ 国民年金（老齢基礎年金）に上乗せして加入できる公的な年金制度を「国金年金上乗せ制度」という。

㉕✕ 「国民年金基金」である。

㉖ 母子・父子自立支援員の担当区域は、原則として児童相談所の管轄区域とする。

㉖✕ 福祉事務所の管轄区域とする。

㉗ 児童福祉司は福祉事務所に配置されている。

㉗✕ 児童福祉司は児童相談所に配置されている。福祉事務所には、家庭相談員、婦人相談員、母子・父子自立支援員等が配置されている。

㉘ 児童委員制度は民生委員制度と同じく、1918（大正7）年に大阪府で発足した「方面委員制度」に起源をもつ。

㉙ 共同募金は第二種社会福祉事業に位置づけられている。

㉚ 東日本大震災の時にボランティアが活躍したことから2011（平成23）年を「ボランティア元年」とした。

㉛ 2021（令和3）年度の共同募金の実績額は、200億円を超えている。

㉜ 児童福祉法において、保育所の苦情解決が規定されている。

㉝ 民生委員制度は、1917（大正6）年に岡山県で誕生した「済世顧問制度」を始まりとしている。

㉞ 家庭支援専門相談員（ファミリーソーシャルワーカー）は母子生活支援施設には必置である。

㉟ 地域包括支援センターの責任主体は都道府県である。

㊱ 「ターミネーション」とは援助者から働きかけて支援することである。

㊲ アメリカのリッチモンドは「ケースワークの母」と呼ばれている。

㊳ パールマンはケースワークの構成要素として四つのP（Person（人）、Program（計画）、Place（場所）、Process（過程））を提唱した。

㉘ ✕ 児童委員は児童福祉法に規定されており、同法が制定された1947（昭和22）年以降に発足している。

㉙ ✕ 第一種社会福祉事業である（社会福祉法第113条）。

㉚ ✕ ボランティア元年は阪神・淡路大震災のあった1995（平成7）年である。

㉛ ✕ 2021（令和3）年度の共同募金の実績額は169億5594万976円である。

㉜ ✕ 児童福祉法にはその規定はない。

㉝ ○

㉞ ✕ 乳児院、児童養護施設、児童心理治療施設、児童自立支援施設では設置が義務づけられている（児童福祉施設の設備及び運営に関する基準第21条等）。

㉟ ✕ 都道府県ではなく、市町村である。

㊱ ✕ ターミネーションとは、援助の終結を意味する。

㊲ ○

㊳ ✕ Program（計画）ではなく、Problem（問題）である。主に利用者に不利益をもたらす生活問題を指す。

㊴ 相談者自身が気づいていない潜在的ニーズのことを「真のニーズ」という。

㊵ 児童家庭支援センターは、1997（平成9）年の児童福祉法改正によって新たに制度化された児童家庭福祉に関する地域相談機関である。

㊶ 児童養護施設は福祉サービス第三者評価の受審を義務づけられている。

㊷ 福祉サービス利用者からの苦情を適切に解決するために設置される運営適正化委員会は、市区町村の社会福祉協議会に設置される。

㊸ 第三者評価の実施ができるのは、厚生労働省から認証された「第三者評価機関」である。

㊹ 評価調査者は、評価する施設の利用者のために、事業者等との利害関係のない外部者である必要がある。

㊺ 社会福祉法では、社会福祉事業の経営者の掲げる広告については、事業者の良識に任せ、特に規定していない。

㊻ こども基本法は、「児童の権利に関する条約」の精神に則っている旨が、同法第1条でうたわれている。

㊼ 保育所は保護者に対し、保育所における日々の保育の意図について説明し、保護者との相互理解を図るよう努めなければならない。

㊴ ○

㊵ ○

㊶ ○

㊷ × 都道府県社会福祉協議会に設置されている（社会福祉法第83条）。

㊸ × 厚生労働省ではなく、都道府県推進組織の認証を受ける。

㊹ ○

㊺ × 同法第79条で、「広告された福祉サービスの内容その他の厚生労働省令で定める事項について、著しく事実に相違する表示をし、又は実際のものよりも著しく優良であり、若しくは有利であると人を誤認させるような表示をしてはならない」と、誇大広告の禁止を規定している。

㊻ × 「児童の権利に関する条約」の精神に則っているのは児童福祉法（同法第1条）である。

㊼ ○

㊽ 市町村社会福祉協議会とは市町村の区域内におい
て社会福祉事業等を行うことにより地域福祉の推
進を図ることを目的とする団体である。

㊽ ○

㊾ 「配偶者からの暴力の防止及び被害者の保護等に
関する法律」では、被害者が男性の場合もこの法律
の対象となる。

㊾ ○

㊿ 「救護施設」は第一種社会福祉事業である。

㊿ ○

51 「児童家庭支援センター」は第一種社会福祉事業で
ある。

51 × 第二種社会福祉事業
に定められている。

52 NPO法人や個人での保育所経営は認められていな
い。

52 × 第二種社会福祉事業
に経営主体の制限は
ない。

53 「発達障害児」とは発達障害者のうち20歳未満の
ものをいう。

53 × 20歳未満ではなく、
18歳未満（児童福祉
法に準ずる）として
いる。

54 不特定多数の人が利用する施設では、補助犬の同
伴を拒否してはならない。

54 ○

55 2021（令和3）年の「国民生活基礎調査」による
と、児童のいる世帯は全世帯の20.7%となってい
る。

55 ○

56 2021（令和3）年の「国民生活基礎調査」による
と、児童のいる世帯では、「児童が2人」の世帯が
一番多い。

56 × 児童1人の世帯が、
全世帯の9.7%で一
番多い。

57 少子化社会対策基本法第2条第4項で「社会、経
済、教育、文化その他あらゆる分野における施策
は、高齢化の状況に配慮して、講ぜられなければな
らない」と定められている。

57 × 「高齢化」ではなく
「少子化」である。

(58) 少子化に対処するための施策は、人口構造の変化、財政の状況、経済の成長、社会の高度化その他の状況に十分配意し、長期的な展望に立って講ぜられなければならない。

(58) ○

(59)「妊娠・出産への支援」の一環として、「ブックスタート事業」がある。

(59) ×「ブックスタート事業」は自治体独自で実施するもので、出産後に実施される事業であり、妊娠時は対象とならない。

(60) 日本の「人口置換水準」は、合計特殊出生率が概ね1.57とされている。

(60) × 人口置換水準とは、人口が長期的に増えも減りもせずに一定となる出生の水準のことで、日本の人口置換水準は合計特殊出生率が概ね2.07である。

(61) 市町村地域福祉活動計画を策定する時は、住民や経営者からの意見を反映させなければならない。

(61) × 義務ではなく努力義務に留まっている。

(62) 都道府県介護保険事業支援計画は、医療法に規定される医療計画と一体のものとして策定されなければならない。

(62) × 医療計画ではなく、都道府県老人福祉計画である。

第 6 章

保育の心理学

保育の心理学では、胎児期から老年期にいたるまでの人の変化、つまり心の発達について勉強するよ。豊かな知識を得ることで、子どもの心はもちろんのこと、保護者の心、そして自分自身の心についても、より深く理解できるようになるよ。知的好奇心を持ち、楽しむ気持ちも添えて学んでいこう！

テーマ **1** 発達の概念

➡ 『合格テキスト』P.322〜324、327〜329

問1 次の**A**〜**C**のうち、発達に関する記述として、適切なものを○、不適切なものを×とした場合の正しい組み合わせを一つ選びなさい。

A 発達段階説によれば、発達を質的に捉え、それぞれの発達時期における特有の質的特徴で、他の時期から区別できるとみる。

B 相互作用説によれば、遺伝要因と環境要因が寄り集まり、足し合わされて、発達が進んでいくとみる。

C バルテス（Baltes, P. B.）は、生涯発達を獲得と喪失、成長と衰退の混合したダイナミックスとして捉えた。

組み合わせ		
A	B	C
1 ○	○	○
2 ○	○	×
3 ○	×	○
4 ×	○	×
5 ×	×	○

正答 **3** 令2-後-1

A ○：例えばピアジェ（Piaget,J.）の認知発達段階など、認知構造の変化を視点として段階を区別している。このように各段階の質的変化に着眼することで発達段階を区分している。

B ×：相互作用説は遺伝要因と環境要因の「掛け合わせ」、つまり相乗的な作用という考え方である。「足し合わせ」は輻輳説の考え方で、ルクセンブルガーの図式として知られている。

C ○：バルテスは生涯発達の考え方を提唱した。つまり人の成長の部分だけではなく、衰退も含め、「発達」と捉える考え方である。

　発達段階説を唱えた人物では、ピアジェ、エリクソン（Erikson,E.H.）などが有名で試験に頻出である。また、発達の規定因について問われることも多い。現在の主流の考え方は、相互作用説で、遺伝的要素と環境的要素が相乗的に作用しているとする考え方である。

問2 次の文は、ブロンフェンブレンナー（Bronfenbrenner, U.）が提唱した人の発達を取り巻く環境に関する記述である。（　A　）～（　D　）にあてはまる用語を【語群】から選択した場合の正しい組み合わせを一つ選びなさい。

　ブロンフェンブレンナーは、（　A　）を提唱した。保育所に通っている子どもが直接経験する環境である（　B　）は、主に保育所と家庭である。この保育所と家庭は相互に関係しあい、（　C　）として機能する。例えば、子どもの父親の職場において、残業が当たり前で、定時には帰りづらいという雰囲気があると、父親の帰宅はいつも遅く、子どもが父親と過ごす時間が短くなるなど、父親の職場は間接的に子どもに影響するので、（　D　）といえる。

語群

ア	正統的周辺参加論	イ	生態学的システム論
ウ	クロノシステム	エ	マクロシステム
オ	マイクロシステム	カ	メゾシステム
キ	エクソシステム			

組み合わせ

	A	B	C	D
1	ア	エ	オ	キ
2	ア	オ	キ	エ
3	イ	オ	カ	キ
4	イ	カ	エ	ウ
5	イ	キ	カ	オ

正答 3 令4-前-10

A イ：生態学的システム論（生態学的環境システム、生態学的発達理論ともいう）
B オ：マイクロシステム　C カ：メゾシステム　D キ：エクソシステム

　ブロンフェンブレンナーは、生態学的システム論を唱え、子どもを取り巻く環境を入れ子状のモデルとして示した。第1層はマイクロシステム、第2層はメゾシステム、第3層はエクソシステム、第4層はマクロシステムと呼ぶ。さらにクロノシステム（時間軸：きょうだいが生まれるといったライフイベントなど）を含めてあらわすこともある。

この科目は、1日目の最初の科目だから誰もが緊張するよ。まずは落ちついて解くことを心がけよう！

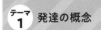

→ 『合格テキスト』P.322〜323

テーマ **1** 発達の概念

問3 次のうち、発達についての考え方に関する記述として、適切なものを○、不適切なものを×とした場合の正しい組み合わせを一つ選びなさい。

A ゲゼル（Gesell, A.L.）は、一卵性双生児の階段登りの実験の結果から、発達は基本的に神経系の成熟によって規定されるとした。

B ワトソン（Watson, J.B.）は、成育初期に与えられたある種の経験が、後年の生理的・心理的な発達に消しがたい行動を形成させる期間として、臨界期の存在を明らかにした。

C 学習の成立にとって必要な個体の発達的素地、心身の準備性のことをレジリエンスという。

D 発達段階とは、ある時期の心身の機能や構造が前後と異なるというような量的な変化を想定して区切ったものである。

組み合わせ			
A	B	C	D
1 ○	○	○	○
2 ○	○	×	×
3 ○	×	×	×
4 ×	○	○	○
5 ×	×	×	○

正答 **3** 令5-前-1

A ○：ゲゼルの成熟説（成熟優位説）の説明である。一卵性双生児の実験とは、1人には幼いうちから階段登りの訓練を行い、もう1人には何もしなかったところ、やがて体の成熟に伴い、最終的には両者に違いはなくなったという内容である。

B ×：臨界期を唱えたのは、ローレンツである。臨界期は人の場合、敏感期、感受性期とよぶこともある。

C ×：レジリエンスではなく、レディネスである。これもゲゼルの理論で、成熟に伴い、運動機能等の準備状態が整ってくることをいう。レジリエンスとは、ストレスなどの逆境に対し回復する力、適応する力として使われる用語である。

D ×：量的ではなく質的な変化を想定して区切ったものといえる。

→『合格テキスト』P.322～326

テーマ 1 発達の概念

問4 次のうち、「ある行動や能力の発現には、その特質がもつ遺伝的なものと環境の最適さが関係する」という記述に関する用語として、適切なものを一つ選びなさい。

1 環境閾値説
2 輻輳説
3 遺伝説（生得説）
4 生態学的システム論
5 環境説（経験説）

正答 1 令4-後-2

1 ○：環境閾値説は、ジェンセン（Jensen, A. R.）が唱えた。遺伝と環境が相互に影響し合うと考えた相互作用説の1つである。
2 ✕：輻輳説は、シュテルン（Stern, W.）、ルクセンブルガー（Luxenburger, J. H.）らが唱えた。
3 ✕：遺伝説（生得説）は、ルソー（Rousseau, J. J.）らが唱えた。ゲゼル（Geseell, A.）の成熟優位説としても知られている。ゲゼルは「ある行為が可能になるには、それにふさわしい準備状態（＝レディネス）が必要である」と述べた。
4 ✕：生態学的システム論は、ブロンフェンブレンナー（Bronfenbrenner, U.）が唱えた。
5 ✕：環境説（経験説）は、ロック（Locke, J.）、ワトソン（Watson, J.）らが唱えた。

人名を覚えるのはちょっと大変だけど、一度覚えてしまえば、すぐに正答が選べるようになるよ！

フレーフレー

第6章 保育の心理学

テーマ
1 発達の概念

問5 次の文は、ヒトの出生時の特徴に関する記述である。（　A　）〜
（　D　）にあてはまる語句の正しい組み合わせを一つ選びなさい。

　（　A　）は、被毛の有無や感覚器官の発達の度合いとともに、成体とほぼ同様
の姿勢保持・移動運動様式を備えて出生する、ヒト以外の霊長類も含めた高等哺
乳類の出生を（　B　）とした。これに対して、ヒトは高等哺乳類でありながら
（　C　）の種を想起させる未熟な発育・発達のまま出生するため、（　A　）は
ヒトの出生を（　D　）と特徴づけた。

組み合わせ			
A	B	C	D
1　ローレンツ（Lorenz, K.）	就巣性	離巣性	二次的離巣性
2　ローレンツ（Lorenz, K.）	離巣性	就巣性	二次的就巣性
3　ポルトマン（Portmann, A.）	就巣性	離巣性	二次的就巣性
4　ポルトマン（Portmann, A.）	就巣性	離巣性	二次的離巣性
5　ポルトマン（Portmann, A.）	離巣性	就巣性	二次的就巣性

正答 5　令4-前-13

A　**ポルトマン**：生理的早産説を唱えたのはポルトマンである。
B　**離巣性**：出生後、短時間で活動できる状態を離巣性という。例えば、ウマやシ
　　カ、サルなどは、出生直後から立ち上がり、動くことができる。
C　**就巣性**：未熟な状態での出生を就巣性という。イヌやネズミなどの例がある。
D　**二次的就巣性**：ヒトの場合は、高等哺乳類でありながら未熟な出生状態であ
　　り、これを「二次的就巣性」と呼ぶ。

　ポルトマンは、ヒト以外の動物との比較研究により、ヒトの妊娠期間は22か月
であると考えた。つまり約1年（12か月）早く生まれているとし、「生理的早産説」
を唱えた。長く胎内にとどまることができない理由として、脳が大きくなり出産が
困難になるためとされている。また、乳児期のことを「子宮外の胎児期」と呼ぶこ
ともある。

生理的早産説は興味
深いね。

272

テーマ **2** 心理学の基礎理論

問6 次のA～Dのうち、エリクソン（Erikson, E. H.）の発達理論に関する記述として、適切なものを○、不適切なものを×とした場合の正しい組み合わせを一つ選びなさい。

A　生涯は8つの段階に区分され、各段階はその時期に達成されるべき発達課題をもち、それを乗り越えることにより次の段階に進むという過程をたどる。

B　学童期から青年期にあたる第4段階と第5段階では、「自主性 対 罪悪感」、「同一性 対 同一性の混乱」の危機がある。

C　青年期はアイデンティティを模索する時期であり、モラトリアムの時期としている。

D　アイデンティティとは、自己の連続性と斉一性についての感覚であり、「自分とは何か」についての答えである。

組み合わせ			
A	B	C	D
1 ○	○	×	×
2 ○	×	○	○
3 ○	×	○	×
4 ×	○	○	○
5 ×	○	×	○

正答 2 令3-前-11

A ○：人生を8段階に分けたこと、各段階に危機（心理社会的危機、あるいは発達課題ともいう）を示したことが、エリクソンの理論の特徴である。

B ×：第4段階は「勤勉性 対 劣等感」。小学校の勉強が始まり、多くのことを学ぶ時期である。「自主性 対 罪悪感」は第3段階の幼児期後期の危機である。

C ○：青年期は第5段階である。

D ○：アイデンティティは、同一性あるいは自我同一性とも呼ばれている。

　エリクソンの発達理論はとても有名で、これまでに何度も出題された。特に乳児期の「基本的信頼感の獲得」や青年期の「アイデンティティ（自我同一性、同一性）の獲得」は注目される項目である。

エリクソンの発達課題
（心理社会的危機）は
正しく覚えておこう。

問7 次の文は、発達と教育に関する記述である。（　A　）～（　D　）にあてはまる語句を【語群】から選択した場合の最も適切な組み合わせを一つ選びなさい。

教育と心的機能の発達の相互作用に関する理論の中で（　A　）は、子どもが自力で課題を解決できる限界である（　B　）水準と、大人の援助や指導を受けることによって解決が可能となる（　C　）可能水準があるとした。この二つの水準の間の領域を（　D　）と呼んだ。教育的働きかけは、この範囲に対してなされなければ子どもの発達に貢献できないし、また、教育は（　D　）をつくり出すように配慮しなければならない。

語群

ア	固有の知識領域	イ	ヴィゴツキー (Vygotsky, L.S.)
ウ	ボウルビィ (Bowlby, J.)	エ	現時点での発達
オ	潜在的な発達	カ	発達の最近接領域

組み合わせ

	A	B	C	D
1	イ	エ	オ	ア
2	イ	エ	オ	カ
3	イ	オ	エ	カ
4	ウ	エ	オ	カ
5	ウ	オ	エ	ア

正答 **2**　令5-後-9

A イ：ヴィゴツキー。ヴィゴツキーの理論として有名である。

B エ：現時点での発達。下図では、一人でできる領域のことである。

C オ：潜在的な発達。下図では、援助を受ければできる領域のことである。明日の発達水準ともいう。

D カ：発達の最近接領域。下図の赤色の部分を指している。アルファベットでZPDと表記することもある。

発達の最近接領域は学校現場でも注目されている。例えば、誰の力も借りず跳び箱が1段跳べて、援助があれば3段が跳べる場合、その間の領域が発達の最近接領域となる。一人一人のこの領域を見極め、この領域に適切に働きかけることが重要だとヴィゴツキーは説いた。難しすぎず、簡単すぎない課題に接したときに、子どものモチベーションが高まると考えたのである。

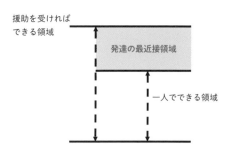

問8 次の文は、動機づけに関する記述である。（ **A** ）～（ **D** ）にあてはまる用語の最も適切な組み合わせを一つ選びなさい。

　ある行動を引き起こし、その行動を持続させ、結果として一定の方向に導く心理的過程を動機づけと呼ぶ。動機づけの中でも、「ご褒美に欲しい物を買ってもらえるから」「先生に褒めてもらえるから」など他の欲求を満たすための手段としてある行動を生じさせることを（ **A** ）、「興味があるから」「面白いから」など行動自体を目的としてある行動を生じさせることを（ **B** ）という。（ **B** ）に基づく行動に対して外的な報酬を与えることによって、（ **B** ）が低下することを（ **C** ）という。これは、「他者にコントロールされて行動している」「報酬のために行動している」と認識するようになり、（ **D** ）が損なわれるためである。

組み合わせ			
	A	B	C	D
1	内発的動機づけ	外発的動機づけ	エンハンシング効果	安定性
2	内発的動機づけ	外発的動機づけ	アンダーマイニング現象	安定性
3	外発的動機づけ	内発的動機づけ	エンハンシング効果	安定性
4	外発的動機づけ	内発的動機づけ	エンハンシング効果	自律性
5	外発的動機づけ	内発的動機づけ	アンダーマイニング現象	自律性

第 **6** 章　保育の心理学

正答 5 令4-後-10

A：外発的動機づけ　B：内発的動機づけ　C：アンダーマイニング現象
D：自律性

　動機づけとはいわゆる「やる気」のことで、モチベーションとも呼ばれる。子どもの知的好奇心は、内発的動機づけの考え方がもとになっているといえる。
　エンハンシング効果とは、外発的動機づけによって内発的動機づけが高められることをいう。例えば、ほめられたことをきっかけに絵を描くことが好きになる、などである。

2種類の動機づけを区別できるようにしておこう！

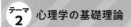

テーマ **2** 心理学の基礎理論　　　　　　　　　　➡ 『合格テキスト』P.335～337

問9 次のうち、A〜Dに示された子どもの行動の背景にある認知発達として、適切な用語の正しい組み合わせを一つ選びなさい。

A 「お誕生日にママとレストランに行って、ピザを食べたよ」と、久しぶりに会った人に言う。

B 「クレヨンと、のりと、はさみを出してね」と言われ、お道具箱の中から指示通りに持ってくる。

C 保育所で読み聞かせしてもらった絵本の内容を他者に話す。

D おつかいを頼まれて、買うものを何度も声に出して忘れないように繰り返す。

	組み合わせ			
	A	B	C	D
1	エピソード記憶	同時処理	記憶の再認	レスポンデント
2	エピソード記憶	短期記憶	記憶の再生	リハーサル
3	潜在記憶	同時処理	記憶の再認	レスポンデント
4	潜在記憶	同時処理	記憶の再生	レスポンデント
5	潜在記憶	短期記憶	記憶の再生	リハーサル

正答 **2** 令3-後-5

A **エピソード記憶**：出来事についての記憶（「いつ」「どこで」などが含まれているような記憶）を「エピソード記憶」という。知識についての記憶は「意味記憶」という。

B **短期記憶**：比較的短い時間の記憶を「短期記憶」という。

C **記憶の再生**：何も手がかりがない状態で思い出すことを「再生」という。一方で、手がかり（ヒント）がある状態で思い出すことを「再認」という。

D **リハーサル**：忘れないために、何度も復唱することを「リハーサル」という。

　記憶には、①覚える段階（記銘あるいは符号化という）、②覚えておく段階（保持あるいは貯蔵）、③思い出す段階（想起あるいは検索）の三つに区分できる。記憶の保持時間については、感覚記憶、短期記憶、長期記憶の3段階に分けられる（短期記憶、長期記憶の2段階とするとらえ方もある）。幼児の場合は、記憶容量が未発達なため、一度に覚えられる容量は、大人が5〜9個であるのに対して、およそ「年齢マイナス1個」といわれている。このほか、ワーキングメモリ（作業記憶、作動記憶）は、暗算をする場合など、作業に必要な情報を一時的に保持し、処理を行っていくときに働く記憶である。

問10 次の文は、幼児の学びの過程に関する記述である。A〜Dに関する用語を【語群】から選択した場合の最も適切な組み合わせを一つ選びなさい。

A 病院で、注射の痛みで泣く経験をした子どもが、医者が着ている白衣に似たものを見ただけで泣き出す。

B 新入園児が、その保育所やクラスの行動様式を徐々に学び、身につけ、クラスに溶け込み、クラスの一員となっていく。

C 保育者の手伝いをして褒められた子どもが、次からは、褒めてもらうために手伝いをしたがる。

D 子どもが「昨日は家族で公園に行った」など、過去の自分の経験について話をする。

語群	
ア 古典的条件づけ	イ 外発的動機づけ
ウ 正統的周辺参加	エ 手続き的記憶
オ 内発的動機づけ	カ エピソード記憶
キ 認知的徒弟制	ク 観察学習

組み合わせ

	A	B	C	D
1	ア	ウ	イ	カ
2	ア	ウ	オ	エ
3	ア	キ	イ	カ
4	ク	キ	イ	エ
5	ク	キ	オ	エ

正答 1　令5-後-8

A ア：古典的条件づけ。注射で不快な経験をしたため、「医者」と「不快」が結びついてしまった。その後、医者の特徴の一つである「白衣」や、それに類似したものについても「不快」が結びついてしまった。このようなことを心理学では般化とよぶ。

B ウ：正統的周辺参加。集団に新しく参入した人が、徐々に受け入れられていくことをいう。

C イ：外発的動機づけ。賞や罰など、外からの働きかけが行動の理由となることをいう。それに対し、そのこと自体に興味を持ち、行動することを内発的動機づけという。

D カ：エピソード記憶。出来事についての記憶をいう。手続き的記憶とは、例えば自転車の乗り方など、必ずしも言葉では表せないような記憶のことをいう。

問11 次のうち、アタッチメント（愛着）についての記述として、適切なものを○、不適切なものを×とした場合の正しい組み合わせを一つ選びなさい。

A　ボウルビィ（Bowlby, J.）によれば、アタッチメント（愛着）の発達には4つの段階があり、分離不安や人見知りがみられるのは最終段階である。

B　子どもが周囲のものや人に自ら関わろうとして上手くいかない時、愛着関係のある保育士の存在は、子どもにとっての安全基地となる。

C　エインズワース（Ainsworth, M.D.S.）はアタッチメント（愛着）の個人差を調べるために、ストレンジ・シチュエーション法を考案した。

D　表象能力の発達によって、愛着対象に物理的に近接しなくても、そのイメージを心の拠り所として利用できるようになり、安心感を得られるようになる。

組み合わせ				
	A	B	C	D
1	○	○	○	○
2	○	○	×	○
3	○	×	×	○
4	×	○	○	○
5	×	×	○	×

正答 4 令5-前-20

A ×：ボウルビィによると、アタッチメント（愛着）の発達には4つの段階があり、そのうち分離不安や人見知りが見られるのは、3段階目あたりである。最終段階では愛着対象がそばにいなくても情緒的に安定が保てるようになる。

B ○：安全基地の存在があることで、安心して探索活動を行うことができるようになる。

C ○：回避型、安定型、アンビバレント型（抵抗型）の3つに分類し、さらにいずれにも分類できない無秩序型を追加した。表参照。

D ○：これは内的ワーキングモデルと呼ばれる。愛着対象となる人物を心の中にイメージとして描けるようになってくる。

エインズワースによる分類

	子どもの特徴	養育者の特徴
A型（回避型）	分離時に不安を示さない。見知らぬ人に無関心。	子どもの働きかけに拒否的にふるまうことが多い。
B型（安定型）	分離時に多少の不安を示すが、やがて落ち着く。	子どもの欲求や変化に敏感。子どもとの関係は調和的。
C型（抵抗型・アンビバレント型）	分離時に激しい不安を示す一方、再会時に養育者に怒りをぶつける。	子どもが送ってくるシグナルに対して、応答がずれたり、一貫性を欠くことが多い。
D型（無秩序型・無方向型）	上記のいずれにも分類できない。ぎこちない動きを示す。	子どもにとって理解不能な行動をとるなど、精神的に不安定なところがある。

問12 次の文は、乳幼児と養育者の関係性に関する記述である。適切な記述を
○、不適切な記述を×とした場合の正しい組み合わせを一つ選びなさい。

A 乳幼児と養育者の関係性は、乳幼児の社会・情緒的発達に影響を与える。
B 養育者のもつ子どもについての認知、イメージ、表象は、子どもの親に対す
る行動のパターンには、ほとんど影響を与えない。
C 保育士と乳幼児との関係性は、小学校、中学校での社会・情緒的発達に影響
を与えない。
D 乳幼児と養育者の関係は、愛着関係と同義であると考えられる。
E 乳幼児期に形成される愛着のパターンから、成人期の愛
着のパターンを95％予想できる。

組み合わせ				
A	B	C	D	E
1 ○	○	○	○	×
2 ○	○	×	○	×
3 ○	×	×	×	×
4 ×	○	×	×	○
5 ×	×	○	○	○

正答 3 　平31-前-17

A ○：乳幼児と養育者の関わりは、発達に大きな影響を与える。
B ×：養育者のもつ子どもについての認知等は、子どもの親に対する行動パターン
に影響を与え得る。
C ×：乳幼児期に関わりのあった保育士との関係は、その後の人間関係にも影響を
与え得る。
D ×：愛着の定義は、特定の養育者との情緒的絆であるが、まったく同義であると
はいえない。愛着関係は養育者と成立しない場合もあれば、他者との間でも
成立する場合もある。
E ×：予想される可能性もあるが、95％というデータがあるわけではない。

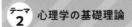

テーマ 2 心理学の基礎理論

問13 次の乳児期の発達に関する記述のうち、下線部分が正しいものを○、誤ったものを×とした場合の正しい組み合わせを一つ選びなさい。

A　新生児が、大人の話しかけに同期して自分の体を動かす<u>クーイング</u>と呼ばれる現象が報告されている。

B　新生児が数人いる部屋で、一人が泣きだすと、他の新生児も泣きだすことがよくみられる。この現象は<u>社会的参照</u>と呼ばれる。

C　乳児の身体に比して大きな頭、丸みをもった体つき、顔の中央よりやや下に位置する大きな目、といった身体的特徴は<u>幼児図式</u>と呼ばれ、養育行動を引き出す効果があると考えられている。

D　乳児は特定の人との間に<u>アタッチメント（愛着）</u>を形成し、不安や恐れの感情が生じるとその人にしがみつく、あるいはくっついていようとする。

組み合わせ			
A	B	C	D
1 ○	○	○	×
2 ○	○	×	×
3 ○	×	○	○
4 ×	×	○	○
5 ×	×	×	○

正答 4　令1-後-6

A ✕：クーイングではなく、エントレインメントである。

B ✕：社会的参照ではなく、情動伝染である。

C ○：幼児図式について、ローレンツ（Lorenz,K.）は動物行動学の研究を行い、動物の幼少期には共通の特徴があることを示した。例えば身体に比べて大きな頭部、丸みを帯びた顔や体つきなどで（イラスト参照）、弱い立場である乳幼児が親に保護してもらう、生き延びるための戦略ではないかとも考えられている。

D ○：しがみついたり、くっついたりする行動は、愛着行動と呼ばれている。

幼体と成体の頭部の比率

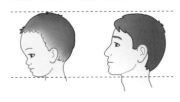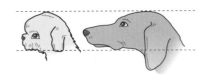

問14 次の文は、乳児期の視覚の発達に関する記述である。適切なものを○、不適切なものを×とした場合の正しい組み合わせを一つ選びなさい。

A 新生児の視力では、周囲はぼんやりとしている。また焦点距離は20cm程度で、抱っこされたときには相手の顔がよく見える。

B 最初のうちは、あおむけの姿勢の目の前で、がらがらを左右や上下方向に動かすと線として追視し、支え座りができる5か月頃には、円を描いて動くがらがらをなめらかに追視する。

C 生後1か月頃には、単色の単純な刺激と、同心円模様、新聞の一部、顔の絵といった複雑な刺激を対にして見せられると、より複雑な刺激、特に顔図形を好んで注視する。

D 生後4か月頃には、青、緑、黄、赤をそれぞれ異なる色として識別するようになる。

組み合わせ			
A	B	C	D
1 ○	○	×	○
2 ○	○	×	×
3 ×	○	○	○
4 ×	○	○	×
5 ×	×	○	×

正答 1 平31-前-10

A ○：新生児の視力は0.01〜0.1程度で、焦点距離（ピント）は20cm程度といわれている。

B ○：追視とは動いている玩具や養育者などを目で追うことをいう。生後1〜2か月くらいからできるようになるといわれている。

C ×：人の顔を注視することは、生後5日以内の新生児でもみられる。ファンツ（Fantz,R.S.）の選好注視法の実験として、よく知られている。

D ○：なお、生後8週くらいまでの間は、青に対して感じる細胞が未熟なままであるために、大人とは異なる色の見え方をするといわれている。

　乳児の視覚については、いろいろな実験があり、さまざまな知見が得られている。特にファンツによる選好注視法やギブソン（Gibson,E.J.）とウォーク（Walk,R.D.）の視覚的断崖実験（奥行き知覚の認知）などが有名である。

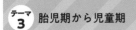
問15 次の文は、幼児の認知発達についての記述である。（　**A**　）〜（　**D**　）にあてはまる語句を【語群】から選択した場合の最も適切な組み合わせを一つ選びなさい。

● 2歳頃になると、心の中に（　**A**　）が形成され、直接経験していない世界について考えられるようになり、その場にいないモデルの真似をしたり、見立てる遊びをしたりする姿が見られる。

● 幼児には、自分の体験を離れて、他者の立場から見え方や考え方、感じ方を推測することが難しい（　**B**　）がみられる。

● 幼児は、人が内面の世界を持っているということ、心あるいは精神を持っているということに気付きはじめ、その理解を（　**C**　）と呼ぶ。

● 幼児の思考は、直接の知覚や行為に影響を受けやすく、例えば（　**D**　）課題では、物の知覚が変化しても物の本質は変わらないということを考慮できず、見え方が変化すると数や量まで変化すると判断する。

語群

ア	内言	イ	表象	ウ	象徴理論
エ	保存	オ	実存	カ	自己実現性
キ	心の理論		ク	自己中心性	

組み合わせ

	A	B	C	D
1	ア	カ	ウ	エ
2	ア	ク	キ	オ
3	イ	カ	ウ	エ
4	イ	カ	キ	オ
5	イ	ク	キ	エ

正答 5 令2-後-8

A イ：表象（ひょうしょう）。心の中にイメージを浮かべることができるようになる。

B ク：自己中心性の特徴である。他者の視点でとらえられるようになることを、「脱中心化」と呼ぶ。

C キ：心の理論の説明である。4歳くらいに獲得できるといわれている。心の理論が獲得できたかどうかを調べる課題は誤信念課題と呼ばれる。

D エ：保存の概念についての説明である。保存の概念には、数の保存、液体量の保存、長さの保存、重さの保存などがある。

どれも大切な用語だよ。
意味をしっかりおさえておこう！

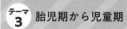

問16 次の文は、生活や遊びを通した学びに関する記述である。【Ⅰ群】の記述と、【Ⅱ群】の用語を結びつけた場合の正しい組み合わせを一つ選びなさい。

【Ⅰ群】

A 相手の行動を観察し、その人の意図、期待、信念、願望などを理解するようになると、相手の行動を説明したり、予測したりするようになる。

B 文化的に規定され、ステレオタイプ化された知識で、日常的なできごとを理解したり解釈したりできるようになる。

C 内発的動機づけを構成する要素で、自分の知らないことに興味をもったり、興味をもったものを深く探究したりしようとする。

D ある行動をすると、特定の環境変化が引き続いて生じることに気付いて、その行動を繰り返し行うようになる。

【Ⅱ群】

ア 帰属理論	イ 心の理論	ウ モニタリング
エ スクリプト	オ 知的リアリズム	カ 知的好奇心
キ 観察学習	ク オペラント学習	

組み合わせ

	A	B	C	D
1	ア	ウ	オ	キ
2	ア	エ	オ	ク
3	イ	ウ	カ	キ
4	イ	エ	オ	ク
5	イ	エ	カ	ク

第6章 保育の心理学

正答 5 令1-後-5

A イ：相手の心の動きを理解したり、類推できるようになることを、心の理論の成立と呼ぶ。

B エ：スクリプトはもともと脚本という意味である。例えば保育現場で、子どもが一日の流れを見通しを持って過ごせるようになることを、スクリプトの獲得と呼ぶ。

C カ：知的好奇心。内発的動機づけは、知的好奇心が原動力となる。動機づけは「やる気」、あるいは「モチベーション」のことである（テーマ②「発達理論・乳幼児期の学びに関する理論」参照）。

D ク：ある行動の結果が、次の行動へつながることをオペラント学習という。例えば、挨拶をしてほめられたことを経験し、自分から進んで挨拶をするようになるといったことである（テーマ②「発達理論・乳幼児期の学びに関する理論」参照）。

問17 次の文は、社会的認知の発達に関する記述である。（ **A** ）～（ **D** ）にあてはまる用語を【語群】から選択した場合の最も適切な組み合わせを一つ選びなさい。

人は行動の背後に心の状態があると想像する。例えば、物に手を伸ばしている人を見ると、その人は物を取ろうとしていると解釈する。そのような人の心に関する日常的で常識的な知識をハイダー（Heider, F.）は（ **A** ）と呼んだ。他人の心の働きを理解し、それに基づいて他人の行動を予測することができるかどうかについて、心理学の領域では（ **B** ）の問題として研究されてきた。（ **B** ）は（ **C** ）と呼ばれる次に示すような方法で評価される。

【状況説明】

Sちゃんは、母親に頼まれ、チョコレートを緑の棚にしまいました。Sちゃんが遊びに行っている間、母親はお菓子作りのためにチョコレートを取り出し、それを緑の棚ではなく青の棚にしまいました。母親が部屋を出た後にSちゃんが帰ってきて、しまっておいたチョコレートを食べようとしました。

【質問】

Sちゃんはチョコレートを見つけるためにどこを探すでしょうか。

このような場所置き換え型の問題は単一の人物の（ **D** ）を問うものであり、4歳以降徐々に理解が進む。

語群

ア 人間心理学	イ 思考	ウ コミック会話
エ 信念	オ コミュニケーション	カ 誤信念課題
キ 心の理論	ク 素朴心理学	

組み合わせ

	A	B	C	D
1	ア	オ	ウ	イ
2	ア	キ	カ	エ
3	ク	オ	ウ	イ
4	ク	オ	カ	イ
5	ク	キ	カ	エ

正答 5 令4-後-3

A ク：素朴心理学の説明である。

B キ：心の理論。心の理論は4歳頃に確立するといわれている。他者の心を類推する力が身につくということは、つまり、相手の立場になって考えることができるようになることを意味する。もちろん、4歳になったからといって、急にわかるわけではなく、それまでの他者との関わり（例えばおもちゃの取り合いなどのいざこざ）を通じて、徐々にわかるようになってくる。

C カ：心の理論が確立しているかどうかを確かめる課題を誤信念課題という。自閉スペクトラム症など発達障害がみられる子どもは、心の理論の獲得が困難であることが多いといわれている。

D エ：信念。この場合の信念とは、人の行動の背景には「心」があるという意味である。

問18 次のうち、学童期の発達に関する記述として、適切なものを○、不適切なものを×とした場合の正しい組み合わせを一つ選びなさい。

A 善悪の判断が、行為の意図を重視する判断から、行為の結果を重視する判断へと移行する。

B ピアグループと呼ばれる小集団を形成する。この集団は、多くの場合、同性、同年齢のメンバーで構成され、強い閉鎖性や排他性をもち、大人からの干渉を極力避けようとする。

C 保存概念を獲得し、外見的特徴や見かけに左右されずに、物事を論理的に考えて理解することができるようになっていく。

D エリクソン（Erikson, E.H.）は、学童期の心理社会的危機を「勤勉性 対 劣等感」としている。

組み合わせ			
A	B	C	D
1 ○	○	○	○
2 ○	×	×	×
3 ×	○	×	×
4 ×	×	○	○
5 ×	×	○	×

正答 4 令6-前-9

A ×：説明が逆である。ピアジェは道徳的判断の発達過程として、善悪の判断は、行為の結果を重視する判断から、行為の意図（つまり動機）を重視する判断へと移行すると述べた。動機よりも結果に基づいて物事の善悪を判断することは、道徳的実念論という。

B ×：ピアグループではなく、ギャンググループを形成する。小学校中高学年頃は「ギャングエイジ」といわれる。ただ近年は、三間（時間・空間・仲間）の減少により、ギャンググループがみられなくなってきたという指摘もある。

C ○：保存概念が獲得できるのは、ピアジェのいう具体的操作期にあたる。見かけにとらわれないで物事を判断したり、考えたりできるようになる。

D ○：エリクソンの示した8つの発達段階のうち、学童期は4段階目にあたる。学校の勉強に限らず、多くを学び吸収する勤勉性を習得する時期である。「やればできる」という経験は、有能感の獲得につながる。

問19 次のうち、仲間関係の発達に関する記述として、適切なものを○、不適切なものを×とした場合の正しい組み合わせを一つ選びなさい。

A 他者の期待に応える行動は同調と呼ばれ、学童期中期頃には同調の対象が親から仲間へと移行するが、学童期の終わり頃になると自律できるようになる。

B 気に入らない他児を仲間はずれにする、悪いうわさ話を流すなど仲間関係を操作することによって相手を傷つける攻撃は関係性攻撃と呼ばれる。

C チャムグループでは、同じ持ち物を持つなど「互いが同じであること」を確認し合う行動がよくみられる。

D ピアグループは同性の同年齢集団であり、異なった考えをもつ者がいることも認め、互いの意見をぶつけ合うことができるような関係であるという特徴がある。

組み合わせ			
A	B	C	D
1 ○	○	×	×
2 ○	×	×	○
3 ×	○	○	○
4 ×	○	○	×
5 ×	×	×	○

正答 **4**　令4-後-15

A ×：学童期の中期から後期は仲間の影響力が強くなる。この時期はギャングエイジと呼ばれ、同性同年齢から成る結束の強い集団（ギャンググループ）がつくられる。ただ最近は、社会の変化に伴い、ギャンググループは以前ほどみられなくなったといわれている。自律できるようになるのは青年期以降である。

B ○：関係性攻撃は間接的な攻撃行動である。

C ○：チャムグループは中学生頃にみられ、共通の趣味や関心でつながる仲間関係のことをいう。

D ×：ピアグループは高校生頃からみられ、対象は異年齢、異性も含んでいる。同性同年齢集団が特徴であるのはギャンググループである。

問20 次の文は、児童期から青年期の移行に関する記述である。（ **A** ）〜（ **D** ）にあてはまる語句を【語群】から選択した場合の適切な組み合わせを一つ選びなさい。

　児童期から青年期に移行する第二次性徴が出現する時期は（ **A** ）とも呼ばれる。心理的には、一般に児童期の（ **B** ）傾向から、（ **C** ）傾向への準備が始まる。その基底に親からの（ **D** ）があり、精神的独立に向かって歩みだすが、その不安定さと葛藤は、しばしば反抗として現れる。

```
               語群
ア  潜伏期  イ  心理的離乳  ウ  自己に基準をおく
エ  仲間に基準をおく  オ  経済的自立  カ  思春期
```

```
組み合わせ
  A B C D
1 ア ウ エ イ
2 ア エ ウ オ
3 カ ウ エ イ
4 カ ウ エ オ
5 カ エ ウ イ
```

正答 5　平31-前-4

A カ：思春期。第二次性徴が出現する青年期前期は思春期と呼ばれる。

B エ：仲間に基準をおく。児童期は仲間意識が強い傾向がある。小学校の中・高学年の頃は、同性同学年の仲間との結束が固くなり、排他的な集団を作るということから、ギャングエイジと呼ばれる。

C ウ：自己に基準をおく。青年期は「自分とは何者であるか」「どう生きるべきか」など、自己のアイデンティティについて思い悩む時期とされる。つまり「自己に基準をおく」とされる。

D イ：心理的離乳。親からの精神的独立を心理的離乳という。

　「心理的離乳」という表現は、ホリングワース（Hollingworth,L.S.）によって示された。親子関係が「依存」から「自立」へと変化していく、葛藤の時期を表した。

問21 次の文は、青年期に関する記述である。（　**A**　）〜（　**D**　）にあてはまる語句を【語群】から選択した場合の正しい組み合わせを一つ選びなさい。

　青年期は、家族以外の人との親密な関係を深めていく中で、青年は（　**A**　）の確立という新たな課題に直面する。エリクソン（Erikson, E.H.）は、青年期が、大人としての責任と義務を問われずに、自由に何かに打ち込み、挫折し、さらにまた何かを探し求めるといった経験、あるいは、様々な危機を経ることが重要であるとして、この期間を（　**B**　）期間であると考えた。

　その後、マーシア（Marcia, J.E.）は、（　**A**　）の状態を4つの類型に分けて考える（　**C**　）を提唱した。この4類型の中の一つである（　**D**　）は、これまでに危機を経験していることはなく、自分の目標と親との目標の間に不協和がなく、どんな体験も、幼児期以来の信念を補強するだけになっているという、融通のきかなさが特徴的である。

語群	
ア　アイデンティティ	イ　モラトリアム
ウ　アイデンティティ・ステイタス	エ　早期完了
オ　モダリティ	カ　達成
キ　拡散	
ク　アイデンティティ・クライシス	

組み合わせ	A	B	C	D
1	ア	イ	ウ	エ
2	ア	イ	エ	カ
3	ア	オ	ク	カ
4	ウ	イ	エ	キ
5	ウ	オ	ク	エ

正答 1　令3-後-10

- **A ア：アイデンティティ**。アイデンティティあるいは同一性（自我同一性）ともいう。青年期は自分とは何者であるかなど、自分について考える時期としてとらえられている。
- **B イ：モラトリアム**。猶予期間という意味である。アイデンティティが確立するまでの時期を指している。
- **C ウ：アイデンティティ・ステイタス**。アイデンティティ・ステイタスとは、アイデンティティの状態のことを意味する。マーシアは「同一性達成」「早期完了（権威受容ともいう）」「モラトリアム」「同一性拡散（同一性を確立できないことをいう）」の4つに分類した。
- **D エ：早期完了**。自分の進むべき方向について、大きな悩みや危機を経験することなく、アイデンティティを確立したかのような状態をいう。

➡『合格テキスト』P.348

テーマ 4 青年期から老年期

問22 次のうち、中年期に関する記述として、適切なものを○、不適切なものを×とした場合の正しい組み合わせを一つ選びなさい。

A 女性は閉経を迎えてエストロゲンの分泌が低下することにより、更年期障害と呼ばれる諸症状が現れやすい。

B エリクソン（Erikson, E.H.）は、中年期の心理・社会的危機を「親密性 対 孤独」としている。

C 子どもの自立に伴い親役割の喪失が生じることで「空の巣症候群」が生じ、何をしてよいかわからなくなって無気力になったり、抑うつ状態になったりする場合がある。

D 自分とは何者であるのかに悩み、様々なものに取り組んで、初めてアイデンティティを模索する。

組み合わせ	A	B	C	D
1	○	○	○	○
2	○	○	○	×
3	○	×	○	×
4	×	○	×	×
5	×	×	×	○

正答 3 令4-後-11

A ○：更年期を迎え、心身ともにバランスを崩しやすくなるといわれている。

B ×：エリクソンの発達段階では、中年期（7段階目）の心理・社会的危機は「生殖性（世代性）対 停滞」である。成人期（6段階目）が「親密性 対 孤独（孤立）」である（テーマ②参照）。

C ○：空の巣（からのす）症候群は、子育てに生きがいを感じていた親が、子どもが進学や就職で家を離れたことをきっかけに、うつ状態に陥ってしまう状態をいう。

D ×：アイデンティティの模索は青年期の位置づけである。エリクソンの発達段階では5段階目にあたる。アイデンティティの確立に至るまでの模索の時期をモラトリアムと呼ぶ。

中年期や老年期についても、よく出題されているよ！

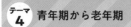
問23 次のA～Dのうち、成人期・高齢期の特徴に関する記述として、適切なものを○、不適切なものを×とした場合の正しい組み合わせを一つ選びなさい。

A 成人期では、子どもの巣立ちや老親介護などを通して心理的変化に直面しやすく、時として人生の転機となり、アイデンティティの再構築がみられることがある。

B 知能には、加齢の影響を受けやすいものと受けにくいものがあり、結晶性知能は成人期以降減衰するが流動性知能は高齢期でも低下しにくい。

C 身体機能は、加齢に伴い程度の差はあるものの少しずつ低下する。聴覚では母音、低音域の音、ゆっくりしたテンポでの聞き取りづらさを感じる人が多くなる。

D 高齢期には、加齢による変化に対処しながら自分の特徴を最大限に活かすなど、幸福に年齢を重ねることをサクセスフル・エイジングと呼ぶ。

組み合わせ			
A	B	C	D
1 ○	○	○	×
2 ○	×	○	○
3 ○	×	×	○
4 ×	○	×	○
5 ×	○	○	×

正答 3 令1-後-11

A ○：成人期には、青年期に確立していたアイデンティティが揺らぐこともあるといわれている。

B ×：流動性知能と結晶性知能が逆である。高齢期でも低下しにくいのは結晶性知能である。

C ×：高音域、子音、速いテンポで聞き取りづらくなる。

D ○：サクセスフル・エイジングは、「幸福な老い」と訳されることもあり、老年期について、ポジティブな側面に注目した考え方である。

　知能は大きく二つの種類に分けることができる。一つは流動性知能で、新奇なものに適応できる能力を指す。計算力、暗記力などの情報処理能力である。もう一つは結晶性知能で、これは経験や知識によるものである。洞察力や判断力、コミュニケーション能力などである。前者は20歳代半ばにピークを迎えるといわれているが、後者は低下はあまりみられないといわれている。

問24 次の文は、高齢期に関する記述である。（ **A** ）〜（ **D** ）にあてはまる語句の正しい組み合わせを一つ選びなさい。

高齢になると生理的予備能力が低下し、ストレスに対する脆弱性が亢進して（ **A** ）を引き起こしやすくなり、この状態をフレイルという。フレイルは病気を意味するのではなく、老化の過程で生じる「（ **B** ）や健康を失いやすい状態」で、①体重減少、②筋力低下、③疲労感、④歩行速度の低下、⑤身体活動の低下のうち、３つ以上が該当する場合をいう。その予防が（ **C** ）の延伸にかかわるという。健康、生存、生活満足感の３つが結合した状態を（ **D** ）という。

	組み合わせ		
A	**B**	**C**	**D**
1 欲求不満	社会機能	健康寿命	アイデンティティ・ステイタス
2 欲求不満	自立機能	平均寿命	サクセスフル・エイジング
3 欲求不満	社会機能	健康寿命	サクセスフル・エイジング
4 不健康	社会機能	平均寿命	アイデンティティ・ステイタス
5 不健康	自立機能	健康寿命	サクセスフル・エイジング

第 **6** 章　保育の心理学

正答 5 令5-前-11

A **不健康**：高齢者は、身体の病気を複数抱えていることが多い。高血圧症、糖尿病、脳梗塞後遺症、心臓病、慢性疾患に伴う身体の機能障害や関節痛などの痛みは、うつ病につながりやすいことも知られている。

B **自立機能**：高齢期特有の身体的変化として、ロコモティブシンドローム（骨や関節など運動器の衰えが原因で歩行等に支障をきたす状態）や、サルコペニア（筋肉量の減少による筋力や身体機能の低下）などが知られている。

C **健康寿命**：健康寿命とは、「健康上の問題で日常生活が制限されることなく生活できる期間」のことであり、日常生活における自立が保たれている期間である。

D **サクセスフル・エイジング**：高齢期のネガティブな側面だけでなく、ポジティブな側面に注目された概念として使われている言葉である。「幸福な老い」と訳されることもある。

フレイルは、最近よく知られるようになった言葉だね！

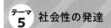
問25 次のうち、乳幼児における言語の発達に関する記述として、適切なものを○、不適切なものを×とした場合の正しい組み合わせを一つ選びなさい。

A 2か月頃から、機嫌のよい時に、喉の奥からやわらかい発声をすることをクーイングという。

B 6か月以降の乳児期後半に、「ババ」「ママ」のような子音と母音の連続である規準喃語を発するようになる。

C 1歳頃になると、初めて意味のある言葉を発するようになるが、これをジャーゴンという。

D 1歳半頃には、ものの名前を尋ねるようになるが、これを第二質問期という。

組み合わせ			
A	B	C	D
1 ○	○	×	×
2 ○	×	○	×
3 ○	×	×	○
4 ×	○	○	×
5 ×	×	○	○

正答 1 令5-前-5

A ○：鳩の鳴き声に似ているところから「クーイング」とよばれている。

B ○：6か月以降になると、子音と母音が明瞭な聞き取りやすい規準喃語や、「ダダダ」「ブブブ」のような同じ音を反復する反復喃語が多く聞かれるようになる。

C ×：これは「初語」についての説明である。ジャーゴン（ジャルゴンともいう）とは、言葉以前にあらわれる、母国語にリズムやイントネーションがそっくりの発声のことをいう。

D ×：1歳半頃には、子どもはさかんに指さしをして、ものの名前を尋ねるようになるが、これは第一質問期（命名期）である。第二質問期は幼児期後期にみられ、「どうして？」「なんで？」など、物事のしくみや因果を尋ねるようになる。

質問期には2種類あるね！

問26 次のうち、ヴィゴツキー（Vygotsky, L.S.）が指摘した事柄に関する記述として、適切なものを○、不適切なものを×とした場合の正しい組み合わせを一つ選びなさい。

A 子どもは環境の中に埋め込まれている情報を見出しながら行動を起こしており、環境は子どもが関わるものにとどまらず、環境が子どもに働きかけている。

B 子どもの発達には、他者の援助がなくても独力で達成できる水準と、他者の援助があれば達成できる水準の2つがあり、他者との関わり合いの中で発達は促されていく。

C 子どものひとりごとは、他者に向かうコミュニケーションのための言葉が、自分に向かう思考のための言葉となっていく過程で現れる。

D 子どもの概念は、日常の生活経験を通して自然に獲得する生活概念と、主に学校で教育される科学的概念が相互に関連をもちながら発達していく。

組み合わせ			
A	B	C	D
1 ○	○	○	○
2 ○	×	○	×
3 ○	×	×	×
4 ×	○	○	○
5 ×	×	×	○

正答 4 令4-後-6

A ×：環境が子どもに働きかけている、という考え方は、ギブソン（Gibson, J. J.）の「アフォーダンス理論」である（テーマ⑥「発達に応じた保育・精神保健」参照）。

B ○：発達の最近接領域の理論である（テーマ②「心理学の基礎理論」参照）。2つの水準の間を発達の最近接領域と呼ぶ。一人ひとりの領域を見きわめ、この領域に適切に働きかけることが大切だとヴィゴツキーは考えた。

C ○：コミュニケーションの言葉を外言（がいげん）と呼び、思考の言葉を内言（ないげん）と呼ぶ。ピアジェ（Piaget, J.）は子どものひとりごとを、自己中心性のあらわれと考え、自己中心言語（あるいは集団内独語）と呼んだ。

D ○：このことから、ヴィゴツキーは子どもに何かを教える場合には、その子どもが発達の途上にあることを意識するべきであると指摘した。

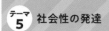

問27 次の文は、社会情動的発達に関する記述である。A〜Dに関連する語句を【語群】から選択した場合の正しい組み合わせを一つ選びなさい。

A　自分で自分の身体に触れているときは、触れている感覚と触れられている感覚がする。

B　生後間もない時期から、乳児が他者に示された表情と同じ表情をする。

C　1歳半頃から、子どもが大人と同じようなことをやりたがったり、大人に対してことごとく「イヤ」と言って頑として譲らなかったりする。

D　情動は、運動・認知・自己の発達と関連しながら分化していく、という考え方を提唱した。

語群	
ア　ダブルバインド	イ　ダブルタッチ
ウ　共鳴動作	エ　トマセロ（Tomasello, M.）
オ　延滞模倣	カ　自己中心性
キ　自己主張	ク　ルイス（Lewis, M.）

組み合わせ

	A	B	C	D
1	ア	ウ	カ	エ
2	ア	オ	キ	ク
3	イ	ウ	カ	ク
4	イ	ウ	キ	ク
5	イ	オ	カ	エ

正答 4 　令6-前-4

A イ：ダブルタッチ。触れたものと触れられたもの両方の感覚を持つことで、自分の体の存在を知っていく。

B ウ：共鳴動作。新生児模倣ともいう。

C キ：自己主張。自我意識が芽生え、「自分でやりたい」という気持ちが強くなる。2歳から4歳頃は第一反抗期とも呼ばれている。

D ク：ルイス。子どもは満足、苦痛、興味といった原初的感情を持って生まれると考えた。やがて喜び、悲しみ、嫌悪などの一次的感情が、そして、照れ、共感、憧れなどの二次的感情がみられるようになると考えた。

　なお、他の選択肢については以下の通りである。

　ダブルバインド：例えば声の調子と顔の表情が矛盾するなど、相矛盾するメッセージが同時に伝達される状況をいう。二重拘束ともいわれる。

　トマセロ：アメリカの認知心理学者。「9か月革命」（生後9か月ごろに発達上の大きな変化がみられること）を命名したことで知られる。

　延滞模倣：何かを経験したのち、しばらく時間が経過した後で模倣し再現する行為をいう。

　自己中心性：他者の視点に立ってものごとを捉えられないことをいう。

問28 次の**A〜E**のうち、「保育所保育指針」第2章「保育の内容」2「1歳以上3歳未満児の保育に関わるねらい及び内容」⑵「ねらい及び内容」エ「言葉」の一部として、正しい記述を○、誤った記述を×とした場合の正しい組み合わせを一つ選びなさい。

A 親しみをもって日常の挨拶に応じる。
B 生活の中で必要な言葉が分かり、使う。
C いろいろな体験を通じてイメージや言葉を豊かにする。
D 絵本や紙芝居を楽しみ、簡単な言葉を繰り返したり、模倣をしたりして遊ぶ。
E 保育士等や友達の言葉や話に興味や関心をもって、聞いたり、話したりする。

組み合わせ	A	B	C	D	E
1	○	○	○	○	○
2	○	×	○	○	×
3	○	×	×	○	○
4	×	○	○	×	×
5	×	○	×	×	○

正答 3 令1-後-1

保育所保育指針からの出題である。2017（平成29）年の改定から、保育の内容については「乳児」と「1歳以上3歳未満児」と「3歳以上児」に分かれて記述されている。

A ○：正しい。
B ×：「3歳以上児の保育に関するねらい及び内容」の記述である。
C ×：「3歳以上児の保育に関するねらい及び内容」の記述である。
D ○：正しい。
E ○：正しい。

保育所保育指針における「1歳以上3歳未満児」の「言葉」についての内容は、全部で7項目ある。**A**、**D**、**E**の選択肢以外には、「保育士等の応答的な関わりや話しかけにより、自ら言葉を使おうとする」「生活に必要な簡単な言葉に気付き、聞き分ける」「保育士等とごっこ遊びをする中で、言葉のやり取りを楽しむ」「保育士等を仲立ちとして、生活や遊びの中で友達との言葉のやり取りを楽しむ」がある。

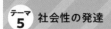

テーマ **5** 社会性の発達

問29 次の保育所での【事例】を読んで、【設問】に答えなさい。

【事例】

　０歳児クラスの子ども達が散歩をしている時に、犬が近くにいるのを見つけた保育士は「わんわんがいるよ、かわいいねぇ」と言って犬を指でさし示した。Sちゃんは <u>（a）保育士が指さした方向を見て</u>、嬉しそうに「あっ、あっ」と言いながら <u>（b）犬を指でさして</u>、<u>（c）保育士の顔と犬を交互に見た</u>。そして、保育士が「わんわんにバイバイしようか」と手を振ると、それを見てSちゃんも <u>（d）犬に手を振った</u>。

【設問】

　【事例】の文中にある下線部（a）〜（d）を説明する語句を【語群】から選択した場合の最も適切な組み合わせを一つ選びなさい。

語群
ア　応答の指さし　　イ　共同注意　　ウ　三項関係
エ　模倣　　オ　叙述の指さし　　カ　二項関係
キ　選好注視　　ク　連想

組み合わせ			
a	b	c	d
1 イ	ア	ウ	エ
2 イ	オ	ウ	エ
3 イ	オ	カ	ク
4 キ	ア	カ	エ
5 キ	オ	カ	ク

正答 2 令3-後-15

a イ：共同注意。ある対象を指さして他者と共有する状態をいう。

b オ：保育士に犬がいることを訴えよう（伝えよう）としているので、「叙述の指さし」である。「応答の指さし」とは、「わんわんはどこかな？」と聞かれたときに、犬を指し示すことをいう。

c ウ：三項関係とは、自分と他者との間に共有する対象物（ここでは犬）がある状態をいう。自分と犬だけ、自分と保育士といった二者の関係は、二項関係という。

d エ：模倣。このように「即時模倣」ができるようになると、やがて直後ではないタイミングで模倣をする「延滞模倣」ができるようになる。例えば家の様子を園で再現する「ままごと遊び」などがある。

　共同注意や三項関係は、他者との関わりといえる。つまり、言葉を習得する以前にコミュニケーションの土台作りが始まっている。保育者は、こうした子どもの働きかけに応答的に対応することが大切である。

問30 次のうち、社会的認知に関する記述として、適切なものを○、不適切なものを×とした場合の正しい組み合わせを一つ選びなさい。

A　スピッツ（Spitz, R.A.）は、見慣れた人と見知らぬ人を区別し、見知らぬ人があやそうとすると視線をそらしたり、泣き叫ぶなど不安を示す乳児期の行動を「6か月不安」と呼んだ。

B　乳児期の後半には、不安や困惑がある際に養育者の表情を確認し、自分の行動を決定するような社会的統制を行う。

C　2～3か月頃の乳児は、単色などの単純な刺激と人の顔の絵などの複雑な刺激を見せられると、特に顔の絵などを好んで注視する傾向にある。

D　新生児は、周囲の刺激とは関係なく微笑む。これはあやされることによって生ずるのではなく、身体の生理的な状況によって生起する。

組み合わせ			
A	B	C	D
1 ○	○	○	○
2 ○	○	×	×
3 ○	×	○	×
4 ×	○	×	×
5 ×	×	○	○

正答 5 令3-後-2

A ×：「6か月不安」ではなく、正しくは「8か月不安」である。いわゆる人見知りのこと。これは対人認知が発達し、自分にとって身近な人とそうでない人との区別ができていることを意味している。

B ×：「社会的統制」ではなく、正しくは「社会的参照」である。乳児期の後半になると、信頼する他者の表情を見て、自分の行動を判断できるようになる。

C ○：ファンツ（Fantz, R.S.）の選好注視法の実験として知られている。この実験において、人の顔が描かれている円盤をほかの絵に比べて長い間注視することが明らかになった。さらに生後5日以内の新生児でも同じ結果となったことから、人は生まれながらにして「人の顔」を好んで見る、つまり選好注視を行うことがわかった。

D ○：これは新生児微笑（あるいは自発的微笑、生理的微笑）と呼ばれる。微笑はやがて、人に対して笑いかけるなど、社会的微笑へと変わっていく。

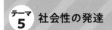
問31 次の【事例】を読んで、【設問】に答えなさい。

【事例】

　ある保育所で5歳児クラスの男児4人は、砂場で高い山を作ろうとして、山の近くの砂をかき集める、バケツに砂を入れて渡す、バケツを受け取って砂をかけるなどしている。その様子を見て、同じクラスのP君が「僕も入れて」と言いながらやって来た。男児4人は「ねぇ、P君は仲間だったっけ？」「最初から（砂山作りに）いなかったよねぇ」などと言い始めた。仲間に入りたいP君は「僕は力持ちだからたくさん砂を運べるよ」と訴えると、男児のうち一人が「そうだ、P君は力持ちなんだよね」と認め、他の男児も「そっか、P君が入ればパワーアップだ」と答え、4人は納得してP君を砂山作りの仲間に入れることにした。

【設問】

　この事例と、最も関連性の低い用語を一つ選びなさい。

1　帰属意識
2　協同性
3　自己主張
4　自他比較
5　社会的参照

正答 **5** 令3-前-16

1 帰属意識とは特定の集団に所属しているという意識である。砂場にいた4人は、最初からいた仲間として、帰属意識を持っていたと考えられる。

2 「砂をかき集める」「バケツに砂を入れて渡す」「バケツを受け取って砂をかける」など、高い砂山を作ろうとして協働している。

3 P君は「僕も入れて」「力持ちだよ」など自己主張をし、仲間に加わりたいことを伝えている。

4 男児たちはP君が力持ちであることを認めている。これは、自分と他者との比較（自他比較）ができていると考えられる。

5 社会的参照とは、信頼する他者の表情を見て、自分の行動を判断することをいう。子どもは表情と感情のつながりについても理解しており、何か不安があったときに信頼する周囲の大人の表情を見て判断しようとする。この事例では関連性が低い。

問32 次の文は、保育所での子どもの遊びについての観察記録である。パーテン（Parten, M.B.）の遊びの社会的参加の分類に基づいて、A～Dに関する用語を【語群】から選択した場合の最も適切な組み合わせを一つ選びなさい。

A　3歳児3人がそれぞれ粘土を使って遊んでいたが、そのうちの一人がウサギの耳を作り始めると、それを見ていた他の2人も、真似をしてそれぞれ粘土で動物の耳を作り始めた。

B　5歳児数人が大型積み木で四角い枠を作り、温泉の看板を立てて、他の子どもたちに入場券を配って回った。すると、入場券をもらった子どもたちが、お客さんとして次々に温泉に入りに来た。

C　4歳児5人がテーブルの上に製作したカップケーキを並べて、お店屋さんごっこをしようとしていた。そのうちの一人は人形を椅子に座らせてお誕生日会を開こうとしているようであったが、他の4人にはイメージが共有されていなかった。

D　5歳児のS君がお誕生日会でクラスの友達にプレゼントするために、段ボールで黙々とケーキを製作していた。

語群
| ア | 見立て遊び | イ | 一人遊び | ウ | 構成遊び |
| エ | 平行遊び | オ | 協同遊び | カ | 連合遊び |

組み合わせ
	A	B	C	D
1	ア	オ	エ	イ
2	イ	エ	カ	ウ
3	エ	ウ	オ	カ
4	エ	オ	カ	イ
5	カ	ア	ウ	エ

正答 4 令4-後-7

A エ：平行遊び。他児と同じ場所にいながら、各自が独自の遊びをしていることをいう。

B オ：協同遊び。共通の目的があり、ルールや役割分担がある遊びをいう。

C カ：連合遊び。他の子どもと一緒に遊ぶ。やりとりがあるものの、自分の好きなことをしようとする。

D イ：一人遊び。他児には無関心で、一人で遊ぶことをいう。

　遊びの分類は、何を基準においているかによって、区別できる。パーテンは他者との関わりを基準としている。2～3歳頃は、傍観的行動、一人遊びや平行（並行）遊びがよくみられ、4～5歳頃になると、連合遊びや協同遊びがよくみられるようになる。このほか、機能からみた分類もある。例えばビューラーは、機能遊び、想像遊び、受容遊び、構成遊びの4つに大別した。

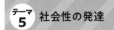

問33 次の文は、保育所での観察記録である。（a）〜（d）の下線部分に関連する語句を【語群】から選択した場合の正しい組み合わせを一つ選びなさい。

　園庭では、5歳児クラスの4〜5名の子どもたちが、砂場で遊んでいる。子どもたちは、<u>（a）砂山を作り、「どうやってトンネルを作る？」「ここ、押さえて。」など言い合いながら川を掘っている。</u>

　一方、2歳児クラスの子どもたちは、園庭での遊びが終わり、順次、手足を洗って保育室に入るところである。他児よりもだいぶ早く外遊びをきりあげた2歳児クラスのR君は、保育室内のままごとコーナーを占領して、<u>（b）かごに入っているお手玉をお玉ですくいあげては、鍋に移すことを繰り返していた。</u>

　テラスからR君の姿に気づいた同じ2歳児クラスのS君は、手足を洗わずに、そのまま入室し、ままごとコーナーのR君の前に座って、<u>（c）R君がしているように、かごに入ったお手玉をお玉ですくい鍋に移し始めた。</u>保育士が「S君、遊ぶ前に手と足を洗ってきてね。」と促しS君の腕をとると、S君は立ち上がり、手と足を洗いにテラスに出ていった。

　しばらくままごとコーナーでR君は過ごしていたが、今度はお手玉をいくつか抱えて保育室を歩きながら、友達が遊んでいるところに近づいては、<u>（d）「ピザです。ピザです。」と言いながら、お手玉を配り歩いていた。</u>

語群		
ア　連合遊び	イ　身振り遊び	ウ　象徴遊び
エ　並行遊び	オ　一人遊び	カ　協同遊び
キ　構成遊び	ク　共鳴遊び	

組み合わせ	a	b	c	d
1	ア	オ	エ	イ
2	ア	オ	ク	ウ
3	ア	キ	ク	イ
4	カ	オ	エ	ウ
5	カ	キ	ク	イ

正答 4 平31-前-9

a カ：協同遊び。役割分担やルールなどがある、組織化された遊びのかたちを指す。

b オ：一人遊び。他児に影響されず、自分の遊びをしている状態を指す。

c エ：並行遊び。「平行遊び」と表すこともある。例えば砂場で、それぞれが山を作ったり、トンネルを掘ったりしているなど、同じ場所で同じ遊びをしながらも交流はしていない状態を指す。

d ウ：象徴遊び。積み木をバスに、葉っぱをお皿に、など、何かに見立てる遊び方のことである。

問34 次のうち、心理的環境要因が主な原因と考えられるものとして、適切なものを○、不適切なものを×とした場合の正しい組み合わせを一つ選びなさい。

A　反応性アタッチメント（愛着）障害
B　心的外傷後ストレス障害
C　自閉スペクトラム症
D　知的能力障害

組み合わせ			
A	B	C	D
1 ○	○	×	×
2 ○	×	○	○
3 ○	×	×	×
4 ×	○	×	○
5 ×	○	×	○

正答 1　令4-後-20

A ○：反応性アタッチメント（愛着）障害は、愛着形成が正常になされなかったときに生じる様々な問題のことをいう（テーマ③「愛着理論・初期経験の重要性」参照）。おもに反応性愛着障害と脱抑制性愛着障害に分類される。

B ○：心的外傷後ストレス障害（PTSD）は、強いショックを受けたり、生命の危機にさらされるような出来事にあったことがきっかけで、心身に支障をきたすストレス障害である。

C ×：自閉スペクトラム症は発達障害の1つである。脳機能障害が主な原因と考えられる。

D ×：知的能力障害は、知的障害、精神遅滞とも呼ばれている。原因は出生前の染色体異常、出生後の外傷、このほか原因不明のものも含め、多岐にわたる。

第 **6** 章　保育の心理学

難しいと思えることでも、まずは「理解する」ところからはじめよう！

フレーフレー

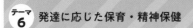

問35 次の【事例】を読んで、【設問】に答えなさい。

【事例】

　Ｚちゃん（1歳半、男児）は、1か月前に保育所に入所した。入所以来園への行きしぶりが続いた。ある日登園中に雷が鳴るのを聞いて以来、全く園に行けなくなった。

【設問】

　考えられる事項として適切な記述を○、不適切な記述を×とした場合の組み合わせを一つ選びなさい。

A　Ｚちゃんは、場所見知りがあるのかもしれない。

B　Ｚちゃんは、分離不安があるのかもしれない。

C　Ｚちゃんは、感覚過敏があるのかもしれない。

D　Ｚちゃんは、雷を経験したことにより、トラウマ反応を起こしたのかもしれない。

組み合わせ			
A	B	C	D
1 ○	○	○	○
2 ○	○	×	×
3 ○	×	○	○
4 ×	○	○	○
5 ×	×	×	×

正答 1 平31-前-20

A ○：場所見知りとは、初めて行く場所や知らない場所に行くと、不安になって泣き出したりすることをいう。

B ○：分離不安とは、親から離れることの不安が極端な状態であることをいう。

C ○：感覚過敏とは、音、におい、光など、感覚器官からの刺激により生活に困難をきたすことをいう。

D ○：トラウマとは、強いショックを受ける出来事などがきっかけで、心身に支障をきたすストレス障害をいう。

問題をじっくり読むと、出題者の意図が見えてくることもあるよ！

問36 次のうち、発達検査・知能検査に関する記述として、適切なものを○、不適切なものを×とした場合の正しい組み合わせを一つ選びなさい。

A　子どもの発達状態を理解するためには、発達検査や知能検査を実施すれば十分である。

B　「新版K式発達検査2020」は0歳児から成人までの測定が可能であり、「姿勢・運動領域」「認知・適応領域」「言語・社会領域」の3領域で構成されている。

C　ウェクスラー式の知能検査では、知的水準が同年齢集団の中でどのあたりに位置するかを表す偏差知能指数が用いられている。

D　発達検査の中には、知能検査のように検査用具を用いて実際に子どもに実施する形式のものと、保護者などがつける質問紙形式のものがある。

組み合わせ			
A	B	C	D
1 ○	○	○	×
2 ○	×	○	×
3 ×	○	○	○
4 ×	○	×	○
5 ×	×	×	×

正答 3　令4-後-17

A ×：検査を行うだけではなく、子どもの様子を観察したり、保護者からの聞き取りをしたりなど、さまざまな情報を含めて、正しく理解していくことが大切である。

B ○：新版K式発達検査2020は、対面で実施する形式の発達検査である。

C ○：偏差知能指数（偏差IQ）は単に知能指数（IQ）と呼ぶこともある。ウェクスラー式には、幼児を対象としたWPPSI（ウィプシ）、児童を対象としたWISC（ウィスク）、成人を対象としたWAIS（ウェイス）の3種類がある。このほか、知能検査にはビネー式知能検査もよく知られている。

D ○：保護者などからの聞き取りを主体とする発達検査には、津守式乳幼児精神発達検査などがある。

　発達検査の指標は発達指数（DQ）と呼ぶ。実年齢（生活年齢；CA）と検査結果から得られる年齢（発達年齢；DA）をもとに算出する。

問37 次のうち、子どもの心の健康に関する記述として、適切なものを○、不適切なものを×とした場合の正しい組み合わせを一つ選びなさい。

A 選択性緘黙とは、DSM-5 によれば、他の状況で話しているにもかかわらず、話すことが期待されている特定の社会的状況（例：学校）において、話すことが一貫してできない症状をいう。

B 起立性調節障害は、起立に伴う循環動態の変化に対応できず、低血圧や頻脈を起こし、症状が強いと失神することがある。小学校入学前頃に発症し、1年以上持続する。

C 自閉スペクトラム症については、心の理論説、実行機能説、中枢性統合説などによって説明されてきたが、どれか一つの理論のみで説明することは難しいとされている。

D 限局性学習症は、勉強ができない子ども一般をさすものであり、子どもの読み書きや計算における二つ以上の能力の低さを必ず併発するものである。

組み合わせ			
A	B	C	D
1 ○	○	×	×
2 ○	×	○	×
3 ○	×	×	○
4 ×	○	×	×
5 ×	×	○	○

正答 2　令5-後-17

A ○：選択性緘黙とは、例えば、園ではひと言も話すことができないのに、家では普通に話せるなど、状況によって話せなくなることをいう。場面緘黙ともいう。あらゆる場面で話すことができないことは、全緘黙という。

B ×：起立性調節障害は、自律神経失調症の一種で、だるさやめまい、朝、なかなか起きられないなどの症状がある。女子に多く見られる。小学校高学年頃から思春期にかけて発症することが多い。個人差もあり、2、3か月で治る場合もあれば、数年かかる場合もある。

C ○：自閉スペクトラム症を含め、発達障害は何らかの脳の機能障害が原因であるとされている。親のしつけなどが原因ではないことも知っておく必要がある。

D ×：限局性学習症は、発達障害の一つである。読む、聞く、話す、書く、計算する、推論するなどの能力のうち、1つ以上に困難を示す状態をいう。それぞれの特性や年齢に合わせた対応が必要である。

問38 次の文は、人と環境に関する記述である。これに該当する理論として、最も適切なものを一つ選びなさい。

情報が環境の中に存在し、人がその情報を環境の中から得て行動していると考える。この理論を踏まえると、保育環境は、子どもが関わるものというだけにとどまらず、環境が子どもに働きかけているといえる。つまり、子どもが環境を捉える時には、行動を促進したり、制御したりするような環境の特徴を、子どもが読み取っているといえる。

1 生態学的システム論
2 発生的認識論
3 正統的周辺参加論
4 社会的学習理論
5 アフォーダンス理論

第 6 章 保育の心理学

正答 5 令6-前-17

1 ✕：生態学的システム論は、子どもを取り巻く環境を４つの基準（マイクロシステム、メゾシステム、エクソシステム、マクロシステム）で示している。ブロンフェンブレンナー（Bronfenbrenner, U.）が唱えた。

2 ✕：発生的認識論は、ピアジェ（Piadget, J.）の唱えた認知発達理論として知られている。４つの段階（感覚運動期、前操作期、具体的操作期、形式的操作期）がある。

3 ✕：正統的周辺参加論は、レイヴ（Lave, J）とウェンガー（Wenger, É）が唱えた。新たに共同体のメンバーとして参加する「新参者」は、すでにその共同体の活動に従事している「古参者」と活動を共にしながら、徐々に正統性を獲得していく、とした。

4 ✕：社会的学習理論は、モデリング、観察学習として知られている。他者の行動を見ることによる学習である。バンデューラ（Bandura, A.）が唱えた。

5 ◯：アフォーダンス理論は、環境が人に対して行為を与えている、つまりアフォードするという考え方である。保育士は子どもと環境との相互作用を考え、環境を工夫していくことが大切であるといえる。ギブソン（Gibson, J.）が唱えた。

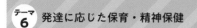

テーマ
6 発達に応じた保育・精神保健 → 『合格テキスト』P.365〜366

問39 次のうち、観察法に関する記述として、適切なものを○、不適切なもの
を×とした場合の正しい組み合わせを一つ選びなさい。

A 観察したい行動の目録を作成し、その行動が生起すればチェックするやり方
を時間見本法という。

B 観察する時間や回数を決めて、その間に生起する行動を観察することを行動
目録法という。

C 観察対象となる人に、観察者が関わりながら観察することを関与観察、ある
いは参加観察という。

D 検証したい特定の環境条件を操作し、対象とする行動が生
じるような環境を設定し、その中で生起する行動を観察す
ることを実験観察法という。

組み合わせ			
A	B	C	D
1 ○	○	○	○
2 ○	○	×	×
3 ○	×	○	×
4 ×	○	×	○
5 ×	×	○	○

正答 5 令4-後-16

A ×：これは行動目録法の説明である。

B ×：これは時間見本法の説明である。

C ○：観察者が関わりを持たず、ワンウェイミラー越しや、ビデオを通して観察す
る方法を、非参加観察法という。

D ○：日常の行動をそのまま観察することは、自然観察法という。

　その人の状態を正しく理解することをアセスメント（心理アセスメント）という。
アセスメントの方法には、主に観察法、面接法、検査法の３つがある。

問40 次のうち、発達を捉える方法に関する記述として、適切なものを○、不適切なものを×とした場合の正しい組み合わせを一つ選びなさい。

A 観察対象がありのままに生活や遊びをしている状況で観察を行う方法を、自然観察法という。

B 条件や状況を操作・統制して観察を行う方法を、実験的観察法という。

C 発達変化を捉えるために、同一の対象者を長期間にわたって調べる方法を、横断的方法という。

D 調査したい事柄や目標はあるものの、具体的な質問は「○○について」というきっかけの質問に始まり、対象者の自由な語りを引き出すような面接を、非構造化面接という。

組み合わせ	A	B	C	D
1	○	○	×	○
2	○	○	×	×
3	○	○	○	×
4	×	○	○	×
5	×	×	○	×

正答 1 令5-後-3

発達を捉える方法（アセスメントの方法）には、観察法、面接法、検査法の3つがある。

A ○：対象者の行動に何も統制を加えず、生活空間内の日常をそのまま観察する方法を自然観察法という。

B ○：特定の行動や特定の場面での様子を観察する方法を実験的観察法という。

C ×：データ収集法として、横断的方法と縦断的方法がある。縦断的方法とは同一の集団について追跡調査し、異なる年齢時の測定結果を比較する方法であり、選択肢と一致する。一方、横断的方法は、年齢の異なるいくつかの集団を同時期に調査して、その結果を比較する方法である。

D ○：面接法には3種類ある。あらかじめ質問項目が決められている方法を「構造化面接」という。会話の流れに沿って、柔軟に進めていくものを「非構造化面接」、あらかじめ質問項目は決められているものの、話の流れによっては変更が可能なものを「半構造化面接」という。

3種類の方法それぞれを、正しく理解しておこう！

問41 次のうち、子育てに関する記述として、適切なものを○、不適切なものを×とした場合の正しい組み合わせを一つ選びなさい。

A 育児不安とは、親が育児に自信をなくし、育児の相談相手がいない孤立感や、何となくイライラするなど、育児へのネガティブな感情や育児困難な状態であることをいう。育児ノイローゼや育児ストレスという表現も用いられる。

B 産後うつ病は、いわゆるマタニティブルーズといわれるものであり、出産後急激に女性ホルモンが減少することによって情緒不安定になり、訳もなく涙が出る、不安感や抑うつ感などの精神症状や不眠などを示す一過性の症状である。

C 養護性（ナーチュランス）とは、「小さくて弱いものを見ると慈しみ育もうという気持ち」になる心の働きをいう。養護性は性別に限らず誰もが持っている特性である。

D 親準備性とは、まだ乳幼児を育てた経験のない思春期・青年期の人に対する、子育てに関する知識や技能、子どもへの関心、親になる楽しみなど、親になるための心理的な準備状態や態度などをいう。

組み合わせ			
A	B	C	D
1 ○	○	×	×
2 ○	×	○	○
3 ○	×	○	×
4 ×	○	×	○
5 ×	×	○	○

正答 2 令4-前-12

A ○：育児に対する負担感や不安感については、「育児不安」「育児ストレス」といった用語で概念化されている。

B ×：産後うつ病とマタニティブルーズは別のものである。マタニティブルーズは2週間程度で改善するといわれているが、産後うつ病は、うつ病の一つであり、長期化する場合は医療機関において治療が必要となる。

C ○：最近では「父性」「母性」という表現から、性別問わず持っている「養護性」という呼び方に置き換えられるようになってきている。

D ○：保育体験学習などを取り入れている高等学校もある。

問42 次のうち、育児不安を感じる保護者に対する理解と支援に関する記述として、適切なものの組み合わせを一つ選びなさい。

A マタニティ・ブルーズの時期を過ぎても、不安、自信の低下、いらだちを訴える母親は少なくないが、産後の生理的現象が長引いているだけで、母親を取り巻く周囲の環境との関係は考慮しなくてもよい。

B 育児不安の内容にかかわらず、保育所の機能や専門性を生かし、保育所の保護者支援はその保育所のみで対応する。

C 育児不安を持つことが不適切な子育てというわけではなく、抱える育児不安の深刻度や緊急度、あるいはどのような経過や背景があるかに焦点をあてて考えるようにする。

D 保護者の育児態度が子どもへ影響するだけではなく、子どもの気質によって保護者も影響を受けるという相互作用で親子関係は成り立っていく。

組み合わせ		
1	A	B
2	A	C
3	B	C
4	B	D
5	C	D

第 **6** 章 保育の心理学

正答 5 令5-前-14

A × ：マタニティ・ブルーズは、出産直後から数日後までの間に、一時的に精神的に不安定になる状態をいう。2週間程度で改善するといわれてはいるが、周囲との関係を考慮しなくてもよいとは決していえない。

B × ：「その保育所のみで対応する」の部分が誤り。地域の関連機関と連携していくことも視野に入れておくことが大切である（保育所保育指針第4章「子育て支援」参照）。

C ○ ：一人一人のかかえる状況を考慮しながら対応することが必要である。

D ○ ：気質とは、新生児がもともと持っている個人特性のことをいう。これに対し、性格とは、生まれた後に周りの影響を受けて形成されるものであり、二つの用語は区別されている。気質のタイプを分類したトマス（Thomas, A.）とチェス（Chess, S.）による研究は有名である。

ふだんから子育てに関するニュースに関心を持っておこうね！

309

問43 次の文は、乳幼児虐待に関する記述である。適切な記述を○、不適切な記述を×とした場合の正しい組み合わせを一つ選びなさい。

A　家庭が経済的困窮に陥り、母親がうつ病である場合、虐待が必ず起こると考えられる。

B　児童虐待は、子どもの社会・情緒的発達に影響を与えるが、脳の実質に変化を与える（器質的問題を生じる）可能性はない。

C　全ての虐待に対して親子の分離を行い、里親あるいは施設養育をすることが適切である。

D　被虐待乳幼児が保育所を利用することは、乳幼児の社会・情緒的発達にとってほとんど意味がない。

組み合わせ			
A	B	C	D
1 ○	○	○	○
2 ○	○	×	○
3 ○	×	○	×
4 ×	○	×	×
5 ×	×	×	×

正答 5 平31-前-18

A ×：経済的な困窮や養育者が病気であることはリスク要因といえる。しかし、必ず虐待が起こるとは限らない。

B ×：身体的虐待による頭部の外傷が考えられるほか、劣悪な養育環境により脳の発達が妨げられ、知的障害などの原因になる可能性も考えられる。

C ×：虐待には、様々なケースがあり、親子の分離が適切であると一概には言い切れない。

D ×：保育所は、保育士との愛着形成など、乳幼児の社会・情緒的発達を促す場となる。

主な虐待のリスク要因として、以下のものが挙げられる。

- 妊娠そのものを受け入れることができないまま、出産に至った。
- 出産後、何らかの理由により、子どもと長期間離れた。
- 経済的な問題、夫婦関係の問題などで、養育者自身が心身ともに不安定な状況である。
- 外国で育つなど、養育者自身が日本の環境や文化に適応できていない。
- 養育者自身が適切な養育を受けていなかった。
- 子ども自身に発達障害などがあり、養育者が養育の困難さをかかえている。

など

→『合格テキスト』P.167、372

問44 次のA～Dのうち、児童への心理的虐待に関する記述として、適切な記述を○、不適切な記述を×とした場合の正しい組み合わせを一つ選びなさい。

A 児童が大切にしているものを、親が傷つけたり捨てたりするとおどす。
B 児童の前で父親が母親に暴力をふるう。
C 児童に自分自身を傷つけるよう強要する。
D 児童に他者の性的満足をもたらす行為に関わるよう強要する。

組み合わせ	A	B	C	D
1	○	○	○	×
2	○	○	×	×
3	○	○	×	×
4	×	○	○	×
5	×	×	×	○

正答 1 令1-後-19

A ○：恫喝するなど心理的外傷を与えることは心理的虐待である。
B ○：配偶者への暴力行為を見せることも心理的虐待である。
C ○：心理的外傷を与える言動は心理的虐待である。
D ×：性的虐待に該当する。

　厚生労働省のホームページにおいて、心理的虐待は次のように定義されている。「言葉による脅し、無視、きょうだい間での差別的扱い、子どもの目の前で家族に対して暴力をふるう（ドメスティック・バイオレンス：DV）、きょうだいに虐待行為を行う　など」。

　また、「令和3年度　児童相談所での児童虐待相談対応件数」によると、心理的虐待の割合が60.1％と最も多く、次いで身体的虐待が23.7％、ネグレクト15.1％、性的虐待が1.1％となっている。虐待相談の総件数は20万7660件で、過去最多となっている。

　児童虐待は、身体的虐待、性的虐待、心理的虐待、ネグレクトの大きく四つに分けられる。いずれかではなく、同時に複数の虐待が起こることもある。

第**6**章 保育の心理学

テーマ **7** 子育て家庭に関する現状

問45 次のうち、保育所における保護者の状況に配慮した個別の支援に関する記述として、適切なものを○、不適切なものを×とした場合の正しい組み合わせを一つ選びなさい。

A 外国籍家庭や外国にルーツをもつ家庭の場合は、日本語によるコミュニケーションが取りにくいこと、文化や習慣が異なることがあるため、日本の生活様式を積極的に取り入れ、早く適応していくよう配慮する必要がある。

B 多胎児、低出生体重児、慢性疾患のある子どもの場合、保護者は子育てに困難や不安、負担感を抱きやすい状況にあることなどを考慮に入れ、子どもの生育歴や家庭状況に応じた支援をする必要がある。

C 家庭を取り巻く問題に不安を感じている保護者は、その悩みを他者に伝えることができず、問題を抱え込む場合もあるが、家庭の状況や問題の把握はできないので、対応する必要はない。

D 保護者に対しては、子どもの発達や行動の特徴、保育所での生活の様子を伝えるなどして子どもの状況を共有し、保護者の意向や思いを理解していく。

組み合わせ			
A	B	C	D
1 ○	○	○	×
2 ○	○	×	○
3 ○	×	○	×
4 ×	○	×	○
5 ×	×	×	○

正答 4 令3-後-12

A ×：日本の生活様式に適応できることも大切だが、無理に日本の文化を押し付けるのではなく、その子どもの暮らしていた文化を尊重することが大切である。

B ○：園内においても情報を共有し、支援体制を整えておくことが大切である。

C ×：保育所保育指針第4章「子育て支援」の2「保育所を利用している保護者に対する子育て支援」の(3)「不適切な養育等が疑われる家庭への支援」のアには、「保護者に育児不安等が見られる場合には、保護者の希望に応じて個別の支援を行うよう努めること」と記述がある。

D ○：保護者との情報共有に努めることが大切である。

保育所保育指針の第4章「子育て支援」では、留意事項が書かれている。例えば、日常の様々な機会を活用して保護者との相互理解を図るよう努めること、子どもに障害や発達上の課題が見られる場合には、関連機関と連携し、保護者に対する個別の支援を行うよう努めること、虐待が疑われる場合には、速やかに市町村または児童相談所に連絡し、適切な対応を図ること、などである。

問46 次のうち、ひとり親世帯に関する記述として、適切なものを○、不適切なものを×とした場合の正しい組み合わせを一つ選びなさい。ただし、ここでいう「子ども」とは、20歳未満で未婚の者とする。

A 「結婚と家族をめぐる基礎データ」（令和4年3月　内閣府男女共同参画局）によると、「子どものいる離婚件数」は、「子どものいない離婚件数」よりも少ない。

B 「ひとり親家庭の現状と支援施策について」（令和2年11月　厚生労働省子ども家庭局家庭福祉課）によると、近年ひとり親世帯は増加傾向にあり、ひとり親世帯になった理由は、母子世帯、父子世帯ともに「離婚」が最も多い。

C 「平成28年度全国ひとり親世帯等調査結果報告」（厚生労働省）によると、父子世帯は、母子世帯に比べると、年収が高いものの、子どものいる全世帯の年間収入よりは低い。

D 「平成28年度全国ひとり親世帯等調査結果報告」（厚生労働省）によると、ひとり親世帯の子どもについての悩みは、母子世帯、父子世帯ともに、「しつけ」が最も多く、次いで「教育・進学」となっている。

組み合わせ			
A	B	C	D
1 ○	○	×	○
2 ○	×	○	×
3 ×	○	○	○
4 ×	○	○	×
5 ×	×	×	○

正答 4 令5-前-13

A ×：「子どものいる離婚件数」が約6割で、「子どものいない離婚件数」よりも多くなっている。

B ○：ひとり親世帯になった理由として、「離婚」が最も多く、約8割を占める。他の理由としては、死別、未婚などがある。

C ○：父子世帯は約500〜600万円、母子世帯は約350万円、子どものいる全世帯の年間収入は約700万円である。

D ×：母子世帯、父子世帯ともに、「教育・進学」が最も多く、次いで「しつけ」である。

ひとり親世帯の主要統計データ

	母子世帯	父子世帯
世帯数［推計値］	123.2万世帯	18.7万世帯
ひとり親世帯になった理由	離婚　79.5% 死別　8.0%	離婚　75.6% 死別　19.0%
平均年間収入 ［同居親族を含む世帯全員の収入］	348万円	573万円

※集計結果の構成割合については、原則として、「不詳」となる回答（無記入や誤記入等）がある場合は、分母となる総数に不詳数を含めて算出した値（比率）を表している。

出典：平成28年度全国ひとり親世帯等調査の概要

問47 次の【図】は、「少子化社会対策白書（令和２年版）」（内閣府）における、「６歳未満の子供を持つ夫婦の家事・育児関連時間（１日当たり・国際比較）」である。以下の【設問】に答えなさい。

【図】
６歳未満の子供を持つ夫婦の家事・育児関連時間（１日当たり・国際比較）

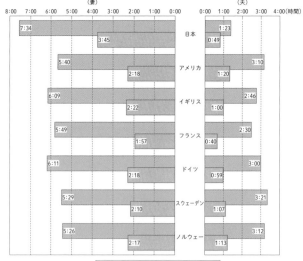

（備考） 1. Eurostat"How Europeans Spend Their Time Everyday Life of Women and Men"
(2004)、Bureau of Labor Statistics of the U.S."American Time Use Survey"
(2016) 及び総務省「社会生活基本調査」（2016年）より作成。
2. 日本の数値は、「夫婦と子供の世帯」に限定した夫と妻の１日当たりの「家事」、「介護・看護」、「育児」及び「買い物」の合計時間（週全体）である。
資料：内閣府資料

【設問】

次のＡ〜Ｄのうち、【図】を説明する文として適切なものを○、不適切なものを×とした場合の正しい組み合わせを一つ選びなさい。

Ａ 日本の夫の家事・育児関連時間は１日あたり83分であり、図中７か国の中で最も低い水準であるが、そのうち育児の時間の占める割合は最も多い。

Ｂ 妻と夫の育児の時間の合計が、一番長いのは日本であり、一番短いのはスウェーデンである。

Ｃ 妻と夫の家事・育児関連時間の合計が、一番長いのは日本であり、次に長いのはドイツである。

Ｄ 夫の育児の時間が最も長いのは、アメリカである。妻の育児の時間が最も長いのは、日本である。

組み合わせ			
Ａ	Ｂ	Ｃ	Ｄ
1 ○	○	×	×
2 ○	×	○	×
3 ○	×	×	○
4 ×	○	○	○
5 ×	○	×	○

内閣府の発表したデータを読み取る問題である。

A ○：家事・育児関連時間は１日あたり83分（「１：23」（１時間23分）とグラフ上は表記）で最も短く、育児の時間は49分で、全体の半分を超えており、割合は最も多い。

B ✕：一番長いのは日本で、４時間34分、一番短いのはスウェーデン（３時間17分）ではなく、フランスの２時間37分である。

C ✕：一番長いのはドイツで９時間11分、２番目が日本の８時間57分である。

D ○：それぞれ１時間20分（アメリカ）、３時間45分（日本）である。

関連する問題が「子ども家庭福祉」でも出題されているよ！

問48 次の【表】は、「第15回出生動向基本調査（結婚と出産に関する全国調査）」（国立社会保障・人口問題研究所）における、「夫婦が理想の子ども数を持たない理由」について、妻の年齢別に示したものである。以下の【設問】に答えなさい。

【表】　妻の年齢別にみた、理想の子ども数を持たない理由：第15回調査（2015年）
（予定子ども数が理想子ども数を下回る夫婦）

（複数回答）

妻の年齢	（客体数）	経済的理由			年齢・身体的理由			育児負担	夫に関する理由			その他	
		子育てや教育にお金がかかりすぎるから	自分の仕事（勤めや家業）に差し支えるから	家が狭いから	高年齢で生むのはいやだから	欲しいけれどもできないから	健康上の理由から	これ以上、育児の心理的、肉体的負担に耐えられないから	夫の家事・育児への協力が得られないから	一番末の子が夫の定年退職までに成人してほしいから	夫が望まないから	子どもがのびのび育つ社会環境ではないから	自分や夫婦の生活を大切にしたいから
30歳未満	（ 51）	76.5%	17.6	17.6	5.9	5.9	5.9	15.7	11.8	2.0	7.8	3.9	9.8
30～34歳	（ 132）	81.1	24.2	18.2	18.2	10.6	15.2	22.7	12.1	7.6	9.1	9.1	12.1
35～39歳	（ 282）	64.9	20.2	15.2	35.5	19.1	16.0	24.5	8.5	6.0	9.9	7.4	8.9
40～49歳	（ 788）	47.7	11.8	8.2	47.2	28.4	17.5	14.3	10.0	8.0	7.4	5.1	3.6
総　数	（1,253）	56.3	15.2	11.3	39.8	23.5	16.4	17.6	10.0	7.3	8.1	6.0	5.9
第14回（総数）	（1,835）	60.4%	16.8	15.2	35.1	19.3	18.6	17.4	10.9	8.3	7.4	7.2	5.6
第13回（総数）	（1,825）	65.9%	17.5	15.0	38.0	16.3	16.9	21.6	13.8	8.5	8.3	13.6	8.1

注：対象は予定子ども数が理想子ども数を下回る初婚どうしの夫婦。理想・予定子ども数の差の理由不詳を含まない選択率。複数回答のため合計値は100％を超える。予定子ども数が理想子ども数を下回る夫婦の割合は、それらの不詳を除く30.3％である。

【設問】

　次のうち、【表】に示されている「夫婦が理想の子ども数を持たない理由」に関して、適切な文の組み合わせを一つ選びなさい。

A　「自分や夫婦の生活を大切にしたいから」の選択率は、他の年齢層に比べて30歳未満で高い。

B　30～34歳では、「子育てや教育にお金がかかりすぎるから」に次いで、「これ以上、育児の心理的、肉体的負担に耐えられないから」の選択率が高い。

C　30歳代では、「自分の仕事（勤めや家業）に差し支えるから」という回答が他の年齢層に比べて多い。

D　35～39歳では、「子育てや教育にお金がかかりすぎるから」に次いで、「高年齢で生むのはいやだから」の選択率が高い。

組み合わせ		
1	A	B
2	A	C
3	B	C
4	B	D
5	C	D

A ×：最も高いのは30〜34歳の12.1％。次いで30歳未満の9.8％である。

B ×：最も高いのは「子育てや教育にお金がかかりすぎるから」だが、2番目に高いのは、「自分の仕事（勤めや家業）に差し支えるから」で24.2％である。

C ○：30〜34歳では24.2％、35〜39歳では20.2％であり、他の年齢層と比べて高くなっている。

D ○：それぞれ64.9％と35.5％である。

　今回のデータで、総数を見ると、最も多いのは、「子育てや教育にお金がかかりすぎるから」となっている（56.3％）。特に妻の年齢が35歳未満では、8割と高く、35歳以降の年代との違いがみられる。また30歳代に注目すると、「自分の仕事（勤めや家業）に差し支えるから」「これ以上、育児の心理的、肉体的負担に耐えられないから」が他の年齢に比べて高いといえる。

落ち着いてデータを読み取っていくことが大切だよ

フレーフレー

テーマ 7 子育て家庭に関する現状

➡️『合格テキスト』P.370〜371

問49 次の【図】は、「男女共同参画白書令和2年版」（内閣府）における「夫は外で働き、妻は家庭を守るべきである」という考え方に関する意識の変化を示している。以下の【設問】に答えなさい。

【図】

「夫は外で働き、妻は家庭を守るべきである」という考え方に関する意識の変化（男女別）

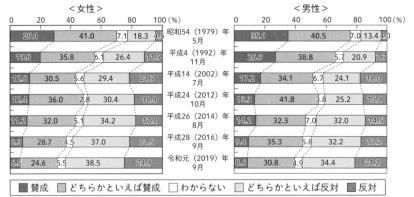

（備考） 1. 総理府「婦人に関する世論調査」（昭和54年）及び「男女平等に関する世論調査」（平成4年）、内閣府「男女共同参画社会に関する世論調査」（平成14年、24年、28年、令和元年）及び「女性の活躍推進に関する世論調査」（平成26年）より作成。
2. 平成26年以前の調査は20歳以上の者が対象。平成28年及び令和元年の調査は、18歳以上の者が対象。

【設問】

次のうち、【図】を説明する文として適切なものを○、不適切なものを×とした場合の正しい組み合わせを一つ選びなさい。

ここでは、「夫は外で働き、妻は家庭を守るべきである」という考え方を性役割分担意識という。性役割分担意識に賛成する者とは「賛成」および「どちらかといえば賛成」を合わせた者とし、反対する者とは「反対」および「どちらかといえば反対」を合わせた者とする。

A 経年推移をみると、性役割分担意識に反対する者の割合は、男女ともに長期的に増加傾向にある。

B どの調査年であっても、性役割分担意識に賛成する者の割合は、女性が男性を上回っている。

C 平成26年調査以降、男女ともに性役割分担意識に反対する者の割合が賛成する者の割合を上回っている。

組み合わせ			
	A	B	C
1	○	○	○
2	○	×	○
3	○	×	×
4	×	○	×
5	×	×	○

A ○：反対する者の割合は男女ともに長期的に増加傾向にあるといえる。

B ✕：賛成する者の割合は、どの調査年でも男性が女性を上回っている。

C ✕：2014（平成26）年の男性のデータでは、「賛成」および「反対」が、ともに46.5％となり同数である。したがって、反対が賛成を上回っているとはいえない。

資料を読みとる問題は、落ちついて
読めば必ず解けるよ！

○×問題 保育の心理学

❶ 成熟説を唱えたのは、ワトソンである。

❶ × ワトソンではなくゲゼルである。

❷ 子どもにとって直接かかわりのある層が、マクロシステムである。

❷ × マイクロシステムである。マクロシステムは、価値観、法律、文化などにあたる。

❸ 環境閾値説を唱えたのはジェンセンである。

❸ ○

❹ ネコやネズミの出生は、就巣性である。

❹ ○

❺ 生理的早産説を唱えたのは、ローレンツである。

❺ × ポルトマンである。

❻ 乳児期の危機は「信頼（基本的信頼）対 不信」である。

❻ ○

❼ ピアジェの認知発達理論は、全部で4段階である。

❼ ○

❽ 自己中心性とは、いわゆるわがままのことである。

❽ × 物事を他者の視点から捉えられないことをいう。

❾ 「サボると叱られるから、掃除をする」は外発的動機づけであり、「きれいになるのが好きだから、掃除をする」は内発的動機づけである。

❾ ○

❿ 絵本の登場人物の名前を思い出すとき、「"あ"から始まるよ」、と言われて出てくるのは、記憶の再生である。

❿ × 記憶の再認である。

⓫ 信号の赤は「止まれ」だと知っているのは、エピソード記憶である。

⓫ × 知識についての記憶なので、意味記憶である。

⓬ ピアジェは子どもの能動性を重視した。

⓬ ○

⑬ 人見知りは、5か月不安ともいう。

⑬ ✕ 8か月不安である。親しい人とそうでない人との区別がつく7〜8か月頃から始まるといわれている。

⑭ ストレンジ・シチュエーション法は、新奇場面法あるいはSSPとも呼ばれる。

⑭ ○

⑮ 愛着形成が阻害されている状態を、母性剥奪（マターナルデプリベーション（Maternal Deprivation））という。

⑮ ○

⑯ 愛着行動のうち、しがみついたり、抱きついたりすることを、定位行動と呼ぶ。

⑯ ✕ 接近行動という。定位行動は注視したり、目で追いかけたりするなどの行動を指す。

⑰ 愛着行動のうち、泣き叫ぶなどして、養育者の関心を引こうとすることを、信号行動と呼ぶ。

⑰ ○

⑱ 乳児が人の顔を注視するのは、経験によるものである。

⑱ ✕ 経験ではなく生まれながらのものである。

⑲ 園生活に慣れてくると、一日の見通しが立つようになるが、これをスクリプトの獲得という。

⑲ ○

⑳ 心の理論は、2歳頃に確立する。

⑳ ✕ 4歳頃である。

㉑ 産後うつ病は一過性のものである。

㉑ ✕ うつ病の一つであり、周囲のサポートや適切な治療が必要となる。

㉒ 青年期に獲得したアイデンティティが、中年期に揺らぐことがある。

㉒ ○

㉓ 第二次性徴とは、思春期に入り、体の変化が緩やかに生じることをいう。

㉓ ✕ 緩やかではなく、急激に生じる変化をいう。

㉔ 小学校の中・高学年では、大人よりも仲間同士の結びつきを大切にしたがる傾向がある。

㉔ ○

㉕ 保存概念を獲得することができるのは、前操作期である。

㉕ ✕ 前操作期ではなく、具体的操作期である。

㉖ エリクソンの示した学童期の心理社会的危機は、「親密性 対 劣等感」である。

㉖ ✕ 親密性ではなく、勤勉性である。

㉗ チャムグループは、「互いが同じであること」でつながる仲間関係である。

㉗ ○

㉘ 空の巣症候群は、父親に多い。

㉘ ✕ 子育てを生きがいに感じてきた母親に多く見られる。

㉙ 知能のうち、新奇なものに適応できる能力を流動性知能と呼ぶ。

㉙ ○

㉚ 成人期にはアイデンティティが揺らぎ、不安定になることが多く、これを「中年の危機（中年クライシス）」と呼ぶ。

㉚ ○

㉛ 語彙数が一気に増加するといわれる「語彙の爆発期」は、3歳頃である。

㉛ ✕ 1歳半〜2歳頃といわれている。

㉜ 新生児が声かけに反応して、手足を動かすことを、情動伝染という。

㉜ ✕ 情動伝染ではなく、エントレインメントである。

㉝ コミュニケーションの言葉を、内言と呼ぶ。

㉝ ✕ 内言ではなく、外言である。

㉞ 散歩している犬を指さし、思いを訴えようとするように保育者の顔を見る行為を、応答の指差しという。

㉞ ✕ 叙述の指差しである。

㉟ 幼児期の思考の特徴である、「相手の立場に立って物事を考えることが難しい状態」を自己中心性という。

㉟ ○

㊱ 「親しみをもって日常の挨拶をする」は、保育所保育指針の「1歳以上3歳未満児の保育に関わるねらい及び内容」の「言葉」についての記述である。

㊱ ✕ 「3歳以上児」についての記述である。「1歳以上3歳未満児」では、文末が「〜挨拶に応じる」になる。

㊲ 共同注意ができるようになるのは、2歳以降である。

㊲ ✕ だいたい生後8〜9か月頃である。

㊳ 砂場で一人の子どもがトンネルを作っている。その隣で山を作っている子どもがいる。それぞれに関わりはない。こうした遊び方のことを、連合遊びという。

㊳ ✕ 連合遊びではなく、平行遊びである。

㊴ 大人が大きく口を開けたり、舌を出したりする表情を真似ようとすることは、共同注意である。

㊴ ✕ 共鳴動作（新生児模倣）である。

㊵ 新生児が横にいる他の新生児の声につられて泣き出すことを情動調整という。

㊵ ✕ 情動伝染である。

㊶ 心的外傷後ストレス障害は、PTSDとも表記される。

㊶ ◯

㊷ 愛着障害には脱抑制性愛着障害のほかに、反応性愛着障害がある。

㊷ ◯

㊸ 親から離れることの不安が極端な状態を、分離不安と呼ぶ。

㊸ ◯

㊹ 生態学的システム論を唱えた人物はバンデューラである。

㊹ ✕ バンデューラではなく、ブロンフェンブレンナーである。

㊺ PTSD（心的外傷後ストレス障害）は虐待が原因で起こることもある。

㊺ ◯

㊻ 虐待の早期発見は、保育所の重要な役割の一つといえる。

㊻ ◯

㊼ 子どもに対して冷淡な態度をとる、無視をするといった行為は、ネグレクトにあたる。

㊼ ✕ ネグレクトではなく、心理的虐待である。

㊽ 身体的虐待の次に多いのが、心理的虐待である。

㊾ 配偶者に対する暴力（DV）を子どもに見せるという行為も虐待として挙げられる。

㊿ 退職後、園での出来事をSNSに投稿するのは、守秘義務に反しない。

㉛ 虐待に気づいたら早期に対応するのが望ましい。

㉜ 新版K式発達検査2020は、保護者がつける質問紙形式のものである。

㉝ 発達障害は、親のしつけが主な原因といわれる。

㉞ あらかじめ環境設定を行ったうえで行う観察法を、実験観察法という。

㉟ 面接において、あらかじめ質問する項目が決まっていて、その通りに進めていく方法を、「非構造化面接」という。

㊱ 虐待が疑われる場合でも、守秘義務を重視し、他に漏らしてはならない。

㊽ ✕ 2020（令和2）年のデータでは、心理的虐待の件数が最も多く、次いで身体的虐待、ネグレクト、性的虐待の順になっている。

㊾ ○

㊿ ✕ 退職しても守秘義務は継続する。

㉛ ○

㉜ ✕ 子どもに実施する形式である（保護者からの情報も参考として取り入れることもある）。

㉝ ✕ 何らかの脳の機能障害が原因であるとされており、親のしつけや本人の性格のせいではない。

㉞ ○

㉟ ✕ 非構造化面接ではなく、構造化面接が正しい。

㊱ ✕ 速やかに各機関と連携を取り、適切な対応を図らなくてはならない。

第 7 章

子どもの保健

この科目は、医学分野に関する「子どもの保健」の出題と、社会状況、特に事故や災害などの危機管理に関する「子どもの健康と安全」の出題に分かれているよ。「感染症」と「アレルギー」は子どもの保健の最重要項目だからしっかり勉強しよう。「保育所保育指針」は「子どもの健康支援」を中心に確認しよう。

問1 次の文は、世界保健機関（WHO）憲章の前文にある健康の定義（官報訳）である。（　A　）〜（　D　）にあてはまる語句の正しい組み合わせを一つ選びなさい。

健康とは、完全な（　A　）、（　B　）及び（　C　）福祉の状態であり、単に（　D　）又は病弱の存在しないことではない。

組み合わせ

	A	B	C	D
1	経済的	精神的	宗教的	障害
2	肉体的	精神的	社会的	疾病
3	精神的	霊的	経済的	障害
4	肉体的	霊的	社会的	疾病
5	肉体的	精神的	経済的	障害

正答 2 令5-前-13

A：肉体的　B：精神的　C：社会的　D：疾病

世界保健機関（WHO）憲章（1948年）では、前文において「健康とは、完全な肉体的、精神的および社会的福祉の状態であり、単に疾病または病弱の存在しないことではない」と定義している。健康の概念については、WHOの定義だけでなく、ヘルスプロモーションの定義（1986年）、ウェルビーイングなど新しい概念についても確認しておこう。また、「健康日本21」「健やか親子21」は、これらの健康概念を前提とした政策であり、目標などを確認する必要がある。

健康日本21（第三次）

2024（令和6）年度より12年間の計画である。人生100年時代を迎え、社会が多様化する中で、各人の健康課題も多様化しており、「誰一人取り残さない健康づくりの展開」を推進する。また、健康寿命は着実に延伸してきたが、一部の指標が悪化しているなど、さらに生活習慣の改善を含め、個人の行動と健康状態の改善を促す必要があるため、「より実効性をもつ取組の推進」に重点を置く。

健やか親子21（第二次）

「すべての子どもが健やかに育つ社会」の実現を目指し、関係するすべての人々、関連機関・団体が一体となって取り組む国民運動である。計画期間は2015（平成27）年から10年間で、達成すべき3つの基盤課題「切れ目のない妊産婦・乳幼児への保健対策」「学童期・思春期から青年期に向けた保健対策」「子どもの健やかな成長を見守り育む地域づくり」と、2つの重点課題「育てにくさを感じる親に寄り添う支援」「妊娠期からの児童虐待防止対策」を示している。

テーマ **1** 子どもの心身の健康と保健の意義

➡『合格テキスト』P.378〜379

問2 次のうち、「保育所保育指針」第1章「総則」2「養護に関する基本的事項」ア「生命の保持」に関する記述として、適切なものを○、不適切なものを×とした場合の正しい組み合わせを一つ選びなさい。

A 子どもの生命を守り、子どもが快適に、そして健康で安全に過ごすことができるようにする。

B 子どもの生理的欲求が十分に満たされ、健康増進が積極的に図られるようにする。

C 一人一人の子どもの健康状態や発育及び発達状態を把握する。

D 子どもの生活や発達過程等にふさわしい生活リズムをつくるために、保育所での生活に合わせ、家庭での生活リズムを変えるよう指示することが大切である。

組み合わせ			
A	B	C	D
1 ○	○	○	○
2 ○	○	○	×
3 ○	×	○	×
4 ×	○	×	×
5 ×	×	○	○

正答 **2** 令4-前-2

「保育所保育指針」第1章「総則」の2「養護に関する基本的事項」のア「生命の保持」の⑺「ねらい」には、次のとおり示されている。

⑺ ねらい
① 一人一人の子どもが、快適に生活できるようにする。
② 一人一人の子どもが、健康で安全に過ごせるようにする。
③ 一人一人の子どもの生理的欲求が、十分に満たされるようにする。
④ 一人一人の子どもの健康増進が、積極的に図られるようにする。

A ○：⑺「ねらい」の①及び②に当てはまる。

B ○：⑺「ねらい」の③及び④に当てはまる。

C ○：⑻「内容」の①に、「一人一人の子どもの平常の健康状態や発育及び発達状態を的確に把握し、異常を感じる場合は、速やかに適切に対応する」とされている。

D ×：⑻「内容」の③に、「（略）家庭と協力しながら、子どもの発達過程等に応じた適切な生活リズムがつくられていくようにする」と示されている。

①保育所保育指針、②保育所における感染症ガイドライン、③保育所におけるアレルギーガイドラインの3つには、必ず目を通しておこう！

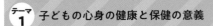

テーマ 1 子どもの心身の健康と保健の意義 ➡ 『合格テキスト』P.378〜379

問3 次のうち、「保育所保育指針」第1章「総則」2「養護に関する基本的事項」イ「情緒の安定」に関する記述として、<u>不適切なもの</u>を一つ選びなさい。

1　一人一人の子どもが、自分の気持ちを安心して表すことができるようにする。

2　一人一人の子どもが、くつろいで共に過ごし、心身の疲れが癒されるようにする。

3　一人一人の子どもの発達過程、保育時間などに応じて、活動内容のバランスや調和を図りながらも、食事は全員一斉に取るように設定する。

4　保育士等との信頼関係を基盤に、一人一人の子どもが主体的に活動し、自発性や探索意欲などを高めるとともに、自分への自信を持つことができるよう、成長の過程を見守り、適切に働きかける。

5　一人一人の子どもの置かれている状態や発達過程などを的確に把握し、子どもの欲求を適切に満たしながら、応答的な触れ合いや言葉がけを行う。

正答 3 令5-後-1

1 ○：ねらい①にあてはまる。

2 ○：ねらい④にあてはまる。

3 ✕：内容④にあるように、一人一人の子どもの生活リズムを考慮することが大切であり、食事を全員一斉にとるように設定する必要はない。

4 ○：内容③にあてはまる。

5 ○：内容①にあてはまる。

「保育所保育指針」第1章「総則」2「養護に関する基本的事項」より

イ　情緒の安定
（ア）ねらい
①　一人一人の子どもが、安定感をもって過ごせるようにする。
②　一人一人の子どもが、自分の気持ちを安心して表すことができるようにする。
③　一人一人の子どもが、周囲から主体として受け止められ、主体として育ち、自分を肯定する気持ちが育まれていくようにする。
④　一人一人の子どもがくつろいで共に過ごし、心身の疲れが癒されるようにする。
（イ）内容
①　一人一人の子どもの置かれている状態や発達過程などを的確に把握し、子どもの欲求を適切に満たしながら、応答的な触れ合いや言葉がけを行う。
②　一人一人の子どもの気持ちを受容し、共感しながら、子どもとの継続的な信頼関係を築いていく。
③　保育士等との信頼関係を基盤に、一人一人の子どもが主体的に活動し、自発性や探索意欲などを高めるとともに、自分への自信をもつことができるよう成長の過程を見守り、適切に働きかける。
④　一人一人の子どもの生活のリズム、発達過程、保育時間などに応じて、活動内容のバランスや調和を図りながら、適切な食事や休息が取れるようにする。

問4　次のうち、母子保健に関して人口動態統計に用いられている指標の記述として、適切なものを○、不適切なものを×とした場合の正しい組み合わせを一つ選びなさい。

A　人口千人に対する出生数の割合を出生率という。
B　周産期死亡とは、妊娠満22週以後の死産と生後4週未満の新生児死亡を合わせたものをいう。
C　乳児死亡は生後1年未満の死亡をいい、乳児死亡率は出生千対で表す。
D　合計特殊出生率とは、15歳から49歳までの女性の年齢別出生率を合計したものである。

組み合わせ			
A	B	C	D
1 ○	○	○	○
2 ○	○	○	×
3 ○	○	×	○
4 ○	×	○	○
5 ×	○	○	○

正答 **4**　令4-後-1

A ○：ここ数年、出生数は減少傾向であり、2023（令和5）年は約72万6000人と推定され、1899（明治32）年の統計開始以来、過去最少を更新する。

B ×：周産期とは、妊娠22週以降から生後1週未満の期間を示す。周産期死亡率の分子は、この期間に死亡した胎児及び新生児の数で、分母は、年間の出生数と妊娠22週以降の死産数を足した数である。2022（令和4）年の周産期死亡率は3.3で、近年横ばい傾向である。

C ○：乳児期とは、1歳未満（1歳の誕生日の前日まで）を指し、幼児期とは、5歳未満（5歳の誕生日の前日まで）を指す。日本の乳児死亡率および幼児死亡率は、世界的に低く、小児保健の水準の高さを示してる。2022（令和4）年の乳児死亡率は1.8で、横ばい傾向である。

D ○：合計特殊出生率は、一人の女性が一生の間に産む子どもの数の目安であり、2.08を下回ると人口減少となるとされる。日本では、2023（令和5）年に1.20となり、過去最低値となった。

　出生率、合計特殊出生率、乳児死亡率、新生児死亡率、周産期死亡率など母子保健に関する保健指標については、定義および近年の数値や推移についてもしっかり覚えておく必要がある。

問5 次のうち、児童虐待に関する記述として、正しいものを○、誤ったものを×とした場合の正しい組み合わせを一つ選びなさい。

A 不適切な養育の兆候が見られる場合には、「児童福祉法」等に基づき適切な対応を図る。

B 地域社会から孤立した家庭は、そうでない場合に比べて、児童虐待が起こりやすい。

C 児童虐待の発生予防のために、都道府県が実施主体となって「乳児家庭全戸訪問事業」が行われている。

D 児童虐待の発生予防のためには、産前産後の心身の不調などに対応できるサービスが重要である。

組み合わせ			
A	B	C	D
1 ○	○	○	×
2 ○	○	×	○
3 ○	×	○	×
4 ○	×	×	○
5 ×	○	○	○

正答 2 令5-前-20

A ○:児童虐待は、「児童虐待防止法」によって定義されている。ただし、児童福祉法第25条においてすべての国民の通告義務が定められている。

B ○:児童虐待は、核家族化が進んだ上に地域との関わりも希薄になったため、身近に相談する相手もなく、不安や悩みが募って生じることが多い。

C ×:乳児家庭全戸訪問事業は、児童福祉法に基づく事業で特別区を含む市町村が実施主体である。

D ○:産前産後の心身の不調に対応するサービスとして産前産後サポート事業と産後ケア事業があり、それぞれ市町村（特別区を含む）が実施している。

　毎年、児童虐待に関する出題はされている。保育士には、虐待のサインを早期に発見し、通告しなければならない「通告義務」がある。虐待による不幸な事件を未然に防ぐことが求められている。

> 虐待は、子どもの保健だけでなく、社会的養護、子ども家庭福祉の科目でも出題されるよ。

問6 次の文は、頭囲の計測法についての記述である。（ **A** ）〜（ **D** ）にあてはまる語句の正しい組み合わせを一つ選びなさい。

　乳幼児期は脳神経系の発育が急速に進む時期である。乳児では（ **A** ）の観察も行う。2歳未満の乳幼児はあおむけに寝かせ、2歳以上の幼児は座位または立位で計測する。計測者は一方の手で巻き尺の0点を持ち、他方の手で（ **B** ）を確認して、そこに巻き尺をあてながら前に回す。（ **C** ）に巻き尺を合わせてその周径を1（ **D** ）単位まで読む。

| | 組み合わせ | | |
	A	B	C	D
1	大泉門	両耳	眉と眉の間	cm
2	大泉門	後頭結節	眉と眉の間	mm
3	小泉門	両耳	前額の突出部	mm
4	大泉門	後頭結節	前額の突出部	cm
5	小泉門	後頭結節	前額の突出部	cm

正答 2 令5-後-6

A：大泉門　B：後頭結節　C：眉と眉の間　D：mm

　大泉門とは、頭の左、右、前の3つの骨の隙間のことである。小泉門は後頭部の隙間である。出産時にこれらのすき間を利用して骨と骨が重なり合い頭のサイズを小さくして狭い産道を通る。大泉門は1歳半から2歳くらいの時期までに閉じる。小泉門は生後2-3か月で閉じる。
　頭囲の計測では、片手で頭の後ろ側に巻き尺を通して、後頭部の一番出ているところ（後頭結節）に当て、眉間（眉と眉の間）巻き尺から一周回るようにして、ミリ単位まで測る。

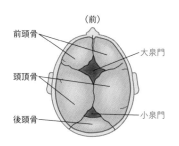

（前）

前頭骨
大泉門
頭頂骨
後頭骨
小泉門

第**7**章　子どもの保健

問7 次の【事例】を読んで、【設問】に答えなさい。

【事例】

　生後1歳8か月の女児。妊娠37週目に経腟分娩で生まれ、出生時身長は48.0cm、体重は2,650gであった。出生直後に酸素投与や光線療法などの医療処置は必要としなかった。

　現在身長は80cm、体重は11kgである。つかまり立ちはできているが、一人で歩行することはできていない。意味のある言葉の発語はなく、保護者が声をかけても振り向かない。

【設問】

　次の文のうち、この女児に関する記述として、適切なものを○、不適切なものを×とした場合の正しい組み合わせを一つ選びなさい。

A　出産の時期は、早産である。

B　出生時の身長体重から、胎児発育遅延がみられる。

C　現在は、身体発育遅延がみられる。

D　現在は、運動発達遅延がみられる。

E　現在は、言語発達遅延がみられる。

組み合わせ

	A	B	C	D	E
1	○	○	×	×	○
2	○	×	○	×	×
3	○	×	×	○	○
4	×	○	○	○	×
5	×	×	×	○	○

正答 5 令3-前-15

A ×：早産とは、妊娠22週0日から妊娠36週6日までの出産をいう。妊娠22週未満の出産は流産といい、早産とは区別される。

B ×：出生体重の正常範囲は、2500〜4000g、出生時の身長の中央値は、男児49.0cm、女児48.5cmであり、事例の女児は正常といえる。

C ×：生後1歳8か月頃の身長の目安は75.7〜86.3cm、体重の目安は8.34〜12.21kgであり、事例の女児は正常範囲内である。

D ○：正常な運動発達の目安は、1歳2〜3か月で一人歩きができ、1歳6か月で10メートルほどを上手に歩くことである。1歳8か月では、後ずさり歩きができる。

E ○：【事例】にあるように1歳8か月になっても意味のある言葉が出ない、あるいは3歳までに2語文が言えない場合は、言語発達の遅滞が疑われる。

事例問題は、毎回、出題されているよ。
文章を読む力をつけよう！

テーマ 2　子どもの身体的発育・発達

➡️ 『合格テキスト』P.386〜391

問8 次のうち、適切な記述を○、不適切な記述を×とした場合の正しい組み合わせを一つ選びなさい。

A カウプ指数は身長と腹囲の相対的な関係を示す指標である。

B 母子健康手帳には、身体発育のかたよりを評価する基準の一つとして、体重、身長、頭囲それぞれの3パーセンタイルと97パーセンタイル曲線が図示されている。

C 新生児期の生理的体重減少においては通常、出生体重の15%程度減少する。

D モロー反射は出生時にみられるが、発達が進むとともに消失する。

組み合わせ			
A	B	C	D
1 ○	○	×	×
2 ○	×	○	×
3 ○	×	×	○
4 ×	○	○	×
5 ×	○	×	○

正答 5　令3-後-3

A ×：カウプ指数は生後3か月から5歳までの乳幼児に対して発育（痩せ、肥満）の程度を表す指標である。

B ○：3パーセンタイルと97パーセンタイルの曲線が男女別に示されている。

C ×：新生児の生理的体重減少は、通常体重の5〜10%程度である。

D ○：モロー反射は原始反射の一つで、出生時から4か月頃までみられる。

パーセンタイル

データを小さい順に並べたとき、小さいほうから数えた値の順位を表したもの。パーセンタイル3〜97とは、100人の子どもを身長の低い順に並べて、低いほうから3番目の子どもから97番目の子どもまでを示す。

モロー反射

新生児に生まれつき備わっている刺激に対する反射。原始反射には、そのほかに吸啜反射、探索反射、歩行反射などがある。

第7章　子どもの保健

問9　次のうち、精神運動機能発達に関して、ほぼ半数の子どもができるようになる時期についての記述として適切なものを○、不適切なものを×とした場合の正しい組み合わせを一つ選びなさい。

A　生後2か月頃には首がしっかりすわる。
B　生後3～4か月頃には両手を合わせて遊ぶことができる。
C　生後6～7か月頃には一人座りができる。
D　生後9～10か月頃には親指を使って小さなものをつかむ。
E　生後12か月頃には一人で安定した歩きをする。

組み合わせ	A	B	C	D	E
1	○	○	○	×	×
2	○	○	×	×	○
3	×	○	○	○	×
4	×	○	×	○	○
5	×	×	○	○	○

正答 **3**　令4-後-14

A ×：ほぼ半数の子どもが、首がしっかりすわるのは生後3～4か月頃である。仰臥位から両手を持って引き起こしたときに首がついてくるかどうかが判断の基準になる。

B ○：生後3～4か月頃には、ほぼ半数以上の子どもが両手を合わせて遊ぶほか、自分の手をじっと見つめる「ハンドリガード」というしぐさを始める。また、手をなめる、指をくわえる、腕をゆらゆらと動かす、というしぐさもみられる。

C ○：生後6～7か月頃には、ほぼ半数以上の子どもが一人座りが可能になる。上半身の体重を腰で支えることが可能になると、一人座りができる。

D ○：生後9～10か月頃には、ほぼ半数以上の子どもが親指、人差し指、中指で物をつかむことができるようになる。

E ×：ほぼ半数の子どもが安定した一人歩きができるようになるのは、1歳3か月頃である。生後9～10か月頃に、はいはいやつかまり立ちをして、11～12か月頃に伝い歩きが始まる。

　精神運動機能とは、身体的な運動機能に影響する心理的な状況を示す。成長の過程で一般的に可能となる運動機能（手の動きや歩行など）と精神機能（注意力、集中力、識別能力など）が存在するが、両者は相互的な関係にある。

テーマ **2** 子どもの身体的発育・発達

➡ 『合格テキスト』P.390〜391

問10 次のうち、原始反射に<u>あてはまらないもの</u>を一つ選びなさい。

1 吸てつ反射
2 膝蓋腱反射
3 把握反射
4 緊張性頸反射
5 モロー反射

正答 2 令5-後-2

　原始反射とは、特定の筋肉などが無意識に動く現象である。乳児にとって、原始反射は最低限生きるため必要とされる動きで、随意運動が発達すると消失する。

原始反射

反射名	特徴	発現時期	消失時期
モロー反射	大きな音やびっくりしたときに、両手を広げて抱きしめるような動き	出生時	4か月頃
探索反射	口のまわりに触れるとそちらに顔を向けて乳首を探す動き	出生時	4か月頃
吸啜反射	口唇に触れると乳を吸おうとする動き	出生時	4か月頃
緊張性頸反射	頭を一方向に向けると、顔の向いた側の手は伸び、反対側の手足は曲がっている姿勢をとる動き	出生時	5か月頃
バビンスキー反射	足の裏を刺激すると、足の指を扇状に広げる動き	出生時	24か月頃
歩行反射	身体を支えて足を床につけると、両足を交互に屈曲伸展する動き	出生時	1か月頃
把握反射	手に触れるものをつかもうとする動き	出生時	3、4か月

第7章 子どもの保健

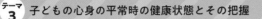
問11 次のうち、小児の生理機能の発達に関する記述として、適切な記述を一つ選びなさい。

1 嚥下機能は、生後ほ乳をすることによって開始される。
2 胎児期の血液の流れ、すなわち胎児循環との違いとして、生後の血液の循環には、肺循環がある。
3 乳歯は生後石灰化が始まり、前歯は生後6〜8か月頃に生え始める。
4 脳の機能は、胎児期から既に発達しており、出生時にはほぼ成熟している。
5 乳児では膀胱に尿が溜まると、その刺激が脳で感知され、脳細胞の指令で排尿がおこる。

正答 **2** 令5-後-4

　子どもの生理機能の状態の変化に気づくには、平常時の様子をしっかり観察しておく必要がある。体温、脈拍、呼吸数、血圧などのバイタルサインは、生命活動における重要な指標である。さらに、飲み込む、かむ、排尿するなどの基本的な生理機能について理解しておく必要がある。

1 ✕：嚥下機能は、羊水を飲み始める胎生10〜11週から開始される。胎児は、羊水を肺にまで取り込んで、生まれてからの肺呼吸の練習、準備をしている。飲んだ羊水は、肺や小腸から吸収され、血液に取り込まれたあと、腎臓で再び吸収され、尿となって出ていく。

2 ◯：「胎児循環」とは、胎児期の血液の流れのことである。胎盤から酸素を供給するため胎児独自の三つの短絡経路（静脈管・動脈管・卵円孔）をもっている。肺呼吸とともに肺循環に変化する。

3 ✕：すべての乳歯は胎生7〜10週に歯胚形成が、胎生4〜6か月に石灰化が始まる。乳歯の歯冠が完成するのは生まれてからになるが、母体の栄養をもらいながら、石灰化は進んでいく。子どもの歯の状態は、母体の栄養状況に影響される。

4 ✕：胎児の脳の形成が開始するのは、胎生18日ごろからといわれており、胎生24週（6か月）くらいまでに、脳はぐんぐんと大きくなる。しかし、機能的には出産時は未熟な状態にある。脳は3歳までに80％、6歳までに90％が完成する。

5 ✕：乳児期早期は、排尿反射を抑制する機能が未発達なために、膀胱に尿がたまると反射的に排尿される。乳児期後期は、排尿反射を抑制する機能が整ってくるので、膀胱容量は次第に拡大し、膀胱に貯留する尿量が増える。

テーマ **3** 子どもの心身の平常時の健康状態とその把握　　　→ 『合格テキスト』P.396

問12 次のうち、乳幼児の排尿・排便の自立に関する記述として、適切なものを○、不適切なものを×とした場合の正しい組み合わせを一つ選びなさい。

A 新生児期の膀胱は未熟であり、1回の排尿量は少なく、排尿回数は1日5回程度である。

B 尿がたまった感覚がある程度わかるようになるのは3歳頃である。

C 生後6か月未満では、多くに1日2回以上の排便がある。

D 4歳以上では、ほとんどが便意を伴うようになり、排便が自立する。

組み合わせ				
	A	B	C	D
1	○	○	×	×
2	○	×	○	×
3	○	×	×	○
4	×	○	×	×
5	×	×	○	○

正答 5 令6-前-6

A ×：新生児の場合、1回の量は5〜10mℓで1日当たり20回くらいである。授乳量などにより個人差はあるが、生後3か月までは1日当たり15〜20回くらいで、6〜12か月くらいになると10〜16回前後になる。

B ×：一般的に1歳半から2歳くらいになると、尿がたまった感覚がある程度自覚できるようになる。2歳になると、膀胱にためられる量が多くなり、昼間の排尿間隔が2〜3時間と長くなる。トイレットトレーニングは、排尿間隔が2時間程度になるときが開始の目安とされている。

C ○：一般的に母乳栄養児は人工乳栄養児に比べ排便回数が多い。正常な新生児は生後24時間以内に胎便を排泄する。生後1週間は1日平均4〜8回排便し、生後数か月間は、母乳栄養児の排便回数が1日平均3回であるのに対し、人工乳栄養児では約2回である。

D ○：2歳までに排便回数は減少し、1日2回をやや下回るようになる。4歳以降は、1日1回をやや超える程度で、大人と同じ頻度となる。

園でのトイレットトレーニングのポイント

園でのトイレットトレーニングは、以下の三つの条件が整ったら、保護者との密な連携をしながら進めていくのがよいとされている。①安定して座れること、②簡単な言葉を理解し、表現できること、③排尿の間隔が1時間半以上空くこと。

第7章 子どもの保健

問13 次の文は、小児期の歯科保健に関する記述である。<u>不適切な記述の組み合わせ</u>を一つ選びなさい。

A　乳歯の生える順序は、下あごの前歯が最初に生えることが多いが、上あごからの場合もあり、生える順序で心配する必要はない。

B　むし歯予防や永久歯の萌出のために、乳歯の場合は歯と歯の間に多少のすき間が開いている方が望ましい。

C　食物を食べていない時の口中の酸度はpH6.5～7.0くらいであるが、pHが上昇することにより、歯が侵されやすい状態になる。

D　むし歯の発生には、歯垢中の細菌の存在が要因としてあげられるが、咀しゃくや唾液流出の状態も関係している。

E　乳歯の多くは妊娠後期に形成を開始し、続いて石灰化が行われる。

組み合わせ		
1	A	B
2	A	E
3	B	D
4	C	D
5	C	E

正答 5　令5-前-4

A ○：乳歯は、生後6か月ごろから生えはじめ、2～3歳までに上下合わせて20本が生えそろう。最初に生えてくる歯は、「下あごの前歯」が多い。一般的には、下2本、上2本の順で、前歯が4本そろってから、その両どなりが生えてくる。前歯8本が出そろうと、1歳半ごろから奥歯が生えはじめる。

B ○：歯と歯の間に隙間があるのは、顎がきちんと成長している証拠でもある。

C ✕：通常、口中のpHは6.5～7.0くらいの中性である。食事をすることにより、飲食物の酸や口腔内細菌が出す酸により、口中が酸性に傾く。酸性に傾いている時に歯が侵される危険性が高くなる。

D ○：むし歯発生の原因は「細菌（ミュータンス菌）」「糖質」「歯の質」の三つの要素がある。この三つの要素が重なった時、時間の経過とともにむし歯が発生する。咀嚼の状態や唾液の量によって、口腔内の糖質量が変わる。

E ✕：すべての乳歯は胎生7～10週に歯胚形成が、胎生4～6か月に石灰化が行われる。

歯の生え方

6か月頃
下の前歯が2本生える

10か月頃
上の前歯が2本生える

1歳頃
上下で8本になる

1歳半頃
第一乳臼歯が4本生える

テーマ 3 子どもの心身の平常時の健康状態とその把握

問14 次の文は、睡眠に関する記述である。適切な記述を○、不適切な記述を×とした場合の正しい組み合わせを一つ選びなさい。

A 新生児は授乳リズムに応じて睡眠覚醒を繰り返しているが、月齢とともに次第に昼夜の区別が可能になる。

B 乳児は浅い眠りの時に夜泣きしやすい。

C 成長ホルモンは、入眠時、ノンレム睡眠の最も深い時に比較的多く分泌される。

D 睡眠リズムの調節と免疫機能の向上作用をもつメラトニンは、日中に比較的多く分泌される。

E 自閉症や情緒障害などで生体リズムが乱れることがあるが、特に睡眠リズムを改善させる必要はない。

組み合わせ				
A	B	C	D	E
1 ○	○	○	×	×
2 ○	○	×	○	○
3 ○	×	○	×	×
4 ×	×	○	○	○
5 ×	×	×	○	×

正答 1 令4-後-9

園生活において午睡は大切な時間である。したがって、午睡の環境や睡眠についての理解を深めることが大切である。

A ○：新生児は、3～4時間の授乳リズムに合わせて睡眠と覚醒を繰り返すが、生後2か月頃から昼夜を認識することができるようになる。生後3～4か月になると睡眠を促すメラトニンというホルモンが分泌されるようになり、サーカディアンリズムが形成されて昼間の覚醒時間が増える。

B ○：睡眠中は、レム睡眠（浅い眠り）とノンレム睡眠（深い眠り）を繰り返している。乳児はレム睡眠の時に夜泣きをしやすい。睡眠のサイクルは、新生児では約40～50分、1～2歳頃までは約60分である。

C ○：成長ホルモンは、ノンレム睡眠（深い眠り）の午後10時頃から深夜2時頃が最大の分泌時間とされている。

D ×：メラトニンは、朝日を浴びてから約15時間後に分泌されるといわれている。つまり午前7時に起きると午後10時頃に分泌される。メラトニンには、睡眠リズムの調整作用はあるが、免疫機能の向上作用はない。

E ×：睡眠不足や睡眠リズムの乱れが生じると、日中の眠気や体調不良、情緒不安定を招き、学業への支障を来すという報告も多い。したがって睡眠リズムの改善は大切である。

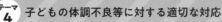

テーマ 4 子どもの体調不良等に対する適切な対応

→『合格テキスト』P.400～403

問15 次の文のうち、適切な記述を○、不適切な記述を×とした場合の正しい組み合わせを一つ選びなさい。

A 子どもの体調の変化を見るには、まず機嫌、睡眠、食欲を確認するが、乳児と年少幼児は言葉で伝えることが難しいため全身状態を観察し客観的評価をする必要がある。

B 保育中に体調の変化が認められた場合は、嘱託医に連絡し指示を受けなければならない。

C 嘔吐、下痢がある場合、水分補給をすると嘔吐や下痢の症状が悪化するため、水分補給は控えるほうがよい。

D 頭を打った後に嘔吐をしたり、意識がぼんやりしているときは、横向きに寝かせてしばらく様子をみる。

E 卵を食べるとアレルギー症状がみられたため保育所で除去をしていたが、完全解除してよいと医師の指示があったので翌日から卵が食べられますと保護者が保育士に口頭で伝えたため、翌日から食べさせることとした。

組み合わせ				
A	B	C	D	E
1 ○	○	○	×	○
2 ○	○	×	×	×
3 ○	×	×	×	×
4 ×	○	○	○	○
5 ×	×	○	○	○

正答 3 令3-前-5

A ○：乳児と年少幼児は、言葉で自分の状態を伝えることが難しいので、個々の全身状態を客観的に把握する必要がある。

B ×：体調に変化が見られた場合は、まず保護者に連絡をする。嘱託医は、健康診断や健康管理を主業務としており、緊急の場合以外は個々の園児の健康状態には関与しない。

C ×：嘔吐、下痢がある場合は、塩分などの電解質や糖分の摂取が必要であり、体液の成分である電解質（ナトリウム、カリウムなど）が入った水分を積極的に摂取する必要がある。

D ×：頭部打撲、特に後頭部を打撲した場合で嘔吐や意識障害の症状がある場合は、脳外科を受診する。6時間以内での変化が多いため、至急病院へ行くことが大切である。

E ×：食物アレルギーの原因である免疫機構は、非常に複雑であるため、原因となる食品を少量ずつ摂取して体を慣らしていく必要がある。また、口頭での伝達も望ましくない。

　子どもの体調不良の際、経過を観察してよい場合と、緊急の対応が必要な場合を適切に見極めなければならない。呼んでも返事がない等の意識障害、虫刺されによるじんましん、けいれんが続いたり、意識がもうろうとしている、やけど、3か月未満の乳児の発熱、のどに物を詰まらせて呼吸が苦しかったり意識がない、交通事故、溺水、高所からの転落などが起こった場合は緊急搬送が必要になる。

問16 次のうち、乳幼児の体調不良時において、保護者に連絡するだけでなく医療機関への緊急搬送が必要な場合として、適切な組み合わせを一つ選びなさい。

A　7月の炎天下の中、散歩中に真っ赤な顔をして気持ち悪そうにしていたので声をかけたが、意識がもうろうとして返事をしなかった。

B　3歳児に39度の発熱がみられぐったりして横になっている。

C　午前中の保育が終わりお昼ご飯にしようとしたとき、急に目を上転させけいれんが起きた。数分後にけいれんは収まっているようにも見えたが、呼びかけても意識が戻らない。

D　登園時は元気だったが、次第に顔色が悪くなり嘔吐が2回あった。その後は顔色が戻り落ち着いている。

E　昨日の保育時から咳が出ていたが、本日は咳がひどくなり、発熱はないが咳込んで嘔吐した。

組み合わせ		
1	A	B
2	A	C
3	B	C
4	C	D
5	D	E

正答 2　令4-後-2

A ○：熱中症の疑いがある。至急、木陰など涼しいところに移動し、衣服を緩め、うちわ等であおいで体を冷やす。意識がもうろうとしている場合は、必ず救急車を要請する。

B ✕：発熱の場合、ひたい、首すじのほか、わきの下や脚の付け根など太い血管の通るところを冷やすと効果的である。意識がある場合は、保護者への連絡は必要であるが、医療機関への緊急搬送は必要ないと判断する。

C ○：けいれんが起きた場合は、横向きに寝かせて衣類を緩め、けいれんの持続時間を計る。発作が5分以上続く場合および意識が戻らない場合は、医療機関への緊急搬送が必要と判断する。

D ✕：嘔吐を繰り返す場合は、腹部を温め、休ませることが大切である。嘔吐が気管に入って窒息をすることを防ぐために横向きに寝かせる。

E ✕：子どもの咳の多くは風邪によるものである。暖かい部屋で加湿器を使用し、なるべく安静にして水分を十分にとることが大切である。熱がない状態で、咳が2週間以上続く場合は喘息が疑われるので、医療機関の受診を勧める。

第7章　子どもの保健

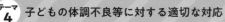
問17 次のうち、「保育所におけるアレルギー対応ガイドライン（2019年改訂版）」（厚生労働省）における記述として、適切なものを○、不適切なものを×とした場合の正しい組み合わせを一つ選びなさい。

A 医師の診断指示に基づき、保護者と連携し、適切に対応する。

B アトピー性皮膚炎の子どもの爪が長く伸びたままである場合、短く切ることを保護者に勧める。

C 食物アレルギー児それぞれのニーズに細かく応えるため、食物除去は様々な除去法に対応する。

D アレルギー疾患を有する子どもの対応法に関しては、個人情報の保護を優先し職員間での共有は控える。

組み合わせ			
A	B	C	D
1 ○	○	×	×
2 ○	×	○	×
3 ○	×	×	○
4 ×	○	×	○
5 ×	×	○	○

正答 1 令4-後-6

　「保育所におけるアレルギー対応ガイドライン（2019年改訂版）」（厚生労働省）において、アレルギー疾患とは、「本来なら反応しなくてもよい無害なものに対する過剰な免疫反応」と定義されている。保育所において対応が求められる、乳幼児がかかりやすい代表的なアレルギー疾患としては、食物アレルギー、アナフィラキシー、気管支ぜん息、アトピー性皮膚炎、アレルギー性結膜炎、アレルギー性鼻炎が挙げられており、これらに対する対応は全職員が行うものとされている。

A ○：当ガイドラインにおいて基本原則として、「保育所は、アレルギー疾患を有する子どもに対して、その子どもの最善の利益を考慮し、教育的及び福祉的な配慮を十分に行うよう努める責務があり、その保育に当たっては、医師の診断及び指示に基づいて行う必要がある」とされている。

B ○：アトピー性皮膚炎は、皮膚にかゆみのある湿疹が出たり治ったりすることを繰り返す疾患である。悪化因子としては、ダニやホコリ、食物、汗などさまざまであり、個々に異なる。多くの場合、適切なスキンケアや治療によって症状のコントロールは可能とされている。爪はこまめに切って丸めておき、多少掻いても皮膚が傷つかないようにする。

C ×：当ガイドラインにおいて、「食物アレルギーを有する子どもへの食対応については、安全への配慮を重視し、できるだけ単純化し、「完全除去」か「解除」の両極で対応を開始することが望ましい」とされている。

D ×：当ガイドラインにおいて、「それぞれの子どものアレルギー疾患に対応して生活管理指導表を基に、保育所での生活における配慮や管理（環境や行動、服薬等の管理等）や食事の具体的な対応（除去や環境整備等）について、施設長や担当保育士、調理員などの関係する職員と保護者が協議して対応を決める」とされている。

問18 次のうち、食物アレルギーに関する記述として、適切な記述を○、不適切な記述を×とした場合の正しい組み合わせを一つ選びなさい。

A 免疫が外から体内に入る物質を異物として認識し排除する仕組みの中で、自分自身を攻撃する状態を作り出すことをアレルギー反応と呼ぶ。

B アナフィラキシーショックは、食物アレルギーのある人に起こり、呼吸器や消化器など複数のアレルギー反応が起こるが、血圧低下など循環器の症状は起こらない。

C 食物アレルギーのある子どもには、必ずエピペン® が処方されている。

D 食物アレルギーの場合、血液検査で特異的及び非特異的IgE を測定するが、アレルゲンとなる食物摂取制限の決め手にはならない。

組み合わせ			
A	B	C	D
1 ○	○	×	×
2 ○	○	×	×
3 ○	×	×	○
4 ×	○	○	×
5 ×	×	○	○

正答 3 令5-前-19

A ○：アレルギーとは、食物や薬剤、花粉、ほこりなど、通常は体に大きな害を与えない物質に対して、過剰な免疫反応が引き起こされることである。「アレルギー疾患」は１つの病名ではなく、このような免疫反応の異常によって生じる病気の総称である。

B ×：アナフィラキシーは、アレルギー反応でも特に重篤な状態であり、「アレルゲンなどの侵入により複数の臓器に全身性にアレルギー症状があらわれて生命に危機を与え得る過敏反応」と定義されている。アナフィラキシーショックは、全身性のアレルギー反応が引き起こされ、血圧の低下や意識状態の悪化が出現した状態を指す。

C ×：エピペン® はアナフィラキシーの症状が出た時に使用し、症状が悪くなるのを抑えるための補助治療剤である。食物アレルギーだけに処方されるわけではない。また、食物アレルギーでも処方されないこともある。エピペン® を使用した後には、速やかに救急搬送し医療機関で受診する必要がある。

D ○：血液検査による「IgE 抗体」測定は、個別の食物（アレルゲン）の「IgE 抗体」の量を測る検査である。しかし、値が高いからといってその食べ物への症状が出るわけではなく、この検査値だけで食物アレルギーの確定診断を行うことはできない。

「保育所におけるアレルギー対応ガイドライン（2019年改訂版）」（厚生労働省）は、「第Ⅰ部：基本編」「第Ⅱ部：実践編」に分かれてアレルギーへの対応が書かれている。「生活管理指導表」や主なアレルギー疾患の特徴と保育所における対応の基本、「エピペン®」の使用方法等について読み込んで理解しておくことが大切である。

第7章 子どもの保健

問19 次のうち、心肺蘇生に関する記述として、適切なものを○、不適切なものを×とした場合の正しい組み合わせを一つ選びなさい。

A　胸骨圧迫50回に対して人工呼吸を2回行う。
B　布団の上では行わない。
C　呼吸が回復した場合は、AEDの電極パッドを外し、AEDの電源を切る。
D　小児用電極パッドがない時は、大人用電極パッドを、それが重ならないように使用する。

組み合わせ			
A	B	C	D
1 ○	○	×	×
2 ○	×	×	×
3 ○	×	×	○
4 ×	○	×	○
5 ×	×	○	○

正答 4　令4-前-18

　心肺蘇生は、その場で行う最初の救命処置であり、停止した心臓と呼吸の働きを補助することが目的である。一般的に心臓が約10秒止まると、意識が消失する。AEDの使い方は、保育士として習得しておく必要がある。

A ×：AEDの準備ができるまでに、胸骨圧迫（心臓マッサージ）30回に対して人工呼吸を2回行う。胸骨圧迫のリズムは、1分間に100～120回程度が適切である。
B ○：布団の上でなく、床などの硬い場所で行う。
C ×：救急隊が来るまでは、AEDの電極パッドは外さず、電源も切らない。
D ○：電極パッドの子ども用と大人用は、大きさが違うだけなので、重ならないように使用する。

乳児の胸骨圧迫

乳児は指2本で押す

問20 次の【Ⅰ群】の疾病・症候と、【Ⅱ群】の器官を結びつけた場合の正しい組み合わせを一つ選びなさい。

【Ⅰ群】

A　ヒルシュスプルング病
B　ネフローゼ症候群
C　ファロー四徴症
D　クループ症候群

【Ⅱ群】

ア　腎臓
イ　心臓
ウ　喉頭
エ　消化器

組み合わせ			
A	B	C	D
1　ア	イ	ウ	エ
2　ウ	ア	イ	エ
3　ウ	イ	ア	エ
4　エ	ア	イ	ウ
5　エ	ウ	ア	イ

正答 **4**　令3-後-4

A エ：ヒルシュスプルング病は、便秘や腸閉塞などを引き起こす消化器系の病気である。巨大結腸症とも呼ばれる。

B ア：ネフローゼ症候群は、尿にタンパク質が大量に出る腎臓の病気である。2：1の割合で男子に多く、1〜3歳での発症が最多である。

C イ：ファロー四徴症は、先天性の心疾患で、心臓の発生の段階で、肺動脈と大動脈の2つの大きな血管を分ける仕切りの壁が体の前方にずれたために起こる。

D ウ：クループ症候群は、ウイルス感染などで咽頭の炎症が生じることで咳や声がれ、のどの痛みなどが起こる疾患で、生後3か月〜3歳くらいの子どもにみられることが多い。急性声門下喉頭炎とも呼ばれる。

　先天性疾患とは、生まれつきの疾患をいう。遺伝子の異常（血友病）、染色体の異常（ダウン症）、胎児のときに胎盤からのウイルス感染（風疹）、分娩時の異常（脳性麻痺）など様々な原因がある。

過去問で頻出する子どもの先天性疾患については疾患名と症状を整理しておこう！

フレーフレー

第7章　子どもの保健

345

問21 次のA～Dのうち、反応性愛着障害および脱抑制型対人交流障害についての記述として、適切な記述を○、不適切な記述を×とした場合の正しい組み合わせを一つ選びなさい。

A この2つの障害は、重度の社会的・心理的ネグレクト（里親を転々とするなどを含む）がなく、身体的虐待のみがある場合にも起こりうる。

B 反応性愛着障害を持つ子どもの行動上の特徴は、見知らぬ人を含む誰にでも見境なく接近し、接触する無差別的社交性である。

C 反応性愛着障害を持つ子どものほとんどが、特定の養育者に愛着していることが明確である。

D 脱抑制型対人交流障害は、環境が改善すればその症状はほとんど消失する。

組み合わせ			
A	B	C	D
1 ○	○	○	○
2 ○	○	×	×
3 ○	×	○	×
4 ×	○	×	○
5 ×	×	×	×

正答 5 令1-後-13

A × ：反応性愛着障害・脱抑制型対人交流障害ともに「心的外傷及びストレス因関連障害群」に分類され、「社会的ネグレクト（乳幼児期の不適切な養育）」が診断の必須要件になる。

B × ：反応性愛着障害は人と目を合わせなかったり、養育者に近寄ったり、逃げたり、逆らったりという不安定で複雑な行動を示す。

C × ：反応性愛着障害は、特定の養育者との間に愛着（アタッチメント）がうまく築けなかったことによる障害である。

D × ：脱抑制型対人交流障害は、環境が改善されても症状が改善されないことがある。一方、反応性愛着障害は安定した環境で養育されると改善されていく。

　愛着は「特定の人に対する情緒的なきずな」を表し、幼少期の愛着形成に何らかの問題を抱えている状態を愛着障害という。反応性愛着障害を持つ子どもは、人を信頼し頼ることができない。脱抑制型対人交流障害を持つ子どもは、注意を引くために誰にでも無差別に甘える傾向がある。

問22 次のうち、糖尿病に関する記述として、最も適切なものを一つ選びなさい。

1　糖が尿中に出る病気を糖尿病といい、尿検査によって診断される。
2　糖尿病は過食が原因であり、子どもには稀な疾患である。
3　糖尿病は、ステロイドホルモンの分泌異常が主な原因である。
4　糖尿病の原因となっている臓器は、腎臓である。
5　糖尿病が悪化すると、失明、腎不全、神経症などを起こす。

正答 **5** 　令5-前-2

1 ✕：細胞がうまく糖分を取り込むことができなくなり、血液中のブドウ糖の量が上昇する症状を糖尿病と言う。

2 ✕：糖尿病は、免疫機能の異常により発生する病気である。小児期に発症する糖尿病は、小児糖尿病またはⅠ型糖尿病といわれる。

3 ✕：糖尿病は、膵臓から分泌されるインスリンというホルモンが低下した場合に生じる。

4 ✕：膵臓の機能の低下により、十分なインスリンを作れなくなる状態が糖尿病である。

5 〇：血糖の濃度（血糖値）が高いまま何年間も放置されると、血管が傷つき、心臓病や失明、腎不全、足の切断といったより重い病気（糖尿病の慢性合併症）につながる。

糖尿病

糖尿病は、血液に含まれるブドウ糖（血糖）が慢性的に高くなる病気である。自己免疫に関連する遺伝的な原因により生じるⅠ型と肥満や食生活など生活習慣の乱れにより生じるⅡ型がある。子どもは、Ⅰ型が多く、10〜13歳で発症することが多い。

第7章 子どもの保健

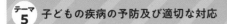

テーマ **5** 子どもの疾病の予防及び適切な対応

『合格テキスト』P.410〜411

問23 次のうち、乳幼児突然死症候群（SIDS）に関する記述として、適切なものを○、不適切なものを×とした場合の正しい組み合わせを一つ選びなさい。

A 生後3か月前後に多い。
B 予防のため、寝かせるときはうつぶせ寝にする。
C 予防のため、同居の家族等がたばこを吸わないようにする。
D 保育所では、乳児部屋は保育者が常駐し、定期的に呼吸などをチェックする。
E 予防のためには、乳児の体を冷やさないように、衣類や布団を多めに使用する。

組み合わせ				
A	B	C	D	E
1 ○	○	×	○	×
2 ○	×	○	○	×
3 ○	×	○	×	○
4 ×	○	○	×	○
5 ×	○	×	○	○

正答 2 令5-前-6

A ○：乳児の死因は、第1位先天奇形、変形及び染色体異常、第2位は周産期に特異的な呼吸障害等、第3位に乳幼児突然死症候群になっており、死亡数は74人である（2021年）。時期は生後3か月前後に多い。

B ×：原因不明の窒息ではなく、睡眠中に突然呼吸が停止し、死に至る病気である。うつぶせ、あおむけのどちらでも発症するが、寝かせるときにうつぶせに寝かせたときのほうがSIDSの発症率が高いということがわかっている。

C ○：両親がともに喫煙する場合は、喫煙しない場合の約4.7倍もSIDSの発症率が高いという報告がある（1994年厚生労働省）。

D ○：0歳児には、子ども3人に対して保育士一人を配置することが法律で決められている。

E ×：冬に起こりやすい傾向はあるが、衣類や布団を多めに使用する必要はない。

　乳幼児突然死症候群（SIDS）の死亡原因は定かではないが、リスク要因を排除することで死亡リスクを下げることができる。また、SIDSは、12月以降の寒い季節に起こりやすい傾向がある。厚生労働省は寒さが厳しくなる前の毎年11月を「乳幼児突然死症候群（SIDS）の対策強化月間」と定め、啓発活動をしている。

問24 次のうち、「保育所における感染症対策ガイドライン（2018年改訂版）」（2018（平成30）年　厚生労働省）にある保育所での接触感染対策の考え方に関する記述の一部として、適切な記述を一つ選びなさい。

1　接触によって体の表面に病原体が付着しただけで感染は成立します。
2　遊具を直接なめるなどの例外もありますが、多くの場合は病原体の付着した手で口、鼻又は眼をさわることによって、体内に病原体が侵入して感染が成立します。
3　タオルの共用はすすめません。感染性胃腸炎が保育所内で発生している期間中のみ、ペーパータオルを使用することが推奨されます。
4　固形石けんは、液体石けんと比較して、子どもの手に密着し、泡立ちやすいので使用します。
5　健康な皮膚は強固なバリアとして機能することから、皮膚に傷等がある場合は、その部位を早く乾燥させるために、傷を覆わずにおくことが対策の一つとなります。

正答 2 令1-後-18

1 ✕：病原体が体内に侵入し、生体内で定着・増殖し、寄生した場合を感染という。
2 ◯：体内に病原体を取り込まないよう、手洗い、うがい、マスク等の着用は感染予防に効果的である。
3 ✕：感染症が発生している、いないにかかわらず、タオルの共用は避ける。ペーパータオルの使用は理想的である。
4 ✕：固形石けんは液体石けんに比べて、管理がきちんとされないと不衛生になりやすいことに注意が必要である。
5 ✕：皮膚に傷等がある場合、そこから病原体が侵入し、感染する場合もあり、その部位を覆うことが対策の一つになる。

　「感染」とは細菌やウイルスなどの病原体が体内に侵入して増えることで、「発症」とはウイルスや細菌に感染し、病気の症状が現れることである。感染には、空気中のウイルスや細菌によって感染する空気感染、咳やくしゃみによって細かくなった唾液や気道分泌物が空気中に飛び出し人に感染する飛沫感染、ウイルスや細菌に汚染されたものを口から摂取したことによって感染する経口感染、皮膚や粘膜に接触することで感染する接触感染がある。

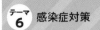

問25 次のうち、保育所における消毒薬の使用に関する記述として、適切なものを○、不適切なものを×とした場合の正しい組み合わせを一つ選びなさい。

A　プールの水の消毒には、原則、塩素系の消毒剤を用いることと定められている。

B　嘔吐物の消毒に用いる次亜塩素酸ナトリウムと亜塩素酸水は、同じ調整濃度で使用する。

C　アルコール消毒液は、引火性があるため空間噴霧は禁じられている。

D　床やドアノブを清掃する際、次亜塩素酸ナトリウムの希釈率は0.02％である。

E　新型コロナウイルス感染症予防対策として、すぐに手洗いできない状況では、濃度70％以上95％以下のエタノールを用いて手によくすりこむ。

組み合わせ				
A	B	C	D	E
1 ○	○	×	×	○
2 ○	×	○	○	○
3 ○	×	×	○	×
4 ×	○	○	×	×
5 ×	×	○	○	×

正答 2　令3-後-11

A ○：各自治体の条例などによりプールの水の消毒には塩素系の消毒剤を使用することが定められている。

B ×：嘔吐物の消毒には、次亜塩素酸 ナトリウム液であれば0.1－0.2％で10分程度放置、次亜塩素酸水であれば0.002％で、直接多量にふりかけ、5分以上放置する。

C ○：手指消毒の際に使用する消毒用アルコールは、蒸発しやすく、可燃性蒸気が発生するため、火源があると引火するおそれがある。消毒用アルコールを使用する付近での、喫煙やコンロ等を使用した調理など火気の使用は禁止である。

D ○：嘔吐などの処理の場合の消毒薬希釈倍率とドアノブなどの消毒薬希釈倍率は異なる。使用時に必ず注意事項を確認すること。

E ○：厚生労働省の指針に以下の通り示されている。

使用方法

> 濃度70％以上95％以下のエタノールを用いて、よくすりこみます。60％台のエタノールによる消毒でも一定の有効性があると考えられる報告があり、70％以上のエタノールが入手困難な場合には、60％台のエタノールを使用した消毒も差し支えありません。

消毒薬には、アルコール系（消毒用エタノールなど）、塩素系（次亜塩素酸ナトリウムなど）、酸化剤系（過酸化水素など）、ヨウ素系（ヨードチンキなど）、アンモニウム系（ベンザルコニウム塩化物など）、両性界面活性剤系などがある。

→ 『合格テキスト』P.413～414

問26 次のうち、「保育所における感染症対策ガイドライン(2018年改訂版)」(厚生労働省)における子どもが登園を控えるべき状況として、適切な記述を○、不適切な記述を×とした場合の正しい組み合わせを一つ選びなさい。

A 今朝の体温が37.2℃でいつもより高めであるが、食欲があり機嫌も良い。

B 昨夜の体温は38.5℃で解熱剤を1回服用し、今朝の体温は36.8℃で平熱である。

C 伝染性膿痂疹と診断され、掻き壊して浸出液が多くガーゼで覆いきれずにいる。

D 夜間は咳のために起き、ゼーゼーという音が聞こえていたが、今朝は動いても咳はない。

E 昨日から嘔吐と下痢が数回あり、今朝は食欲がなく水分もあまり欲しがらない。

組み合わせ				
A	B	C	D	E
1 ○	○	○	○	○
2 ○	×	×	○	○
3 ×	○	○	×	○
4 ×	×	○	○	×
5 ×	×	×	×	×

正答 **3** 令4-前-5

A ×：ガイドラインでは、朝から37.5℃以上の熱があり、元気がなく機嫌が悪い、食欲がなく朝食・水分が摂れていないなど全身症状がある場合は、登園を控えるよう伝えるとされている。

B ○：ガイドラインでは、24時間以内に38℃以上の熱が出た場合や、または解熱剤を使用している場合は、登園を控えるよう伝えるとされている。

C ○：伝染性膿痂疹（とびひ）の主な感染経路は接触感染である。ガイドラインでは、患部を覆えない場合や浸出液が多く他児への感染のおそれがある場合、かゆみが強く、患部を掻いてしまう場合は、登園を控えるよう伝えるとされている。

D ×：ガイドラインでは、夜間しばしば咳のために起きる、ゼイゼイ音、ヒューヒュー音や呼吸困難がある、呼吸が速い、少し動いただけで咳が出るなどの症状がみられる場合は登園を控えるよう伝えるとされている。

E ○：ガイドラインでは、24時間以内に複数回の嘔吐や下痢（水様便）があり、食欲がなく、水分もほしがらない、機嫌が悪く元気がない、顔色が悪くぐったりしているなどの症状がみられる場合は登園を控えるよう伝えるとされている。

感染症の三大流行要因は、①感染源、②感染経路、③宿主の感受性の3つだよ！

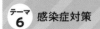

問27 次の【Ⅰ群】の病名と、【Ⅱ群】の内容を結びつけた場合の正しい組み合わせを一つ選びなさい。

【Ⅰ群】

A　A型肝炎　　B　B型肝炎　　C　ジフテリア　　D　ポリオ

【Ⅱ群】

ア　糞口感染で伝播する。発熱、倦怠感などに続いて血清トランスアミナーゼが上昇する。典型的な症例では黄疸、肝腫大、濃色尿、灰白色便などが認められる。

イ　上気道粘膜疾患のひとつ。灰色がかった偽膜が形成され、気道が閉塞することもある。

ウ　血液・体液を介して感染し、感染した時期、感染時の宿主の免疫能によって、一過性感染に終わるものと持続感染するものとに大別される。子どもへの感染は、母子感染が一般的である。

エ　脊髄神経前角の運動神経核を侵すことで四肢を中心とする全身の筋肉の運動障害、いわゆる弛緩性麻痺（だらりとした麻痺）を起こす急性ウイルス感染症である。

組み合わせ			
A	B	C	D
1 ア	イ	ウ	エ
2 ア	ウ	イ	エ
3 イ	ア	ウ	エ
4 イ	ウ	エ	ア
5 ウ	エ	イ	ア

正答 2 　令4-後-7

A：ア　B：ウ　C：イ　D：エ

主要な感染症

流行性耳下腺炎（おたふくかぜ）	ムンプスウイルス（感染経路は飛沫、接触感染）
麻疹（はしか）	麻疹ウイルス（感染経路は空気感染、飛沫感染、接触感染）
水痘（みずぼうそう）	水痘・帯状疱疹ウイルス（感染経路は空気感染、飛沫感染、接触感染）
手足口病	コクサッキーウイルス、エンデロウイルス（感染経路は空気感染、飛沫感染、接触感染）
突発性発疹	ヒトヘルペスウイルス（飛沫感染など）

　A型からE型の肝炎の違いやジフテリアやポリオなどの予防接種対象疾病の特徴を押さえておこう。

　また、「保育所における感染症対策ガイドライン」に記されている「26の感染症」について確認しておこう。

テーマ 6 感染症対策

問28 2020（令和2）年1月に世界的な流行（パンデミック）が明らかとなった新型コロナウイルス（SARS-Cov-2）感染症（COVID-19）について、厚生労働省は「新型コロナウイルス感染症の"いま"についての10の知識（2020年10月時点）」を示している。保育者が自らの感染防止について留意しなければならない事柄の記述として、適切なものを○、不適切なものを×とした場合の正しい組み合わせを一つ選びなさい。

A 大人数や長時間におよぶ飲食は、短時間の食事に比べて、感染リスクが高まる。
B マスクなしに近距離で会話をすることは、感染リスクが高まる。
C 狭い空間での共同生活は、長時間にわたり閉鎖空間が共有されるため、感染リスクが高まる。
D 仕事での休憩時間に入った時など、居場所が切り替わると、感染リスクが高まることがある。

組み合わせ			
A	B	C	D
1 ○	○	○	○
2 ○	○	×	×
3 ○	×	×	○
4 ×	○	○	×
5 ×	×	○	×

正答 1 令4-前-19

新型コロナウイルス感染症については、2023（令和5）年時点では、すでにこの問題の「10の知識」より新しい「11の知識」が公開されている。

A ○：飲食時はマスクをはずす時間が長くなるため、感染リスクが高まる。
B ○：マスク着用の主な目的は、会話や咳による飛沫の飛散や吸い込みを防ぐことである。
C ○：感染経路は、主に飛沫感染あるいは飛沫核感染とされている。
D ○：仕事での休憩時間に入った時など、居場所が切り替わると、気の緩みや環境の変化により、感染リスクが高まることがある。休憩室、喫煙所、更衣室でクラスターが発生する例が多い。

新型コロナウイルス感染症の"いま"に関する11の知識（2023年5月版）より

① 日本では、これまでに約3300万人が新型コロナウイルス感染症と診断されており、これは全人口の約26％に相当する。しかし、無症状感染者や医療機関を受診しない人などがいるため、これは感染者の全てではない。
② 新型コロナウイルス感染症と診断された人のうち重症化しやすいのは、高齢者と基礎疾患のある人、一部の妊娠後期の人である。
③ 新型コロナウイルスに感染した人が他の人に感染させる可能性がある期間は、発症の2日前から発症後7〜10日間程度とされている。
④ 飲酒を伴う懇親会等、大人数や長時間におよぶ飲食、マスクなしでの会話、狭い空間での共同生活、居場所の切り替わりといった場面で感染が起こりやすく、注意が必要である。また、3密（密閉・密集・密接）や混雑、大声を出すような場面などの環境で感染リスクが高まるとされている。

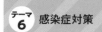
問29 次のうち、生ワクチンに関する記述として、適切なものの組み合わせを一つ選びなさい。

A 生ワクチンの接種回数は、すべて1回に限られる。

B 液性免疫と細胞性免疫の両方が期待できる。

C 注射生ワクチンを接種した日から次の注射生ワクチン接種を行うまでの間隔は、27日以上あける。

D 副反応は数人に一人の割合で起こるものから、きわめてまれなものまで、様々である。

E 妊婦に対しても接種することができる。

組み合わせ			
1	A	B	C
2	A	B	D
3	A	D	E
4	B	C	D
5	B	C	E

正答 4 令5-後-9

A ✕：生ワクチンであるBCG、麻疹、風疹などの接種回数は、複数回である。

B ◯：細胞性免疫では免疫細胞が直接異物を攻撃するが、液性免疫では抗体を作って異物に対抗する。生ワクチンは細胞性免疫（侵入した病原体を細胞ごと破壊する）が主体となって防御する病原体に働くと考えられているが、液性免疫にも効果がある。

C ◯：令和2年10月1日から、異なるワクチンの接種間隔について、生ワクチン同士を接種する場合は27日以上あける制限は維持しつつ、その他のワクチンの組み合わせについては、一律の日数制限は設けないことになった。

D ◯：生ワクチンでは、ワクチンによる弱い感染によって生じる副反応がある。

E ✕：生ワクチンは、胎児への影響を考慮し、全妊娠期間を通じて原則として接種はできない。

予防接種

体内に病原体（抗原）が侵入したときに戦う力（抗体）を作るために、予防接種（ワクチン）を行う。投与の方法は、経口投与、皮下投与などがあり、ワクチンの種類も生ワクチン、不活化ワクチン、トキソイドなど複数ある。また、接種は定期予防接種と任意接種の二種類があり、国民の努力義務とされている。

定期接種と任意接種

	定期接種	任意接種
ワクチン名	四種混合ワクチン、BCG、MR（麻疹、風疹）ワクチン、水痘（みずぼうそう）ワクチン、日本脳炎ワクチン、HPVワクチン、Hibワクチン、ロタウイルスワクチン、B型肝炎ワクチン、小児用肺炎球菌ワクチン	おたふくかぜワクチン、三種混合ワクチン、インフルエンザワクチン

テーマ 6 感染症対策

問30 次の【Ⅰ群】の発疹の種類と、【Ⅱ群】の内容を結びつけた場合の正しい組み合わせを一つ選びなさい。

【Ⅰ群】

A 紅斑

B 苔癬化 (たいせん)

C びらん

D 丘疹

E 痂皮

【Ⅱ群】

ア 皮膚表面より小さく盛り上がったブツブツで、風疹などでみられる。

イ 膿や血液が乾燥して固まったもので、伝染性膿痂疹などでみられる。

ウ 皮膚の毛細血管が拡張して赤色になっており、りんご病などでみられる。

エ 皮膚組織が剥がれたり、破れてじめじめしており、ブドウ球菌の皮膚炎などでみられる。

オ 湿疹が慢性化して表皮の肥厚が強まり皮膚表面がかさかさした状態になる。

組み合わせ				
A	B	C	D	E
1 ア	エ	ウ	イ	オ
2 ア	オ	イ	ウ	エ
3 ア	オ	ウ	イ	エ
4 ウ	エ	イ	ア	オ
5 ウ	オ	エ	ア	イ

正答 **5** 令5-後-5

A 紅斑−**ウ**：皮膚で何らかのトラブルが起こると、血液の成分が血管内で炎症物質を出すことでトラブルを解決しようする。毛細血管の活動が活発なために表面は赤くなる。これが紅斑である。

B 苔癬化(たいせん)−**オ**：苔癬化の原因はかゆみからくる掻き壊しである。掻いた刺激によりさらにかゆみが増すため、また掻いてしまうという悪循環が起こり、慢性的に掻き壊した結果、固くかさかさした皮膚になる。

C びらん−**エ**：皮膚の表皮の欠損を「びらん」と言う。表皮が失われた状態であり、真皮が露出している状態を示す。患部から出た体液（滲出液）や膿汁などが固まって皮膚の表面に付着し、かさぶたができるまでの状態を言う。

D 丘疹−**ア**：丘疹とは、皮膚表面が小さく盛り上がった状態を指す。丘疹は毛細血管が増大して血漿(けっしょう)が血管の外に漏れ出すことで皮膚が盛り上がってできる。

E 痂皮−**イ**：俗に「かさぶた」と言われる、皮膚の表面にできる乾燥した赤黒色の血栓のこと。血液成分、滲出液、膿などと角質あるいは壊死組織が皮膚の表面に固着した状態を指す。

　発疹は、目で見てわかる皮膚の変化をいう。発熱している場合としていない場合で、対応は異なる。

問31 次のA〜Eのうち、発達障害に関する記述として、適切な記述を○、不適切な記述を×とした場合の正しい組み合わせを一つ選びなさい。

A ひとりの子どもに自閉スペクトラム症と注意欠如・多動症が同時に診断されることはない。

B 全ての子どもの1％ほどに発達障害があると考えられる。

C 医師の診断を待って支援を開始するべきである。

D 発達障害のある子どもに対しても、定型発達児と支援を同一にすることが望ましい。

E 養育者の育て方によって、社会的な適応状態は変化しない。

組み合わせ				
A	B	C	D	E
1 ○	○	○	○	○
2 ○	○	○	×	○
3 ○	○	×	×	○
4 ○	○	×	×	×
5 ×	×	×	×	×

正答 5 令1-後-12

A ×：ひとりの子どもが、自閉スペクトラム症の特徴と注意欠如・多動症の特徴を併せ持っている場合があり、同時に診断されることがある。

B ×：文部科学省が2022（令和4）年に実施した「通常学級に在籍する発達障害の可能性のある特別な教育的支援を必要とする児童生徒に関する調査」の結果では、小中学生の8.8％程度の割合となっている。

C ×：診断されていなくても、発達障害が疑われる場合は、早期から支援が求められる。

D ×：障害のある子どもに対しても、定型発達児に対しても、一人一人に合わせた支援が求められる。

E ×：養育者の対応によって子どもの適応能力は変わる可能性がある。ソーシャルスキルトレーニングによっても適応能力は変化する。

　発達障害が疑われる子どもについては、地域の子育て支援センター、家庭児童相談室、児童相談所、保健センター、発達障害者支援センター、療育センターで子育てや療育の相談を行っている。診断の基準にはDSM-5やICD-10が用いられ、支援には療育と薬物療法がある。早期の気づきにより、必要に応じた療育や発達支援を受けることが大切である。

テーマ
7 個別的な配慮を必要とする子どもへの
保健的対応

➡ 『合格テキスト』P.409、421

問32 次のうち、「こだわり」に関する記述として、<u>不適切なもの</u>を一つ選びなさい。

1 自閉スペクトラム症（ASD）では、「こだわり」の対象に選択的に没頭する。
2 強迫性障害では、「こだわり」に対して不安や苦痛あるいはそうせざるを得ない感覚を伴わない。
3 摂食障害の「こだわり」の対象は、体重や食べ物、体型である。
4 うつ病では、悲観的・抑うつ的な考えに過剰にとらわれる。
5 定型発達児の成長過程で、「こだわり」はみられる。

正答 **2** 令3-後-13

「こだわり」とは、特定のものや事柄が必要以上に気になることであり、誰にでも多少の差はあれ存在する。「こだわり」が、日常生活に支障を来すようになる場合、障害と判断される。

1 ○：ASDには、変化を認めにくく、マイルールにこだわり、それを繰り返すなどの特徴がある。すべての子どもに同じ症状が現れる訳ではない。性格ではなく、脳障害によるもので、脳障害の特性によって「こだわり」の特性も異なる。

2 ✕：強迫性障害は、「手が危険なウイルスで汚染されている」という感覚を持つ強迫観念と、強い不安に駆り立てられ、何時間も手洗いを続けたりする強迫行為とが見られる。不安や苦痛に対して何かをせざるを得ない感覚を持つのが脅迫障害の特色である。

3 ○：摂食障害は、体重や体型に関する「こだわり」から極端な食生活をする障害である。嘔吐と下痢を伴う拒食症と、過食症及び下痢や嘔吐を伴わない過食性障害がある。

4 ○：「こだわり」の強い性格の人がうつになりやすいと考えられている。その「こだわり」は、悲観的であり最悪の場合は自死に至ることもある。

5 ○：「こだわり」は、何かに執着することであり、誰にでも日常生活に支障のない程度は存在する。

第**7**章 子どもの保健

問33 次の【事例】を読んで、【設問】に答えなさい。

【事例】

　5歳の男児。思い通りにならないとかんしゃくがひどく、他児とのトラブルを起こしがちで、言葉の遅れもありそうなことを心配した両親に連れられ、児童精神科を受診したところ、自閉スペクトラム症（ASD）と診断された。病院で施行された発達検査でIQは95で、結果には検査項目により大きな凸凹があったと説明された。

【設問】

　次のうち、この男児に関する記述として、適切な記述を○、不適切な記述を×とした場合の正しい組み合わせを一つ選びなさい。

A　かんしゃくを起こさないように本人の思い通りにさせる。

B　IQが95と正常域にあるので、特別な配慮は必要ない。

C　かんしゃくに対しては本人に負けないような大きな声でその場で事情を説明する。

D　一日のスケジュールがわかるような絵を描いて説明する。

E　友達とトラブルが多いので、仲良くするように指導する。

組み合わせ				
A	B	C	D	E
1 ○	○	○	○	○
2 ○	○	○	×	×
3 ×	×	×	○	○
4 ×	×	×	○	×
5 ×	×	×	×	×

正答 4 令4-前-13

A ×：感覚過敏のために、周りの子どもにとっては気にならない刺激であっても過敏に反応してかんしゃくを起こしてしまう可能性もある。何でも本人の思い通りにさせるのではなく、しっかり本人と向き合って状態を把握すること。

B ×：ASDに伴う関連症状（かんしゃく、こだわり、不注意、多動性-衝動性、チックなど）に対して特別な配慮が必要である。薬物療法は、一定の効果を示すことが知られている。医療機関など関連機関との連携も必要である。

C ×：安全の確認をして、かんしゃくを起している子どもがクールダウンするのを焦らずに待つことが大切である。かんしゃくをおさめようと干渉するのではなく、興奮が徐々に落ち着いていくのを待つ。

D ○：落ち着いた環境で、話は短くすることのほか、絵などを活用した説明は有効である。

E ×：ASDであることを認識した上で、指導ではなく話し合いをすることが大切である。

　発達障害には、注意欠如・多動症（ADHD）、自閉スペクトラム症（ASD）、学習障害／限局性学習症（LD／SLD）の大きく3つのタイプがある。いずれも、生まれつき持っている脳の性質や働き方などにより起こるものである。

問34 次のうち、医療的ケア児に関する記述として、適切なものを○、不適切なものを×とした場合の正しい組み合わせを一つ選びなさい。

A 医療的ケア児とは、日常生活や社会生活を営むために、恒常的に喀痰吸引や経管栄養などの医療的ケアが必要な児童のことをいう。

B 医療的ケア児には、歩ける児から寝たきりの重症心身障害児まで含まれる。

C 保育所等では、登録認定を受けた保育士等が、医師の指示のもとに特定の医療的ケアを実施することができる。

D 医療的ケア児を保育所で預かる場合は、看護師または研修を受けた保育士を配置しなければならない。

E 医療的ケア児を保育所で預かる場合は、安全を考慮しできるだけ別室保育をすることが望ましいとされている。

組み合わせ	A	B	C	D	E
1	○	○	○	○	×
2	○	○	×	×	○
3	○	×	×	○	○
4	×	○	○	○	×
5	×	×	○	○	×

正答 1 令4-後-20

医療的ケア児及びその家族に対する支援に関する法律によると、「医療的ケア児」とは、日常生活及び社会生活を営むために恒常的に医療的ケアを受けることが不可欠である児童をいう。

A ○：医療的ケア児は医学の進歩を背景として、NICU（新生児特定集中治療室）等に長期入院した後、引き続き、人工呼吸器や胃ろう等を使用し、喀痰吸引や経管栄養などの医療的ケアが日常的に必要な児童が多く含まれる。

B ○：全国で約2万人の（在宅）医療的ケア児がいると推定されており、その状況は多様である。

C ○：「保育所等における医療的ケア児受入れ推進ガイドライン」によると、保育士等で社会福祉士及び介護福祉士法に基づく喀痰吸引等研修を修了し、業務登録を受けた者（認定特定行為業務従事者）は、特定の医療的ケアを行うことができる。

D ○：医療的ケア担当の看護師や登録認定を受けた保育士等が医師の指示に基づいて実施する。

E ×：保育所で受け入れることのできる医療的ケア児は、病状や健康状態が安定していて、子ども同士の関わりの中で過ごせることとされており、別室保育の必要性はない。

医療的ケア児を保育所で保育する場合を病児保育という。病児保育は、病児・病後児対応型、体調不良児対応型、非施設型（訪問型）の3つの事業に分かれる（厚生労働省通知「病児保育事業の実施について」）。国家資格ではないが、病児保育士がそれぞれに配置された保育所で子どもたちの管理をする。

第 **7** 章 子どもの保健

問35 医療技術が進歩する中で、医療的ケアを必要としながら育つ子どもが医療的ケア児と呼ばれるようになってきている。次のうち、適切な記述を○、不適切な記述を×とした場合の正しい組み合わせを一つ選びなさい。

A 医療的ケアの具体例として、喀痰吸引や経管栄養等があげられる。
B 2013年以降、日本における医療的ケア児の数は、2,000人程度となっている。
C 一定の研修を修了し、業務の登録認定を受けた保育士は、認定特定行為業務従事者とされる。
D 緊急に医療的ケアが必要とされる場合は、医師の指示を待たずに実施するのが望ましい。

組み合わせ			
A	B	C	D
1 ○	○	×	×
2 ○	×	○	×
3 ○	×	×	○
4 ×	○	○	×
5 ×	○	×	○

正答 2 令3-後-19

A ○：喀痰吸引や経管栄養等は医療的行為であり、処置を行うためには資格が必要である。

B ×：医療的ケア児は年々増加傾向を示しており、2019（令和元）年では約2万人と推計されている。

C ○：「喀痰吸引等研修」を修了することで、医師や看護師と連携のもとで「痰の吸引」「経管栄養」を行うことができる。研修は都道府県の認定を受けた研修機関で受講できる。

D ×：医師の指示のもと、保育所等で「痰の吸引」「経管栄養」等の特定行為を行うことができる。医師の指示を待たずに行うことはできない。

病児保育事業

病児保育事業は、2012（平成24）年の子ども・子育て支援法の制定に伴う関係法律の整備の一環として改正された児童福祉法により創設された。市町村から委託を受けて事業を開始する病院や保育園などがあり、病児・病後児対応型、体調不良児対応型、非施設型（訪問型）といった3つの事業に分かれている。対象年齢は、原則0歳から小学校6年生まで。

テーマ 8 保育における環境・衛生及び安全管理　　➡ 『合格テキスト』P.423〜424

問36 次のA〜Cは、子どもの生活と環境に関する記述である。適切な記述を〇、不適切な記述を×とした場合の正しい組み合わせを一つ選びなさい。

A　かぜの流行時には、十分に暖かく過ごせるよう、部屋を閉め切って過ごさせるのがよい。

B　保護者の意識や経済力によって、子どもの身体活動量の二極化の傾向が現れている。

C　幼児の睡眠に関する統計によると、低年齢児の方が年長児に比べて、就寝時刻が遅い傾向がある。

組み合わせ			
	A	B	C
1	〇	〇	〇
2	〇	×	〇
3	×	〇	〇
4	×	〇	×
5	×	×	×

正答 3 令1-後-1

A ×：部屋を閉め切った状態で過ごすのではなく、室内の汚れた空気を新鮮な外気と入れ替えることが大切である。換気をするときは、風の通り道をつくるように離れた窓を2か所開けると効果的である。

B 〇：保護者の学歴、生活圏、所得等により、子どもの身体活動量や能力（学力）等に二極化の傾向が現れている。

C 〇：年長児に比べて、低年齢児は親の仕事の関係で寝かしつける時間が遅くなってしまったり、なかなか寝付けなかったり等の理由で就寝時間が遅くなる傾向がある。

　「保育の現場のための新型コロナウイルス感染症対応ガイドブック」には、保育所における午睡時の子どもの配置について、「午睡の際には、子どもと子どもの口元の間隔が1m以上空くように工夫をします。子ども同士が離せない場合には、足と頭を互い違いにするなどの工夫を行います。ただし、防災面から頭の位置に落下物がないか、確認をしてから配置を決めてください。また、咳や鼻水の有症状者は他児から1m以上離します」と記されている。

第**7**章　子どもの保健

> 環境には、自然環境だけでなく社会的・人的環境もあるよ！

問37 次のうち、保育所等での衛生管理に関する記述として、適切なものを○、不適切なものを×とした場合の正しい組み合わせを一つ選びなさい。

A 学校環境衛生基準によると教室の音は、窓を閉めている状態で等価騒音レベルがLAeq50dB以下であることが望ましいとされている。目安としては「普通に会話できる」状態である。

B 糞便や嘔吐で汚れたぬいぐるみ、布類は、汚れを落とし、0.02％（200ppm）の次亜塩素酸ナトリウム液に十分に浸し、水洗いする。

C 蚊の発生予防対策として、水が溜まるような空き容器や植木鉢の皿、廃棄物等を撤去するなど、蚊の幼虫（ボウフラ）が生息する水場をなくすようにする。

D 保育室内のドアノブや手すりの消毒は、0.02％（200ppm）の次亜塩素酸ナトリウムか、濃度70％〜80％の消毒用エタノールを状況に応じて使用する。

組み合わせ			
A	B	C	D
1 ○	○	○	○
2 ○	○	○	×
3 ×	○	×	×
4 ×	○	○	×
5 ×	×	×	×

正答 1　令4-前-16

A ○：学校環境衛生基準では、教室内の等価騒音レベルは、窓を閉めているときはLAeq 50dB（デシベル）以下、窓を開けているときはLAeq 55dB以下であることが望ましいとされている。

B ○：排泄物の汚れを処理する場合には、必ずゴム手袋をし、ぬるま湯で汚れをなるべく早く落とし、0.02％（200ppm）の次亜塩素酸ナトリウム液に十分浸して、水洗いする。

C ○：学校環境衛生予防基準では、予防策の具体的対応として、①成虫の吸血活動の有無及びその程度を調べる、②部屋の壁に成虫が係留しているかどうかを調べる、③防火用水槽、池、水たまり、下水道、雑排水槽等で、幼虫（ボウフラ）の発生の有無及びその程度について調べる、が挙げられている。

D ○：ドアノブや手すりの除菌には、「消毒用エタノール（アルコール）」「次亜塩素酸ナトリウム」「界面活性剤」での拭き取りが有効である。消毒用エタノールの場合、「濃度が70％〜95％のものが望ましい、ただし60％台でも一定の効果がある」（厚生労働省）とされている。

　汚染された場所や環境を消毒する際にスプレータイプのものを散布することは、ウイルスを舞い上げる、消毒が不十分になる、消毒者が吸い込むことから使用を控える。消毒作業の際は、換気をし、マスク・手袋やゴーグルなど消毒者を保護できるものを身に付ける。「保育の現場のための新型コロナウイルス感染症対応ガイドブック」には、「おもちゃは1日1回以上清拭を行い、消毒後は水拭きをすることが望ましい」と記されている。

問38 次のうち、保育所における事故の応急処置に関する記述として、適切なものを○、不適切なものを×とした場合の正しい組み合わせを一つ選びなさい。

A 子どもの鼻に豆が入ってしまった。ピンセットでつまんで引っ張り出そうとした。

B 捻挫をした。痛がる部位をよくもんだ。

C 犬に咬まれた。傷口を流水で洗い、医師の診察を受けた。

D 蜂に刺された。子どもが痛がるので無理に針を抜かず、医師の診察を受けた。

E 誤って熱湯を子どもの手の甲にかけてしまった。すぐに冷水をかけた。

組み合わせ				
A	B	C	D	E
1 ○	○	×	○	×
2 ○	×	×	×	○
3 ×	○	○	○	○
4 ×	○	×	○	×
5 ×	×	○	○	○

正答 5　令5-後-19

A ×：外から詰まった物が見え、つまみ出せそうならピンセットでなく指で慎重につまみ出す。つまみ出すのが難しそうなら、反対側の鼻の穴を刺激して、くしゃみを誘うという方法もある。無理せずに耳鼻咽喉科を受診すること。

B ×：捻挫や骨折の疑いのある場合、①患部が骨折していないかを確認する。②腫れが強くなっていたり、赤くなっているのであれば、氷水や保冷剤で冷やす。③子どもが動かしにくそうにしたり、痛みが強い場合には幅木を当てて、三角巾で固定し受診する。

C ○：噛みつき傷はそのままにしていると痕が残るため、患部をすぐに冷却し、いち早く出血を止めることが重要である。水道から水を流しっぱなしにして5分から10分程度、洗浄をする。その際血が止まらない場合は、タオル等で傷口を抑えて圧迫し、そのまま受診する。

D ○：無理に針を抜かず、流水でよく洗って冷やす。アレルギー反応によるショック症状が少しでも見られたら、救急車を呼んで受診する。

E ○：水道水でかまわないのですぐに冷やすことが大切である。体の部位や年齢にもよるが、15分から30分間冷却する。指先や脚の場合は1時間くらい冷却する。冷やすことでやけどの進行を止め、痛みを押さえることもできる。

　重大事故に備え、受診医療機関のリスト、救急車の呼び方、受診時の持ち物、通報先の順番・連絡先を示した図等を準備しておく必要がある。また、各職員への緊急連絡網、医療機関・関係機関（地方自治体、警察等）の一覧、保護者への連絡に関する緊急連絡先を事前に整理しておくほか、119番通報のポイントと伝えるべきことを見やすい場所に掲示する。

第 **7** 章　子どもの保健

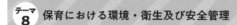
問39 次の文は、保育所の避難訓練に関する記述である。（　A　）～（　C　）にあてはまる語句を【語群】から選択した場合の適切な組み合わせを一つ選びなさい。

避難訓練の実施については、（　A　）で義務付けられ、「児童福祉施設の設備及び運営に関する基準」（昭和23年厚生省令第63号）第6条第2項において、少なくとも（　B　）1回は行わなくてはならないと規定されている。避難訓練は、（　C　）が実践的な対応能力を養うとともに、子ども自身が発達過程に応じて、災害発生時に取るべき行動や態度を身に付けていくことを目指して行われることが重要である。

【語群】

ア　建築基準法　　イ　消防法　　ウ　月　　エ　年
オ　保育士　　カ　全職員

組み合わせ

	A	B	C
1	ア	ウ	カ
2	ア	エ	オ
3	イ	ウ	オ
4	イ	ウ	カ
5	イ	エ	カ

正答 4　令3-後-16

A イ：**消防法**。消防法第36条（防災管理定期点検報告）に基づいて、防災管理業務の実施が義務付けられており、年1回以上の防災訓練（避難訓練）が必要とされている。

B ウ：**月**。児童福祉施設の設備及び運営に関する基準（厚生省令）において、避難・消火訓練は、少なくとも毎月1回は行わなければならないとされている。訓練は、園児及び保育士等が実際に避難に利用するルートを使うとともに、人員体制が手薄な場合や避難に時間がかかる場合を想定して訓練を行うこと、また、全職員が参加した訓練以外に、消防署や近隣の地域住民、同じビルの他の入居者、家庭と連携した訓練も行うことが定められている。

C カ：**全職員**。上記のとおり、保育士だけでなく全職員の実践的な対応能力を養うことを目指して行われる必要がある。

　保育所での避難訓練は、可能であれば子ども、保護者代表者、保育士の3者の出席が望ましい。また、消防署、近隣の地域住民等も含めて考える必要がある。特に、子どもに対して、災害から身を守るという行為を正しく認識してもらうことが大切であり、そのためには、日ごろから絵本や紙芝居等を活用して伝える。

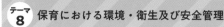

問40 次の文は、「保育所保育指針」第3章「健康及び安全」4「災害への備え」⑵「災害発生時の対応体制及び避難への備え」の一部である。（　**A**　）〜（　**C**　）にあてはまる語句を【語群】から選択した場合の正しい組み合わせを一つ選びなさい。

- 火災や（　**A**　）などの災害の発生に備え、緊急時の対応の具体的内容及び手順、職員の役割分担、避難訓練計画等に関するマニュアルを作成すること。
- 定期的に（　**B**　）を実施するなど、必要な対応を図ること。
- 災害の発生時に、保護者等への連絡及び子どもの引渡しを円滑に行うため、日頃から保護者との（　**C**　）に努め、連絡体制や引渡し方法等について確認をしておくこと。

語群			
ア　地震	イ　豪雨	ウ　防災訓練	
エ　避難訓練	オ　密接な連携	カ　適切な関係作り	

組み合わせ	A	B	C
1	ア	ウ	オ
2	ア	エ	オ
3	イ	ウ	カ
4	イ	エ	オ
5	イ	エ	カ

正答 2 令5-後-12

A ア：火災や地震
B エ：定期的に避難訓練
C オ：保護者との密接な連携

「保育所保育指針」第3章4「災害への備え」に下記の通り示されている。
ア　火災や地震などの災害の発生に備え、緊急時の対応の具体的内容及び手順、職員の役割分担、避難訓練計画等に関するマニュアルを作成すること。
イ　定期的に避難訓練を実施するなど、必要な対応を図ること。
ウ　災害の発生時に、保護者等への連絡及び子どもの引渡しを円滑に行うため、日頃から保護者との密接な連携に努め、連絡体制や引渡し方法等について確認をしておくこと。

　災害時に子どもの命を守ることができるのは、保育士である。災害に備えて、ハザードマップ、避難経路、保護者への連絡方法、避難場所での保育士の専門職としての対応、地域住民への対応等を確認しておくことが大切である。保健センター、嘱託医、児童相談所等の災害時における役割についても、それぞれ学びを深めておこう。

第7章　子どもの保健

問41 次のうち、「教育・保育施設等における事故防止及び事故発生時の対応のためのガイドライン【事故防止のための取組み】〜施設・事業者向け〜」（平成28年3月　厚生労働省）に記載されている年齢別の危険対応に関して、<u>不適切な記述</u>を一つ選びなさい。

1 【0歳児】オムツの取り替えなどで、子どもを寝かせたままにしてそばを離れない。
2 【1歳児】保育者が見守っている時を除き、椅子の上に立ち上がることのないようにする。
3 【2歳児】階段を上り下りする時は、子どもの下側を歩くか、手を繋ぐ。
4 【3歳児】おもちゃの取り合いなどの機会をとらえて安全な遊び方を指導する。
5 【4歳児】ハサミなど正しい使い方を指導し、使用したらすぐに片付ける。

正答 2　令4-後-19

　「教育・保育施設等における事故防止及び事故発生時の対応のためのガイドライン【事故防止のための取組み】〜施設・事業者向け〜」には死亡や重篤な事故への予防と事故後の適切な対応が示されている。

1 ○：このほかに、「床に損傷、凹凸がないか確認している」「子どもが、暖房器具のそばに行かないように気をつけている」「ミルクを飲ませた後は、げっぷをさせてから寝かせる」などがある。
2 ✕：保育者がいてもいなくても、椅子の上に立ち上がることは禁止する。このほかに、「子どもの遊んでいる位置や人数を常に確認している」「コンセントなどにさわらないように注意している」「食べ物の硬さや大きさ、量など考えて食べさせている」などがある。
3 ○：このほかに、「午睡の後、十分に覚醒しているか、個々の状態を十分に把握している」などがある。
4 ○：このほかに、「固定遊具の遊び方の決まりを守らせるようにしている」「子ども同士のトラブルにも注意深く見守っている」「室内では衝突を起こしやすいので走らないようにし、人数や遊び方を考えている」などがある。
5 ○：このほかに、「登り棒の上り方、降り方を指導する」「子どもの足に合った靴や体に合ったサイズの衣類かを確認している」「散歩のときに、前を向いて歩かせ、列全体のスピードを考え誘導する」などがある。

問42 次の文は、「保育所保育指針」第2章「保育の内容」の4「保育の実施に関して留意すべき事項」⑶「家庭及び地域社会との連携」である。（a）〜（c）の下線部分が正しいものを○、誤ったものを×とした場合の正しい組み合わせを一つ選びなさい。

子どもの生活の (a) 連続性を踏まえ、家庭及び地域社会と連携して保育が展開されるよう配慮すること。その際、家庭や地域の機関及び団体の協力を得て、地域の (b) 自然、高齢者や異年齢の子ども等を含む人材、行事、施設等の地域の資源を積極的に活用し、(c) 豊かな生活体験をはじめ保育内容の充実が図られるよう配慮すること。

組み合わせ		
a	b	c
1 ○	○	○
2 ○	×	○
3 ×	○	○
4 ×	○	×
5 ×	×	×

正答 1 令5-前-3

a ○：連続性

b ○：自然

c ○：豊かな生活体験

保育所保育指針第2章「保育の内容」の4「保育の実施に関して留意すべき事項」の⑶「家庭及び地域社会との連携」

⑶ 家庭及び地域社会との連携

子どもの生活の連続性を踏まえ、家庭及び地域社会と連携して保育が展開されるよう配慮すること。その際、家庭や地域の機関及び団体の協力を得て、地域の自然、高齢者や異年齢の子ども等を含む人材、行事、施設等の地域の資源を積極的に活用し、豊かな生活体験をはじめ保育内容の充実が図られるよう配慮すること。

家庭との連携

電話連絡、学級通信や連絡帳などを活用して保育所での子どもの状況を報告したり、連絡帳に保護者からコメントを記入してもらったりして、日頃から保護者の意見や情報を得やすくする関係づくりに努める。

問43 次のうち、保育所が連携や協働する地域の関係機関に関する記述として、適切なものを○、不適切なものを×とした場合の正しい組み合わせを一つ選びなさい。

A 「地域保健法」による保健所は、都道府県や指定都市など広域・専門的サービスを行い、市町村の保健センターは住民に身近な保健サービスを提供している。

B 「母子保健法」による乳幼児健康診査は、身近な市町村サービスである。

C 「児童福祉法」による保育所等訪問支援は、障害児通所支援の一つである。

D 妊娠期から子育て期のサービスを担う子育て世代包括支援センターは、市町村などに設置して身近な相談窓口になるように進められている。

組み合わせ

	A	B	C	D
1	○	○	○	○
2	○	○	×	○
3	○	×	×	○
4	×	○	○	×
5	×	○	×	×

正答 **1** 令3-後-20

A ○：「地域保健法」は、保健所法が改定された法律である。地域住民の健康増進を図ることを目的とし、市町村保健センターについての規定も含む。

B ○：「母子保健法」は、母性および乳幼児の健康の保持と増進を図ることを目的とする法律である。妊産婦健診、乳幼児健診について規定している。

C ○：「児童福祉法」は、戦後、福祉六法の1つとして施行された法律である。総則・実体的規定・雑則・罰則の4つが、8章で構成されている。保育所だけでなく、多くの児童福祉施設について規定している。

D ○：「子育て世代包括支援センター」は、母子保健法に基づき市町村が設置する。保健師等の専門スタッフが妊娠・出産・育児に関する様々な相談に対応し、妊娠期から子育て期にわたる切れ目のない支援を一体的に提供している。

　保育所は、児童福祉法に基づく児童福祉施設であり、こども家庭庁の管轄であるが、多くの関連機関との連携や協働が必要である。他の保健関係の法律も確認しておこう。

問44 次のうち、母子保健対策に関する記述として、適切なものを○、不適切なものを×とした場合の正しい組み合わせを一つ選びなさい。

A 母子健康手帳は妊娠の届け出をした者に交付されるもので、妊娠・出産や育児期の母子の健康記録のほか、必要な情報が掲載されている。

B 「母子保健法」では、乳幼児健康診査を受けた場合、保護者は母子健康手帳に必要事項の記載を受けなければならない。また、それを保育所入所時には持参することが義務付けられている。

C 生後4か月までの乳児家庭全戸訪問事業は、育児不安への相談、養育環境の把握等のために行われている「児童福祉法」による事業であり、保育士も訪問ができる。

D 保育所で発育・発達等の健康状態について気がかりなことがある場合は、乳幼児健診の前に市町村に連絡し情報交換をすることがある。

E 児童虐待対応の一環として、乳幼児健康診査を受けなかった者には家庭訪問等により受診勧奨が行われている。

組み合わせ				
A	B	C	D	E
1 ○	○	○	○	○
2 ○	×	○	○	○
3 ○	×	×	○	○
4 ×	○	○	×	×
5 ×	○	×	×	×

正答 2 令3-前-20

A ○：母子健康手帳の内容は、妊娠や出産の経過から、小学校入学前までの子どもの健康状態、発育、発達、予防接種などの記録といった全国的に共通している部分と、妊娠中の注意点など、市区町村の任意で書かれる部分がある。

B ×：母子健康手帳の記載は、保健センターが記載する箇所、保護者の任意記載箇所などがある。保育所への提示義務はない。

C ○：「こんにちは赤ちゃん事業」と呼ばれ、子育てに関する様々な不安や悩みに、子育ての専門家が対応する制度である。

D ○：市町村保健センターは、1歳6か月児健診、3歳児健診以外にも、母子交流支援・育児サークル育成支援など多種の方法によって母子保健を支えている。

E ○：家庭訪問型子育て支援の軸になっているのは、乳児家庭全戸訪問事業と養育支援訪問事業である。特に、定期健診が未受診の場合、養育支援訪問を行う。

　母子健康手帳は、母子の健康と福祉を守るために世界で初めて日本で作成された。妊娠、出産、新生児及び乳幼児期の健康の記録や情報、出生からの成長の記録や予防接種の情報等が記録されている。医師は母子健康手帳に記された病歴や健康情報を参照することでよりよいケアを決定することができる。

問45 次の文は、「保育所保育指針」第3章「健康及び安全」の(2)「健康増進」の一部である。（　**A**　）〜（　**D**　）にあてはまる語句の正しい組み合わせを一つ選びなさい。

　子どもの心身の健康状態や（　**A**　）等の把握のために、（　**B**　）等により定期的に（　**C**　）を行い、その結果を記録し、保育に活用するとともに、（　**D**　）が子どもの状態を理解し、日常生活に活用できるようにすること。

	組み合わせ			
	A	B	C	D
1	疲労	嘱託医	家庭調査	保育者
2	疲労	主治医	家庭調査	保護者
3	疲労	嘱託医	健康診断	保育者
4	疾病	主治医	家庭調査	保護者
5	疾病	嘱託医	健康診断	保護者

正答 5 　令5-前-1

A：　疾病
B：　嘱託医
C：　健康診断
D：　保護者

「保育所保育指針」第3章「健康及び安全」の1「子どもの健康支援」の(2)「健康増進」

> (2)　健康増進
> 　ア　子どもの健康に関する保健計画を全体的な計画に基づいて作成し、全職員がそのねらいや内容を踏まえ、一人一人の子どもの健康の保持及び増進に努めていくこと。
> 　イ　子どもの心身の健康状態や疾病等の把握のために、嘱託医等により定期的に健康診断を行い、その結果を記録し、保育に活用するとともに、保護者が子どもの状態を理解し、日常生活に活用できるようにすること。

　保育所で行う定期健診は、入園して1か月以内に行われる入園児健診、5〜6月に行われる前期健診、9〜10月に行われる後期健診、多数の園児が短期に病気に罹った場合や食中毒の発生時、大きな災害や事件を経験した場合に行われる臨時健診がある。市町村で行われている定期健診や主治医のもとで健診を受けている場合もあるため、園の健診と併せて情報を共有する。

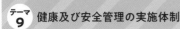

問46 次のうち、乳幼児の健康診査に関する記述として、適切なものを一つ選びなさい。

1 乳幼児健康診査は、全て法律に基づき市区町村において定期健康診査として実施されている。

2 「令和3年度地域保健・健康増進事業報告の概況」（令和5年3月　厚生労働省）によると、日本における乳幼児健康診査の受診率は、年月齢を問わず70％前後である。

3 乳幼児健康診査は疾病の異常や早期発見のために重要であり、必要に応じて、子育て支援対策が講じられる。

4 保育所では、入所時健康診断及び少なくとも1年に2回の定期健康診断を行うことと、「母子保健法」に定められている。

5 保育所における定期健康診断や入所時健康診断は、定型的な業務なので実施後の評価は行わない。

正答 3　令6-前-7

1 ✕：乳幼児健康診査については、母子保健法により、市町村において「1歳6か月児」及び「3歳児」に対する健康診査の実施が義務付けられている。3〜6か月児健康診査及び9〜11か月児健康診査は全国的に行われているが、任意である。

2 ✕：乳幼児健康診査の受診率は、「1歳6か月児」及び「3歳児」は90％前後である。一方、任意である3〜6か月児健診は70％前後、9〜11か月児健診は50％前後である。

3 ◯：乳幼児健診で取り扱う健康課題は、栄養の改善や股関節脱臼など疾病の早期発見、子ども虐待の未然防止などにも重要な役割を担っている。現在では、健康課題のスクリーニングの視点だけでなく、支援（サポート）の視点が必要となっている。

4 ✕：保育所での健康診断の実施は、「児童福祉施設の設備及び運営に関する基準」第12条によって入所時健康診断、年に2回の定期健康診断及び臨時健康診断が義務づけられている。

5 ✕：健康診断実施後の評価は、「職員間での情報共有」及び「健康管理に対しての保護者への情報発信」の観点から大切である。

　乳幼児健康診査については、現在行われている年齢のもの以外に、出産後から就学前までの切れ目のない健康診査の実施体制を整備することを目的に、新たに「1か月児」及び「5歳児」に対する健康診査の支援事業が始まっている。

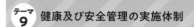

問47 次のうち、保健計画に関する記述として、適切なものを○、不適切なものを×とした場合の正しい組み合わせを一つ選びなさい。

A 「保育所保育指針」では、保健計画の策定が義務付けられている。

B 保健計画の様式は決められており、目標、保健活動内容、留意点、評価等が含まれる。

C 保育所全体の保健計画を作成し、全職員がそのねらいや内容を理解する。

D 保健計画には、安全管理や安全教育は含まれない。

E 保健計画の評価には、客観的に確認できるよう健康診断に関する法令などを活用する。

組み合わせ				
A	B	C	D	E
1 ○	○	×	○	×
2 ○	○	×	×	○
3 ○	×	○	×	○
4 ×	○	○	○	○
5 ×	×	○	○	○

正答 3 令4-後-15

　保育所保育の全体像を包括的に示すものとして全体的な保育計画の作成が義務付けられている。さらに、これに基づく「指導計画」「保健計画」「食育計画」等を通じて、各保育所が創意工夫して保育することが義務付けられている。

A ○：保育所保育指針によると、「子どもの健康に関する保健計画を全体的な計画に基づいて作成し、全職員がそのねらいや内容を踏まえ、一人一人の子どもの健康の保持及び増進に努めていくこと」とされている。

B ×：特に形式は決まっていない。

C ○：Aの記述の通り、全職員がねらいや内容を理解しなければならない。

D ×：安全管理や安全教育は、保健衛生計画・保健指導計画として必ず保健計画に含まれる。

E ○：健康診断は、設備運営基準第12条の規定に基づき、学校保健安全法（昭和33年法律第56号）の規定に準じて、身長及び体重、栄養状態や脊柱及び胸郭の疾病及び異常の有無、四肢の状態等の項目について行われる。

子どもの保健

❶ 「保育所保育指針」では、「養護に関する基本的事項」として、「一人一人の子どもが、自分の気持ちを安心して表すことができるようにする」とある。

❷ 保育所等では、保護者からはどのような薬でも預かる。

❸ 保育所保育指針では、午睡に関して「午睡の時間は子ども達全員が一律にとれるようにする」と記載されている。

❹ 2022年の合計特殊出生率は、1947年に統計を取り始めて以来、最も低かった。

❺ 2022年の出生数は、1947年に統計を取り始めて以来、最も少なかった。

❻ 母子保健施策の成果の一つとして、乳児死亡率の著しい減少があげられる。

❼ 嚥下機能は、生後、哺乳することによって開始される。

❽ 「はいはい」は生後6～7か月未満の乳児の90％以上が可能である。

❾ 児童虐待に至る子ども側のリスクの要因の一つに、未熟児や障害児であるなどの何らかの育てにくさがある。

❿ 1歳未満の乳児の身長は、仰臥位で測定し、1歳以上になると立位で測定する。

---

❶ ○

❷ ✕ 医師の診断書及び指示による薬に限定する。

❸ ✕ 午睡の時間は、一律でなく個々の子どもの状況に応じる。

❹ ○

❺ ○

❻ ○

❼ ✕ 嚥下機能は、羊水を飲み始める胎生10～11週から開始される。

❽ ✕ 生後9～10か月未満の乳児90％以上で可能。「ずりばい」→「四つばい」→「高ばい」と進む。

❾ ○

❿ ✕ 2歳未満の乳幼児の身長は、骨、筋肉の発達が未熟なため仰臥位で、2歳以上は立位で測定する。

⑪ ローレル指数は、主に学童期の肥満度を評価する指数である。

⑪ ○

⑫ 小児のバイタルサインは、必ず「呼吸」→「脈拍」→「体温」→「血圧」の順に測定しなければならない。

⑫ × バイタルサインは、体動や啼泣により測定値が変動しやすい。子どものストレスを最小限にするため、状況によっては順番を変えることが必要である。

⑬ 子どもの平熱は 37.5 度以下とされている。

⑬ ○

⑭ 原始反射は、通常の子どもは成長とともにほとんどみられなくなる。

⑭ ○

⑮ 幼児の睡眠に関する統計によると、低年齢児のほうが年長児に比べて、就寝時刻が遅い傾向にある。

⑮ ○

⑯ 扇風機を使うときは、子どもたちに直接、風が当たるように工夫する。

⑯ × 扇風機の風は、壁などを利用して直接、当たらないように工夫する。

⑰ 登園時は元気だったが、次第に顔色が悪くなり嘔吐が 2 回あった。その後、落ち着いたので医療機関に緊急搬送する必要はないと判断した。

⑰ ○

⑱ けいれんをよく起こす子どもでは、よく眠れるように部屋を暗くし、一人で寝かせる。

⑱ × 部屋は随時、観察できる程度の明るさにする。また保育者の目の届く場所で寝かせ、すぐに対応ができるようにする。

⑲ アレルギー物質を除いた食事を除去食という。

⑲ ○

⑳ 「エピペン®」を使用した際は、速やかに救急搬送し、医療機関を受診する必要がある。

⑳ ○

㉑ 先天性疾患は、遺伝子の異常によって生じる疾患である。

㉑ × 先天性疾患は生まれつき身体の形や臓器の機能に異常がある疾患のことである。染色体や遺伝子の異常、薬剤や感染症など様々な原因により起こる。

㉒ 川崎病は、全身の血管に炎症が起こる疾患で、女児に多く発症する。

㉒ × 男児に多い傾向が認められる。

㉓ 胆道閉鎖症は、先天的に胆汁が腸管に排泄されない病気で、黄疸と白色便が見られ、脳出血を起こす危険性がある。

㉓ ○

㉔ びらんとは、皮膚組織がはがれたり、破れてじめじめしている状態で、ブドウ球菌などの皮膚炎で見られる。

㉔ ○

㉕ 糖尿病は、肥満や食生活などに関連して発症する「2型糖尿病」と、自己免疫などに関連して発症する「1型糖尿病」がある。子どもは1型糖尿病が多い。

㉕ ○

㉖ SIDS は激しく泣いた後、急に呼吸が止まって起こる疾患である。

㉖ ✕ 寝ているときに呼吸が止まる。

㉗ 保育園等では、タオルは共用しても構わない。

㉗ ✕ 感染症の発生の有無にかかわらず、タオルの共用は避ける。

㉘ 次亜塩素酸ナトリウムは、ノロウイルスを含めて多くのウイルス、細菌、一般の真菌に効果があるが、金属には使えない。

㉘ ○

㉙ プールの水の消毒には、原則、塩素系の消毒剤を用いることと定められている。

㉙ ○

㉚ 接触によって身体の表面に病原体が付着しただけで感染は成立する。

㉚ ✕ 病原体が体内に侵入し、定着、増殖して、何らかの症状を起こした場合に感染は成立する。

㉛ 水痘は、接触及び飛沫感染するウイルス性の感染症であり、予防接種で防ぐことができる。

㉛ ○

㉜ RSウイルス感染症は、一度かかれば十分な免疫が得られるため、何度も罹患する可能性は低い。

㉜ ✕ 2歳までに大半の子どもが初感染するといわれており、大人になっても再感染を繰り返すことがあります。

㉝ ポリオは、ポリオ菌により脊髄の神経細胞が障害を受けて運動麻痺を起こす。

㉞ 生ワクチンの副作用は、数人に1人の割合で生じるものから稀なものまで様々である。

㉟ ロタウイルスワクチンは、定期接種であり、生後2か月から接種可能である。

㊱ 新型コロナウイルス感染症の死亡者は、圧倒的に子どもが多い。

㊲ 保育所等で受け入れが推進されている医療的ケア児には、歩ける子どもも重症心身障害児も含まれており、個別的配慮が必要である。

㊳ 反応性愛着障害は、素直に大人に甘えたり、頼ったりできないことが基本的な特徴である。

㊴ ADHD（注意欠如／多動症）の子どもへの対応として、多くの子どもと楽しく過ごせるように、大きなテーブルを大勢の子どもで使用することにした。

㊵ PTSD（心的外傷性ストレス障害）は、子どもより成人のほうが発症しやすい。

㊶ 冷房を使用するときは、外気温との差を摂氏1度以内に保つことが望ましい。

㊷ 感染症が流行しているときは、1日1回保育室の換気を行う。

㊸ 保育士の声が良く聞こえるよう、なるべく大きな声で話しかける。

㉝ ✕ ポリオウイルス（エンテロウイルスの一種）によって引き起こされる。

㉞ ◯

㉟ ◯

㊱ ✕ 死亡者数は、65歳以上が約7割を占めている。（厚生労働省、2021年）

㊲ ◯

㊳ ◯

㊴ ✕ ADHDの子どもは、大勢の中では落ち着かなくなるため、落ち着ける環境を用意する。

㊵ ✕ 子どもは、現実を客観視する能力が十分でないため、成人より子どものほうが発症しやすい。

㊶ ✕ 5度差以内を目安とする。

㊷ ✕ 保育室の換気は、1～2時間おきに1回5分程度、窓を開けて換気を行う。

㊸ ✕ 声や音の大きさに配慮して、心地よく過ごすことができる環境を整える。

㊹ 簡易的砂場消毒法とは、天気の良い日に黒のビ
ニール袋を、砂場を覆うように一日中かぶせてお
く方法である。

㊹ ◯

㊺ 災害の発生時に、保護者等への連絡及び子どもの
引き渡しを円滑に行うために、日ごろから保護者
との密接な連携につとめる。

㊺ ◯

㊻ 万が一に備え、保育所内では最低三日分の必需品
を備蓄しておくとよい。

㊻ ◯

㊼ プールの監視中に同僚と行事の内容について話し
合った。

㊼ ✕ プールの監視者は、
監視に専念すること
がガイドラインに示
されている。

㊽ 「母子保健法」による乳幼児健康診査は、身近な市
町村サービスである。

㊽ ◯

㊾ 保育所での健診項目は、幼稚園でのそれとほぼ同
じである。

㊾ ◯

㊿ 母子健康手帳は、国が交付する。

㊿ ✕ 母子健康手帳は、市
区町村の保健セン
ターなどで交付され
る。

51 保育所は災害に備え、日ごろから地域の住民、自治
体、医療機関などと支援や協力に関わる連携体制
を整える。

51 ◯

52 「母子保健法」によって、保護者は母子保健手帳を
保育所に持参することが義務付けられている。

52 ✕ 保育所への持参の義
務はない。

53 保健計画は、子どもの状態を考慮しながら毎月作
成する。

53 ✕ 保健計画は、年間を
通して作成する。

54 「保育所保育指針」において、保健計画の策定が義
務付けられている。

54 ◯

第 **8** 章

子どもの食と栄養

「子どもの食と栄養」の科目は、例年全ての分野からまんべんなく出題されているよ。資料からの出題もあり、「平成27年度乳幼児栄養調査」や「授乳・離乳の支援ガイド（2019年改訂版）」「食育基本法」などについては何度も出題されているからしっかり押さえよう。保育現場では、個々に合わせた離乳食の対応、食育・食物アレルギー対応なども行うので、この科目で学んだ知識は必ず役立つよ。自信を持って保育現場に出るためにもしっかり身に付けよう。

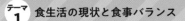

テーマ 1 食生活の現状と食事バランス

問1 次の文は、食生活の現状に関する記述である。適切な記述を○、不適切な記述を×とした場合の正しい組み合わせを一つ選びなさい。

A 「令和2年度食料需給表」（農林水産省）によると、令和2年度の日本の食料自給率は供給熱量ベースで50％を上回っている。

B 「第4次食育推進基本計画」（農林水産省）によると、若い世代（20歳代及び30歳代）は、朝食欠食の割合が依然として高く、令和2年度は20％を超えている。

C 「令和元年国民健康・栄養調査報告」（厚生労働省）によると、男性の肥満（BMI25以上）の割合は、40代が最も高い。

D 「令和2年度食育白書」（農林水産省）によると、朝食又は夕食を家族と一緒に食べる「共食」の回数は週9.6回である。

組み合わせ			
A	B	C	D
1 ○	○	○	×
2 ○	○	×	×
3 ×	○	○	○
4 ×	×	○	○
5 ×	×	×	○

正答 3 令2-後-2改

A ×：2020（令和2）年度の日本の食料自給率は、供給熱量ベースで50％を上回らず、37％である。

B ○：20歳代及び30歳代の若い世代は、朝食欠食の割合が依然として高い。次世代に食育をつなぐ大切な担い手でもあるため、朝食欠食を減らすことを目標としている。具体的には、2020（令和2）年度の若い世代の朝食欠食率は21.5％となっているため、2025（令和7）年度までに15％以下とすることを目指している。

C ○：男性の肥満の割合は40歳代で39.7％と最も高い。

D ○：2020（令和2）年度の「共食」の回数は、1週間当たり9.6回（朝食4.1回、夕食5.5回の合計）である。「共食」とは一人ではなく家族などだれかと一緒に食べることをいう。共食に対して子どもの食生活の問題として、様々な「こしょく」があげられる。「孤食」は食事を一人で食べること、「個食」は家族が同じ食卓についても別々のものを食べること、「固食」は好きなメニューばかり食べること、「子食」は子どもだけで食べる食事のことをいう。なお、「第4次食育推進基本計画」でも「共食」の回数週11回以上という目標を掲げている。

問2 次のうち、「平成27年度乳幼児栄養調査結果の概要」（厚生労働省）の「離乳食について困ったこと（回答者：0～2歳児の保護者）」において、最も割合の高い回答の項目として、適切なものを一つ選びなさい。

1 もぐもぐ、かみかみが少ない（丸のみしている）
2 食べる量が少ない
3 食べ物をいつまでも口にためている
4 食べさせるのが負担、大変
5 作るのが負担、大変

正答 5 令5-後-1

　離乳食について困ったこと（回答者：0～2歳児の保護者）では、「作るのが負担、大変」33.5％、「もぐもぐ、かみかみが少ない（丸のみしている）」28.9％、「食べる量が少ない」21.8％の順に多い。

離乳食について困ったこと（回答者：0～2歳児の保護者）

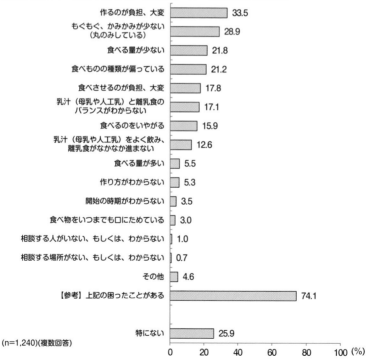

(n=1,240)(複数回答)

資料：厚生労働省「平成27年度乳幼児栄養調査結果の概要」

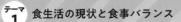

テーマ 1 食生活の現状と食事バランス　　→ 『合格テキスト』P.441～443

問3 次のうち、「平成27年度乳幼児栄養調査結果」（厚生労働省）に関する記述として、「現在子どもの食事について困っていること」（回答者：2～3歳未満児の保護者）の回答の割合が、最も高かったものを一つ選びなさい。

1　遊び食べをする
2　早食い、よくかまない
3　小食
4　食べること（食べもの）に関心がない
5　偏食する

正答 1 令4-後-3

2～3歳未満児では「遊び食べをする」が最も高い。3～4歳未満児、4～5歳未満児、5歳児以上では「食べるのに時間がかかる」が最も高い。

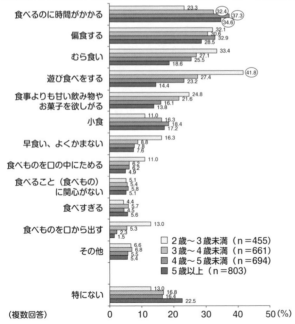

現在子どもの食事で困っていること（回答者：2～6歳児の保護者）

資料：厚生労働省「平成27年度乳幼児栄養調査結果の概要」

「平成27年度乳幼児栄養調査結果の概要」

問4 次の文は、「令和元年国民健康・栄養調査」（厚生労働省）における子ども
の食生活に関する記述である。適切な記述を○、不適切な記述を×とした場合の
正しい組み合わせを一つ選びなさい。

A 「1―6歳」、「7―14歳」、「15―19歳」の3つの年齢階級別で乳類の摂取量
（平均値）を比較すると、男女とも最も多いのは「7―14歳」である。
B 「1―6歳」における脂肪エネルギー比率（％）（平均値）は、男女とも20〜
30％の範囲内である。
C 「1―6歳」における炭水化物エネルギー比率（％）（平均値）は、男女とも
55％を超えている。
D 「1―6歳」における食塩相当量（g／日）（平均値）は、
3g以下である。

組み合わせ			
A	B	C	D
1 ○	○	○	×
2 ○	○	×	×
3 ○	×	○	○
4 ×	○	○	×
5 ×	×	×	○

正答 1 令1-後-2改

A ○：3つの年齢階級別で乳類の摂取量（平均値）を比較すると、男女とも最も多
いのは「7―14歳」で、次に「1―6歳」、「15―19歳」の順となっている。
「7―14歳」では、小中学校での学校給食があるため、他の年齢階級と比較
すると乳類の摂取量は多くなる。
B ○：「1―6歳」における脂肪エネルギー比率（％）（平均値）は、男性29.2％、
女性28.2％と男女とも20〜30％の範囲内である。
C ○：「1―6歳」における炭水化物エネルギー比率（％）（平均値）は、男性
56.4％、女性57.7％と男女とも55％を超えている。
D ×：「1―6歳」における食塩相当量（g／日）（平均値）は、5.2gである。「日
本人の食事摂取基準（2020年版）」によると、男女とも目標量として1〜2
歳では1日3.0g未満、3〜5歳では1日3.5g未満、6〜7歳では1日4.5
g未満に設定されている。実際には目標値より多く摂取していることがわか
る。

「令和元年
国民健康・
栄養調査結
果の概要」

問5 次のうち、「令和元年国民健康・栄養調査結果の概要」（厚生労働省）に関する記述として、適切な記述を○、不適切な記述を×とした場合の正しい組み合わせを一つ選びなさい。

A 食習慣改善の意思について、「関心はあるが改善するつもりはない」と回答した者の割合が、男女ともに最も高かった。

B 健康食品を摂取している目的について、20歳代女性で「たんぱく質の補充」と回答した者の割合が最も高かった。

C 食塩摂取量の平均値は、男女とも60歳代で最も高かった。

D 野菜摂取量の平均値は、男女ともに20〜40歳代で少なく、60歳以上で多かった。

組み合わせ			
A	B	C	D
1 ○	○	○	○
2 ○	×	○	○
3 ×	○	○	○
4 ×	○	×	×
5 ×	×	○	×

正答 2 令4-後-1

A ○：食習慣改善の意思について、「関心はあるが改善するつもりはない」と回答した者の割合が、男女ともに最も高かった。また、食生活に影響を与えている情報源は「テレビ」と回答した者の割合が最も高かった。

B ×：健康食品を摂取している目的について、20歳代男性で「たんぱく質の補充」、20歳代女性で「ビタミンの補充」と回答した者の割合がそれぞれ最も高かった。また、健康食品を摂取している者の割合は、男女ともに60歳代で最も高かった。

C ○：食塩摂取量の平均値は10.1 g で、男女とも60歳代で最も高かった。また、男女ともに食事摂取基準の目標量を超えて摂取している。

D ○：野菜摂取量の平均値は280.5 g で、男女ともに20〜40歳代で少なく、60歳以上で多かった。

「令和元年国民健康・栄養調査」は、国民の身体の状況、栄養摂取量及び生活習慣の状況等についての調査である。

● 運動習慣のある者の割合は70歳以上で最も高く、反対に、男性では40歳代、女性では30歳代で最も低い。

● 生活習慣病のリスクを高める量を飲酒している者の割合は、男性では40歳代、女性では50歳代が最も多い。

● やせの割合は20歳代の女性に多い。

など、他にも様々な項目で報告されている。

問6 次の文は、糖質に関する記述である。適切な記述を○、不適切な記述を×とした場合の正しい組み合わせを一つ選びなさい。

A　果糖（フルクトース）は、単糖類である。

B　ブドウ糖（グルコース）は、ショ糖、乳糖、麦芽糖などの構成成分である。

C　アミロペクチンはブドウ糖が直鎖状に結合したものである。

D　ブドウ糖（グルコース）は血液中に存在する。

組み合わせ			
A	B	C	D
1 ○	○	○	×
2 ○	○	×	○
3 ○	×	○	○
4 ×	○	○	×
5 ×	×	×	○

正答 **2**　オリジナル

A ○：果糖（フルクトース）は、単糖類である。他に、ブドウ糖（グルコース）、ガラクトースも単糖類に分類される。

単糖類	ブドウ糖（グルコース）、果糖（フルクトース）、ガラクトース
二糖類	ショ糖（スクロース）、麦芽糖（マルトース）、乳糖（ラクトース）
多糖類	でんぷん、グリコーゲン

B ○：ブドウ糖（グルコース）は、ショ糖（スクロース）、麦芽糖（マルトース）、乳糖（ラクトース）などの構成成分である。

ショ糖	ブドウ糖（グルコース）＋果糖（フルクトース）。砂糖のこと。
麦芽糖	ブドウ糖（グルコース）＋ブドウ糖（グルコース）
乳糖	ブドウ糖（グルコース）＋ガラクトース

C ×：直鎖状に結合したものはアミロースである。アミロペクチンは分枝状に結合したものである。もち米はアミロペクチン100%、うるち米はアミロペクチン80%とアミロース20%で構成されている。

アミロース（直鎖状）

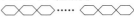

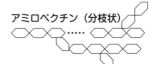
アミロペクチン（分枝状）
◇ ＝ブドウ糖

D ○：ブドウ糖（グルコース）は血液中に存在する。血液中に血糖として約0.1%に維持されている。

問7 次の文は、栄養素の消化に関する記述である。（　A　）〜（　D　）にあてはまる語句を【語群】から選択した場合の正しい組み合わせを一つ選びなさい。

- 唾液に含まれる（　A　）は、でんぷんを加水分解する酵素である。
- 中性脂肪の消化は、主に膵液中の（　B　）の作用により小腸で行われる。
- 二糖類の麦芽糖は、小腸粘膜において（　C　）によって分解される。このような消化を（　D　）消化という。

語群

ア	ペプシン	イ	アミラーゼ	ウ	リパーゼ
エ	膜	オ	マルターゼ	カ	ラクターゼ
キ	腸	ク	粘液		

組み合わせ

	A	B	C	D
1	ア	イ	ウ	エ
2	ア	ウ	イ	キ
3	イ	ウ	オ	エ
4	イ	オ	カ	ク
5	ウ	カ	オ	キ

正答 3　平31-前-1

- 唾液中に含まれる（**イ**：アミラーゼ）は、でんぷんを加水分解する酵素である。
- 中性脂肪の消化は、主に膵液中の（**ウ**：リパーゼ）の作用により小腸で行われる。
- 二糖類の麦芽糖は、小腸粘膜において（**オ**：マルターゼ）によって分解される。このような消化を（**エ**：膜）消化という。

アのペプシンは、たんぱく質の消化酵素、**カ**のラクターゼは、乳糖（ラクトース）をガラクトースとブドウ糖（グルコース）に分解する消化酵素である。

主な消化酵素の働き

消化管	消化液	消化酵素	栄養素	分解生成物
口腔	唾液	アミラーゼ	でんぷん	デキストリン、麦芽糖
胃	胃液	ペプシン	たんぱく質	プロテオース
小腸	膵液	アミラーゼ	でんぷん デキストリン	麦芽糖
		トリプシン キモトリプシン	たんぱく質 プロテオース ペプトン	ポリペプチド
		リパーゼ	脂質	脂肪酸、モノグリセリド
小腸	小腸粘膜	マルターゼ	麦芽糖	ブドウ糖
		スクラーゼ	ショ糖	ブドウ糖、果糖
		ラクターゼ	乳糖	ブドウ糖、ガラクトース

問8 次の文は、たんぱく質に関する記述である。適切なものを一つ選びなさい。

1 炭素（C）、酸素（O）、水素（H）のみで構成されている。
2 アミノ酸からなり、そのアミノ酸は100種類以上存在する。
3 食品の必須アミノ酸含有量のうち、最も高い必須アミノ酸を第一制限アミノ酸という。
4 糖質や脂質が不足した場合にエネルギーとして利用される。
5 精白米のアミノ酸スコアは100である。

正答 **4** 令4-後-4

1 ✕：たんぱく質は、炭素（C）、酸素（O）、水素（H）、約16%の窒素（N）で構成されている。糖質や脂質は、炭素（C）、酸素（O）、水素（H）の3つの元素で構成されている。

2 ✕：たんぱく質はアミノ酸からなり、そのアミノ酸は20種類存在する。アミノ酸のうち体内で合成できないため食物から摂取しなければならないものを必須アミノ酸といい、バリン、ロイシン、イソロイシン、スレオニン、メチオニン、フェニルアラニン、トリプトファン、リジン、ヒスチジンの9種類（乳幼児の場合は、アルギニンを加えた10種類）ある。

3 ✕：食品の必須アミノ酸含有量（アミノ酸価）のうち、最も低いアミノ酸を第一制限アミノ酸という。

4 ◯：たんぱく質は、筋肉・酵素・ホルモンなど、体をつくることが主なはたらきであるが、糖質や脂質が不足した場合はエネルギーとしても利用される。たんぱく質は1gあたり4kcalのエネルギーを生じる。糖質も1gあたり4kcal、脂質は1gあたり9kcalのエネルギーを生じる。

5 ✕：精白米のアミノ酸スコアは65であり、第一制限アミノ酸はリジンである。アミノ酸スコア100の食物は牛乳・鶏卵・肉など、良質なたんぱく質といわれているものが多い。

第8章 子どもの食と栄養

試験の前日の食事は消化の良いものがオススメだよ！

フレーフレー

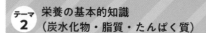

問9 次のうち、脂質に関する記述として、適切な記述を○、不適切な記述を×とした場合の正しい組み合わせを一つ選びなさい。

A 脂質を構成する脂肪酸は、窒素を含む。
B エネルギー源として利用され、1 gあたり9 kcalを供給する。
C 魚油に多く含まれる多価不飽和脂肪酸は、動脈硬化と血栓を防ぐ作用がある。
D リノール酸は、飽和脂肪酸である。

組み合わせ			
A	B	C	D
1 ○	○	○	×
2 ○	○	×	○
3 ○	×	×	○
4 ×	○	○	×
5 ×	×	○	○

正答 4 令4-前-3

1 ×：脂質を構成する脂肪酸には、窒素は含まない。脂肪酸を構成する元素は、炭素、酸素、水素である（他の脂質も炭素、水素、酸素で構成されている）。糖質も炭素、酸素、水素で構成されている。たんぱく質は、炭素、酸素、水素の他に約16％の窒素も含む。

2 ○：脂質はエネルギー源として利用され、1 gあたり9 kcalを供給する。糖質とたんぱく質は1 gあたり4 kcalを供給する。

3 ○：魚油に多く含まれる多価不飽和脂肪酸は、動脈硬化と血栓を防ぐ作用がある。バター、牛脂などの動物性食品の油脂には飽和脂肪酸が多く含まれる。

4 ×：リノール酸は、多価不飽和脂肪酸である。多価不飽和脂肪酸には、他にもα-リノレン酸、EPA、DHAなどがある。

カフェインを多く含むコーヒーや緑茶はトイレが近くなるので気をつけよう！

問10 次の文は、炭水化物に関する記述である。（　**A**　）～（　**D**　）にあてはまる語句の正しい組み合わせを一つ選びなさい。

炭水化物には、ヒトの消化酵素で消化されやすい（　**A**　）と消化されにくい（　**B**　）がある。（　**A**　）は、1gあたり（　**C**　）kcalのエネルギーを供給し、一部は、肝臓や筋肉でエネルギー貯蔵体である（　**D**　）となって体内に蓄えられる。

	A	B	C	D
		組み合わせ		
1	糖質	食物繊維	4	グリコーゲン
2	糖質	食物繊維	7	グリコーゲン
3	糖質	食物繊維	9	ガラクトース
4	食物繊維	糖質	4	グリコーゲン
5	食物繊維	糖質	7	ガラクトース

正答 1 令6-前-1

A：糖質　B：食物繊維　C：4　D：グリコーゲン

炭水化物には、ヒトの消化酵素で消化されやすい（　糖質　）と消化されにくい（　食物繊維　）がある。（　糖質　）は、1gあたり（　4　）kcalのエネルギーを供給し、一部は、肝臓や筋肉でエネルギー 貯蔵体である（　グリコーゲン　）となって体内に蓄えられる。

脂質は1gあたり9kcal、たんぱく質は1gあたり4kcalのエネルギーを供給する。

第**8**章　子どもの食と栄養

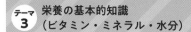

| テーマ 3 | 栄養の基本的知識（ビタミン・ミネラル・水分） | ▶『合格テキスト』P.454〜455 |

問11 次のうち、ビタミンに関する記述として、適切な記述を○、不適切な記述を×とした場合の正しい組み合わせを一つ選びなさい。

A　ビタミンAは、糖質の代謝に関与しており、欠乏症には脚気がある。
B　ビタミンB₁は、水溶性ビタミンである。
C　ビタミンCは、抗酸化作用を持ち、欠乏すると壊血病を引き起こす。
D　ビタミンEは、腸管や腎臓でのカルシウムの吸収を高め、骨を丈夫にする。

組み合わせ	A	B	C	D
1	○	○	○	×
2	○	○	×	○
3	○	×	○	○
4	×	○	○	×
5	×	×	×	○

正答 4　令3-後-3

A ×：糖質の代謝に関与していて、欠乏症に脚気があるビタミンは、ビタミンB₁である。ビタミンAは皮膚や目・鼻・のど等の粘膜を正常に保つ働きや、視覚作用に関わる働きがあり、欠乏症は夜盲症である。また、ビタミンAは胎児の奇形の回避のために妊娠初期には過剰摂取しないよう注意が必要である。

B ○：ビタミンB₁は水溶性ビタミンである。水溶性ビタミンは、他にビタミンB₂、ビタミンB₆、葉酸、ビタミンB₁₂、ナイアシン、パントテン酸、ビオチン、ビタミンCがある。脂溶性ビタミンは、ビタミンA、ビタミンD、ビタミンE、ビタミンKがある。脂溶性ビタミンは過剰症があるが、水溶性ビタミンは基本的には過剰症はない。

C ○：ビタミンCは、抗酸化作用を持ち、欠乏すると壊血病を引き起こす。コラーゲンの生成にも関わるほか、鉄の吸収を高める働きもある。

D ×：腸管や腎臓でのカルシウムの吸収を高め、骨を丈夫にするビタミンは、ビタミンDである。ビタミンDの欠乏症はくる病である。

脂溶性ビタミンは4つ
DAKEと覚えよう！

問12 次のうち、ミネラルに関する記述として、適切な記述を○、不適切な記述を×とした場合の正しい組み合わせを一つ選びなさい。

A　マグネシウムの過剰症として、下痢があげられる。
B　カリウムは、浸透圧の調節に関わり、野菜類に多く含まれる。
C　ナトリウムの欠乏症として、胃がんがあげられる。
D　カルシウムは、骨ごと食べられる小魚に多く含まれる。
E　鉄の過剰症として、貧血があげられる。

組み合わせ				
A	B	C	D	E
1 ○	○	○	○	○
2 ○	○	×	○	×
3 ○	×	○	×	×
4 ×	×	○	○	○
5 ×	×	×	×	○

正答 2　令4-前-2

A ○：マグネシウムの過剰症は下痢である。マグネシウムの生理作用は骨の成分、神経伝達に関わる。供給源は豆類、種実類である。

B ○：カリウムは、浸透圧の調節に関わり、野菜類のほか、果実類にも多く含まれる。

C ×：ナトリウムの過剰症として、高血圧や胃がんがあげられる。生理作用は浸透圧の調節。普段の食事では不足することはない。

D ○：カルシウムは骨ごと食べられる小魚のほか、牛乳にも多く含まれる。カルシウムの主な生理作用は、骨や歯の構成成分、筋肉の収縮、神経伝達など。欠乏症は小児はくる病、成人は骨粗しょう症など。

E ×：鉄の欠乏症として貧血があげられる。鉄はレバーや赤身の肉、ほうれん草などに多く含まれる。また、生理作用はヘモグロビンの成分となる。

ナトリウム、カルシウム、鉄の生理作用や欠乏症は頻出だよ！

第 **8** 章　子どもの食と栄養

問13 次の【Ⅰ群】の記述と、【Ⅱ群】の元素名を結びつけた場合の最も適切な組み合わせを一つ選びなさい。

【Ⅰ群】
A 糖質、脂質、たんぱく質の代謝に関与する。
B 骨や歯の構成成分である。
C 神経の興奮、伝達に関与する。
D 体液の浸透圧調整に関与する。
E ヘモグロビンの成分である。

【Ⅱ群】
ア カリウム（K）
イ カルシウム（Ca）
ウ リン（P）
エ 鉄（Fe）
オ ナトリウム（Na）

組み合わせ				
A	B	C	D	E
1 イ	ア	ウ	オ	エ
2 イ	ウ	ア	オ	エ
3 ウ	ア	エ	イ	オ
4 ウ	イ	ア	オ	エ
5 ウ	イ	オ	ア	エ

正答 4 オリジナル

A ウ：リンは加工食品の添加物にも使用されているので、摂りすぎに注意が必要である。
B イ：カルシウムの欠乏症は小児はくる病、成人は骨粗しょう症である。
C ア：カリウムは体液の浸透圧だけでなく、pHの調節にも関わっている。
D オ：ナトリウムの過剰症は高血圧症である。
E エ：鉄の欠乏症は鉄欠乏性貧血である。鉄にはヘム鉄と非ヘム鉄があり、ヘム鉄のほうが吸収率が高い。

ミネラルには、多量ミネラルと微量ミネラルがある。

多量ミネラル	カルシウム、リン、カリウム、マグネシウム、ナトリウム
微量ミネラル	鉄、マンガン、ヨウ素、亜鉛、セレン、クロム、モリブデン

問14 次の文は、ビタミンの生理機能に関する記述である。【Ⅰ群】のビタミンと【Ⅱ群】の内容を結びつけた場合の正しい組み合わせを一つ選びなさい。

【Ⅰ群】

A　ビタミンK

B　ビタミンD

C　ビタミンC

D　葉酸

【Ⅱ群】

ア　小腸からのカルシウム吸収を促進し、欠乏すると小児ではくる病、成人では骨軟化症の発症リスクが高まる。

イ　皮膚や細胞のコラーゲンの合成に必須で、欠乏すると血管がもろくなる。

ウ　血液凝固因子の活性化に必要なビタミンで、母乳栄養児は欠乏に陥りやすい。

エ　受胎の前後に十分量を摂取すると、胎児の神経管閉鎖障害のリスクを低減できる。

組み合わせ			
A	B	C	D
1　ア	イ	ウ	エ
2　ア	ウ	イ	エ
3　ウ	ア	イ	エ
4　ウ	ア	エ	イ
5　エ	ア	イ	ウ

正答 3 平31-前-2

A ウ：ビタミンKは、血液凝固因子の活性化に必要なビタミンで、母乳栄養児は欠乏に陥りやすい。そのため、乳児にはK₂シロップを投与する。欠乏症は新生児頭蓋内出血症、新生児メレナである。

B ア：ビタミンDは、小腸からのカルシウム吸収を促進し、欠乏すると小児ではくる病、成人では骨軟化症の発症リスクが高まる。

C イ：ビタミンCは、皮膚や細胞のコラーゲンの合成に必須で、欠乏すると血管がもろくなる。欠乏症は壊血病である。

D エ：葉酸は、受胎の前後に十分量を摂取すると、胎児の神経管閉鎖障害のリスクを低減できる。妊娠前からの摂取が推奨されている。

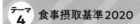

問15 次の【Ⅰ群】の「日本人の食事摂取基準(2020年版)」における栄養素の指標と【Ⅱ群】のその目的を結びつけた場合の正しい組み合わせを一つ選びなさい。

【Ⅰ群】

A 推定平均必要量、推奨量
B 目標量
C 耐容上限量

【Ⅱ群】

ア 生活習慣病の発症予防
イ 過剰摂取による健康障害の回避
ウ 摂取不足の回避

組み合わせ		
A	B	C
1 ア	イ	ウ
2 ア	ウ	イ
3 イ	ア	ウ
4 ウ	ア	イ
5 ウ	イ	ア

正答 4 令6-前-3

A ウ：推定平均必要量、推奨量：摂取不足の回避を目的としている。
B ア：目標量：生活習慣病の発症予防を目的としている。
C イ：耐容上限量：過剰摂取による健康障害の回避を目的としている。

日本人の食事摂取基準は、健康増進法に基づき、国民の健康の保持・増進、生活習慣病の予防を目的とし、エネルギー及び各栄養素の摂取量の基準を定めたものであり、5年ごとに改定される。

図 栄養素の指標の目的と種類

〈目的〉	〈指標〉
摂取不足の回避	推定平均必要量、推奨量 *これらを推定できない場合の代替指標：目安量
過剰摂取による健康障害の回避	耐容上限量
生活習慣病の発症予防	目標量

※十分な科学的根拠がある栄養素については、上記の指標とは別に、生活習慣病の重症化予防及びフレイル予防を目的とした量を設定
出典：「日本人の食事摂取基準(2020年版)」策定検討会報告書

問16 次のうち、「日本人の食事摂取基準（2020年版）」（厚生労働省）に関する記述として、適切なものを○、不適切なものを×とした場合の正しい組み合わせを一つ選びなさい。

A 年齢区分は1〜17歳を小児、18歳以上を成人とする。
B 10年ごとに見直しがなされ、改定される。
C 栄養素の指標として、「推定平均必要量」「推奨量」「目安量」「耐容上限量」「目標量」の5種類が設定されている。
D 基本的に健康な個人及び集団を対象としている。

組み合わせ				
	A	B	C	D
1	○	○	×	×
2	○	×	○	○
3	○	×	○	×
4	×	○	×	○
5	×	×	○	○

正答 2 令5-後-3

A ○：年齢区分は1〜17歳を小児、18歳以上を成人とする。

B ×：5年ごとに見直しがなされ、改定される。2020年版は、2020年から2024年の5年間使用される。次回は2025年に改定される。

C ○：栄養素の指標として、「推定平均必要量」「推奨量」「目安量」「耐容上限量」「目標量」の5種類が設定されている。
「推定平均必要量」とは摂取不足の回避を目的として設定されたもので、半数の人が必要量を満たす量。
「推奨量」とは推定平均必要量を補助する目的として設定されたもので、ほとんどの人が充足している量。
「目安量」とは十分な科学的根拠が得られず、推定平均必要量と推奨量が設定できない場合に設定された量。
「耐容上限量」とは過剰摂取による健康障害の回避を目的として設定された量。
「目標量」とは生活習慣病の発症予防のために現在の日本人が当面の目標とすべき摂取量として設定された量。

D ○：選択肢のとおり、基本的に健康な個人及び集団を対象としている。

> 試験当日は、小腹が空いた時のために
> チョコレートやグミを持って行くといいよ！

フレーフレー

第8章 子どもの食と栄養

問17 次の文は、「日本人の食事摂取基準（2020年版）」（厚生労働省）のエネルギー産生栄養素バランスに関する記述である。（ **A** ）～（ **C** ）にあてはまる数値の正しい組み合わせを一つ選びなさい。

　1歳以上50歳未満を対象とした炭水化物（アルコール含む）、たんぱく質、脂質とそれらの構成成分が総エネルギー摂取量に占めるべき割合（目標量の範囲、％エネルギー）は、炭水化物（ **A** ）％、たんぱく質（ **B** ）％、脂質（ **C** ）％である。なお、アルコールはエネルギーを産生するが、必須栄養素でなく、摂取を勧める理由はない。

組み合わせ			
	A	B	C
1	13～20	20～30	50～65
2	13～20	50～65	20～30
3	20～30	13～20	50～65
4	50～65	13～20	20～30
5	50～65	20～30	13～20

正答 4 令1-後-4改

A：炭水化物（50～65）％　**B**：たんぱく質（13～20）％　**C**：脂質（20～30）％

　妊婦（初期・中期）も同じく炭水化物は50～65％、たんぱく質は13～20％、脂質は20～30％である。妊婦（後期）・授乳婦はたんぱく質が15～20％、ほかの二つは同じである。

性別	男性			女性		
年齢等	目標量			目標量		
	たんぱく質	脂質	炭水化物	たんぱく質	脂質	炭水化物
0～11(月)	—	—	—	—	—	—
1～49（歳）	13～20	20～30	50～65	13～20	20～30	50～65
妊婦　　初期				13～20		
中期				13～20	20～30	50～65
後期				15～20		
授乳期				15～20	20～30	50～65

問18 次の文は、食物繊維に関する記述である。（ A ）〜（ C ）にあてはまる語句を【語群】から選択した場合の正しい組み合わせを一つ選びなさい。

食物繊維は、ヒトの消化酵素で消化（ A ）成分である。食物繊維は水溶性食物繊維と（ B ）食物繊維に分類される。「日本人の食事摂取基準（2020年版）」（厚生労働省）において、食物繊維は3歳以上で（ C ）が示されている。

語群
ア されやすい イ されにくい ウ 不溶性
エ 脂溶性 オ 目標量 カ 目安量

組み合わせ			
	A	B	C
1	ア	ウ	オ
2	ア	エ	カ
3	イ	ウ	オ
4	イ	ウ	カ
5	イ	エ	カ

正答 3 令4-前-9

A イ：されにくい B ウ：不溶性 C オ：目標量

食物繊維は、ヒトの消化酵素で消化（ されにくい ）成分である。食物繊維は水溶性食物繊維と（ 不溶性 ）食物繊維に分類される。「日本人の食事摂取基準（2020年版）」（厚生労働省）において、食物繊維は3歳以上で（ 目標量 ）が示されている。

食物繊維は、ヒトの消化酵素で消化されない食品中の難消化性成分の総体と定義される。

表 食物繊維の食事摂取基準（g／日）

性 別	男 性	女 性
年齢等	目標量	目標量
0〜5（月）	—	—
6〜11（月）	—	—
1〜2（歳）	—	—
3〜5（歳）	8以上	8以上
6〜7（歳）	10以上	10以上
8〜9（歳）	11以上	11以上
10〜11（歳）	13以上	13以上
12〜14（歳）	17以上	17以上
15〜17（歳）	19以上	18以上
妊　婦		18以上
授乳婦		18以上

第8章 子どもの食と栄養

問19 次の表は、6つの基礎食品群に関するものである。表中の（　A　）〜（　D　）にあてはまる語句の正しい組み合わせを一つ選びなさい。

表

	主な働き	主な栄養素	食品の例
1群	主に体を作るもとに	たんぱく質	魚、肉、卵、大豆・大豆製品
2群	なる	カルシウム	（　A　）
3群	主に体の調子を整え	（　B　）	緑黄色野菜
4群	るもとになる	（　C　）	その他の野菜、果物
5群	主に体を動かすエネ	糖質性エネルギー	米・パン・めん類
6群	ルギーのもとになる	（　D　）	油脂

組み合わせ			
	A	B	C	D
1	牛乳・乳製品、海藻、小魚	ビタミンE	カロテン	脂肪性エネルギー
2	牛乳・乳製品、海藻、小魚	ビタミンC	カロテン	ビタミンB$_1$
3	牛乳・乳製品、海藻、小魚	カロテン	ビタミンC	脂肪性エネルギー
4	いも類	カロテン	ビタミンC	脂肪性エネルギー
5	いも類	ビタミンC	ビタミンE	ビタミンB$_1$

正答 **3** 令1-後-5

A：牛乳・乳製品、海藻、小魚　B：カロテン
C：ビタミンC　D：脂肪性エネルギー

	主な働き	主な栄養素	食品の例
1群	主に体を作るもとに	たんぱく質	魚、肉、卵、大豆・大豆製品
2群	なる	カルシウム	牛乳・乳製品、海藻、小魚
3群	主に体の調子を整え	カロテン	緑黄色野菜
4群	るもとになる	ビタミンC	その他の野菜、果物
5群	主に体を動かすエネ	糖質性エネルギー	米・パン・めん類
6群	ルギーのもとになる	脂肪性エネルギー	油脂

テーマ 5 食の基礎、献立作成

問20 次の文は、「食事バランスガイド」（平成17年：厚生労働省・農林水産省）に関する記述である。適切な記述を○、不適切な記述を×とした場合の正しい組み合わせを一つ選びなさい。

A　コマのイラストは、食事のバランスが悪くなると倒れてしまうことを表している。

B　コマの中では、1日分の料理・食品の例を示している。

C　食事の提供量の単位は、SV（サービング）である。

D　主菜のグループには、ごはん、食パン、うどんなどが含まれる。

E　果物のグループには、お茶や水も含まれる。

組み合わせ				
A	B	C	D	E
1 ○	○	○	○	○
2 ○	○	○	×	×
3 ×	○	○	×	○
4 ×	×	○	×	○
5 ×	×	○	×	×

正答 2 オリジナル

A ○：主食、副菜、主菜、牛乳・乳製品、果物の五つの区分、水分、運動をバランスよく取り入れることでコマは回ることを表している。

B ○：コマの中では、1日分の料理・食品の例を示している。基本形2200kcal±200kcalである。

C ○：食事の提供量の単位は、SV（サービング）である。基本形での摂取の目安は、主食は五〜七つ（SV）、副菜は五〜六つ（SV）、主菜は三〜五つ（SV）、牛乳・乳製品は二つ（SV）、果物は二つ（SV）である。

D ×：主菜ではなく、主食である。主菜は、肉、魚、卵、大豆料理などが含まれる。

E ×：果物のグループには、お茶や水は含まれない。お茶や水はコマの軸として表し、菓子・嗜好飲料はコマを回すヒモを表しており、食事には含まれない。

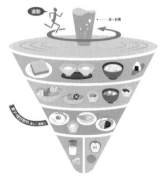

第 **8** 章　子どもの食と栄養

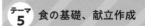

➡『合格テキスト』P.472〜473

テーマ5　食の基礎、献立作成

問21 次の文のうち、「食生活指針」（平成28年一部改正：文部科学省、厚生労働省、農林水産省）の一部として、正しいものを○、誤ったものを×とした場合の正しい組み合わせを一つ選びなさい。

A 家族の団らんや人との交流を大切に、また、食事づくりに参加しましょう。

B 穀類を毎食とって、糖質からのエネルギー摂取を適正に保ちましょう。

C 脂肪の多い食品や料理をとりましょう。

D 調理や保存を上手にして、食べ残しのない適量を心がけましょう。

組み合わせ			
	A	B	C	D
1	○	○	○	×
2	○	○	×	○
3	○	×	○	○
4	×	○	○	×
5	×	×	×	○

正答 2 令1-後-12

A ○：「食事を楽しみましょう」という項目のうちの一つ。他に、「毎日の食事で健康寿命をのばしましょう」などがある。

B ○：「ごはんなどの穀類をしっかりと」という項目のうちの一つ。他に、「日本の気候・風土に適している米などの穀類を利用しましょう」がある。

C ×：脂肪についての項目は、「食塩は控えめに、脂肪は質と量を考えて」となっており、脂肪を多くとるように促してはいない。

D ○：「食料資源を大切に、無駄や廃棄の少ない食生活を」という項目の一つ。他に、「賞味期限や消費期限を考えて利用しましょう」などがある。

「食生活指針」の10項目

食事を楽しみましょう。
1日の食事のリズムから、健やかな生活リズムを。
適度な運動とバランスの良い食事で、適正体重の維持を。
主食、主菜、副菜を基本に、食事のバランスを。
ごはんなどの穀類をしっかりと。
野菜・果物、牛乳・乳製品、豆類、魚なども組み合わせて。
食塩は控えめに、脂肪は質と量を考えて。
日本の食文化や地域の産物を活かし、郷土の味の継承を。
食料資源を大切に、無駄や廃棄の少ない食生活を。
「食」に関する理解を深め、食生活を見直してみましょう。

問22 次の図は、和食の献立の基本形である「一汁三菜」の食器の並べ方である。（ A ）～（ E ）にあてはまる語句の正しい組み合わせを一つ選びなさい。

図

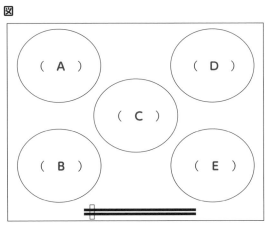

	A	B	C	D	E
			組み合わせ		
1	副菜	主食	副菜	主菜	汁物
2	主菜	主食	副菜	副菜	汁物
3	副菜	主食	主菜	汁物	副菜
4	副菜	汁物	副菜	主菜	主食
5	主菜	汁物	副菜	副菜	主食

第 **8** 章 子どもの食と栄養

正答 1 令3-前-4

A 副菜：野菜、きのこ、いも、海藻料理 など。
B 主食：ごはんなどの主食。
C 副菜：二つ目の副菜を副々菜と呼ぶこ ともある。
D 主菜：肉、魚、卵料理など、主となる おかず。
E 汁物：味噌汁などの汁物。

和食の献立では一汁三菜を基本とする。
箸は持つ部分を右側にして手前に横一文字に置く。

一汁三菜の配置

問23 次の文は、五節句と行事食に関する記述である。適切なものを○、不適切なものを×とした場合の正しい組み合わせを一つ選びなさい。

A　人日（じんじつ）の節句は、七草の節句ともいい、くず、ききょう、ふじばかま、おみなえし、なでしこ、はぎ、おばなの七草を入れた粥（かゆ）を食べる。

B　上巳（じょうし／じょうみ）の節句は、桃の節句ともいい、女児の成長を祝い、桃の花、白酒、ひなあられ、菱餅などをひな壇にそなえる。

C　端午（たんご）の節句は、男児の成長を祝い、ちまき、柏餅などを食べる。

D　重陽（ちょうよう）の節句は、かぼちゃ、小豆粥（あずきがゆ）などを食べる。

組み合わせ			
A	B	C	D
1　○	○	×	×
2　○	×	×	○
3　×	○	○	○
4　×	○	○	×
5　×	×	○	○

正答 4　令4-後-15

A ×：人日の節句は、七草の節句ともいい、せり、なずな、ごぎょう、はこべら、ほとけのざ、すずな、すずしろの七草を入れた粥を食べる。1月7日。

B ○：選択肢のとおり。

C ○：選択肢のとおり。

D ×：重陽の節句は、栗ご飯、菊酒などを食べたり飲んだりする。9月9日。かぼちゃ、小豆粥などを食べるのは冬至である。

　人日の節句（1月7日）、桃の節句（3月3日）、端午の節句（5月5日）、七夕の節句（7月7日）、重陽の節句（9月9日）を五節句という。

日本の主な行事食

行事	料理・食品
正月	おせち料理、雑煮
七草（人日の節句）	かゆ、せり、なずな、ごぎょう、はこべら、ほとけのざ、すずな、すずしろ
鏡開き	鏡餅
節分	いり豆、恵方巻、いわしの干物
ひな祭り（桃の節句）	はまぐりのお吸い物、ちらしずし、ひなあられ、菱餅
春の彼岸	ぼたもち
こどもの日（端午の節句）	ちまき、柏餅
七夕（七夕の節句）	そうめん
お盆	精進料理、精霊馬（なす・きゅうり）
月見（重陽の節句）	栗ご飯、菊酒、月見団子
秋の彼岸	おはぎ
冬至	かぼちゃ、小豆粥
大晦日	年越しそば

テーマ **5** 食の基礎、献立作成

問24 次のうち、献立作成および調理の基本に関する記述として、適切な記述を○、不適切な記述を×とした場合の正しい組み合わせを一つ選びなさい。

A 献立は、一般にご飯と汁物（スープ類）に主菜と副菜1〜2品をそろえると、充実した内容で、栄養的にも優れた献立となる。

B 主菜には、肉、魚、卵、大豆および大豆製品などを主材料とするたんぱく質を多く含む料理が含まれる。

C 副菜には、野菜、いも、きのこ、海藻などを主材料とする料理などが含まれる。

D 汁物の食塩の基準濃度は、一般に4〜5％である。

組み合わせ			
A	B	C	D
1 ○	○	○	×
2 ○	○	×	×
3 ○	×	○	×
4 ×	○	○	○
5 ×	×	○	×

正答 1 令3-後-4

A ○：献立は、一般にご飯と汁物（スープ類）に主菜と副菜1〜2品をそろえると、充実した内容で、栄養的にも優れた献立となる。また、献立を立てる際には、栄養バランスだけでなく、調理法や色彩にも偏りがないように気をつける。

B ○：主菜には、肉、魚、卵、大豆および大豆製品などを主材料とするたんぱく質を多く含む料理が含まれる。

C ○：副菜には、野菜、いも、きのこ、海藻などを主材料とする料理などが含まれる。

D ×：汁物の食塩の基準濃度は、一般に0.8％程度であり、幼児は0.5％程度とさらに低めである。

　献立作成・調理の基本に関する問題では、食品の消費期限や賞味期限について問われることもある。食品の消費期限とは、期限を過ぎたら食べない方がよい期限である。食品の賞味期限とは、おいしく食べることができる期限であり、この期限を過ぎるとすぐに食べられなくなるということではない。

第 **8** 章　子どもの食と栄養

問25 次のうち、「家庭でできる食中毒予防の6つのポイント」（厚生労働省）に関する記述として、不適切な記述を一つ選びなさい。

1 表示のある食品は、消費期限などを確認し、購入する。
2 食中毒予防の三原則は、食中毒菌を「付けない、増やさない、やっつける（殺す）」である。
3 購入した肉・魚は、水分のもれがないように、ビニール袋などにそれぞれ分けて包み、持ち帰る。
4 残った食品は、早く冷えるように浅い容器に小分けして保存する。
5 冷蔵庫は、15℃以下に維持することが目安である。

正答 5 令6-前-16

1～4 ○：「家庭でできる食中毒予防の6つのポイント」（厚生労働省）に記載されている。
5 ✕：冷蔵庫は10℃以下、冷凍庫は-15℃以下に維持することが目安である。

厚生労働省「家庭でできる食中毒予防の6つのポイント」

周りの空気にのまれないように
深呼吸をしてから問題に取り組もう！

問26 次の文は、妊娠期の栄養と食生活に関する記述である。適切な記述を○、不適切な記述を×とした場合の正しい組み合わせを一つ選びなさい。

A 妊娠中は非妊娠時に比べ、母体の組織増加、胎児や胎盤を維持するためのカルシウムの必要量が増加するため、「日本人の食事摂取基準（2020年版）」では、カルシウムの付加量が設定されている。

B ビタミンAは、胎児の発達に必須の因子であるため、「日本人の食事摂取基準（2020年版）」では、妊娠初期から付加量が設定されている。

C 妊娠中は非妊娠時に比べ、母体の組織増加、胎児や胎盤を維持するためのナトリウムの必要量が増加するため、「日本人の食事摂取基準（2020年版）」では、食塩相当量に付加量が設定されている。

D リステリア食中毒の原因となるため、妊娠中に避けた方がよい食べ物として、加熱殺菌していないナチュラルチーズ、肉や魚のパテ（すりつぶして調味した生肉や生魚）、生ハム、スモークサーモンがあげられている。

組み合わせ			
A	B	C	D
1 ○	○	○	×
2 ○	○	×	○
3 ○	×	○	×
4 ×	○	×	×
5 ×	×	×	○

正答 5 平30-前-13改

A ×：妊娠中のカルシウム付加量は設定されていない。カルシウムは、胎児にとっても必要な栄養素だが、妊娠中は吸収率が上がるため、付加量は０である。

B ×：ビタミンAは、妊娠初期、中期は設定されていないが、妊娠後期から付加量が設定されている。

C ×：妊娠中のナトリウム（食塩相当量）の付加量は設定されていない。

D ○：妊娠中は感染しやすいので十分な注意が必要である。

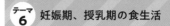

問27 次の文は、「妊娠前からはじめる妊産婦のための食生活指針～妊娠前から、健康なからだづくりを～解説要領」（令和3年：厚生労働省）の一部である。（　A　）～（　C　）にあてはまる語句の正しい組み合わせを一つ選びなさい。

- 不足しがちな（　A　）を、「副菜」でたっぷりと
- 鉄や（　B　）を多く含む食品を組み合わせて摂取に努める必要があります。
- （　B　）は、胎児の先天異常である（　C　）の予防のため、妊娠前から充分に摂取していることが大切です。

	A	B	C
		組み合わせ	
1	ビタミン・ミネラル	葉酸	神経管閉鎖障害
2	ビタミン・ミネラル	カルシウム	神経管閉鎖障害
3	ビタミン	葉酸	貧血
4	ミネラル	カルシウム	骨粗しょう症
5	ビタミン	カルシウム	貧血

正答 1　令4-前-11

A：不足しがちな（　ビタミン・ミネラル　）を、「副菜」でたっぷりと。

B：鉄や（　葉酸　）を多く含む食品を組み合わせて摂取に努める必要がある。

C：（　葉酸　）は、胎児の先天異常である（　神経管閉鎖障害　）の予防のため、妊娠前から充分に摂取していることが大切である。

「妊娠前からはじめる妊産婦のための食生活指針」は、妊娠期及び授乳期における望ましい食生活の実現に向け、厚生労働省でつくられた指針である。

- ・妊娠前から、バランスのよい食事をしっかりとりましょう
- ・「主食」を中心に、エネルギーをしっかりと
- ・不足しがちなビタミン・ミネラルを、「副菜」でたっぷりと
- ・「主菜」を組み合わせてたんぱく質を十分に
- ・乳製品、緑黄色野菜、豆類、小魚などでカルシウムを十分に
- ・妊娠中の体重増加は、お母さんと赤ちゃんにとって望ましい量に
- ・母乳育児も、バランスのよい食生活のなかで
- ・無理なくからだを動かしましょう
- ・たばことお酒の害から赤ちゃんを守りましょう
- ・お母さんと赤ちゃんのからだと心のゆとりは、周囲のあたたかいサポートから

問28 次の【Ⅰ群】の育児用ミルクと、【Ⅱ群】の特徴を結びつけた場合の正しい組み合わせを一つ選びなさい。

【Ⅰ群】

A 乳児用調製粉乳

B フォローアップミルク

C 低出生体重児用粉乳

D アミノ酸混合乳

【Ⅱ群】

ア 生後9か月以降から使用する。

イ 消化吸収に負担の少ない中鎖脂肪 (MCT) が用いられている。

ウ 牛乳たんぱく質を含まないアレルギー児用ミルクである。

エ 母乳の代替品である。

組み合わせ			
A	B	C	D
1 ア	イ	エ	ウ
2 イ	エ	ウ	ア
3 ウ	エ	イ	ア
4 エ	ア	イ	ウ
5 エ	ア	ウ	イ

正答 **4**　令2-後-8

A エ：乳児用調製粉乳は母乳の代替品である。

B ア：フォローアップミルクは生後9か月以降から使用することができる。

C イ：低出生体重児用粉乳は消化吸収に負担の少ない中鎖脂肪 (MCT) が用いられている。

D ウ：アミノ酸混合乳は牛乳たんぱく質を含まないアレルギー児用ミルクである。

主な育児用ミルクの種類と特徴

種類	名称	特徴
調製粉乳	乳児用調製粉乳	母乳の代替品として0か月から使用可能なミルク
	フォローアップミルク	生後9か月から使用可能。鉄やビタミンなどを添加したミルク
	ペプチドミルク	たんぱく質を分子量の小さいペプチドに分解したミルク
	低出生体重児用粉乳	出生体重が2500 g未満の場合に用いられるミルク。消化吸収に負担の少ない中鎖脂肪が用いられている。
市販特殊ミルク	アミノ酸混合乳	重篤なアレルギー児用のミルク
特殊ミルク (非市販)	治療乳	先天性代謝異常症用のミルク

問29 次の文は、「授乳・離乳の支援ガイド」（2019年改定版：厚生労働省）に示されている「授乳等の支援のポイント」の一部である。（ **A** ）〜（ **C** ）にあてはまる語句を【語群】から選択した場合の正しい組み合わせを一つ選びなさい。

- 特に（ **A** ）から退院までの間は母親と子どもが終日、一緒にいられるように支援する。
- 授乳を通して、母子・親子のスキンシップが図られるよう、しっかり（ **B** ）、優しく声かけを行う等暖かいふれあいを重視した支援を行う。
- （ **C** ）等による授乳への支援が、母親に過度の負担を与えることのないよう、（ **C** ）等への情報提供を行う。

語群

ア	妊娠前	イ	妊娠中	ウ	出産後	エ	寝かせて
オ	抱いて	カ	母親と父親	キ	父親や家族		
ク	祖父母						

組み合わせ

	A	B	C
1	ア	オ	キ
2	イ	エ	ク
3	イ	オ	キ
4	ウ	エ	カ
5	ウ	オ	キ

正答 5 令1-後-7

A ウ：特に（出産後）から退院までの間は母親と子どもが終日、一緒にいられるように支援する。

B オ：授乳を通して、母子・親子のスキンシップが図られるよう、しっかり（抱いて）、優しく声かけを行う等暖かいふれあいを重視した支援を行う。

C キ：（父親や家族）等による授乳への支援が、母親に過度の負担を与えることのないよう、（父親や家族）等への情報提供を行う。

　ほかにも、

- 母子にとって母乳は基本であり、母乳で育てたいと思っている人が無理せず自然に実現できるよう、妊娠中から支援を行う。
- 子どもが欲しがるとき、母親が飲ませたいときには、いつでも授乳できるように支援する。

など多くの項目がある。

テーマ 7 乳児期、幼児期の食生活

問30 次の文は、「授乳・離乳の支援ガイド」（2019年改定版　厚生労働省）の離乳の支援の一部である。（　A　）〜（　D　）にあてはまる語句の正しい組み合わせを一つ選びなさい。

　離乳の開始とは、（　A　）の食物を初めて与えた時をいう。開始時期の子どもの発達状況の目安としては、（　B　）のすわりがしっかりして寝返りができ、5秒以上座れる、スプーンなどを口に入れても（　C　）ことが少なくなる（哺乳反射の減弱）、食べ物に興味を示すなどがあげられる。その時期は生後（　D　）頃が適当である。ただし、子どもの発育及び発達には個人差があるので、月齢はあくまでも目安であり、子どもの様子をよく観察しながら、親が子どもの「食べたがっているサイン」に気がつくように進められる支援が重要である。

	組み合わせ			
	A	B	C	D
1	舌でつぶせる状態	腰	舌で押し出す	3〜4か月
2	舌でつぶせる状態	腰	舌で押し出す	5〜6か月
3	歯ぐきでつぶせる状態	首	噛む	3〜4か月
4	なめらかにすりつぶした状態	首	舌で押し出す	5〜6か月
5	なめらかにすりつぶした状態	首	噛む	3〜4か月

正答 4 令6-前-7

A：なめらかにすりつぶした状態　B：首　C：舌で押し出す　D：5〜6か月

表　離乳の進め方の目安

| | 離乳の開始 ➡ 離乳の完了 | | | |
	離乳初期 生後5〜6か月頃	離乳中期 生後7〜8か月頃	離乳後期 生後9〜11か月頃	離乳完了期 生後12〜18か月頃
食べ方の目安	・子どもの様子をみながら1日1回1さじずつ始める。 ・母乳や育児用ミルクは飲みたいだけ与える。	・1日2回食で食事のリズムをつけていく。 ・いろいろな味や舌ざわりを楽しめるように食品の種類を増やしていく。	・食事リズムを大切に、1日3回食に進めていく。 ・共食を通じて食の楽しい体験を積み重ねる。	・1日3回の食事リズムを大切に、生活リズムを整える。 ・手づかみ食べにより、自分で食べる楽しみを増やす。
調理形態	なめらかにすりつぶした状態	舌でつぶせる固さ	歯ぐきでつぶせる固さ	歯ぐきで噛める固さ
ポイント	つぶしがゆから始める。すりつぶした野菜・豆腐・白身魚・卵黄などを試してみる。	卵は卵黄から全卵の順で。	鉄の不足に注意（フォローアップミルクは9か月から飲用可）。	はちみつは1歳未満禁止（ボツリヌス菌混入のおそれがあるため）。
摂食機能の目安	口を閉じて取り込みや飲み込みができるようになる。	舌と上あごで潰していくことができるようになる。	歯ぐきで潰すことができるようになる。	歯を使うようになる。

出典：「授乳・離乳の支援ガイド」（2019年改定版）p.34参照

問31 次の文のうち、「授乳・離乳の支援ガイド」（2019年改定版：厚生労働省）における Ⅱ「授乳及び離乳の支援」の一部として正しいものを○、誤ったものを×とした場合の正しい組み合わせを一つ選びなさい。

A 離乳とは、成長に伴い、母乳又は育児用ミルク等の乳汁だけでは不足してくるエネルギーや栄養素を補完するために、乳汁から離乳食に移行する過程をいう。

B 離乳の完了とは、母乳又は育児用ミルクを飲んでいない状態をいう。

C 手づかみ食べは、食べ物を触ったり、握ったりすることで、その固さや触感を体験し、食べ物への関心につながり、自らの意志で食べようとする行動につながる。

D 成長の目安は、体重と身長からローレル指数を求めて判定する。

組み合わせ			
A	B	C	D
1 ○	○	○	×
2 ○	○	×	○
3 ×	×	○	○
4 ×	×	○	×
5 ×	×	×	×

正答 4 平30-前-1改

A ×：乳汁から離乳食に移行する過程ではなく、幼児食に移行する過程である。

B ×：離乳の完了とは、母乳又は育児用ミルクを飲んでいない状態を意味するものではない。エネルギーや栄養素の大部分が母乳または育児用ミルク以外の食べ物から摂取できるようになった状態をいう。

C ○：「手づかみ食べ」は、目と手と口の協調運動である。手づかみ食べから、スプーン、フォークなどの食具に移行していく。

D ×：成長の目安は、成長曲線のグラフに、体重や身長を記入して、成長曲線のカーブに沿っているかどうか確認する。ローレル指数は、学童期の成長の目安に使用する指数である。

食具の持ち方の変化

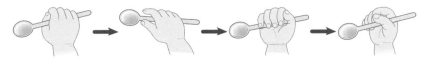

テーマ7 乳児期、幼児期の食生活

問32 次のうち、授乳に関する記述として、適切なものを○、不適切なものを×とした場合の正しい組み合わせを一つ選びなさい。

A 「平成27年度乳幼児栄養調査結果の概要」（厚生労働省）では、「授乳について困ったこと」がある者（回答者：0〜2歳児の保護者の総数）は、約5割であった。

B 分娩後、数日間分泌される黄色みをおびた粘りのある母乳を初乳という。

C 母乳育児の利点として、小児期の肥満やのちの2型糖尿病の発症リスクの低下が報告されている。

D 乳児用液体ミルクは、液状の人工乳を容器に密封したものであり、常温での保存が可能なものである。

組み合わせ			
A	B	C	D
1 ○	○	○	○
2 ○	○	×	×
3 ○	×	○	×
4 ×	○	○	○
5 ×	×	×	○

正答 4 令5-後-5

A ×：「授乳について困ったこと」がある者（回答者：0〜2歳児の保護者の総数）は、約4割であった。他の悩みでは「母乳が不足ぎみ」が約2割であった。

B ○：分娩後数日間分泌される母乳を「初乳」という。初乳には免疫グロブリンA（IgA）、ラクトフェリンなど免疫力を高める成分が多く含まれている。

C ○：母乳育児の利点として、小児期の肥満やのちの2型糖尿病の発症リスクの低下が報告されている。他に、子宮の収縮を促すため、母体が早く回復する効果などもある。

D ○：乳児用液体ミルクは、液状の人工乳を容器に密封したものであり、常温での保存が可能なものである。希釈、殺菌、加熱等の必要がないので災害時にも有効的である。

第8章 子どもの食と栄養

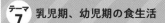

問33 次のうち、保育所における調乳に関する記述として、適切なものを○、不適切なものを×とした場合の正しい組み合わせを一つ選びなさい。

A 調乳室は清潔に保ち、調乳時には清潔なエプロン等を着用する。

B 乳児用調製粉乳は、50℃以上のお湯で調乳するとよい。

C 調乳後、2時間以内に使用しなかった乳児用調製粉乳は廃棄する。

D 乳児用調製粉乳は、使用開始日を記入し、衛生的に保管する。

組み合わせ			
A	B	C	D
1 ○	○	×	×
2 ○	×	○	○
3 ×	○	×	○
4 ×	○	○	○
5 ×	×	○	○

正答 **2** 令4-後-9

A ○：調乳室は清潔に保ち、調乳時には清潔なエプロン等を着用する。哺乳瓶だけではなく、調乳する場所や服装も清潔に保つことが重要である。

B ×：乳児用調製粉乳は、一度沸騰させて70℃以上に保った湯を使用する。冷凍母乳を温める際は、母乳の成分が壊れないように40℃程度のぬるま湯を使用する。それぞれ使用する湯の温度が違うので注意が必要である。

C ○：調乳後、2時間以内に使用しなかった乳児用調製粉乳は廃棄する。

D ○：乳児用調製粉乳は、使用開始日を記入し、衛生的に保管することが大切である。

加熱・殺菌・希釈の必要がない
乳児用液体ミルクもあるよ！

問34 次のうち、「授乳・離乳の支援ガイド」（2019年：厚生労働省）に示されている離乳に関する記述として、適切な記述を○、不適切な記述を×とした場合の正しい組み合わせを一つ選びなさい。

A 離乳を開始したら、母乳や育児用ミルクは与えない。
B 生後7〜8か月頃からは、舌でつぶせる固さのものを与える。
C 離乳完了期には、手づかみ食べにより、自分で食べる楽しみを増やしていく。
D 離乳が進むにつれて、卵は卵白から全卵に進めていく。

組み合わせ			
A	B	C	D
1 ○	○	×	○
2 ○	×	○	○
3 ○	×	×	×
4 ×	○	○	○
5 ×	○	○	×

正答 5 令4-前-19

A × : 離乳開始後も、母乳や育児用ミルクは飲みたいだけ与える。

B ○ : 生後7〜8か月頃からは、舌でつぶせる固さのものを与える。また、1日2回食で食事のリズムをつけていく。

C ○ : 離乳完了期には、手づかみ食べにより、自分で食べる楽しみを増やしていく。手づかみ食べは、食べ物を触ったり、握ったりすることで固さや触感を体験し、食べ物への関心につながり、自らの意志で食べようとする行動につながる。

D × : 離乳が進むにつれて、卵は卵黄から全卵に進めていく。卵白はアレルギーが強く出やすいため、加熱した卵黄から進めていく。

テーマ 7 乳児期、幼児期の食生活　　→ 『合格テキスト』P.485〜486

問35 次のうち、幼児期の間食に関する記述として、適切な記述を○、不適切な記述を×とした場合の正しい組み合わせを一つ選びなさい。

A 食事とは別のものと考え、市販のお菓子や甘い飲み物を与える。
B 幼児の生活に休息を与え、気分転換の場となる役割を果たす。
C 1日の摂取エネルギーの40％程度を、1日1回与える。
D むし歯予防のためにも時間を決めて、規則的に与える。

組み合わせ			
A	B	C	D
1 ○	○	○	×
2 ○	×	○	○
3 ×	○	○	×
4 ×	○	×	○
5 ×	○	×	×

正答 4 令4-前-8

A ×：間食は食事の一部として考えるので、市販の菓子や甘い飲み物は与えない。幼児期は精神的・身体的に発達するので、1日3食の食事だけでは栄養素が足りないため、栄養素を補う目的で間食を与える。間食に適した食物は、穀類、いも類、牛乳・乳製品、果物など。
B ○：間食は幼児の生活に休息を与え、気分転換の場となる役割を果たす。
C ×：1〜2歳児は1日の摂取エネルギーの10〜15％程度、3〜5歳児は15〜20％程度を、1〜2歳児は1日2回に分け、3〜5歳児は1日1回与える。
D ○：むし歯予防のためにも時間を決めて、規則的に与える。むし歯の主な原因菌は歯垢の中に生息するミュータンス菌で、口の中の糖分を餌に酸をつくり歯のエナメル質を溶かし、むし歯（う歯）を発生させる。

幼児の間食には、おにぎり、くだもの、サンドイッチなどがいいよ！

問36 次のうち、幼児期の健康と食生活に関する記述として、適切な記述を○、不適切な記述を×とした場合の正しい組み合わせを一つ選びなさい。

A 感染に対する抵抗力が弱い。

B 消化機能が十分に発達していないため、1回（食）に消化できる量などに配慮が必要である。

C 骨格、筋肉、臓器など身体のあらゆる組織をつくるために十分な栄養素の供給が必要となるが、体重1kgあたりでは成人よりも必要とする栄養素は少ない。

D 「偏食する」「むら食い」「遊び食べをする」などが起きやすい。

組み合わせ			
A	B	C	D
1 ○	○	×	○
2 ○	×	×	×
3 ○	×	×	×
4 ×	○	○	○
5 ×	○	○	×

正答 **1**　令5-後-7

A ○：選択肢のとおり、幼児期は感染に対する抵抗力が弱い。

B ○：消化機能が十分に発達していないため、1回（食）に消化できる量などに配慮が必要である。そのため、間食を与え、足りない栄養素を補う。

C ×：精神的・身体的に発達するので、体重1kgあたりのエネルギーやたんぱく質・鉄などは成人の2～3倍必要である。

D ○：幼児期は、「偏食する」「むら食い」「遊び食べをする」などが起きやすい。他に「食べるのに時間がかかる」などもある（平成27年度乳幼児栄養調査結果「現在子どもの食事で困っていること」P.382、問3参照）。

第 **8** 章　子どもの食と栄養

問37 次のうち、「食品による子どもの窒息・誤嚥事故に注意！」（令和3年1月　消費者庁）の窒息・誤嚥事故防止に関する記述として、適切なものを○、不適切なものを×とした場合の正しい組み合わせを一つ選びなさい。

A　硬い豆やナッツ類を乳幼児に与える場合は、小さく砕いて与える。

B　食べているときは、姿勢をよくし、食べることに集中させる。

C　節分の豆まきは個包装されたものを使用するなど工夫して行い、子どもが拾って口に入れないように、後片付けを徹底する。

D　ミニトマトやブドウ等の球状の食品を乳幼児に与える場合は、4等分する、調理して軟らかくするなどして、よく噛んで食べさせる。

組み合わせ			
A	B	C	D
1 ○	○	○	○
2 ×	○	○	×
3 ×	○	○	○
4 ×	○	×	○
5 ×	×	×	×

正答 3　令6-前-17

A ×：硬い豆やナッツ類等は5歳以下の子どもには食べさせない。小さく砕いた場合でも、気管に入りこんでしまうと肺炎や気管支炎になるリスクがある。

B ○：物を口に入れたままで、走ったり、笑ったり、泣いたり、声を出したりすると、誤って吸引し、窒息・誤嚥するリスクがある。

C ○：個包装されたものは、豆がむき出しになっていないので、子どもが誤って口に入れにくい。

D ○：ミニトマトやブドウ等の球状の食品を丸ごと食べさせると、窒息するリスクがある。

問38 次の文のうち、学童期の身体の発達の特徴と食生活に関する記述として、適切な記述を一つ選びなさい。

1　学童期後半からの身長・体重の急激な発育を、第一発育急進期という。

2　「令和元年度学校保健統計」（文部科学省）によると、学童期後半（9～11歳）の男児では、肥満傾向児（肥満度20％以上の者）が約3割である。

3　永久歯は、8歳前後に生えそろう。

4　「日本人の食事摂取基準（2020年版）」（厚生労働省）では、学童期の年齢区分は6～8歳、9～11歳の2区分となっている。

5　「楽しく食べる子どもに～食からはじまる健やかガイド～」（平成16年：厚生労働省）では、学童期に育てたい「食べる力」として、「食事のバランスや適量がわかる」をあげている。

正答 5　令3-前-9改

1 ✕：学童期後半からの身長・体重の急激な発育を、第二発育急進期という。男子より女子のほうが早く出現する。

2 ✕：「令和元年度学校保健統計」（文部科学省）によると、学童期後半（9～11歳）の男児では、肥満傾向児（肥満度20％以上の者）は約1割である。

3 ✕：永久歯は、12歳前後に生えそろう。

4 ✕：「日本人の食事摂取基準（2020年版）」（厚生労働省）では、学童期の年齢区分は6～7歳、8～9歳、10～11歳の3区分となっている。

5 ◯：「楽しく食べる子どもに～食からはじまる健やかガイド～」（平成16年：厚生労働省）では、学童期に育てたい「食べる力」として、「食事のバランスや適量がわかる」を挙げている。ほかにも「1日3回の食事や間食のリズムがもてる」など、学童期には5つの項目がある。

第 **8** 章　子どもの食と栄養

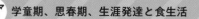

テーマ 8 学童期、思春期、生涯発達と食生活

問39 次の文は、子どもの発育・発達に関する記述である。適切な記述を○、不適切な記述を×とした場合の正しい組み合わせを一つ選びなさい。

A 第一発育急進期とは、主に乳児期を指す。
B 第二発育急進期とは、主に思春期を指す。
C 思春期には、男女ともに性腺が著しく発達し、第二次性徴が出現する。
D 摂食障害は、思春期の女子に初発することが多い。
E 思春期女子では月経による失血により、溶血性貧血を起こしやすい。

組み合わせ	A	B	C	D	E
1	○	○	○	○	×
2	○	×	×	○	○
3	×	○	○	×	○
4	×	○	○	×	×
5	×	×	×	×	○

正答 1 オリジナル

A ○：第一発育急進期とは、主に乳児期を指す。生涯の中でも著しい発育がみられる。

B ○：第二発育急進期とは、主に思春期を指す。女性は10〜16歳頃、男性は12〜18歳頃である。

C ○：思春期には、男女ともに性腺が著しく発達し、第二次性徴が出現する。体の成長と心の成長がアンバランスになりやすく、誰もが不安定な気分になりやすい。

D ○：摂食障害は、思春期の女子に初発することが多い。摂食障害には、神経性無食欲症（拒食症）や、神経性大食症（過食症）などがあり、心のケアが必要である。

E ×：溶血性貧血ではなく鉄欠乏性貧血である。鉄欠乏性貧血は、鉄が不足することで起きる欠乏症で、溶血性貧血は赤血球が破壊されることで起こる貧血である。

　その他の食行動の問題に、朝食欠食、無理なダイエット、小児生活習慣病、孤食などが挙げられる。また、朝食を1人で食べるのは、小学生よりも中学生や高校生のほうが多い。

テーマ 8 学童期、思春期、生涯発達と食生活

問40 次の文のうち、「学校給食実施基準の一部改正について（通知）」（令和3年：文部科学省）に関する記述として、**不適切な記述**を一つ選びなさい。

1 「学校給食摂取基準」については、厚生労働省が策定した「学校保健統計調査」を参考とすること。
2 各地域の実情や家庭における食生活の実態把握の上、日本型食生活の実践、日本の伝統的な食文化の継承について十分配慮すること。
3 「食事状況調査」の結果によれば、学校給食のない日はカルシウム不足が顕著である。
4 献立作成にあたっては、常に食品の組み合わせ、調理方法等の改善を図るとともに、児童生徒のし好の偏りをなくすよう配慮すること。
5 望ましい生活習慣を形成するため、適度な運動、調和のとれた食事、十分な休養・睡眠という生活習慣全体を視野に入れた指導に配慮すること。

正答 1 令2-後-11改

1 ✗：「学校保健統計調査」ではなく、「日本人の食事摂取基準」である。
2 ○：伝統的な食文化について理解を深めることとされている。
3 ○：家庭では、カルシウムの摂取量が不足しているので、学校給食摂取基準ではカルシウムは食事摂取基準の50％を基準値としている。
4 ○：選択肢のとおり。
5 ○：選択肢のとおり。

学校給食の目標（学校給食法第2条）

①適切な栄養の摂取による健康の保持増進を図ること。
②日常生活における食事について正しい理解を深め、健全な食生活を営むことができる判断力を培い、及び望ましい食習慣を養うこと。
③学校生活を豊かにし、明るい社交性及び協同の精神を養うこと。
④食生活が自然の恩恵の上に成り立つものであることについての理解を深め、生命及び自然を尊重する精神並びに環境の保全に寄与する態度を養うこと。
⑤食生活が食にかかわる人々の様々な活動に支えられていることについての理解を深め、勤労を重んずる態度を養うこと。
⑥我が国や各地域の優れた伝統的な食文化についての理解を深めること。
⑦食料の生産、流通及び消費について、正しい理解に導くこと。

問41 次のうち、学校給食に関する記述として、適切なものの組み合わせを一つ選びなさい。

A 「学校給食法」第2条に定められた「学校給食の目標」は、5項目である。

B 「令和3年度学校給食実施状況等調査」(文部科学省)によると、約99%の小学校で学校給食(完全給食・補食給食・ミルク給食)を実施している。

C 「令和3年度学校給食実施状況等調査」(文部科学省)によると、完全給食を実施している国公私立学校での米飯給食の週当たりの平均実施回数は2回である。

D 「第4次食育推進基本計画」(農林水産省)では、実施最終年度までに、学校給食における地場産物を活用した取組等を増やすことを目標として設定している。

組み合わせ		
1	A	B
2	A	C
3	B	C
4	B	D
5	C	D

正答 4 　令5-後-10

A ✕：「学校給食の目標」は5項目ではなく、7項目である。(P.419、問40の解説参照)

B 〇：給食の種類には、完全給食(主食、おかず、牛乳)、補食給食(おかず、牛乳)、ミルク給食(牛乳のみ)がある。完全給食がほとんどだが、補食給食やミルク給食の学校もある。

C ✕：完全給食を実施している国公私立学校での米飯給食の週当たりの平均実施回数は3.5回である。

D 〇：第4次食育推進基本計画は令和3〜7年度までの計画であり、学校給食における地場産物を活用した取組等を増やすことを目標として設定している。

問42 次の文は、体調不良の子どもへの食事の与え方に関する記述である。<u>不適切な記述</u>を一つ選びなさい。

1　水分補給には、白湯（さゆ）、ほうじ茶、小児用電解質液などが適している。
2　焼く、油脂を使って炒める、揚げるなどは、消化に良い調理法である。
3　吐き気、嘔吐がある場合は、それがおさまってから水分を少しずつ与える。
4　同じ材料でも、切り方によって消化を良くすることができる。
5　口内炎がある場合には、舌ざわりがなめらかで飲み込みやすいものがよい。

正答 **2** ｜ 平30-後-17

1 ○：素早く体内に吸収させる必要があるため、白湯、ほうじ茶、小児用電解質液が適している。

2 ✕：油を使用しているため、消化の悪い調理法である。体調不良の際には、体に負担のかかりにくい食材や調理法にする。

3 ○：吐き気、嘔吐がある場合は、おさまってから水分を少しずつ与える。

4 ○：同じ材料でも、みじん切り、すりおろすなど、細かくするほど消化はよくなる。

5 ○：口内炎がある場合は、刺激の少ない舌ざわりがなめらかで飲み込みやすいものが食べやすい。酸味や香辛料などの刺激を避け、薄味にする。

消化の良い調理法…みじん切り、すりおろす、やわらかく煮る調理法
消化の悪い調理法…油を多く使用する（揚げ物など）、食物繊維の多い食材を使った料理、
　　　　　　　　　　生野菜サラダなど加熱をしないもの

食物繊維の多いもの、油をたくさん使う料理は消化が悪いよ

問43 次のうち、体調不良の子どもの食事に関する記述として、適切な記述を○、不適切な記述を×とした場合の正しい組み合わせを一つ選びなさい。

A　消化のよい豆腐や白身魚などを与える。
B　水分補給には、白湯、ほうじ茶や、小児用電解質液等を用いる。
C　油を使った料理は控えるようにする。
D　味つけは薄味とする。

組み合わせ			
A	B	C	D
1 ○	○	○	○
2 ○	○	×	○
3 ○	×	○	○
4 ×	○	×	○
5 ×	×	○	×

正答 1 令4-前-18

A ○：消化の良い豆腐や白身魚、かゆなどを与える。離乳食の場合は1つ前の固さに戻したものを与える。

B ○：水分補給には、白湯、ほうじ茶や、小児用電解質液等を用いる。ジュースは水分補給に適さないので与えない。授乳中は母乳を水分補給として与える。

C ○：揚げ物など、油を使った料理は控えるようにする。ごぼうやこんにゃくなど食物繊維の多い食物も胃腸に負担をかけるので控える。

D ○：味付けは薄味とする。身体に負担となる濃い味付けにはしない。

　下痢があるときには、吐き気、嘔吐、脱水に気を付け、水分や電解質の補給を心がける。嘔吐があるときは、嘔吐がおさまり水分が飲める状態になってから、食物を少量ずつ与える。脱水症は、体内の水分が減ってしまう状態を指し、尿量が減る。脱水症にならないようにまめに水分補給をするとよい。

問44 次の文は、子どもの食物アレルギーに関する記述である。適切な記述を
○、不適切な記述を×とした場合の正しい組み合わせを一つ選びなさい。

A 食物アレルギーの有症率は、乳児期が最も低く加齢とともに増加する。

B 乳児の食物アレルギーの新規発症の主要原因物質は、鶏卵、牛乳、大豆である。

C 乳幼児期に食物アレルギーを発症した子どもは、その後、ぜん息、アレルギー性鼻炎、アトピー性皮膚炎などを高頻度に発症する、いわゆるアレルギーマーチをたどるリスクが高いといわれている。

D 栄養食事指導のポイントの一つとして、必要最小限の食物除去（アレルゲン除去）がある。

組み合わせ			
A	B	C	D
1 ○	○	○	×
2 ×	○	○	×
3 ×	○	○	○
4 ×	○	×	×
5 ×	×	○	○

正答 5 平31-前-19

A ×：乳児期が最も多く、加齢とともに減少する。

B ×：鶏卵、牛乳、小麦である。

C ○：乳幼児期に食物アレルギーを発症した子どもは、その後、ぜん息、アレルギー性鼻炎、アトピー性皮膚炎などを高頻度に発症する、いわゆるアレルギーマーチをたどるリスクが高いといわれている。

D ○：栄養食事指導のポイントの一つとして、必要最小限の食物除去（アレルゲン除去）がある。自己判断で対応せずに必ず医師の診断に基づいて進めることが必要である。

　食物アレルギーとは、特定の食物を摂取した後にアレルギー反応を介して皮膚・呼吸器・消化器あるいは全身性に生じる症状のことをいう。食物アレルギーによるアナフィラキシーが起こった場合、アレルギー反応により、じん麻疹などの皮膚症状、腹痛や嘔吐などの消化器症状、ゼーゼー、息苦しさなどの呼吸器症状が複数同時にかつ急激に出現する。特にアナフィラキシーショックが起こった場合、血圧が低下し意識レベルの低下等がみられ、生命に関わることがある。

第8章 子どもの食と栄養

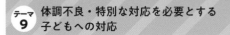

問45 次のうち、食物アレルギーに関する記述として、<u>不適切な記述</u>を一つ選びなさい。

1 　保育所給食での食物アレルギー対応は、原因食品の完全除去を行うことが基本である。
2 　鶏卵アレルギーでも卵殻カルシウムを摂取することができる。
3 　容器包装された加工食品では、特定原材料である卵、乳、小麦、えび、かに、そば、落花生の7品目は表示義務がある。
4 　大豆アレルギーの場合、大豆油は基本的に使用できない。
5 　食物アレルギーの診断の一つに、特異的IgE抗体検査がある。

正答 4　令3-後-15

1 ○：保育所給食での食物アレルギー対応は、医師の指示のもとで行われる。医師から除去食対応と指示された場合は原因食品の完全除去を行う。
2 ○：卵殻カルシウムは、卵殻を主原料とするもので、鶏卵たんぱくの混入はほぼないので鶏卵アレルギーでも摂取することができる。
3 ○：容器包装された加工食品では、表示義務の7品目の他に、特定原材料に準ずるものとして、21品目（アーモンド、あわび、いか、いくら、オレンジ、カシューナッツ、キウイフルーツ、牛肉、くるみ、ごま、さけ、さば、大豆、鶏肉、バナナ、豚肉、まつたけ、もも、やまいも、りんご、ゼラチン）について表示を推奨している。
4 ×：大豆油にはアレルギーの原因となる大豆のたんぱく質は入っていないので、大豆アレルギーでも基本的に使用できる。
5 ○：食物アレルギーの診断の一つに、特異的IgE抗体検査がある。

　「IgE」と間違えやすいものとして、母乳に含まれる感染防御因子IgAや、胎盤を通して胎児が受けとるIgGがあるので、混同しないように注意が必要である。

問46 次の文のうち、障害のある子どもの摂食と食事指導に関する記述として、<u>不適切な記述</u>を一つ選びなさい。

1　摂食時の姿勢は、軽度の摂食・嚥下障害児では、ほぼ健常者と同じと考えてよい。

2　日常生活で寝たきりが多い児は、誤嚥を防止するために、頸部を少し前屈させるようにする。

3　誤嚥を防止するために、一度に多量の食物を口に入れないようにする。

4　運動麻痺や不随意運動などのある障害児には、食事用自助具の利用や工夫が必要となる。

5　食物をスプーンですくう時にこぼれないように、浅めの皿が使いやすい。

正答 5 　平30-前-20

1 ◯：軽度の場合、摂食時の姿勢が健常者とほぼ同じと考えてよいとされている。

2 ◯：誤嚥を防止するために、頸部を少し前屈させるようにする。片方に麻痺があり、寝たままで食事をする場合には、麻痺のない側を下、麻痺のある側を上にした半側臥位の方がよいとされている。

3 ◯：一度に多量の食物を口に入れないようにし、対象者の食べるスピードに合わせていく。

4 ◯：運動麻痺や不随意運動などのある障害児には、食事用自助具の利用や工夫が必要となる。食の自立への援助として、変形柄つきスプーン、ピンセット型箸、吸い口つきコップなど様々な自助具がある。

5 ✕：食物をスプーンですくうときは、浅い皿ではこぼれやすいため、使わないようにする。食事用自助具として、変形柄つきスプーン、ピンセット型箸などがある。

変形柄つきスプーン

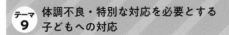

問47 次の文は、嚥下が困難な子どもの食事に関する記述である。適切なものを○、不適切なものを×とした場合の正しい組み合わせを一つ選びなさい。

A 誤嚥しやすい飲食物には、水、味噌汁などがある。
B 酸味の強い食品は、むせやすく誤嚥しやすい。
C 摂食機能に合わせて、食物の形態（硬さ、大きさなど）を配慮することが必要である。
D スプーンの幅は、口の幅より大きなものの方がよい。

組み合わせ			
A	B	C	D
1 ○	○	○	×
2 ○	○	×	×
3 ○	×	○	×
4 ×	○	○	×
5 ×	×	○	○

正答 **1** 令4-後-20

A ○：誤嚥しやすい飲食物には、水、味噌汁などがある。そのためとろみ等をつけて飲み込みやすくする。飲み込みやすい食品として、プリン、かゆ、ヨーグルトなどがあげられる。
B ○：酸味の強い食品は、むせやすく誤嚥しやすい。
C ○：摂食機能に合わせて、食物の形態（硬さ、大きさなど）を配慮することが必要である。また、誤嚥を防止するために一度に多量の食物を口に入れないようにする。
D ×：スプーンの幅は、口の幅より小さなものの方がよい。口の幅より大きいとこぼれてしまうので嚥下しにくい。

問48 次の文は、「児童福祉施設における食事の提供ガイド」（平成22年：厚生労働省）の「調理実習（体験）等における食中毒予防のための衛生管理の留意点」に関する記述である。適切な記述を○、不適切な記述を×とした場合の正しい組み合わせを一つ選びなさい。

A 実習の献立については、年齢、発達段階に応じた構成とし、衛生管理の観点からも、十分な加熱を基本とし、容易に加熱できる献立とすることが望ましい。

B 衛生管理については、調理前の手洗いのみを確認すればよい。

C 加熱をする場合には十分に行い、中心温度計で、計測、確認、記録を行う。

D 加熱調理後は、すみやかに（2時間以内）喫食をすることを徹底する。

	組み合わせ		
	A	B	C	D
1	○	○	○	×
2	○	×	○	○
3	○	×	×	○
4	×	○	×	×
5	×	×	×	○

正答 2 平31-前-17

A ○：実習の献立については、年齢、発達段階に応じた構成とし、衛生管理の観点からも、十分な加熱を基本とし、容易に加熱できる献立とすることが望ましい。難しい献立の場合、調理時間もかかるため、食中毒のリスクも高まってしまう。

B ×：調理前の手洗いだけでなく、身だしなみや調理器具、食材などあらゆるものに気をつけなければならない。

C ○：加熱が不十分な場合、食中毒になりやすいため、注意が必要である。

D ○：加熱調理後は2時間以内に喫食することを徹底する。喫食するまで長時間になるほど食中毒のリスクも高まる。

「大量調理施設衛生管理マニュアル」において、次のように示されている。

・加熱調理食品は中心温度計を用いるなどにより、中心部が75℃で1分間以上（二枚貝等のノロウイルス汚染のおそれのある食品の場合は85〜90℃で90秒間以上）又はこれと同等以上まで加熱されていることを確認するとともに、温度と時間の記録を行う。
・調理後の食品は、調理終了後から2時間以内に喫食することが望ましい。

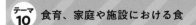

テーマ **10** 食育、家庭や施設における食

➡ 『合格テキスト』P.503〜504

問49 次の文は、「楽しく食べる子どもに〜食からはじまる健やかガイド〜」（平成16年：厚生労働省）における「発育・発達過程に応じて育てたい"食べる力"」の一部である。学童期の内容として正しいものを一つ選びなさい。

1　食べたいもの、好きなものが増える
2　自分の食生活を振り返り、評価し、改善できる
3　おなかがすくリズムがもてる
4　食料の生産・流通から食卓までのプロセスがわかる
5　食に関わる活動を計画したり、積極的に参加したりすることができる

正答 **2**　令1-後-10

1 ✕：幼児期の内容である。幼児期に育てたい食べる力の内容は以下の通りである。

> 幼児期―食べる意欲を大切に、食の体験を広げよう―
> ・おなかがすくリズムがもてる
> ・食べたいもの、好きなものが増える
> ・家族や仲間といっしょに食べる楽しさを味わう
> ・栽培、収穫、調理を通して、食べ物に触れはじめる
> ・食べ物や身体のことを話題にする

2 〇：学童期の内容である。
3 ✕：幼児期の内容である。
4 ✕：思春期の内容である。
5 ✕：思春期の内容である。

テーマ **10** 食育、家庭や施設における食

問50 次の文は、「食育基本法」の前文の一部である。(**A**)・(**B**)にあてはまる語句を【語群】から選択した場合の正しい組み合わせを一つ選びなさい。

　子どもたちに対する食育は、心身の成長及び人格の形成に大きな影響を及ぼし、生涯にわたって（ **A** ）を培い（ **B** ）をはぐくんでいく基礎となるものである。

語群
ア 生きる力　**イ** 健全な心と身体　**ウ** 適切な判断力
エ 豊かな人間性　**オ** 「食」を選択する力

組み合わせ	A	B
1	ア	ウ
2	ア	エ
3	イ	エ
4	イ	オ
5	ウ	オ

正答 3 令6-前-12

A イ：健全な心と身体　B エ：豊かな人間性

　子どもたちに対する食育は、心身の成長及び人格の形成に大きな影響を及ぼし、生涯にわたって（ 健全な心と身体 ）を培い（ 豊かな人間性 ）をはぐくんでいく基礎となるものである。

　食育基本法は2005（平成17）年に制定された。現在及び将来にわたる健康で文化的な国民の生活と豊かで活力のある社会の実現に寄与することを目的としている。

食育基本法（前文）

> 　子どもたちが豊かな人間性をはぐくみ、生きる力を身に付けていくためには、何よりも「食」が重要である。今、改めて、食育を、生きる上での基本であって、知育、徳育及び体育の基礎となるべきものと位置付けるとともに、様々な経験を通じて「食」に関する知識と「食」を選択する力を習得し、健全な食生活を実践することができる人間を育てる食育を推進することが求められている。もとより、食育はあらゆる世代の国民に必要なものであるが、子どもたちに対する食育は、心身の成長及び人格の形成に大きな影響を及ぼし、生涯にわたって健全な心と身体を培い豊かな人間性をはぐくんでいく基礎となるものである。

第 **8** 章　子どもの食と栄養

テーマ 10 食育、家庭や施設における食

➡ 『合格テキスト』P.501～502

問51 次の文は、「保育所保育指針」第3章「健康及び安全」の2「食育の推進」の一部である。(**A**)～(**D**)にあてはまる語句の正しい組み合わせを一つ選びなさい。

体調不良、(**A**)、障害のある子どもなど、一人一人の子どもの(**B**)の状態等に応じ、嘱託医、(**C**)等の指示や協力の下に適切に対応すること。(**D**)が配置されている場合は、専門性を生かした対応を図ること。

組み合わせ

	A	B	C	D
1	食物アレルギー	心身	かかりつけ医	栄養士
2	食物アレルギー	精神	看護師	栄養士
3	摂食障害	心身	かかりつけ医	保健師
4	摂食障害	心身	看護師	保健師
5	肥満	精神	栄養士	保健師

正答 1 令4-前-13

A：食物アレルギー　B：心身　C：かかりつけ医　D：栄養士

「保育所保育指針」第3章「健康及び安全」の2「食育の推進」からは、穴埋めでよく出題されている。

2 「食育の推進」(1)「保育所の特性を生かした食育」より

ア　保育所における食育は、健康な生活の基本としての「食を営む力」の育成に向け、その基礎を培うことを目標とすること。
イ　子どもが生活と遊びの中で、意欲をもって食に関わる体験を積み重ね、食べることを楽しみ、食事を楽しみ合う子どもに成長していくことを期待するものであること。
ウ　乳幼児期にふさわしい食生活が展開され、適切な援助が行われるよう、食事の提供を含む食計画を全体的な計画に基づいて作成し、その評価及び改善に努めること。栄養士が配置されている場合は、専門性を生かした対応を図ること。

問52 次の文は、「保育所保育指針」第3章「健康及び安全」の2「食育の推進」の一部である。（ **A** ）〜（ **D** ）にあてはまる語句の正しい組み合わせを一つ選びなさい。

- 子どもが自らの感覚や体験を通して、自然の恵みとしての食材や（ **A** ）への意識、調理する人への感謝の気持ちが育つように、子どもと調理員等との関わりや、（ **B** ）など食に関わる保育環境に配慮すること。
- （ **C** ）や地域の多様な関係者との連携及び協働の下で、食に関する取組が進められること。また、（ **D** ）の支援の下に、地域の関係機関等との日常的な連携を図り、必要な協力が得られるよう努めること。

組み合わせ

	A	B	C	D
1	食の循環・環境	調理室	保護者	市町村
2	食の循環・環境	畑・園庭	行政	都道府県
3	いのちの大切さ	畑・園庭	保護者	市町村
4	いのちの大切さ	調理室	行政	市町村
5	いのちの大切さ	畑・園庭	保護者	都道府県

正答 1 令5-後-14

A：食の循環・環境　B：調理室　C：保護者　D：市町村

「保育所保育指針」第3章「健康及び安全」の2「食育の推進」(2)「食育の環境の整備等」は、下記の通りである。

2 「食育の推進」(2)「食育の環境の整備等」より

ア　子どもが自らの感覚や体験を通して、自然の恵みとしての食材や食の循環・環境への意識、調理する人への感謝の気持ちが育つように、子どもと調理員等との関わりや、調理室など食に関わる保育環境に配慮すること。
イ　保護者や地域の多様な関係者との連携及び協働の下で、食に関する取組が進められること。また、市町村の支援の下に、地域の関係機関等との日常的な連携を図り、必要な協力が得られるよう努めること。
ウ　体調不良、食物アレルギー、障害のある子どもなど、一人一人の子どもの心身の状態等に応じ、嘱託医、かかりつけ医等の指示や協力の下に適切に対応すること。栄養士が配置されている場合は、専門性を生かした対応を図ること。

問53 次の図は、「楽しく食べる子どもに〜保育所における食育に関する指針〜」（平成16年：厚生労働省）に掲げられた食育の目標と内容に関するものである。（ A ）〜（ D ）にあてはまる語句を【語群】から選択した場合の正しい組み合わせを一つ選びなさい。

図

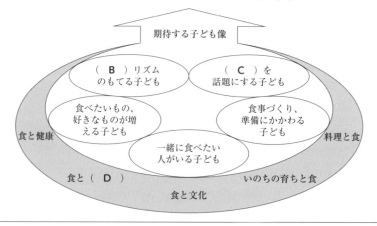

目標

現在を最もよく生き、かつ、生涯にわたって健康で質の高い生活を送る基本としての「（ A ）」の育成に向け、その基礎を培うこと

期待する子ども像

（ B ）リズムのもてる子ども

（ C ）を話題にする子ども

食べたいもの、好きなものが増える子ども

食事づくり、準備にかかわる子ども

一緒に食べたい人がいる子ども

食と健康

料理と食

食と（ D ）

いのちの育ちと食

食と文化

語群

ア 健全な身体　イ 食を営む力　ウ 食事
エ お腹がすく　オ 生活　カ 健康
キ 食べもの　ク 人間関係　ケ 自然の恵み

組み合わせ

	A	B	C	D
1	ア	ウ	ケ	オ
2	ア	エ	カ	キ
3	イ	エ	キ	ク
4	イ	オ	カ	ケ
5	カ	ウ	オ	ク

A イ：食を営む力　B エ：お腹がすく　C キ：食べもの　D ク：人間関係

　「楽しく食べる子どもに～保育所における食育に関する指針～」では、五つの期待する子ども像が掲げられている。

期待する子ども像

①お腹がすくリズムのもてる子ども
②食べたいもの、好きなものが増える子ども
③一緒に食べたい人がいる子ども
④食事づくり、準備にかかわる子ども
⑤食べものを話題にする子ども

　また、３歳以上児の食育のねらい及び内容として、以下の５項目が挙げられている。

食育の５項目

「食と健康」：食を通じて、健康な心と体を育て、自らが健康で安全な生活を作り出す力を養う。
「食と人間関係」：食を通じて、他の人々と親しみ支え合うために、自立心を育て、人とかかわる力を養う。
「食と文化」：食を通じて、人々が築き、継承してきた様々な文化を理解し、作り出す力を養う。
「いのちの育ちと食」：食を通じて、自らも含めたすべてのいのちを大切にする力を養う。
「料理と食」：食を通じて、素材に目を向け、素材にかかわり、素材を調理することに関心を持つ力を養う。

問54 次のうち、「第4次食育推進基本計画」(令和3年　農林水産省)に関する記述として、適切なものの組み合わせを一つ選びなさい。

A　食育推進基本計画は、「食育基本法」に基づき、食育の推進に関する基本的な方針や目標について定めている。

B　第4次食育推進基本計画は、4つの重点事項を柱に、SDGsの考え方を踏まえ、食育を総合的かつ計画的に推進する。

C　第4次食育推進基本計画は、令和3～5年度までの計画である。

D　第4次食育推進基本計画の重点事項の中には、「新たな日常」やデジタル化に対応した食育の推進がある。

組み合わせ		
1	A	B
2	A	C
3	A	D
4	B	C
5	B	D

正答 3 令4-後-14

A ○：食育推進基本計画は、「食育基本法」に基づき、食育の推進に関する基本的な方針や目標について定めている。食育基本法は2005(平成17)年に制定され、その前文には「食育を、生きる上での基本であって、知育、徳育及び体育の基礎となるべきものと位置付ける(一部抜粋)」とある。

B ✕：第4次食育推進基本計画は、3つの重点事項を柱に、SDGsの考え方を踏まえ、食育を総合的かつ計画的に推進する。SDGsとは、持続可能な開発目標のこと。2030年までによりよい世界をめざす国際目標で、17のゴールがある。

C ✕：第4次食育推進基本計画は、令和3～7年度までの計画である。

D ○：第4次食育推進基本計画の重点事項の中には、「新たな日常」やデジタル化に対応した食育の推進がある。ほかに、生涯を通じた心身の健康を支える食育の推進、持続可能な食を支える食育の推進、があり、この3つの重点事項が第4次食育推進基本計画の柱となっている。

○×問題 子どもの食と栄養

❶ 「令和元年国民健康・栄養調査報告」によると、20代女性のやせの割合は約20%である。

❶ ○

❷ 「平成27年度乳幼児栄養調査結果の概要」（厚生労働省）によれば、6歳未満の子どもの間食は、「時間を決めてあげることが多い」が最も多い。

❷ ○

❸ 「平成27年度乳幼児栄養調査結果の概要」（厚生労働省）によれば、6歳未満の子どもの起床時刻は「午前6時台」、就寝時刻は「午後9時台」が最も多い。

❸ × 子どもの起床時刻は「午前7時台」が最も多く、就寝時刻は「午後9時台」が最も多い。

❹ 食塩摂取量の平均値はこの10年間でみると、いずれも有意に減少している。

❹ ○

❺ やせの者（BMI＜18.5kg/m²）の割合は、この10年間でみると、男女とも有意な増減はみられない。

❺ ○

❻ 炭水化物には、ヒトの消化酵素で消化されやすい糖質と消化されにくい食物繊維がある。

❻ ○

❼ 果糖（フルクトース）は糖質の中で最も甘い。

❼ ○

❽ グリコーゲンは動物の貯蔵多糖である。

❽ ○

❾ 胆汁は脂質の消化酵素である。

❾ × 胆汁は脂質を乳化する。脂質の消化酵素はリパーゼである。

❿ 鶏卵のアミノ酸価は80である。

❿ × 鶏卵のアミノ酸価（アミノ酸スコア）は100である。

⓫ 脂肪酸のうち、体内で合成されないものを必須アミノ酸という。

⓫ × 脂肪酸のうち、体内で合成されないものを必須脂肪酸という（リノール酸、α－リノレン酸など）。

⑫ トランス脂肪酸は心筋梗塞を増加させる危険性があるので、摂取は控えめにした方がよい。

⑬ カロテンを摂取しすぎると過剰症になる。

⑭ カルシウムは多量ミネラルである。

⑮ 亜鉛はたんぱく質の合成に関わる。

⑯ 鉄の主な供給源は牛乳である。

⑰ 銅は、ヘモグロビンの成分である。

⑱ ビタミン B_1 は紫外線を浴びると皮膚で合成することができる。

⑲ 一緒に摂ることで鉄の吸収率を上げるビタミンはビタミンCである。

⑳ 食事摂取基準は厚生労働大臣が定めるものである。

㉑ 食事摂取基準における推奨量は生活習慣病の発症予防を目的としている。

㉒ 推定エネルギー必要量は、乳児では2区分である。

㉓ 推定エネルギー必要量は、0歳から身体活動レベルがⅠ、Ⅱ、Ⅲの3つに分かれている。

㉔ カルシウムの食事摂取基準の推奨量について、男性、女性とも12〜14歳で最も高い値になる。

㉕ 女性の鉄の食事摂取基準の推奨量について、10歳以降60歳まで月経ありと月経なしに分類される。

⑫ ○

⑬ × カロテンは必要量のみ体内でビタミンAに変換されるので、過剰症にはならない。

⑭ ○

⑮ ○

⑯ × 鉄の主な供給源は、レバー、ほうれん草などである。

⑰ × 銅は、鉄の代謝を助け、ヘモグロビンの生成に関わる。

⑱ × 紫外線を浴びることで合成できるビタミンはビタミンDである。

⑲ ○

⑳ ○

㉑ × 推奨量ではなく目標量である。

㉒ × 2区分ではなく、0〜5（月）、6〜8（月）、9〜11（月）の3区分である。

㉓ × 身体活動レベルが3つに分かれているのは、6歳からである。6歳未満は身体活動レベルⅡのみである。

㉔ ○

㉕ ○

㉖ 6つの基礎食品群では、肉は2群に分類される。

㉗ 3色食品群では、米・パン・めん類・油脂は黄のグループで、主に体を動かすエネルギーのもとになる。

㉘ 食事バランスガイドは、「主食」「副菜」「主菜」「牛乳・乳製品」「果物」「菓子」の6グループに区分している。

㉙ 食事バランスガイドは、1食に「何を」「どれだけ」食べたらよいかが一目でわかる食事の目安を示したものである。

㉚ 「日本人の食事摂取基準（2020年版）」では、妊娠初期から鉄の付加量が設定されている。

㉛ 健康寿命とは、平均寿命のことをいう。

㉜ 食生活指針には、「朝食で、いきいきとした1日を始めましょう」とある。

㉝ 人日の節句ではそうめんを食べる。

㉞ 弁当や総菜などは賞味期限で表示されている。

㉟ 冷蔵庫は、15℃以下に維持することが目安である。

㊱ 授乳中の喫煙は、SIDS（乳幼児突然死症候群）のリスクを高める。

㊲ 乳児用液体ミルクは母乳の代替用として、加熱・殺菌・希釈等することなくそのまま哺乳瓶に移して使用することができる。

㉖ ✕ 肉は1群に分類される。

㉗ ○

㉘ ✕ 「主食」「副菜」「主菜」「牛乳・乳製品」「果物」の5グループの料理や食品を組み合わせて摂れるよう、コマにたとえてそれぞれの適量をイラストで示したものである。菓子はコマを回すヒモを表している。

㉙ ✕ 1食ではなく、1日である。想定エネルギー量は1日2200kcal±200kcal。

㉚ ○

㉛ ✕ 健康寿命とは、介護や支援に依存せずに心身とも自立した生活ができる期間のことをいう。

㉜ ○

㉝ ✕ 人日の節句は七草のことで、七草がゆを食べる。

㉞ ✕ 弁当や総菜など劣化しやすい食品には消費期限で表示されている。

㉟ ✕ 10℃以下に維持する

㊱ ○

㊲ ○

㊳ 「授乳・離乳の支援ガイド」（2019年改定版：厚生労働省）に示されている「授乳等の支援のポイント」では、母親と子どもの状態を把握するとともに、母親の気持ちや感情を受け止め、早く授乳のリズムを確立できるよう支援する、と示している。

㊳ ✕ 母親と子どもの状態を把握するとともに、母親の気持ちや感情を受け止め、あせらず授乳のリズムを確立できるよう支援する、と示している。

㊴ 離乳の開始は果汁やスープから与える。

㊴ ✕ 離乳の開始は、つぶしがゆ（米）から始める。

㊵ はちみつは乳児ボツリヌス症予防のため、生後6か月から使用する。

㊵ ✕ 満1歳までは与えてはいけない。

㊶ 母乳分泌の際、下垂体後葉からオキシトシンが分泌され、乳汁を放出して射乳が起こる。

㊶ ◯

㊷ 母乳の利点の一つに、産後の母体の回復の促進が挙げられる。

㊷ ◯

㊸ 冷凍母乳を温めるときは、一度沸騰した70℃以上の湯を使用する。

㊸ ✕ 40℃程度のぬるま湯を使用する。

㊹ フォローアップミルクは母乳の代替品である。

㊹ ✕ フォローアップミルクは牛乳の代替品である。

㊺ 離乳完了期には、歯で噛める固さの調理形態とする。

㊺ ✕ 歯ぐきで噛める固さの調理形態とする。

㊻ 窒息・誤嚥を防ぐため硬い豆やナッツ類等は5歳以下の子どもには食べさせない。

㊻ ◯

㊼ 「令和3年度学校保健統計」（文部科学省）によると、裸眼視力1.0未満の者は小学校1年生では約4人に1人、3年生では約3人に1人、6年生では約半数となっている。

㊼ ◯

㊽ 思春期は女性よりも男性の方が早く訪れる。

㊽ ✕ 男性よりも女性の方が早く訪れる。

㊾ 生活の夜型化は、朝食の欠食につながりやすい。

㊾ ◯

(50) カルシウムの学校給食摂取基準は、食事摂取基準の40％を基準値としている。

(50) × 50％を基準値としている。

(51) 学校給食法では、学校給食が「児童及び生徒の食に関する正しい理解と適切な判断力を養う上で重要な役割を果たすものである」としている。

(51) ○

(52) Ⅰ型糖尿病は子どものうちに発症することが多く、生活習慣とは無関係に発症する。

(52) ○

(53) 先天性代謝異常症である、フェニルケトン尿症では、フェニルアラニンを積極的に摂取させる。

(53) × フェニルアラニンの摂取を制限する。

(54) ガラクトース血症は、ガラクトースの正常な代謝が行われないため、治療には乳糖を除去した無乳糖乳や大豆乳を用いる。

(54) ○

(55) 食物アレルギーの診断は医師が行う。

(55) ○

(56) 食物アレルギーを引き起こす抗体を、免疫グロブリンA（IgA）という。

(56) × 免疫グロブリンE（IgE）という。免疫グロブリンA（IgA）は母乳に含まれる感染防御因子のうちの1つである。

(57) 家庭で食べたことのない食物は、基本的には保育所では提供しない。

(57) ○

(58) 水や茶は誤嚥しにくい食品である。

(58) × 水・茶などの液体は誤嚥しやすい。ほかにこんにゃく、酸味の強いもの、海苔、カステラなども誤嚥しやすい。

(59) 座位不安定で車椅子などを使用する場合は、誤嚥を防ぐために、頭が後屈しないように配慮する。

(59) ○

(60) 「大量調理施設衛生管理マニュアル」では、加熱調理における中心部の加熱は、60℃で１分間以上（二枚貝等ノロウイルス汚染のおそれのある場合は、85～90℃で90秒間以上）とする。

(60) × 75℃で1分間以上である。

(61)「大量調理施設衛生管理マニュアル」では、調理後ただちに提供される食品以外の食品は、食中毒菌の増加を抑制するため、10℃以下で管理するとしている。

(61)○

(62)食育基本法では、「食育を、生きる上での基本であって、知育、徳育及び体育の基礎となるべきもの」と位置付けている。

(62)○

(63)サルモネラ菌の原因食品は海産生成物である。

(63)× 卵である。

(64)ウェルシュ菌の原因食品はカレーやシチューなどの煮込み料理である。

(64)○

(65)食育基本法の前文では、「食育を、生きる上での基本であって、食文化の基礎となるべきものと位置付ける」としている。

(65)×「食育を、生きる上での基本であって、知育、徳育及び体育の基礎となるべきものと位置付ける」としている。

(66)第４次食育推進基本計画は、令和４～６年度までの計画である。

(66)× 令和3～7年度までの計画である。

第 9 章

保育実習理論

保育所保育等

「保育所保育等」では「保育所保育指針」がポイントになるよ。保育所に加えて児童福祉施設の事例問題も出題されるよ。各施設の目的や背景をしっかり理解しておこう！

音　楽

「音楽」では音の読み方や音程の数え方など基礎から積み上げていくことが大切だよ。楽譜に書いてあることが理解できると、実技演奏にも役立つよ。暗記する記号や単語も多いので、要領よく覚えていこう！

造　形

「造形」では基礎知識をもとに、子どもの年齢や経験に合わせた応用力が必要だよ。保育士同士の会話や子どもの作品などの事例形式の出題が多いので、「色彩」や「技法」など専門性の高い知識をベースに、実際の作品制作をイメージして学習しておこう！

言　語

「言語」では子どもの発達を理解したうえでの絵本の選び方や書名と著者の組み合わせなど、幅広い範囲から出題されるよ。また、絵本以外にも、子どもに話を伝える方法はいろいろあるよ。それぞれの特徴を理解しておこう！

問1 次の文は、「保育所保育指針」の第1章及び第2章の一部である。文中の（　　　）の中に「遊び」という言葉を入れたとき、正しい記述となるものを○、誤った記述となるものを×とした場合の正しい組み合わせを一つ選びなさい。

A 保育所は、その目的を達成するために、保育に関する専門性を有する職員が、家庭との緊密な連携の下に、子どもの状況や発達過程を踏まえ、保育所における（　　　）を通して、養護及び教育を一体的に行うことを特性としている。

B 子どもが自発的・意欲的に関われるような環境を構成し、子どもの主体的な活動や子ども相互の関わりを大切にすること。特に、乳幼児期にふさわしい体験が得られるように、生活や（　　　）を通して総合的に保育すること。

C 障害のある子どもの保育については、一人一人の子どもの発達過程や障害の状態を把握し、適切な環境の下で、障害のある子どもが他の子どもとの（　　　）を通して共に成長できるよう、指導計画の中に位置付けること。

D 幼児期において自然のもつ意味は大きく、自然の大きさ、美しさ、不思議さなどに直接触れる（　　　）を通して、子どもの心が安らぎ、豊かな感情、好奇心、思考力、表現力の基礎が培われることを踏まえ、子どもが自然との関わりを深めることができるよう工夫すること。

組み合わせ			
A	B	C	D
1 ○	×	○	×
2 ○	×	×	○
3 ×	○	○	×
4 ×	○	×	×
5 ×	×	○	○

正答 4 令1-後-14

A × 「環境」が正しい。「保育所保育指針解説」（厚生労働省）には、「保育所保育においては、子ども一人一人の状況や発達過程を踏まえて、計画的に保育の環境を整えたり構成したりしていくことが重要である」と記載されている。

B ○ 「保育所保育指針解説」には、「遊びには、子どもの育ちを促す様々な要素が含まれている。子どもは遊びに没頭し、自ら遊びを発展させていきながら、（中略）友達と協力することや環境への関わり方なども多面的に体得していく」と記載されている。

C × 「生活」が正しい。「保育所保育指針解説」には、「障害や様々な発達上の課題など、状況に応じて適切に配慮する必要がある。（中略）将来的に障害の有無等によって分け隔てられることなく、相互に人格と個性を尊重し合いながら共生する社会の基盤になると考えられる」と記載されている。

D × 「体験」が正しい。「保育所保育指針解説」には、「自然との出会いを通して、（中略）落ち着いた気持ちの中から、自然に繰り返し直接関わることによって自然への不思議さや自然と交わる喜びの感情がわき上がるだろう」と記載されている。

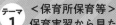
問2 次の文は、「保育所保育指針」第2章「保育の内容」1「乳児保育に関わるねらい及び内容」の(2)「ねらい及び内容」の一部である。（ A ）～（ C ）にあてはまる語句の正しい組み合わせを一つ選びなさい。

玩具などは、音質、形、色、大きさなど子どもの発達状態に応じて適切なものを選び、その時々の子どもの興味や関心を踏まえるなど、遊びを通して（ A ）の発達が促されるものとなるように工夫すること。なお、安全な環境の下で、子どもが（ B ）を満たして（ C ）遊べるよう、身の回りのものについては、常に十分な点検を行うこと。

	組み合わせ		
	A	B	C
1	感性	学習意欲	自由に
2	感性	探索意欲	系統的に
3	感覚	学習意欲	自由に
4	感覚	探索意欲	自由に
5	感覚	学習意欲	系統的に

正答 4 令4-後-13

A 感　覚：感性だけに限らずそれ以外の五感の発達を促すことから「感覚」が正しい。個人差や月齢の違いによる発達差の大きいこの時期の子どもの探索意欲を満たすために、保育士等は一人一人の子どもが今どのようなものに興味をもっているのかを理解することが重要である。

B 探索意欲：保育所では「学習」という概念がないため、探索意欲が正しい。一人一人が充実して遊べるように、場所の広さや動線、他者の存在の気配など、空間のつくり方にも配慮する。例えば、保育室の遊びのコーナーを、一人一人の興味や関心に合わせて遊べるよう、さらに小さなコーナーに分け、玩具やものを用意する。

C 自 由 に：「系統的に遊ぶこと」は乳児には適していない。自由に遊ぶことによって様々な感覚の発達のきっかけとなる。保育士等は連携をとりながら、子どもの生活のリズムに合わせてゆったりとそこにいることで、子どもも安定して遊び込むことができるように配慮し、子どもの欲求に応えて一緒に遊んだり、見守ったりする。

第 9 章 保育実習理論

テーマ 1 ＜保育所保育等＞
保育実習から見た子どもの育ちと保育所保育指針

➡ 『合格テキスト』P.40

問3 次の文のうち、「保育所保育指針」第1章「総則」3「保育の計画及び評価」⑶「指導計画の展開」の留意事項の一部として、<u>誤ったもの</u>を一つ選びなさい。

1 施設長、保育士など、全職員による適切な役割分担と協力体制を整えること。

2 子どもが行う具体的な活動は、生活の中で様々に変化することに留意して、子どもが望ましい方向に向かって自ら活動を展開できるよう必要な援助を行うこと。

3 子どもの主体的な活動を促すためには、保育士等が多様な関わりをもつことが重要であることを踏まえ、子どもの情緒の安定や発達に必要な豊かな体験が得られるよう援助すること。

4 保育士等は、子どもの実態や子どもを取り巻く状況の変化などに即して保育の過程を記録するとともに、これらを踏まえ、指導計画に基づく保育の内容の見直しを行い、改善を図ること。

5 保育課程に基づき、子どもの生活や発達を見通した短期的な指導計画と、それに関連しながら、より具体的な子どもの日々の生活に即した長期的な指導計画を作成して保育が適切に展開されるようにすること。

正答 5 令5-前-16

1 ○：第1章「総則」の3「保育の計画及び評価」の⑶「指導計画の展開」のアにその記載がある。キーワードは「適切な役割分担と協力体制」である。

2 ○：同章3の⑶のイにその記載がある。キーワードは、「自ら活動を展開できるよう」である。

3 ○：同章3の⑶のウにその記載がある。キーワードは、「豊かな体験が得られる」である。

4 ○：同章3の⑶のエにその記載がある。キーワードは、「保育の内容の見直しを行い、改善を図る」である。

5 ✕：同章3の⑶にこのような記載はない。なお、同章3の⑵「指導計画の作成」のアには、「保育所は、全体的な計画に基づき、具体的な保育が適切に展開されるよう、子どもの生活や発達を見通した長期的な指導計画と、それに関連しながら、より具体的な子どもの日々の生活に即した短期的な指導計画を作成しなければならない」と記載されている。

テーマ **1** ＜保育所保育等＞
保育実習から見た子どもの育ちと保育所保育指針

→『合格テキスト』P.524

> **問4** 次のA〜Dのうち、保育士がもつべき倫理観を、「全国保育士会倫理綱
> 領」に照らした際の行動の指針として、適切なものを○、不適切なものを×とし
> た場合の正しい組み合わせを一つ選びなさい。
>
> A　プライバシーの保護
> B　地域の子育て支援
> C　利用者の代弁
> D　子どもの発達保障

組み合わせ	A	B	C	D
1	○	○	○	○
2	○	○	×	○
3	○	×	○	×
4	×	×	○	×
5	×	×	×	○

正答 1 令3-後-17

- **A ○**：全国保育士会倫理綱領の4に記載されている。「私たちは、一人ひとりのプラ
イバシーを保護するため、保育を通して知り得た個人の情報や秘密を守りま
す」
- **B ○**：全国保育士会倫理綱領の7に記載されている。「私たちは、地域の人々や関係
機関とともに子育てを支援し、そのネットワークにより、地域で子どもを育
てる環境づくりに努めます」
- **C ○**：全国保育士会倫理綱領の6に記載されている。「私たちは、日々の保育や子育
て支援の活動を通して子どものニーズを受けとめ、子どもの立場に立ってそ
れを代弁します。また、子育てをしているすべての保護者のニーズを受けと
め、それを代弁していくことも重要な役割と考え、行動します」
- **D ○**：全国保育士会倫理綱領の2に記載されている。「私たちは、養護と教育が一体
となった保育を通して、一人ひとりの子どもが心身ともに健康、安全で情緒
の安定した生活ができる環境を用意し、生きる喜びと力を育むことを基本と
して、その健やかな育ちを支えます」

全国保育士会倫理綱領

1．子どもの最善の利益の尊重	5．チームワークと自己評価
2．子どもの発達保障	6．利用者の代弁
3．保護者との協力	7．地域の子育て支援
4．プライバシーの保護	8．専門職としての責務

第 **9** 章　保育実習理論

問5 次の【事例】を読んで、【設問】に答えなさい。

【事例】

　H保育所の保育士として、4月に2年目となるP保育士は、保育士としての専門性を高め、生涯にわたって成長し、保育士として働き続けたいと考えている。

【設問】

　次のうち、P保育士の行動として、適切なものを○、不適切なものを×とした場合の正しい組み合わせを一つ選びなさい。

A　日々の保育の内容や実践の方法について振り返る。
B　自分自身のキャリアを考え、自らの職位や職務に合った能力を身につけるための研修を受ける。
C　保育士と看護師、調理員、栄養士等は、それぞれ異なる専門性をもっているので、職務内容には関与せず、個別に保育の質の向上に取り組む。

組み合わせ		
A	B	C
1 ○	○	×
2 ○	×	×
3 ×	○	○
4 ×	○	×
5 ×	×	○

正答 1 令4-前-17

A ○：自己の日々の保育の内容や実践の方法についての振り返りは経験年数にかかわらず必須である。

B ○：「生涯にわたって成長し、保育士として働き続けたいと考えている」ことから、キャリアアップも考えていることがわかる。自身の職位を上げることで保育の幅が広がり保育士として成熟していく。

C ×：それぞれ異なる専門性をもっているからこそ、保育士はその他の専門職と連携しながら、他の専門職の専門性を踏まえて保育の質の向上に取り組むことが重要であり、それが保育士の専門性である。

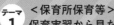
問6 次の【事例】を読んで、【設問】に答えなさい。

【事例】

　保育所の5歳児クラスを担当しているR保育士は、子どもの動線に配慮した園庭や遊具の配置などを検討するために、子どもの動線を記録することとした。

【設問】

　次のうち、動線の記録と園庭や遊具の配置などの対応として、適切なものを○、不適切なものを×とした場合の正しい組み合わせを一つ選びなさい。

A　動線を記録してみると、園庭で広い空間を使って「色鬼（色つき鬼）」などルールのある遊びに熱中している活発な子どものグループがあることがわかった。しばしばこの動線が、3歳未満児クラスが砂場で遊んでいる空間と交差していた。そこで、3歳未満児クラスの担当保育士と話し合い、園庭の使い方の共通理解をはかることとした。

B　動線を記録してみると、虫取りが好きな子どものグループがあり、垣根や裏庭の花壇の周辺を回遊するように遊んでいることがわかった。そこで、子どもの自然な活動の流れが崩れないように、その動線上の安全点検をすることとした。

C　動線を記録してみると、保育室のままごとコーナーで遊んでいる子どもが「散歩に行こう」と園庭に出ていくことがあるとわかった。そこで、特定の場所でじっくり遊べるように、ままごとコーナーから園庭に簡単に出られないように、活動を分ける仕切りを置くこととした。

組み合わせ		
A	B	C
1 ○	○	○
2 ○	○	×
3 ○	×	○
4 ×	×	○
5 ×	×	×

正答 2 令5-後-15

A ○：ルールのある活動に取り組む活発な動線が、3歳未満児クラスの動線と交差するような場合には、危険が伴うので、保育所全体で園庭の使い方について話し合っていくことが大切である。

B ○：園庭全体の空間や遊具の配置を子どもの自然な活動の流れに合わせるようにする。木や葉や虫に触れて遊ぼうとする子どもにはその季節に応じた自然環境が必要である。その空間のあり方やそれに応じた遊具の配置を考えなくてはならない。

C ×：子どもの遊びのイメージ、興味関心の広がりに応じて行動範囲を広げることを考慮する。戸外での刺激を室内の活動に反映させることもある。室内と戸外が分断されることなく子どものなかでつながる可能性があることにも留意する必要がある。

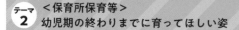

テーマ **2** ＜保育所保育等＞
幼児期の終わりまでに育ってほしい姿

➡ 『合格テキスト』P.42、516〜518

問7 次の文は、「保育所保育指針」第1章「総則」4「幼児教育を行う施設として共有すべき事項」(2)「幼児期の終わりまでに育ってほしい姿」の一部である。（ **A** ）・（ **B** ）にあてはまる記述をア〜エから選択した場合の正しい組み合わせを一つ選びなさい。

> ・身近な環境に主体的に関わり様々な活動を楽しむ中で、しなければならないことを自覚し、（ **A** ）
> ・友達と様々な体験を重ねる中で、してよいことや悪いことが分かり、（ **B** ）

ア 自分の力で行うために考えたり、工夫したりしながら、諦めずにやり遂げることで達成感を味わい、自信をもって行動するようになる。

イ 相手の気持ちを考えて関わり、自分が役に立つ喜びを感じ、地域に親しみをもつようになる。

ウ 自分の行動を振り返ったり、友達の気持ちに共感したりし、相手の立場に立って行動するようになる。

エ 共通の目的の実現に向けて、考えたり、工夫したり、協力したりし、充実感をもってやり遂げるようになる。

組み合わせ		
	A	B
1	ア	イ
2	ア	ウ
3	イ	ウ
4	イ	エ
5	ウ	エ

正答 **2** 令1-後-17

A ア：「幼児期の終わりまでに育ってほしい姿」のイ「自立心」の文章である。「しなければならないことを自覚」することは自立心の第一歩である。

B ウ：「幼児期の終わりまでに育ってほしい姿」のエ「道徳性・規範意識の芽生え」の文章である。「友達の気持ちに共感したりし、相手の立場に立って行動する」ことは道徳・規範につながる。

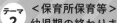
問8 次の文は、「保育所保育指針」第1章「総則」4「幼児教育を行う施設として共有すべき事項」(2)「幼児期の終わりまでに育ってほしい姿」ク「数量や図形、標識や文字などへの関心・感覚」の一部である。（　A　）〜（　C　）にあてはまる語句の正しい組み合わせを一つ選びなさい。

　遊びや（　A　）の中で、数量や図形、標識や文字などに親しむ体験を重ねたり、標識や文字の（　B　）に気付いたりし、自らの（　C　）に基づきこれらを活用し、興味や関心、感覚をもつようになる。

組み合わせ		
A	B	C
1　生活	性質	必要感
2　学び	役割	意思
3　学び	性質	意思
4　生活	役割	必要感
5　学び	性質	必要感

正答 **4**　令5-後-13

A 生　活：身近にある数字や文字に興味や関心をもったり、物を数えることを楽しんだりする場面が見られるなど、保育士等や友だちと一緒に数量や図形、標識や文字などに親しむ経験を重ねていく。

B 役　割：遊びや生活の中で関係の深い標識や文字などに関心をもちながらその役割に気づいたり使ってみたりする。

C 必要感：自分たちのクラスの標識や物を片付ける場所などの標識を工夫して作ったり、その過程で同じ形の文字を発見したりする。さらに、文字には人の思いなどを伝える役割があることに気付き、友だちとのつながりを感じたりする。

第 **9** 章

保育実習理論

問9 次の文のうち、「保育所保育指針」の第4章「子育て支援」2「保育所を利用している保護者に対する子育て支援」の一部として、（ **a** ）～（ **d** ）の下線部分が、正しいものを○、誤ったものを×とした場合の正しい組み合わせを一つ選びなさい。

保護者の就労と子育ての（**a** 両立等）を支援するため、保護者の（**b** 多様化）した保育の需要に応じ、病児保育事業など多様な事業を実施する場合には、保護者の状況に配慮するとともに、子どもの（**c** 主体性）が尊重されるよう努め、子どもの生活の（**d** 特殊性）を考慮すること。

組み合わせ			
a	b	c	d
1 ○	○	○	×
2 ○	○	×	○
3 ○	○	×	×
4 ×	×	○	○
5 ×	×	○	×

正答 **3** 令1-後-16

a ○：保護者支援の基本は「子育てと仕事の両立」である。

b ○：保護者が保育所に求めているものが多種多様になっているのが現状である。

c ×：主体性ではなく、「福祉」が正しい。

d ×：特殊性ではなく、「連続性」が正しい。「生活の連続性」とは、家庭や地域社会における生活と保育所での生活は子どもにとっては一連のものであるという認識である。

「保育所保育指針解説」では、保護者の仕事と子育ての両立等を支援するため、多様な保育の需要に応じた事業を実施する場合、保護者の状況に配慮するとともに、常に子どもの福祉の尊重を念頭に置き、子どもの生活への配慮がなされるよう、家庭と連携、協力していく必要があるとされている。

問10 次のうち、「保育所保育指針」に関する記述として、適切なものを○、不適切なものを×とした場合の正しい組み合わせを一つ選びなさい。

A 「教育課程」という用語の記載はない。
B 「カリキュラム・マネジメント」という用語の記載はない。
C 「保育教諭」という用語の記載はない。

組み合わせ		
A	B	C
1 ○	○	○
2 ○	○	×
3 ○	×	×
4 ×	○	○
5 ×	×	×

正答 1 令4-前-16

A ○：保育所は児童福祉法に基づく児童福祉施設の一つであることから「教育課程」という概念はない。他方、幼稚園は学校教育法に基づく学校の1つであることから、幼稚園教育要領には「教育課程」という用語の記載がある。
B ○：「カリキュラム・マネジメント」の用語は、幼稚園教育要領に記載されている。
C ○：「保育教諭」は、認定こども園で使われる名称であり、認定こども園で働く、保育士資格と幼稚園教諭免許の2つの資格を持つ職員のことをいうため、幼保連携型認定こども園教育・保育要領に記載されている。

幼稚園教育要領 第1章「総則」

第3 教育課程の役割と編成等
　1 教育課程の役割
　　各幼稚園においては、教育基本法及び学校教育法その他の法令並びにこの幼稚園教育要領の示すところに従い、創意工夫を生かし、幼児の心身の発達と幼稚園及び地域の実態に即応した適切な教育課程を編成するものとする。
　　また、各幼稚園においては、6に示す全体的な計画にも留意しながら、「幼児期の終わりまでに育ってほしい姿」を踏まえ教育課程を編成すること、教育課程の実施状況を評価してその改善を図っていくこと、教育課程の実施に必要な人的又は物的な体制を確保するとともにその改善を図っていくことなどを通して、教育課程に基づき組織的かつ計画的に各幼稚園の教育活動の質の向上を図っていくこと（以下「カリキュラム・マネジメント」という。）に努めるものとする。

第9章 保育実習理論

問11 次の文は、「保育所保育指針」第2章「保育の内容」3「3歳以上児の保育に関するねらい及び内容」(1)「基本的事項」の一部である。(　**A**　)～(　**C**　)にあてはまる語句の正しい組み合わせを一つ選びなさい。

　この時期においては、運動機能の発達により、基本的な動作が一通りできるようになるとともに、基本的な生活習慣もほぼ自立できるようになる。理解する語彙数が急激に増加し、知的興味や関心も高まってくる。仲間と遊び、仲間の中の一人という自覚が生じ、(　**A**　) 遊びや (　**B**　) 活動も見られるようになる。これらの発達の特徴を踏まえて、この時期の保育においては、(　**C**　) と集団としての活動の充実が図られるようにしなければならない。

組み合わせ

	A	B	C
1	集団的な	一斉	個の支援
2	集団的な	協同的な	個の成長
3	ごっこ	協同的な	個の支援
4	集団的な	一斉	個の成長
5	ごっこ	一斉	個の支援

正答 2 令5-前-17

A 集団的な：「仲間の中の一人という自覚が生じ」という記述から考えると、一人とは反対の言葉が考えられる。また、遊びという言葉からも「集団的な」が適切である。

B 協同的な：現行の保育所保育指針では、一斉活動という考え方及び文言としての記載はない。

C 個の成長：直後の「集団としての活動」と対になる表現を考えると「個の成長」が適切である。

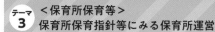

問12 次の【事例】を読んで、【設問】に答えなさい。

【事例】

　保育所で5歳児クラスを担当するQ保育士は、近隣の小学校との連絡会に参加し、小学校との連携の取り組みについてまとめた。

【設問】

　次のうち、小学校との連携に関する取り組みとして、適切なものを○、不適切なものを×とした場合の正しい組み合わせを一つ選びなさい。

A　保育所児童保育要録は子どもの生年月日などの個人情報が含まれているため、「個人情報の保護に関する法律」に照らして適切に運用するものであり、配偶者からの暴力の被害者と子どもというように特別の事情がある場合だけでなく、子どもの育ちを支えるための資料を小学校へ送付する場合においては必ず保護者から同意を得て、小学校に送付するという共通理解をはかった。

B　「保育所保育指針」に新しく取り入れられた「幼児期の終わりまでに育ってほしい姿」は、幼児教育の考え方であり、小学校の教員からは共通理解されにくいので、あえて触れないようにした。

C　保小連携の一環として、交流の機会を増やせるように、小学校と保育所の年間行事の内容を情報交換し、担当者間で話し合いを行うようにした。

組み合わせ		
A	B	C
1 ○	○	×
2 ○	×	○
3 ○	×	×
4 ×	×	○
5 ×	×	×

正答 4 令5-後-17

A ×：「保育所児童保育要録」指針解説第2章4 (2)ウより「保育要録の送付については保護者に周知しておくことが望ましい」とあるが、同意を得る必要はない。

B ×：「保育所児童保育要録」（保育に関する記録）には、「幼児期の終わりまでに育ってほしい姿」、「5領域」を考慮し、子どもの育ちを記載する。

C ○：保育所等から小学校へ円滑な接続を図るうえでも連携を図ることは大切である。

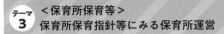

問13 次の【事例】を読んで、【設問】に答えなさい。

【事例】

　M保育所は、この地域で唯一休日保育を実施している認可保育所である。現在、M保育所の所長は、災害発生時等の保育所の安全対策や対応についての確認を行っているところである。

【設問】

　次のうち、安全対策の取り組みとして、適切なものを○、不適切なものを×とした場合の正しい組み合わせを一つ選びなさい。

A 園庭にある遊具は、毎年専門の業者に点検に来てもらっているため、保育士は点検しない。

B 毎年運動会で使用する入退場門が園舎の横に置かれていたが、子どもが避難する際の避難経路の幅が確保できないため、撤去することとした。

C 休日保育は、通常保育とは勤務する保育士の人数が異なるため、休日保育を想定した避難訓練を計画する必要はない。

組み合わせ		
A	B	C
1 ○	○	×
2 ○	×	×
3 ×	○	○
4 ×	○	×
5 ×	×	○

正答 **4** 令6-前-16

A ×：日頃から、安全環境の整備に努め、安全点検表を作成し、安全性の確保や機能の保持、保管の状況など具体的な点検日および点検者を定めた上で、定期的に点検することが必要である。また、専門技術者による定期点検を実施することが重要である。

B ○：日常的に、避難経路の確保等のために整理整頓を行うとともに、高い所からの落下物防止の措置を講じることも大切である。安全環境の整備は、非常時だけでなく日常の事故防止の観点からも重要である。

C ×：避難訓練は、様々な時間や活動、場所で発生し得ることを想定し、それに備えることが重要である。具体的な状況を想定した訓練を実施するため、土曜日や延長保育など通常とは異なる状況の保育や、悪天候時や保育所外での保育等、多様な場面を想定し全職員が対応できるようにすることが求められている。

問14 次の【事例】を読んで、【設問】に答えなさい。

【事例】

　Sちゃん（7歳、女児）は、児童養護施設で生活している。実習生のMさんが実習を始めた当初は、声をかけると穏やかに応答していたが、しばらく経つと「早く来てよ」「これ終わるまで一緒にいてくれないとダメ」などと強い命令口調で言うようになった。MさんがSちゃんの要求に応えないと「なんでよ！もうここに来ないで！」などと怒鳴る一方で、翌日には抱っこをせがむこともある。ある日、Sちゃんがぬいぐるみを投げたことを注意したところ、Sちゃんは「お姉さん嫌い！お姉さんもどうせ私のこと嫌いなんでしょ！」と言って泣き出し、近くにあった他のぬいぐるみも投げ続けた。

【設問】

　次のうち、実習生MさんがとるべきSちゃんへの対応として、適切なものを○、不適切なものを×とした場合の正しい組み合わせを一つ選びなさい。

A 「あなたがぬいぐるみを投げたことが悪いんでしょう」と伝える。

B 「Sちゃんが良い子にしていれば、みんなあなたのことを好きになるんだよ」と伝える。

C Sちゃんが落ち着くまでしばらく見守りながら一緒にいる。

D Sちゃんの言動について、その日の実習終了時に実習指導者に相談する。

組み合わせ			
A	B	C	D
1 ○	○	○	×
2 ○	×	○	×
3 ×	○	○	×
4 ×	×	○	○
5 ×	×	×	×

正答 **4**　令6-前-19

A ×：Sちゃんがぬいぐるみを投げてしまった行動のみを指摘するのではなく、本人の気持ちや背景を理解したうえで言葉かけをする。

B ×：「良い子」は大人の判断基準である。「嫌い！」と言ったSちゃんの気持ちに寄り添い、汲み取っていくことが大切である。

C ○：気持ちが高ぶってしまったり、泣き出してしまったりした際は、見守りつつそばにいる安心感をもたせることも大切である。

D ○：実習の際は、疑問に思ったことを実習指導者に相談するなど、その日のうちに解決しておくことが、子どもに対する翌日からの対応の参考になる。

　子どもの事象に対し、その場の言動のみで対応するのではなく、その言動の背景やその行動に至った経緯を鑑み支援をすることが望ましい。

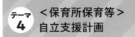

問15 次の【事例】を読んで、【設問】に答えなさい。

【事例】

児童養護施設で暮らすNちゃん（3歳、男児）は、母親と2人暮らしであったが、母親がうつ病を発症し、養育ができない状況になったために2年前に入所となった。当初は母親の体調回復を機に家庭引き取りを行うことを個別支援計画（自立支援計画）の支援方針としていて、母親もそれに同意していた。しかし、最近、母親の体調が回復してきたことから家庭引き取りに向けた取り組みをし始めたところ、母親から「つきあっている男性がいて、結婚する予定だ。Nちゃんの引き取りは結婚後、生活が安定してからにしたい。」との発言が児童養護施設のNちゃんの担当保育士にあった。

【設問】

次のうち、この話を聞いた直後にNちゃんの担当保育士が行うべき対応として、最も適切な記述を一つ選びなさい。

1 母親の意向を尊重し、支援方針を「母親の再婚生活が安定した後に家庭引き取り」に変更する。
2 個別支援計画は児童相談所で作成するものであるため、計画見直しの意向があることを担当の児童福祉司に伝えて良いか母親に確認する。
3 結婚予定の男性や今後の見通しについて母親から情報収集を行う。
4 Nちゃんに母親の再婚に対する意見を聞き、Nちゃんの意向に沿った個別支援計画を立案する。
5 当初の個別支援計画の支援方針と異なるため、考え直すように母親に伝える。

正答 **3** 令3-前-19

1 ✕：母親の意向だけを踏まえた「措置変更」は不適切である。
2 ✕：児童養護施設における個別支援計画は、児童相談所ではなく、児童養護施設の長が策定する（児童福祉施設の設備及び運営に関する基準第45条の2）。
3 ◯：将来保護者になる関係者についての情報は、虐待再発防止などの観点からも必要である。
4 ✕：単にNちゃんの意向に沿ったものではなく、個別支援計画を立案する前に、母親の状況を確認し、意見を聴くことが必要である。
5 ✕：当初立てた計画をまっとうすることを理由として、母親の考え方を変えることは不適切である。

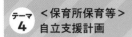

問16 次のうち、「児童養護施設運営ハンドブック」（平成26年　厚生労働省）に示された実習生受入れに関する記述として、適切なものを○、不適切なものを×とした場合の正しい組み合わせを一つ選びなさい。

A 施設実習は、子どもを養育した経験のない実習生にとって具体的な援助技術の学びの場であると同時に実践の場である。

B 実習生にとって最も大切なことは、子どもたちがおかれている現実にどれだけ寄り添い、子どもたちの心の機微にどれだけ触れることができるかである。

C 個人情報保護の観点から、実習生には子どもたちの生い立ちに関する情報は一切伝えてはならない。

D 実習生の育成は、実習指導を通し将来の児童養護施設職員の育成につながり、そのことが人材確保に大きな役割を果たすことを意識して丁寧な指導をすることが必要である。

組み合わせ			
A	B	C	D
1 ○	○	○	○
2 ○	○	×	○
3 ○	×	○	×
4 ×	○	○	×
5 ×	×	×	○

正答 2 令5-後-20

A ○：「児童養護施設運営ハンドブック」に、選択肢の通り「施設実習は、子どもを養育した経験のない実習生にとって具体的な援助技術の学びの場であると同時に実践の場です」と記されている。

B ○：「児童養護施設運営ハンドブック」に、選択肢の通り、「実習生にとって最も大切なことは、子どもたちがおかれている現実にどれだけ寄り添い、子どもたちの心の機微にどれだけ触れることができるかです」と記されている。

C ×：「児童養護施設運営ハンドブック」に、「日常業務や観察・記録・ケース検討等の援助技術を修得し、そこで培った学びや気付きを真摯に受けとめることが重要です。また、子ども達のプライバシーや個人情報保護に十分な配慮が必要です」と記されており、施設の許可を得た範囲で情報を提供してもらうこともできる。

D ○：「児童養護施設運営ハンドブック」に、選択肢の通り、「実習生の育成は、実習指導を通し将来の児童養護施設職員の育成につながり、そのことが人材確保に大きな役割を果すことを意識して丁寧な指導をすることが必要です」と記されている。

第 **9** 章　保育実習理論

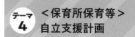

問17 次の【事例】を読んで、【設問】に答えなさい。

【事例】

　Ｈさん（女性）は、児童養護施設で実習をしている。実習後半となり、子どもたちとも打ち解けてきたという印象をもっていたある日のことであった。中学2年生の女子児童から、「職員はみんな仕事で世話してるだけだし。私のことなんて真剣に考えてくれてないんだよ」と言われた。Ｈさんは突然の出来事のなかでどうしてよいかわからず何も答えることができなかった。

【設問】

　次のうち、Ｈさんの対応として、適切なものを○、不適切なものを×とした場合の正しい組み合わせを一つ選びなさい。

A　その日の実習記録にその出来事を記載し、実習指導者から助言を受ける。

B　「そんなこと言うものではない」と女子児童を批難する。

C　なぜそのような言葉を発したのかについて考察する。

組み合わせ			
	A	B	C
1	○	○	○
2	○	×	○
3	×	○	×
4	×	×	○
5	×	×	×

正答 2 令5-前-19

A ○：記録に残すことによって、他の職員も女子児童の気持ちを知ることができる。また、実習生の独自の判断ではなく、実習指導者から助言を受けた上で応対することで施設としての支援の一貫性が担保できる。

B ×：女子児童を批難することは不適切である。児童養護施設に入所している女子児童には複雑な背景があるかも知れず、本人が原因になって入所しているのではなく周囲の大人たちの行為によって入所していることに鑑みることが求められる。

C ○：本人から聞き取ることと併せて、本人の言動から考察することも専門職としての技術である。

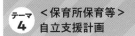

テーマ 4 ＜保育所保育等＞
自立支援計画

➡ 『合格テキスト』P.528

問18 次の【事例】を読んで、【設問】に答えなさい。

【事例】

　児童養護施設で実習中のＹさんは、配属先の施設に入所している高校生のＺ君（18歳、男児）が、担当のＨ保育士に「生きていても仕方がない」「将来特にやりたいことなんかない」と自暴自棄に話していたのを耳にした。Ｚ君は家族や親族からの支援は期待できないと職員から情報を得ている。実習指導者からＺ君の自立支援について考えてみるよう指導を受けた。

【設問】

　次のうち、Ｚ君の自立に向けて検討した結果として、適切なものを○、不適切なものを×とした場合の正しい組み合わせを一つ選びなさい。

A 「そんな甘い考えでは自立できない」と自覚を促す。
B 「退所後も自立できるまで責任もって面倒みるよ」と個人的な支援を約束する。
C 進路選択に必要な資料等を提供し、十分に話し合う。
D 本人の意向をふまえ措置延長の必要性について検討する。

組み合わせ			
A	B	C	D
1 ○	○	○	×
2 ○	○	×	×
3 ○	×	○	○
4 ×	○	×	○
5 ×	×	○	○

正答 5 令4-後-19

A ×：自覚を促すことは必要だが、対人援助職として「そんな甘い考えでは自立できない」という表現が不適切である。例えば「考え方を変えると自立に近づく」など、本人の奮起を促すような表現が適切である。

B ×：対人援助はチームワークが重要であり、個人的な支援の約束はかえって利用者を苦しめ、支援力の低下を招く。

C ○：キーワードは「資料提供」と「十分な話し合い」である。社会福祉法においても情報提供が規定されている。また、十分な話し合いは本人の自覚を促し、当事者意識を高める効果がある。

D ○：必要があれば、満20歳に達する日まで措置を延長できる。国は、進学や就職、満18歳到達にかかわらず、生活が不安定で継続的な支援が必要な児童等に対しては、18歳到達までの措置継続及び18歳以降の措置延長を積極的に行うよう児童相談所に求めている。

第9章

保育実習理論

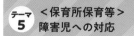
問19 次の【事例】を読んで、【設問】に答えなさい。

【事例】

　障害児入所施設で実習をしているGさんは、入所しているHさん（15歳、男児、重度の知的障害と肢体不自由あり）とのかかわりを実習記録にまとめていた。以下がその記述の一部である。

> 　Hさんは言葉を発することができず、職員とのコミュニケーションは表情やちょっとした身体の動きによって行っているようだった。私もHさんとコミュニケーションをとろうと、散歩の際に「今日は暖かいですね」と話しかけたが、Hさんの表情の変化を捉えることができずに戸惑い、何を話しかけたらよいかわからなかったため、その後は施設に戻るまで無言のまま車椅子を押した。

【設問】

　次の文のうち、実習記録において、専門性向上の観点からGさんがHさんとのかかわりを省察する記述内容として、適切な記述の組み合わせを一つ選びなさい。

A　Hさんは話しかけられることで何かを感じているだろうから、表情の変化を読み取れなかったとしても、コミュニケーションに工夫をすることが必要だった。

B　Hさんは私の声かけに不快になり、無視をしたのだから、黙って車椅子を押したことはHさんに不快感を与えず、良かったと考えた。

C　Hさんから拒否されたのではないかという恐れがあったため、Hさんに話し続けることができなかったと考えた。

D　他者とのコミュニケーションが困難な利用者とかかわることは、私には無理な取り組みであった。

組み合わせ		
1	A	B
2	A	C
3	B	C
4	B	D
5	C	D

正答 2 　平30-前-20

A ○：コミュニケーションを工夫することで、Hさんに寄り添い、気持ちを理解することが求められる。

B ✕：「不快になり、無視をした」というのは実習生の一方的な解釈であり、黙って車椅子を押したことが良かったと結論づけることは適切とはいえない。

C ○：「Hさんに話し続けることができなかった」という結果について、その理由を自分なりに分析することで、次回の改善につながる。

D ✕：「私には無理な取り組みであった」という結論は、次の実践に結び付きにくく不適切である。

問20 次の文のうち、**不適切な記述**を一つ選びなさい。

1 音楽用語のdecresc. とdim. は、同じ意味である。
2 日本のわらべうたは、すべて2音でできている。
3 小林純一は、「手をたたきましょう」の作詞者である。
4 サクソフォーンは、木管楽器である。
5 ピアノの楽譜でイ長調の調号は、♯（シャープ）が3つである。

正答 2 令3-後-6

1 ○：問題は省略形で書かれているが、正式にはdecrescendoとdiminuendo。
二つとも「だんだん弱く」という同じ意味の音楽用語である。
2 ✕：わらべうたは、「ファ」と「シ」がない五つの音階「ドレミソラ」でできている。音階の4番目と7番目を抜いているので、「ヨナ抜き音階」ともいう。
3 ○：小林純一は児童文学作家であり、多数の作詞も手がけた。代表的な作詞は「あひるの行列」「大きなたいこ」「かっこう」などである。
4 ○：ほとんどのサクソフォーンは真鍮で作られているが、金管楽器のようにマウスピースで唇を振動させるのではなく、リードを振動させて音を出すため、木管楽器に分類される。「サックス」とも呼ばれる。サックスはベルギーの楽器製作者、アドルフ・サックスが1840年代に発明した木管楽器で、彼の名前から名付けられた。
5 ○：イ長調はファ、ド、ソに♯（シャープ）がつく。

サクソフォーン

第9章 保育実習理論

461

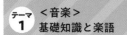
問21 次のA〜Dの音楽用語の意味を【語群】から選んだ場合の正しい組み合わせを一つ選びなさい。

A decresc.

B *sf*

C 8 va alta

D accelerando

【語群】

ア	だんだん弱く	イ	だんだんゆっくり	ウ	静かに	エ	自由に
オ	8度低く	カ	今までより速く	キ	特に強く	ク	8度高く
ケ	だんだん速く	コ	とても強く				

組み合わせ

	A	B	C	D
1	ア	ウ	ク	オ
2	ア	キ	ク	ケ
3	イ	キ	エ	カ
4	イ	コ	カ	エ
5	ウ	コ	オ	ケ

正答 2 令4-後-2

A ア：decresc. は、decrescendo（デクレッシェンド）の略語で、だんだん弱く。diminuendo（ディミヌエンド）も同じ意味である。

B キ：*sf* は、スフォルツァンド。その音を特に強く。

C ク：8 va alta は、オッターヴァ　アルタ。1オクターヴ（8度）高く。反対語の1オクターヴ（8度）低くは8 va bassa。

D ケ：accelerando は、アッチェレランド。だんだん速く。車のアクセルと語源は同じで、まさにアクセルを踏んでだんだん加速するイメージである。

問22 次の文のうち、適切な記述を○、不適切な記述を×とした場合の正しい組み合わせを一つ選びなさい。

A ワルツは、4拍子の曲である。
B カンツォーネは、イタリアのポピュラー・ソングである。
C 声明は「しょうみょう」と読み、日本の仏教音楽の一つである。
D ニ長調の階名「シ」は、音名「ハ」である。

組み合わせ			
A	B	C	D
1 ○	×	○	○
2 ○	×	×	×
3 ×	○	○	○
4 ×	○	○	×
5 ×	×	×	×

正答 4 平31-前-6

A ×：ワルツは3拍子の踊りの曲である。日本語では円舞曲という。社交ダンスに用いられる中くらいのテンポのものから、速いテンポの器楽曲まで、様々な曲がある。

B ○：もともとのカンツォーネの意味は単に「歌」を示す単語である。しかし日本では、主に19世紀末から20世紀初頭に書かれたイタリアの大衆歌曲（ポピュラー音楽）を指す。主な曲に「サンタ・ルチア」、「オー・ソレ・ミオ」などがある。

C ○：声明（しょうみょう）とは、お経に節がついた仏教音楽である。仏教寺院で僧侶が儀式のときに唱える男声コーラスで、仏教とともにインドで生まれ、中国や朝鮮半島を経由して日本に伝わった。

D ×：ニ長調の階名「シ」は、音名「嬰ハ」となる。まず、ニ長調の調号がファとドに♯がついていることと、主音が「ニ」であることを確認し、主音「ニ」を階名「ド」として順番に数えていく。ここでは、調号がついていることを見落とすと音名「ハ」と誤答してしまう。

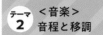

問23 次のうち、<u>不適切なもの</u>を一つ選びなさい。

1 『赤い鳥』は、大正時代に鈴木三重吉が創刊した雑誌である。
2 マザーグースとは、イギリスの伝承童謡である。
3 大太鼓や小太鼓は、膜鳴楽器である。
4 「むすんでひらいて」の旋律を作曲したのは、ルソー（Rousseau, J.-J.）である。
5 移調とは、曲の途中で、調が変化することである。

正答 5 令6-前-6

1 ○：『赤い鳥』（あかいとり）は鈴木三重吉が創刊した童話と童謡の児童雑誌である。1918年7月1日創刊、1936年8月廃刊。
2 ○：マザーグースとは、イギリスの伝承童謡の総称である。ロンドンの出版業者ジョン＝ニューベリーが1765年ごろ刊行した「マザー＝グースのメロディー」に由来する名称である。
3 ○：膜鳴楽器とは、強く張った膜状のものの振動を音源とする楽器である。膜鳴楽器の大半は、膜を叩くことで音を出す太鼓類である。
4 ○：「むすんでひらいて」は、童謡、文部省唱歌である。作詞者は不詳。作曲者はフランスの思想家・著作家ジャン＝ジャック・ルソー。
5 ✕：メロディーはそのままの状態で、ほかの調に移すことを「移調」という。カラオケで歌いやすくするために、音を高くしたり低くしたりするのが最も身近な例。メロディーは変えずに曲全体の調を変えること。曲の途中で別の調へ変わることは「転調」という。転調をすると曲の雰囲気が変わり、音楽に幅が出る。曲の後半でサビのメロディーがそれまでよりも高くなったりするのが身近な例である。

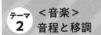
問24 次の曲を4歳児クラスで歌ってみたところ、全体的に低く歌いにくそうであった。そこで短3度上の調に移調することにした。その場合、下記のコードはどのように変えたらよいか、正しい組み合わせを一つ選びなさい。

組み合わせ		
A	E	D
1　F	C	B♭
2　D	A	G
3　C	G	F
4　C	G♯	F
5　D	A♭	G

正答 3 令2-後-4

移調の問題だが、今回は移調後のコードを聞かれているので、コードの構成音、調性がわからなくても解答を導き出すことができる。

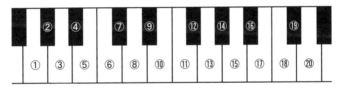

まず問題の楽譜上にあるコードはAED の3種類である。コードネームはコードの根音の音名をとっており（Aの根音はラ、Eの根音はミ、Dの根音はレ）、根音を短3度上げる。鍵盤を見て短3度を確認する。短3度は半音三つ分である。

A（鍵盤⑮）→**C**（鍵盤⑱）

E（鍵盤⑩）→**G**（鍵盤⑬）

D（鍵盤⑧）→**F**（鍵盤⑪）

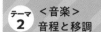

テーマ2 ＜音楽＞ 音程と移調

『合格テキスト』P.547〜550

問25 次の曲を5歳児クラスで歌ってみたところ、最低音が歌いにくそうであった。そこで短3度上げて歌うことにした。その場合、A、B、Cの音は、鍵盤の①〜⑳のどこを弾くか、正しい組み合わせを一つ選びなさい。

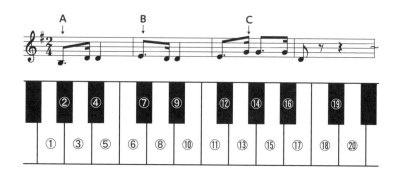

組み合わせ

	A	B	C
1	⑥	⑪	⑬
2	⑥	⑪	⑭
3	⑦	⑫	⑮
4	⑧	⑫	⑮
5	⑧	⑬	⑯

正答 5 令5-後-4

まず短3度は半音三つ分であることを確認する。

A 鍵盤⑧：移調前の音はシ。短3度上げるとレの音になる。

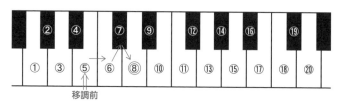

B 鍵盤⑬：移調前の音はミ（鍵盤⑩）。短3度上げるとソ（鍵盤⑬）になる。

C 鍵盤⑯：移調前の音はソ（鍵盤⑬）。短3度上げるとシ♭（鍵盤⑯）になる。

466

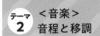

テーマ **2** ＜音楽＞
音程と移調

問26 次の曲を4歳児クラスで歌ってみたところ、最高音が歌いにくそうで
あった。そこで完全4度下げて歌うことにした。その場合、A、B、Cの音は、
鍵盤の①〜⑳のどこを弾くか、正しい組み合わせを一つ選びなさい。

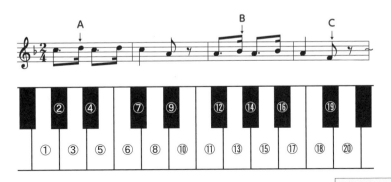

組み合わせ			
	A	B	C
1	⑭	⑩	⑤
2	⑮	⑩	⑤
3	⑮	⑪	⑤
4	⑯	⑪	⑥
5	⑯	⑫	⑧

正答 3 令3-前-4

まず完全4度は半音5つ分であることを確認する。

A 鍵盤⑮：移調前の音はレ（鍵盤⑳）。完全4度下げるとラ。

B 鍵盤⑪：移調前の音はシ♭（鍵盤⑯）、調号が付いているので注意。完全4度下
げるとファ。

C 鍵盤⑥：移調前の音はファ（鍵盤⑪）。完全4度下げるとド。

問27 次の曲を5歳児クラスで歌ってみたところ最高音が歌いにくそうであった。そこで長2度下げて歌うことにした。下記のコードはどのように変えたらよいか、正しい組み合わせを一つ選びなさい。

組み合わせ			
	G	C	D₇
1	F♯	B	C♯₇
2	F♯	B	C₇
3	F	B♭	C♯₇
4	F	B	C₇
5	F	B♭	C₇

正答 5 令1-後-4

　この問題は調性を考えたりコードネームを考えたりせず、コードを長2度下げればよい。

　長2度は半音2つ分であることを確認して、コードを半音2つ分下げる。

　したがって**G**→F、**C**→B♭、**D₇**→C₇となる。

	イタリア語	英語	日本語
	ド	C	ハ
	レ	D	ニ
	ミ	E	ホ
	ファ	F	ヘ
	ソ	G	ト
	ラ	A	イ
	シ	B	ロ

問28 次の曲を 4 歳児クラスで歌ってみたところ、最高音が歌いにくそうであった。そこで完全 5 度下げて歌うことにした。その場合、A、B、C の音は、鍵盤の①〜⑳のどこを弾くか、正しい組み合わせを一つ選びなさい。

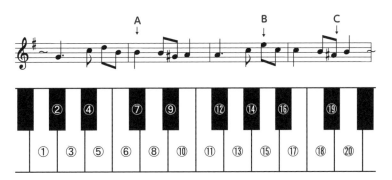

	組み合わせ	
	A B C	
1	⑫ ⑰ ⑪	
2	⑫ ⑮ ⑩	
3	⑧ ⑬ ⑦	
4	⑩ ⑬ ⑧	
5	⑩ ⑮ ⑨	

正答 5 令4-後-4

まず完全 5 度は半音 7 つ分であることを確認する。

A 鍵盤⑩：調音前の音はシ（鍵盤⑰）から完全 5 度下げるとミ。

B 鍵盤⑮：調音前の音はミ（鍵盤⑳の右隣り）から完全 5 度下げるとラ。

C 鍵盤⑨：調音前の音はラ＃（鍵盤⑯）から完全 5 度下げるとレ＃。

第 **9** 章

保育実習理論

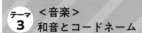

問29 次の楽譜から属七の和音（ドミナントセブンス）を抽出した正しい組み合わせを一つ選びなさい。

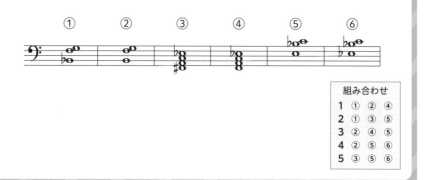

組み合わせ

1 ① ② ④
2 ① ③ ⑤
3 ② ④ ⑤
4 ② ⑤ ⑥
5 ③ ⑤ ⑥

正答 3 令4-後-3

ドミナントセブンス（属七の和音）はメジャーコード（長三和音）の第5音から短3度の音が重なったコードである。

まず問題の和音をすべて基本形にする。セブンスコードは第5音が省略されるので注意が必要である。赤字の音は省略されている音。楽譜の音部記号がヘ音記号であることに注意。

① **G m₇**：G音を根音にした和音。G・B♭・D・Fが基本形で、Dが省略されている。

② **G₇**：G音を根音にした和音。G・B・D・Fが基本形で、Dを省略、Gを転回している。

③ **F♯dim**：F♯・A・C・E♭の和音。

④ **F₇**：F音を根音にした和音。F・A・C・E♭の基本形。

⑤ **C₇**：C音を根音にした和音。C・E・G・B♭が基本形で、Gを省略している。

⑥ **Cm₇**：Cを根音にした和音。C・E♭・G・B♭が基本形で、Gを省略している。

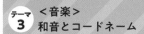
テーマ 3 ＜音楽＞
和音とコードネーム

問30 次の楽譜からマイナーコードを抽出した正しい組み合わせを一つ選びなさい。

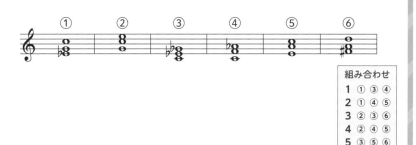

組み合わせ			
1	①	③	④
2	①	④	⑤
3	②	③	⑥
4	②	④	⑤
5	③	⑤	⑥

正答 2 令3-前-3

　マイナーコードを見つけるために、まずすべての和音を基本形になおす。基本形とするために、三つの音が3度ずつの積み重ねになるように音をオクターブ上げたり下げたり移動させる。

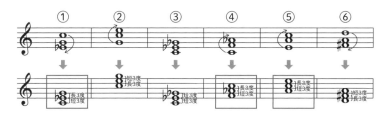

　基本形の和音で和音の種類（長三和音、短三和音、増三和音、減三和音）を確かめる。マイナーコードは短三和音のことで、短三和音のそれぞれの音程は、根音から第3音が短3度、第3音から第5音が長3度となる。このことから、①、④、⑤の和音がマイナーコードといえる。

第9章　保育実習理論

471

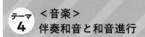

問31 次の曲の伴奏部分として、**A〜D**にあてはまるものの正しい組み合わせ
を一つ選びなさい。

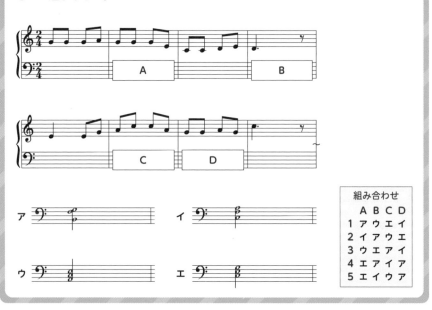

正答 4 令3-後-1

伴奏を選ぶときのポイントは次のとおりである。

- 初めと終わりの小節は主和音（Ⅰ）であることが多い。
- 三和音Ⅴ、Ⅴ₇の後に主和音（Ⅰ）になることが多い。
- ⅤやⅤ₇の後にⅣがくることはない。
- ほぼ右手のメロディーと同じ音で構成される。
- 次の小節の伴奏との組み合わせ（展開）はどうか。

　メロディーの音と伴奏の音を確認する（メロディーはト音記号、伴奏はヘ音記号
なので要注意）。保育士試験では、Ⅰ、Ⅳ、Ⅴ、Ⅴ₇の伴奏がよく出題される。

A エ：メロディーは、ソソソミ。ソとミを含む伴奏和音は**エ**である。

B ア：メロディーは、レ。伴奏和音を見るとレを含む和音はない。ここで**ア**の和音
　　がⅤ₇で第5音のレが省略されていることに着目する。

C イ：メロディーはラドドラ。**イ**のドファラの和音を選ぶ。

D ア：メロディーの音はソソラソ。ソが三つあるのでソを含む和音を探すと**ア**
　　（Ⅴ₇）と**エ**（Ⅰ）が該当する。次の小節との関係を見ると、次の小節はメロ
　　ディーがドなのでこの調のⅠの和音が入る。Ⅰの和音の前はⅤ、Ⅴ₇になる
　　ことが多いため答えは**ア**となる。

問32 次の曲の伴奏部分として、**A〜C**にあてはまるものの正しい組み合わせを一つ選びなさい。

組み合わせ		
A	**B**	**C**
1 ア	イ	エ
2 ア	ウ	イ
3 イ	ア	ウ
4 ウ	エ	ア
5 エ	イ	ウ

正答 **3** 平31-前-1

　伴奏和音を問われるときは、まず、その曲の調性を考える。そして、その調の主要三和音と属七の和音（Ⅰ、Ⅳ、Ⅴ、Ⅴ₇）を確認する。だいたいの曲は主和音（Ⅰ）で始まり、主和音で終わる。メロディー（右手）に含まれている音の伴奏和音を探す。この曲はハ長調。主要三和音はC、F、Gで、属七の和音はG₇である。

A イ：メロディーは「ラファドラ」なので、その音を含む**イ**の伴奏和音（Fのコード、ドファラ）を選択する。

B ア：メロディーは「ソ」なので、ソを含む伴奏をみると**ア**と**ウ**が該当する。ここのメロディーは休符もありフレーズの終わりと考えられるので、主和音である**ア**を選択する。

C ウ：メロディーに含まれる音は「ソとファ」。含まれる音で探すと迷うが、G₇（ソシレファ）に両方含まれている。G₇はGと仲間なので、**ウ**を選択する。

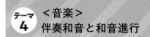

問33 次の曲の伴奏部分として、**A**〜**D**にあてはまるものの正しい組み合わせを一つ選びなさい。

組み合わせ				
	A	B	C	D
1	ア	エ	ウ	イ
2	イ	エ	ア	ウ
3	ウ	イ	エ	ア
4	エ	ア	エ	イ
5	エ	イ	ア	ウ

正答 5 令5-後-1

　この曲はハ長調である。ハ長調の主要三和音は、Ｃ、Ｆ、Ｇで属七の和音はＧ₇である。それぞれのコードの音を確認する。曲の最初と最後は１の和音（この場合はＣ）。メロディーにある音を含む和音を選ぶ。

A エ：１拍目と２拍目の音はソソミドで、伴奏和音はこの音を含むドミソ。
　　　　３拍めはシ。属七の省略したシであることからレファソとなる。
B イ：１拍目と２拍目の音はファファレラで、ファとレを含むレファソを選ぶ。
C ア：１拍目と２拍目の音はソソミドで、伴奏和音はこの音を含むドミソ。
　　　　３拍目の音はラで、この音を含むドファラを選ぶ。
D ウ：曲の最後は１の和音ドミソ。

問34 次の曲の伴奏部分として、A～Dにあてはまるものの正しい組み合わせを一つ選びなさい。

組み合わせ

	A	B	C	D
1	ア	ウ	イ	エ
2	イ	ア	ウ	エ
3	イ	ウ	エ	ア
4	ウ	ア	エ	イ
5	ウ	エ	イ	ア

正答 3 令6-前-1

この曲はヘ長調である。ヘ長調の主要三和音（Ⅰ、Ⅳ、Ⅴ、Ⅴ₇）の音を理解する。

Ⅰ　ファ・ラ・ド
Ⅳ　ファ・シ♭・レ
Ⅴ　ミ・ソ・ド
Ⅴ₇ ミ・ソ・シ♭・ド

選択肢の和音は2音しかないが、コードから2音含んでいるものを探し、和音の上にコードネーム、和音記号を書き込むと解きやすい。

A ウ：曲の冒頭であり、メロディーの音を見てⅠのコードを選択する。
B ウ：最初の小節はメロディーの音からⅠ、次の小節はメロディーがソなので、ソを含むコードⅤかⅤ₇となる。
C エ：メロディーの音を多く含むⅣのコードを選択する。
D ア：曲の最後は主和音Ⅰのコードを選択する。

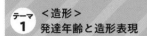

テーマ 1 ＜造形＞
発達年齢と造形表現

問35 次の【事例】を読んで、【設問】に答えなさい。

【事例】

学生のLさんは、保育所で実習を行うことになった。Lさんは、事前に幼児の造形に関する発達理論を学習することで、実習を通して幼児の発達をより深く理解することができるのではないかと考えた。

【設問】

次のうち、造形に関する発達理論として、適切なものを○、不適切なものを×とした場合の正しい組み合わせを一つ選びなさい。

A ローエンフェルド（Lowenfeld, V.）は、子どもの描画の発達として自己表現の最初の段階（なぐりがきの段階）、再現の最初の試み（様式化前の段階）、形態概念の成立（様式化の段階）、写実的傾向の芽生え（ギャング・エイジ）等の段階があるとした。

B ピアジェ（Piaget, J.）は、命のないものに生命や意思があると考える心理作用について、未成熟な子どもは、心の中の出来事と外界の出来事とがきちんと区別できているからだと考えた。

C ケロッグ（Kellogg, R.）は、子どもの描く初期のスクリブルを分類した。

組み合わせ		
A	B	C
1 ○	○	×
2 ○	×	○
3 ○	×	×
4 ×	○	○
5 ×	×	○

正答 2 令5-後-8

A ○：ローエンフェルドは、子どもの描画に関する研究者で、なぐりがきの段階などの発達段階説を唱えた。

B ×：心理学者であるピアジェは、このアニミズムの心理作用について未成熟な子どもは、心の中の出来事と外界の出来事とが区別できていないからだと考えた。

C ○：ケロッグはスクリブル（なぐりがき）表現の研究で有名な心理学者で、子どもの描く初期のスクリブルを約20種類に分類した。

問36 次の【事例】を読んで、【設問】に答えなさい。

【事例】

　主任のM保育士と新任のR保育士は、2歳児Gちゃんが床で描画する様子を見ながら話をしています。

R保育士：手にクレヨンを持って、手首はあまり動かさずに、（　**A**　）全体を動かして線描をしていますね。

M保育士：弓なりに描く（　**B**　）線や上下に描く縦線が特徴的ですね。この時期の発達過程の特徴的な描き方として（　**C**　）がきとも言いますが、他の言い方をする場合もあります。

R保育士：（　**D**　）ですね。クレヨンを握り持ったり、指の間にはさんだりして、色々な描き方をしていますね。それぞれの子が、どのように描いているか、これからじっくり見守っていきたいと思います。

【設問】

　（　**A**　）～（　**D**　）にあてはまる語句の正しい組み合わせを一つ選びなさい。

	組み合わせ			
	A	B	C	D
1	指	輪郭	ひとふで	スクリブル
2	腕	弧	ひとふで	フィンガー・ペインティング
3	腕	弧	なぐり	スクリブル
4	腕	輪郭	なぐり	フィンガー・ペインティング
5	指	輪郭	なぐり	スクリブル

正答 **3**　令4-後-8

A 腕：指などの細かい運動能力が未発達な時期の特徴である。

B 弧：弓形にカーブした線を弧線という。輪郭は物の外周の線のことである。

C なぐり：意味を持たない図形で「なぐりがき」という。「ひとふでがき」は切れ目や繋ぎ目のない繋がった線で描かれた描き方のことである。

D スクリブル：スクリブルは「落書き」や「走り書き」といった意味を持つ言葉で、この時期を「スクリブル期」ともいう。フィンガー・ペインティングは、筆などの用具を使わずに指で直接描く技法である。

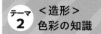
問37 宮沢賢治著『銀河鉄道の夜』では、色の世界が豊かに表現されている。次の一節を読んで、【設問】に答えなさい。

「そのきれいな水は、ガラスよりも水素よりもすきとおって、ときどき眼の加減か、ちらちら紫いろのこまかな波をたてたり、虹のようにぎらっと光ったりしながら、声もなくどんどん流れて行き、野原にはあっちにもこっちにも、燐光の三角標が、うつくしく立っていたのです。遠いものは小さく、近いものは大きく、遠いものは橙や黄いろではっきりし、近いものは青白く少しかすんで、或いは三角形、或いは四辺形、あるいは電や鎖の形、さまざまにならんで、野原いっぱい光っているのでした。ジョバンニは、まるでどきどきして、頭をやけに振りました。するとほんとうに、そのきれいな野原中の青や橙や、いろいろかがやく三角標も、てんでに息をつくように、ちらちらゆれたり顫えたりしました。」

【設問】

　次のうち、文中に出てくる色名や色にかかわる現象の説明として、適切なものを○、不適切なものを×とした場合の正しい組み合わせを一つ選びなさい。

A 「紫」は、赤と青の混色でできる色である。

B 「虹」は、空気中にある無数の水滴によって太陽光線が分光されてできる。

C 「青」は、緑と黄の混色でできる色である。

D 「黄」は、色の三原色の一つであるが光の三原色の一つではない。

組み合わせ			
A	B	C	D
1 ○	○	○	○
2 ○	○	×	○
3 ○	×	×	×
4 ×	○	×	○
5 ×	×	○	×

正答 2 令5-前-10

A ○：「紫」は、赤と青の混色でできる色。

B ○：太陽光線は、光の色が集まって白（透明）に見えている。光は異なる質を通過すると屈折する性質があるが、光の色によって屈折する大きさが異なるため、水滴によって光の色に分光され「虹」が見える。

C ×：「青」は色の三原色の一つで、他の色を混色して作ることはできない。

D ○：光の三原色は、「赤」「青」「緑」で、色の三原色の一つである「黄」は、光の三原色の一つではない。

問38 次のA〜Dは、様々な混色の事例を示している。事例の説明として、適切な記述を○、不適切な記述を×とした場合の正しい組み合わせを一つ選びなさい。

A 舞台で使用する白いスクリーン上に、スポットライトの「赤」と「緑」と「青」を重ねると、色合いがなくなった。

B 近くで見ると「赤」と「青」の糸で織られた緞帳（どんちょう）が、遠くで見たとき「緑」に見えた。

C 絵の具の「赤」と「緑」を混ぜ合わせると、明るい「黄」になった。

D 絵の具の三原色を混ぜ合わせると、濁った暗い色になった。

組み合わせ			
A	B	C	D
1 ○	○	○	○
2 ○	○	○	×
3 ○	×	×	○
4 ○	×	×	×
5 ×	○	○	○

正答 3 令4-前-8

A ○：スポットライトの色は光そのものに色が付いているので「色光の混色（加法混色または加算混色）」となる。「赤」「緑」「青」は光の三原色なのですべてを混色すると「白」となり、色合いがなくなって見える。

B ×：実際には別の色が隣り合っていても遠くで見ると混色されて見えるのは、「並置（または併置）混色」と呼ばれ、「赤」と「青」では「紫」のような色に見える。

C ×：絵の具による混色は「色料の混色（減法混色または減算混色）」となり、三原色は「赤」「青」「黄」となりすべてを混色すると「黒」になる。「緑」は「青」と「黄」の混色によってできる色なので、「赤」と「緑」を混ぜ合わせるということは、三原色の「赤」「青」「黄」をすべて混色することになり、「黒」になる。

D ○：絵の具による混色は「色料の混色」なので、三原色（赤、青、黄）を混ぜると黒になる。一般的な絵の具はそれぞれの色の発色を良くする工夫がされているので、混色によっては厳密な色再現とならないこともある。また、それぞれの色が同量でない場合も黒ではなく黒に近い濁った暗い色になる。

第9章 保育実習理論

問39 次のうち、フィンガーペインティングに関する記述として、適切なものを○、不適切なものを×とした場合の正しい組み合わせを一つ選びなさい。

A フィンガーペインティングの技法は、太古から洞窟壁画などに用いられてきた。

B 洗濯のりにポスターカラーなどの色材を混ぜて、フィンガーペインティング用の絵の具を作ることができる。

C フィンガーペインティングを行った直後に、描かれた画面に紙をのせて版画のように写し取ることができる。

D フィンガーペインティングの活動では、絵の具の感触を楽しむことができる。

組み合わせ			
A	B	C	D
1 ○	○	○	○
2 ○	○	○	×
3 ○	×	○	○
4 ×	○	○	○
5 ×	○	×	×

正答 **1** 令5-後-11

A ○：フィンガーペインティングは太古から洞窟壁画などに見られる原始的な手法である。

B ○：絵の具そのままでなく、洗濯のりや小麦粉などを混ぜると、とろみがついて手の指でも伸ばしやすくなる。

C ○：すぐには乾かないので、版画のように写し取ることができる。この技法を「モノタイプ」という。

D ○：筆などの道具を使わず、直接触るので、絵の具の温度や粘りなどの感触を楽しむことができる。

問40 レオ・レオーニ（Leo Lionni）は様々な技法を用いて絵本を制作している。次の文のうち、技法に関する記述として、適切な記述を○、不適切な記述を×とした場合の正しい組み合わせを一つ選びなさい。

A 『スイミー』では、絵の具を塗った面が乾かないうちに、紙などを押し当てて写し取る「転写」技法が背景に用いられている。紙を剥がしたときに現れる思いがけない模様が効果的に活かされている。

B 『フレデリック』では、紙などを台紙にのりで貼り付ける「スタンピング」技法を用いて、様々な種類の紙の特性を活かしながら情景を豊かに表現している。

C 『ひとあしひとあし』では、凸凹のある物の上に紙を置き、鉛筆などでこすって形や模様を浮き立たせる「フロッタージュ」技法が用いられている。

組み合わせ		
A	B	C
1 ○	○	○
2 ○	○	×
3 ○	×	○
4 ×	○	○
5 ×	×	×

正答 3 令3-後-11

A ○：この「転写」技法は版画の一種だが、同じものが複数できないため「モノタイプ」や「モノプリント」とも呼ばれる。

B ×：貼り付ける技法は「コラージュ」技法である。「スタンピング」技法はスタンプのことで、凸部にインクや絵の具をつけて紙に押し付ける技法である。

C ○：凸凹を紙に写し取る「フロッタージュ」技法は、鉛筆のほか、クレヨンなどの比較的硬質な描画材が用いられる。

『スイミー』では、「転写」技法のほかに、たくさんの小魚が「スタンピング」で表現されているよ！

第9章 保育実習理論

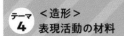
問41 次のうち、でんぷん糊の説明として、適切な記述を○、不適切な記述を×とした場合の正しい組み合わせを一つ選びなさい。

A　主に、紙同士を接着する時に使われる。
B　天然の凝固物であるカゼインでできている。
C　古来より、穀物などを用いて作られてきた。
D　水と混ぜると硬化し固着する。

組み合わせ			
A	B	C	D
1 ○	○	○	×
2 ○	○	×	×
3 ○	×	○	×
4 ×	○	○	○
5 ×	×	×	○

正答 3 令6-前-10

A ○：でんぷん糊は接着剤の中では接着力が弱いほうなので紙同士の接着に使われる。
B ×：タンパク質の一種であるカゼインは含まれていない。
C ○：稲作が中心の日本では古来より穀物からでんぷん糊が作られた。
D ×：でんぷん糊は水溶性で水を混ぜると軟化し溶ける。

問42 次の【事例】を読んで、【設問】に答えなさい。

【事例】
　Z保育所では、保育士たちが園庭の土を使って子どもたちとどのような活動ができるかを話し合っています。

M保育士：私はピカピカの泥団子をみんなで作ってみたいです。土を（　A　）から繰り返し手で磨き、さらに（　B　）で磨き、最後は布で磨いて仕上げるのが楽しいですよ。

L保育士：園庭の土が（　C　）ならば、陶芸もできるのではないでしょうか。

G保育士：絵を描くことはできませんか。土に（　D　）を混ぜれば、絵の具のようにもなると思います。

L保育士：土では色々なことができますね。

【設問】
　（　A　）〜（　D　）にあてはまる語句の最も適切な組み合わせを一つ選びなさい。

	組み合わせ			
	A	B	C	D
1	丸めて	粗い土や砂	腐葉土	石膏
2	ほぐして	粗い土や砂	腐葉土	石膏
3	ほぐして	細かい土や砂	腐葉土	のり
4	丸めて	細かい土や砂	粘土質	のり
5	ほぐして	粗い土や砂	粘土質	石膏

正答 4 　令2-後-11

A 丸めて：土を「ほぐして」しまっては、団子状にはならない。

B 細かい土や砂：「粗い土や砂」では泥団子に傷がついてしまい磨くことができない。

C 粘土質：「腐葉土」は、園芸に用いる土で植物の葉が混ざっているため、陶芸に用いることはできない。「粘土質」であれば、陶芸のように焼成できる可能性がある。

D の　り：土に「のり」を混ぜれば、絵の具のようにもなるという記述は、絵の具が色の粉である顔料と粉を定着させるための糊料（のり）でできているという知識に基づくもので、実際に土から作られた絵の具（天然顔料）が多く存在する。

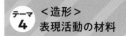
問43 次の牛乳パックを材料とした手作りの紙の製作方法の一例に関する記述として（ **A** ）～（ **D** ）にあてはまる語句を【語群】から選択した場合の正しい組み合わせを一つ選びなさい。

1 牛乳パックを2、3日、水に漬け、パックを柔らかくすると同時に、表面の防水のコーティング（シート）を剥がす。

2 牛乳パックを取りだして細かくちぎり、（ **A** ）と一緒にミキサーにかけてドロドロにする。

3 ドロドロを、水の入った広めの容器の中に入れてよく混ぜ、巻きすの上に置いた（ **B** ）に流し入れてすく。

4 これを平らな板の上に置き、（ **B** ）をはずし、巻きすごと裏返す。

5 水気をしぼり、巻きすをはずす。（ **C** ）で水気をきって、その上から（ **D** ）を当てて乾燥させる。

語群

ア 水	イ 小麦粉	ウ ボウル	エ すき型枠	
オ タオル	カ ガスバーナー	キ アイロン		
ク 金網				

組み合わせ

	A	B	C	D
1	ア	ウ	オ	キ
2	ア	ウ	カ	ク
3	ア	エ	オ	キ
4	イ	エ	オ	ク
5	イ	エ	カ	キ

正答 3 令4-後-9

A ア：水。絡み合った紙の繊維をほぐすことが目的なので、水を加えて攪拌する。小麦粉は糊の役目をしてしまうので不適切である。

B エ：すき型枠。ドロドロの液状になった紙の繊維が巻きすの上で広がって流れ落ちないようにするために、すき型枠を使用する。ボウルでは水が切れず、すくことができない。

C オ：タオル。巻きすで水に混ざった紙の繊維は分離されるが、繊維自体に水を含むため、タオルで水を吸い取る必要がある。ガスバーナーでは燃えてしまうので不適切である。

D キ：アイロン。自然乾燥では乾きムラで凹凸が激しくなるため、アイロンを当てて短時間で強制的に乾燥させる。金網では紙の繊維がくっついたり、あとがついてしまうので不適切である。

問44 次の文のうち、保育で一般的に用いられる合成繊維製のテープ紐の性質や使用上の留意点に関する記述として、適切なものを○、不適切なものを×とした場合の正しい組み合わせを一つ選びなさい。

A 水に溶けやすい性質である。

B 薄くて強度と幅の広さがあるため、新聞紙や雑誌等をくくる際に使うことができる。

C ポリエチレン（PE）製のものは屋外で使用しても、すぐに土の中で分解されるので放置しておいてもよい。

D 長手方向に簡単に裂くことができ、踊りや応援などで用いる「ポンポン」をつくることができる。

組み合わせ	A	B	C	D
1	○	○	×	×
2	×	○	○	×
3	×	○	×	○
4	×	×	○	×
5	×	×	×	○

正答 3 令5-前-9

A ×：一般的な合成繊維はテープに限らず水に溶けない。水溶性の合成繊維も開発されているが特殊な用途で用いられ一般的ではない。

B ○：細い繊維が束ねてあるため強度があり耐水性で荷造りに適している。

C ×：ポリエチレン（PE）、ポリプロピレン（PP）、ペット（PET）など、身近なプラスティックやビニール製品は土の中や太陽の光（紫外線）では分解されない。

D ○：細い繊維が長手方向に束ねられているので裂くことができる。

環境問題に配慮したものも開発されているけれど、まだまだ一般的には流通していないね！

問45 M保育所では、室内飾りを切り紙で作ろうと準備している。図1のように紙を折り、はさみを入れて開くと図2のような形状になる飾りを作る場合、切り込み線の入れ方として、図3の1〜5のうち、正しいものを一つ選びなさい。（紙などを実際に折ったり切ったりしないで考えること。）

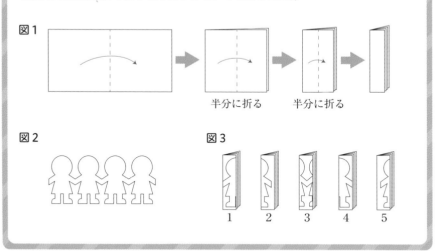

図1

半分に折る　　半分に折る

図2　　　　　　図3

正答 **4**　令5-後-12

　図1で、すべて右に折っていくので、折り終えたときに紙の端は右にあることに注目する。

1 ×：紙の端は右なので半分の人型ができてしまう。
2 ×：頭が細い。手が繋がっていない。左右の足が繋がっている。
3 ×：細身になっている。左右の足が繋がっている。紙の端で半分の人型ができてしまう。
4 ○：4人の人型が図2の通りに切ることができる。
5 ×：頭が細い。手が繋がっていない。左右の足が繋がっている。紙の端で半分の人型ができてしまう。

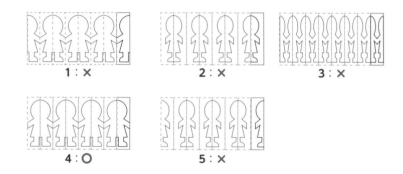

1：×　　　2：×　　　3：×

4：○　　　5：×

問46 次の文は、郷土玩具に関する記述である。（　**A**　）〜（　**C**　）にあてはまる語句の正しい組み合わせを一つ選びなさい。

　郷土玩具である「赤べこ」は（　**A**　）技法によって制作されており、（　**B**　）を用いた仕組みで首が動くようになっている。（　**A**　）は保育現場でも実践できる造形技法であり、型になるものと（　**C**　）があれば（　**A**　）の制作やその技法を応用した表現を楽しむことができる。

	組み合わせ		
	A	B	C
1	木彫り	ゴムの引っ張り	木と絵の具
2	張り子	つり合い	紙と糊
3	切り紙	空気の圧力	紙と糊
4	木彫り	つり合い	紙と糊
5	張り子	ゴムの引っ張り	木と絵の具

正答 **2** 令4-前-12

　郷土玩具の「赤べこ」を知らないとなかなか解きづらい問題であるが、「保育の現場でも実践できる」という表記から、木彫りはケガなどの心配があるため、あまり推奨されないこと、「型になるもの」の表記から紙が使われているなどが推測できる。

A 張り子：型に和紙を貼り込み、糊が乾いたら型からはずす張り子技法で作られている。木彫りではない。

B つり合い：首は揺れる構造で、吊り構造の「つり合い」が用いられている。首にはゴムは使われていない。

C 紙と糊：和紙を糊で貼っていく技法である。この技法に木は使われていない。

問47 次の【事例】を読んで、【設問】に答えなさい。

【事例】

　保育士が5歳児達と手作りのすごろくで遊ぼうとしています。保育士は、いくつかの展開図を描いてサイコロを作ろうとしましたが、一つだけサイコロにならないものがありました。

【設問】

　次の図1〜5の中からサイコロを<u>作ることができない</u>展開図を一つ選びなさい。

※のりしろは、この場合考慮しない。

正答 5 令4-後-12

　サイコロの展開図は、立体を作る上での基本形なので、しっかり理解しておく必要がある。サイコロは、表と裏の数字を足すと常に「7」になるので、数字を振るとわかりやすい。

1 ○：一般的によく使われる展開図で、①②③⑤⑥の正方形に④の正方形が蓋をするイメージ。

2 ○：1の展開図の左右にある②と⑤は、①③⑥④の正方形の左右にそれぞれ接していれば上下に移動しても成立する。

3 ○：1の展開図の①を②に付け、⑤を⑥に付けた展開図である。

4 ○：2の展開図の②①⑤を付けたまま1の展開図の②の位置に戻すと、4の展開図になる。

5 ×：⑤の右には③の裏である④がこなければならないので、下の④とだぶってしまい展開図として成立しない。

問48 次の【事例】を読んで、【設問】に答えなさい。

【事例】

　K保育士は、5歳児クラスを担当している。「保育所保育指針」を読み返していたところ、第2章「保育の内容」3「3歳以上児の保育に関するねらい及び内容」エ「言葉」には「子どもが生活の中で、言葉の響きやリズム、新しい言葉や表現などに触れ、これらを使う楽しさを味わえるようにすること。その際、絵本や物語に親しんだり、言葉遊びなどをしたりすることを通して、言葉が豊かになるようにすること。」という記載があった。そこで、クラスの子どもと一緒に「回文」を探して、言葉遊びを楽しむことにした。

【設問】

　次の言葉遊びのうち、「回文」の例として、正しいものを一つ選びなさい。

1　イチゴ　ゴリラ　ラッパ　パイナップル　…
2　さよなら　さんかく　また　きて　しかく
3　なまむぎ　なまごめ　なままたまご
4　たけやぶやけた
5　ちゅう　ちゅう　たこかいな

正答 4 令4-前-18

1 ✕：しりとりの例文である。しりとりは、前の人の言った言葉の最後の文字（しり）を取って（とり）、その文字から始まる言葉を言う遊びである。

2 ✕：「さよなら三角、また来て四角」という「遊び歌」の一節である。「さよなら三角、また来て四角、四角は豆腐、豆腐は白い、白いはうさぎ、うさぎは跳ねる、跳ねるはかえる、かえるは緑」と続く。

3 ✕：早口言葉の例文である。発音しにくい言葉を間違えないように上手に言えるかを楽しく競う言葉遊びであり、言語遊戯とも呼ばれる。なお、英語では早口言葉のことをTongue twisterといい、"She sells seashells by the seashore"（彼女は、海岸で貝殻を売っている）などがある。

4 ◯：上から読んでも下から読んでも同じ音になる回文の例である。

5 ✕：おはじき遊びなどでの数の数え方の例文である。その他に『いっぽんでもにんじん』（一本でもにんじん、二足でもサンダル　三そうでもヨット）などがある。

問49 次の文は、「保育所保育指針」第2章「保育の内容」3「3歳以上児の保育に関するねらい及び内容」(2)「ねらい及び内容」エ「言葉」の一部である。（　Ａ　）〜（　Ｃ　）にあてはまる語句の正しい組み合わせを一つ選びなさい。

　経験したことや考えたことなどを（　Ａ　）言葉で表現し、相手の話す言葉を（　Ｂ　）意欲や態度を育て、言葉に対する（　Ｃ　）や言葉で表現する力を養う。

	組み合わせ		
	A	B	C
1	自分なりの	わかろうとする	感覚
2	正確な	わかろうとする	理解
3	自分なりの	聞こうとする	感覚
4	自分なりの	わかろうとする	理解
5	正確な	聞こうとする	理解

正答 3 令5-前-13

A 自分なりの：相手が相槌をうったり、言葉で応答してくれることで、子どもは、より話したくなる。

B 聞こうとする：友だちや保育士等の話を聞くことで、言葉によって表現する意欲や、相手の話を聞こうとする態度を育てる。

C 感覚：いろいろな経験をすることで、状況に応じた適切な言葉を選ぶことや表現をすることができるようになる。

　「言葉」は、自分の思いを伝えるだけでなく、相手の言葉をよく聞こうという気持ちも促す。また、会話だけでなく、絵本を見たり、物語を聞いたりして言葉の楽しさや美しさに気付いたり、想像力や今まで知らなかったことにもふれることができる。

1歳以上3歳未満児、3歳以上児の
「ねらい及び内容」を確認しておこう！

問50 次の文は、「保育所保育指針」第2章「保育の内容」3「3歳以上児の保育に関するねらい及び内容」エ「言葉」の一部である。（ **A** ）～（ **C** ）にあてはまる語句の正しい組み合わせを一つ選びなさい。

　言葉は、身近な人に親しみをもって接し、自分の（ **A** ）や意志などを伝え、それに相手が応答し、その言葉を（ **B** ）を通して次第に獲得されていくものであることを考慮して、子どもが保育士等や他の子どもと関わることにより（ **C** ）を動かされるような体験をし、言葉を交わす喜びを味わえるようにすること。

	組み合わせ		
	A	B	C
1	思考	話すこと	感性
2	思考	聞くこと	心
3	思考	聞くこと	感性
4	感情	聞くこと	心
5	感情	話すこと	感性

正答 4 令3-後-13

A 感情：保育所の生活の中で保育士等や友だちと関わりをもち、親しみを感じると、互いに自分の気持ちを伝えようとする。

B 聞くこと：自分の話したことが伝わった時の嬉しさや相手の話を聞いてわかる喜びを味わい、もっと話したいと思うようになる。

C 心：保育士等や友だちとの温かな人間関係を基盤にしながら、子どもが徐々に心を開き、安心して話ができるように援助していくことが大切である。

問51 次の【事例】を読んで、【設問】に答えなさい。

【事例】

P保育所のY保育士は、誕生会でパネルシアター、ペープサート、エプロンシアターのうち、いずれかを子どもたちの前で演じようと考えている。そこで、それらを演じる際の注意事項について、以前自分で作成したメモを読み返している。

【設問】

A〜Cはそのメモの一部である。パネルシアター、ペープサート、エプロンシアターのそれぞれを**ア・イ・ウ**とした場合の適切な組み合わせを一つ選びなさい。

A 舞台部分から割りばしが2cmほど見えている高さに保つように注意する。実演中は、登場人物のだれが話している場面か、子どもにわかりやすいように動かし方を工夫する。登場人物が速く走っている場面では、ジグザグ走法（上下に動かしながら進めていく技法）などを使って躍動感を表現する。割りばしが抜けてしまうと演じることが難しくなるので、接着面を確認しておく。

B 登場人物や背景などは大きめの箱に入れて準備しておき、子どもが気になってお話に集中できなくなることがないようにする。演じる前に話の内容をもう一度確認し、貼る順番をよく整理しておく。演じる際は舞台や台本ばかりに目が行ってしまわないように、また貼ったものが子どもからよく見えるように、気をつける。

C しっかりと前を向いて立つようにし、子どもにお話がきちんと伝わるようにすることを心掛ける。子どもに見せるときには、腕を伸ばし左右の子どもにもしっかりと見えるようにする。自分の手の可動範囲を考えて、ポケットやマジックテープの位置が、適切かどうかを確認し、場合によっては、取付位置を少し動かす。

ア パネルシアター
イ ペープサート
ウ エプロンシアター

組み合わせ		
A	B	C
1 ア	イ	ウ
2 ア	ウ	イ
3 イ	ア	ウ
4 イ	ウ	ア
5 ウ	ア	イ

A イ：ペープサートとは、ペーパーパペットシアター（paper puppet theater）の略語で、幼児向けの紙人形劇のことである。「割りばしが抜けてしまうと演じることが難しくなるので、接着面を確認しておく」の記述がヒントになる。

B ア：パネルシアターとは、パネルに布を被せた「パネル板」に、絵を描いて切り取った「Ｐペーパー（不織布）」を付けたり、取ったりしながら話を繰り広げる人形劇のことである。「登場人物や背景などは大きめの箱に入れて準備しておき、（中略）演じる前に話の内容をもう一度確認し、貼る順番をよく整理しておく」の記述がヒントになる。

C ウ：エプロンシアターとは、舞台に見立てた胸あて式エプロンに、保育士がポケットから人形を取り出してそのエプロンに貼り付けながら物語を演じる人形劇である。「ポケットやマジックテープの位置が、適切かどうかを確認」の記述がヒントになる。

絵本以外の視覚的保育教材としては、紙芝居、ペープサート、パネルシアター、人形劇があるよ！

問52 次の文のうち、クラスの子どもたちに絵本の読み聞かせをする際の留意点として、適切な記述を○、不適切な記述を×とした場合の正しい組み合わせを一つ選びなさい。

A 絵本を読む時の読み手の背景は、子どもが絵本に集中できるようにシンプルな背景がよい。

B 絵本は、表紙や裏表紙にも物語が含まれることがあることを理解しておく。

C 子どもが絵本の世界を楽しめるように、保育士は絵本のストーリーや展開をよく理解しておく。

D 絵本を読み終えたら、子どもが絵本の内容を正確に記憶できているかが重要であるため、直ちに質問して確認する。

組み合わせ			
A	B	C	D
1 ○	○	○	○
2 ○	○	○	×
3 ○	×	×	×
4 ×	○	×	○
5 ×	×	×	○

正答 2 令4-後-17

A ○：子どもたちから見た際、絵本以外にいろいろなものが目に入ってしまうと、絵本に集中することができない。

B ○：絵本の表紙、裏表紙は、物語の背景や続きを思わせる余韻を楽しめる部分である。表紙から裏表紙までで1冊となる。

C ○：保育士がストーリー全体を把握しておくことで、より生き生きと内容が伝わる。また、読み方だけでなくページのめくり方にも気を配ることができ、子どももより集中して聞くことができる。

D ×：読み聞かせには、本の内容の理解だけではなく子どもの感性を育てるという目的もある。読み終わってから、いろいろ質問をするのではなく、「おしまい」で終わりにするのもよい。もちろん子どもからの発話があれば、そのことについて話をしてもよい。

問53 次のうち、保育場面で紙芝居を演じる際の留意点等として、適切な記述を○、不適切な記述を×とした場合の正しい組み合わせを一つ選びなさい。

A　場面に応じて、ぬき方のタイミングを工夫する。
B　声の大きさ、強弱、トーンなどの演出はしない。
C　演じ手は子どもの反応を受け止めずに進める。
D　舞台や幕を使うことが効果的である。

組み合わせ			
A	B	C	D
1 ○	○	○	○
2 ○	○	×	×
3 ○	×	×	○
4 ×	×	○	○
5 ×	×	×	×

正答 3　令6-前-18

A ○：ぬき方のタイミングを変えることで、より話の流れを感じられる。
B ×：声の大きさやトーンなどを変えることで、登場人物の違いや大きさなどがイメージしやすくなる。
C ×：子どもの反応を受け止めながら、楽しさや驚きなどをイメージして、話を楽しめるようにする。
D ○：舞台や幕を使うことで話に対し期待感が増し、より楽しんで聞けるようになる。

問54 次の【事例】を読んで、【設問】に答えなさい。

【事例】

　保育所に勤務しているＲ保育士は、最近、何人かの保護者から子どものきょうだい関係についての相談を受けた。例えば、下の子どもが生まれたことで、これまで食事を自分で食べていたのに親が食べさせないと食べなくなった話や、きょうだい間に強いライバル意識が生まれていざこざが増えたという話などであった。そこで、来月の保護者会で、きょうだい関係によっておこる生活の変化や心の葛藤、またそれらを通して成長する子どもの姿を描いた絵本を保護者に紹介したいと考え、作品を集めることにした。

【設問】

　次の絵本のうち、きょうだい関係を描いた作品にあてはまるものを○、あてはまらないものを×とした場合の正しい組み合わせを一つ選びなさい。

A 『ティッチ』パット・ハッチンス（作・画）石井桃子（訳）
B 『ぼちぼち　いこか』マイク＝セイラー（作）ロバート＝グロスマン（絵）今江祥智（訳）
C 『ちょっとだけ』瀧村有子（作）鈴木永子（絵）
D 『キャベツくん』長　新太（作）

組み合わせ			
A	B	C	D
1 ○	○	×	○
2 ○	○	×	×
3 ○	×	○	×
4 ×	○	×	○
5 ×	×	○	×

正答 3 令1-後-13

A ○：三人兄弟の末っ子ティッチは体格も、持ち物も、一番小さく、一番幼かったりするけれど、ティッチなりの役割があるというストーリー。

B ×：重量級の主人公の「カバくん」は、船乗り、飛行士、ピアニストと、次々に新しい仕事に挑戦しては失敗の繰り返し。おかしな結末をユーモラスな絵で語る作品。きょうだいの関係を描いたものではない。

C ○：赤ちゃんが生まれてお姉さんになったからと「なっちゃん」はいろいろなことを自分ひとりで頑張ってやってみる。お姉さんになったことで感じる切なさや、それを乗り越えて成長する子どもを母親の愛情とともに描いている。

D ×：いろいろな動物のキャベツになった姿が面白く、キャベツくんとブタヤマさんのシンプルな会話の繰り返しなど、ユーモアあふれる話。きょうだいの関係を描いたものではない。

❶ 子どもの探索活動を支援する意味でも保育士は「安全地帯」であることが求められる。

❷ 幼稚園には「幼稚園児童保育要録」がある。

❸ 保育所保育指針では、保育所児童保育要録を「子どもの育ちを支えるための資料」としている。

❹ 全国保育士会倫理綱領に「チームワークと自己評価」についての記載がある。

❺ 保育士の処遇改善の一環として「保育士等キャリアアップ研修」が実施されている。

❻ 保育士の守秘義務は努力義務であり、罰則はない。

❼ 保育所保育指針で「身近な生き物に気付き、親しみをもつ」と定めている。

❽「友達と関わる中で、互いの思いや考えなどを共有し、共通の目的の実現に向けて、考えたり、工夫したり、協力したりし、充実感をもってやり遂げるようになる」は、「幼児期の終わりまでに育ってほしい姿」の「協同性」についての記述である。

❾ 小学校の教師と「幼児期の終わりまでに育ってほしい姿」を手がかりに子どもの姿を共有するなど、保育所保育と小学校教育の円滑な接続を図ることが大切である。

❶✕「安全地帯」ではなく「安全基地」が正しい。保育士には、「いつでもどこでも必ずその思いを受け止めてくれる存在」という役割がある。

❷✕「幼稚園児童保育要録」ではなく「幼稚園幼児指導要録」がある。

❸○

❹○

❺○

❻✕ 児童福祉法において、守秘義務違反（正当な理由がなく、その業務に関して知り得た人の秘密を漏らす行為、保育士でなくなった後においても同様）をした場合1年以下の懲役または50万円以下の罰金と定められている。

❼○

❽○

❾○

⑩ 「してよいことや悪いことが分かり、自分の行動を振り返ったり、友達の気持ちに共感したりし、相手の立場に立って行動するようになる」は、「幼児期の終わりまでに育ってほしい姿」の「思考力の芽生え」の例である。

⑪ 「保育所内外の様々な環境に関わる中で、遊びや生活に必要な情報を取り入れ、情報に基づき判断したり、情報を伝え合ったり、活用するなど」は、「幼児期の終わりまでに育ってほしい姿」の「思考力の芽生え」についての記載である。

⑫ 保育所から小学校に移行していく中で、突然違った環境になるので、就学前までに小学校教育を先取りしておく必要がある。

⑬ 保育所での子育て支援は、園児の保護者に限定されている。

⑭ 保育所保育指針には「教育」という言葉は存在しない。

⑮ 避難訓練は「火災・地震」のほか、「悪天候」などの多様な場面も想定して行うとよい。

⑯ 児童養護施設の措置延長は、最長20歳未満とされている。

⑰ 児童自立支援施設に入所してくる年齢層は、6～10歳が多い。

⑱ 児童発達支援センターの利用は無料である。

⑩ ✕ 「思考力の芽生え」ではなく、「道徳性・規範意識の芽生え」である。

⑪ ✕ 「思考力の芽生え」ではなく「社会生活との関わり」の内容である。

⑫ ✕ 突然違った存在になるわけではない。就学前までに幼児期にふさわしい保育を行うことが最も肝心なことである。

⑬ ✕ 保育所は、その行う保育に支障がない限りにおいて、地域の保護者等に対して、保育所保育の専門性を生かした子育て支援を積極的に行うよう努めることとされている。

⑭ ✕ 「保育所における保育は、養護及び教育を一体的に行うことをその特性とするものである」と保育の大前提を規定している。

⑮ ◯

⑯ ◯

⑰ ✕ 12～15歳の中学生年齢が多い。中学を卒業した児童も受け入れの対象としている。

⑱ ✕ 世帯の所得に応じた負担がある。

⑲ 福祉型児童発達支援センターの利用を希望する場合は、都道府県に申請する。

⑳ 「ぞうさん」の作詞は、まど・みちお、作曲は團伊玖磨である。

㉑ ピッコロは金管楽器である。

㉒ メヌエットは3拍子の舞曲である。

㉓ イ長調の調号は♭三つである。

㉔ ドイツの作曲家カール・オルフは、子どものための「音と動きの教育」を始めた音楽教育家である。

㉕ ある曲を長3度（半音四つ分）下げるとき、コードBはコードGになる。

㉖ ある曲をコードDが移調後コードE♭になるのは、長2度上に移調したからである。

㉗ 転調とは、曲の途中で調が変化することである。

㉘ 調号が♯二つの長調はニ長調である。

㉙ ミの長3度上の音はソである。

㉚ ハ長調の曲を長2度下の調に移調することにした。移調した調性はロ長調である。

㉛ 短3度は半音四つ分の音程である。

⑲ ✕ 居住地の市町村に利用の申請をし、利用の可否については、市区町村が調査して判断する。

⑳ ◯

㉑ ✕ フルートと同じ木管楽器である。同じ指使いでフルートの1オクターヴ高い音が出る。

㉒ ◯

㉓ ✕ ♭三つではなく♯三つが正しい。ファ、ド、ソにつく。

㉔ ◯

㉕ ◯

㉖ ✕ 短2度上に移調したことになる。

㉗ ◯

㉘ ◯

㉙ ✕ 長3度は半音四つ分なのでソ♯である。

㉚ ✕ ロ長調ではなく、変ロ長調。ハ長調の主音ハ（ド）から長2度下は変ロ（シ♭）。変ロを主音と長調で、調号はシ♭、ミ♭である。

㉛ ✕ 短3度は半音三つ分の音程である。

㉜ 図式期に見られる「知的リアリズム」は、ローエンフェルドが名付けた。

㉝ ピアジェは、幼児の造形に関する発達表現のうち、初期に見られるスクリブルを分類した。

㉞ テーブルを囲んで家族が食事している絵で、テーブルの四方に人が倒れているように描かれる表現は、多視点表現である。

㉟ 横から見た乗り物の絵の下に地面のような線が描かれる表現は、図式期の特徴の一つである。

㊱ 看板や運動会のゼッケンなどの配色で、目立つようにするには、明度を高くすると良い。

㊲ 色水あそびで、同じ量の異なる2色の色水を混ぜると、どんな色でもきれいな色水ができる。

㊳ エリック・カール（Eric Carle）が描いた『はらぺこあおむし』では、オリジナルの色紙が貼られた「コラージュ」技法が用いられている。

㊴ レオ・レオーニ（Leo Lionni）の作品『スイミー』では、転写技法で制作された背景の上に「コラージュ」技法で多くの小魚が制作されている。

㊵ にじみ表現や折り染めを行う際には、洋紙よりも和紙のほうが適している。

㊶ フロッタージュ表現を行った直後に、描いた画面に紙を載せると版画のように写し取ることができる。

㉜ ✕ 知識や記憶を頼りに描く表現の特徴を「知的リアリズム」と名付けたのはリュケ（Luquet, G. H.）である。

㉝ ✕ 初期のスクリブルを分類したのはケロッグである。

㉞ ✕ 展開図描法である。箱などの立体を平らに開いたような表現で、立っているものや座っているものなどが、上から見て倒れたように描かれる。

㉟ ○

㊱ ✕ 目立つためには色の強さや鮮やかさを表す彩度を高くする。

㊲ ✕ 類似色同士の混色ではきれいな色ができるが、反対色や補色同士の混色では黒ずんだり濁った色になる。

㊳ ○

㊴ ✕ 『スイミー』に登場するたくさんの小魚は「スタンピング」技法で制作されている。

㊵ ○

㊶ ✕ フロッタージュ表現ではなく、フィンガーペインティングなどの絵の具を用いる表現で、画面が乾く前であれば写し取ることができる。モノタイプという技法。

㊷ 土粘土が柔らかすぎて、形を作っても粘土の重さ
でつぶれてしまい、うまく作れない場合は、硬くす
るために新聞紙の上において陽に当てたり、木の
粘土板の上でこねたりする。

㊸ でんぷん糊は水溶性なので水でゆるく伸ばすこと
ができる。

㊹ 牛乳パックから紙を手作りする際には、牛乳パッ
クを洗ったらすぐに細かく切って、水と一緒にミ
キサーで撹拌する。

㊺ 一本足で立つやじろべえを作るとき、「バンザイ」
のポーズのように両腕を上にあげると安定して立
つ。

㊻ 風のない日の公園の池に木が逆さまに映って見え
た。このように、同じものが逆さまに映る構成をシ
ンメトリーと呼ぶ。

㊼ サイコロの形を作るには、同じ大きさの正方形が
6個必要である。

㊽ 虹や夕焼けなど、色が少しずつ均一に変化してい
る状態をプロポーションと呼び、調和のとれた表
現となる。

㊾ 『いないいないばあ』の作者は佐野洋子である。

㊿ 保育士等は、文字について直接指導するのではな
く、子どもの話したい、表現したい、伝えたいとい
う気持ちを受け止めていく。

㊷ ○

㊸ ○

㊹ ✕ 洗った牛乳パックは
表面に防水のコー
ティング（シート）
が貼られているた
め、細かく切る前に
水につけてコーティ
ングを剥がす作業が
必要。

㊺ ✕ やじろべえは「つり
合い」を用いた造形
なので、両腕は支点
となる一本足より下
側に向け、できるだ
け長いほうが安定す
る。

㊻ ○

㊼ ○

㊽ ✕ 色の階調の均一な変
化は「グラデーショ
ン」と呼ばれ、隣り
合う色がとても近似
しているため調和し
やすい表現となる。

㊾ ✕ 『いないいないばあ』
の作者は松谷みよ子
である。佐野洋子の
絵本には『100万回
生きたねこ』『空と
ぶライオン』『ピー
ターと狼』がある。

㊿ ○

㉛ 絵本は常に標準語で話すことが求められる。

㉜ ペープサートは、平面だけの絵本では表現しきれ
ない楽しさを子どもたちに伝えることができる。

㉝ 紙芝居や絵本は子どもの反応を見ながらアドリブ
を入れて読むと良い。

㉞ イソップ物語とは、イソップ寓話ともいい、特に動
物、生活雑貨、自然現象、様々な人々（旅人など）
を主人公にしたものが有名である。

㉛ ✕ 方言や古い表現で書
いてある場合は、そ
の地域の文化などを
伝える意味でも書い
てある言葉を忠実に
再現する。

㉜ ◯

㉝ ✕ 絵と文字がバランス
よく作られているた
め、アドリブは入れ
ずに言葉のリズムを
大切にして読む。

㉞ ◯

著者紹介

● 編　集 ●

中央法規保育士受験対策研究会

● 執筆代表 ●

橋本圭介 (はしもと けいすけ)

ヒューマンアカデミー通信講座・保育士講師(主任)、学校法人三幸学園大宮こども専門学校専任講師、豊岡短期大学こども学科非常勤講師、姫路大学教育学部非常勤講師、あさか保育人材養成学校主任講師、社会福祉法人友愛会川口アイ保育園理事長ほか

● 執筆者 ●　五十音順

綾　牧子 (あや まきこ)

学研アカデミー保育士養成コース専任講師、文教大学非常勤講師

大城玲子 (おおしろ れいこ)

保育士、ヒューマンアカデミー通信講座・保育士講師

河合英子 (かわい えいこ)

元 学校法人三幸学園大宮こども専門学校専任講師、元 小田原短期大学保育学科非常勤講師

喜多﨑薫 (きたざき かおる)

総合学園ヒューマンアカデミーチャイルドケアカレッジ東京校非常勤講師、あさか保育人材養成学校講師

喜多野直子 (きたの なおこ)

管理栄養士、保育士、学校法人三幸学園東京こども専門学校専任講師、東京医療秘書歯科衛生＆IT専門学校非常勤講師、小田原短期大学保育学科非常勤講師、栄養セントラル学院講師、あさか保育人材養成学校講師

児玉千佳 (こだま ちか)

チェロ奏者、ヒューマンアカデミー通信講座・保育士講師、学校法人三幸学園大宮こども専門学校専任講師

佐藤賢一郎 (さとう けんいちろう)

常磐大学人間科学部教育学科准教授

新川加奈子 (しんかわ かなこ)

医学博士、精神保健福祉士、ヒューマンアカデミー通信講座・保育士講師

中山麻子 (なかやま あさこ)

臨床心理士、公認心理師、小田原短期大学保育学科非常勤講師、あさか保育人材養成学校講師、学校法人三幸学園大宮こども専門学校・大宮医療秘書専門学校非常勤講師

■ 本書に関する訂正情報等について

本書に関する訂正情報等については、弊社ホームページにて随時お知らせいたします。下記URLでご確認ください。

　　　https://www.chuohoki.co.jp/correction/

■ 本書へのご質問について

本書の内容に関するご質問については、下記URLから「お問い合わせフォーム」にご入力いただきますようお願いいたします。

　　　https://www.chuohoki.co.jp/contact/

できる！受かる！
保育士試験合格問題集2025

2024年8月10日　発行

編　集　　中央法規保育士受験対策研究会
発行者　　荘村明彦
発行所　　中央法規出版株式会社
　　　　　〒110-0016　東京都台東区台東3-29-1　中央法規ビル
　　　　　Tel 03(6387)3196
　　　　　https://www.chuohoki.co.jp/

印刷・製本　　　　　　　　株式会社アルキャスト
装幀デザイン　　　　　　　株式会社ごぼうデザイン事務所
本文デザイン　　　　　　　株式会社エディポック
キャラクターデザイン　　　タナカユリ
本文イラスト　　　　　　　小牧良次(イオジン)

定価はカバーに表示してあります。
ISBN978-4-8243-0087-4

介護・福祉の応援サイト "けあサポ" で受験対策をさらにバックアップ！

けあサポ・受験者応援「保育士」コーナーでは、日々、問題にチャレンジできる「今日の一問一答」、保育士試験の出題傾向を科目ごとに解説する「受験対策講座」、受験情報をお届けする「最新ニュース」などを順次、掲載。受験対策のサポートとして無料でご活用いただけます。

「今日の一問一答」

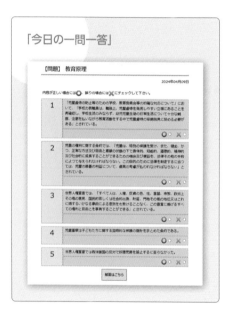

「受験対策講座」

https://www.caresapo.jp/

アプリ版はこちら⇒

スキマ時間を活用しよう！

保育士合格アプリ2024
一問一答＋穴埋め のご案内

2024
保育士
合格アプリ
中央法規

効率よく学習を進めるには、スキマ時間にサクサク解くことができる
アプリの活用がおすすめです。まずは「無料問題」をお試しください。

「無料問題」お試しの手順

1 アプリのダウンロード

ご利用のスマートフォンに合わせ
て、右のQRコードからアプリを
ダウンロードしてください。アプ
リのダウンロードは無料です。

iPhone

Android

2 トップ画面の
ダウンロードボタンを選択

トップ画面のダウンロードボタン
を押して、ダウンロード画面を表
示してください。

3 【一問一答】無料問題の
「ダウンロード」ボタンを選択

ダウンロード画面のいちばん下の【一問
一答】無料問題の「ダウンロード」ボタ
ンを選択すると、無料問題30問が表示さ
れ、学習を開始できます。

※「合格アプリ2025」は、2024年10月下旬リリース予定です。